林慶彰 總策畫

民國時期稀見期刊彙編

第一輯

史學科研究年報④

臺北帝國大學研究年報

第四冊

臺北帝國大學文政學部

史學科研究年報

第四輯

臺北帝國大學文政學部 史學科研究年報 第四輯

目次

足利後期の

遣明船通交貿易の研究

小葉田淳

足利後期の

遣明船通交貿易の研究

小葉田淳

序　言

本論文は足利時代の後期永正以來天文に至る遣明船通交貿易に關する研究である。自分は曩に神戸市の依囑に依つて中世の外國交渉と兵庫との關係を執筆した際に、大體應仁以前の遣明船通交貿易を主題として考論した。本論は之を承繼して、首尾一貫せしめたものである。唯、此間、自分の記述に漏れたるものに、文明明應年間前後三回の遣明船がある。

此三回の遣明船に於いては、堺商人が從商人として最も活躍しており其發遣に至る迄の種々の事件的經過に關しては、恩師故三浦博士の執筆された堺市史本編第一卷・第二卷に詳細なる記載があつて殆んど絮說の要はない。然し遣明船の一般的考察、乃至は遣明船通交貿易の發展過程の上の考覈として、曩の機會にも要述してゐるし、本論に於いても言及してゐるから自分としても此前後の二論を以て一應遣明船通交貿易を概觀し得たるものと信ずる。

曩の論に於いて應仁の遣明船迄を主題とせるは、勿論執筆の動機に基いたものであつたが、遣明船通交貿易史に時期を劃するものとすれば恰も此際を以て最も至當とする。從來、遣明船を三期に區分し、第一期を義滿時代即ち應永年間のそれとし、第二期は永享六年以後寶徳三年の遣明船に至るまでとし、第三期は寛正六年應仁年間の渡航以後最終の天文十六年遣明船迄とする事が行はれてゐる。栢原昌三氏史學雜誌二十五・二十六日明勘合貿易に於ける細川・大内二氏の抗爭、三浦博士日本史研究第二輯所收日明貿易の發展　其理由とする所は論者によつて一定しないが、何れも相當の根據あることは認められる。自分は此處に其等の批判を述べる事は差控へるが、既に曩の論著に於いても充分に之等の諸點にも應へてゐるであらう。例せば三期區分の憑據となれる永樂・宣徳兩要約の如き自分としては根據なき存在と信ずる。義滿時代の遣明船の經營・從商貿易等一般的事情の詳細は不明であり、特に次の遣明船との間に義持の絶交時代を隔つるが故に、特に一期を作る事を便宜とするには自分も贊成する。寶徳以前と文明以後の遣明船は、㈠遣明船の經營組織　㈡明に於ける諸制度　㈢貿易事情の諸點より見て顯著な推移を示しており、應仁寛正遣明船が大體より論じて其過渡期に相當する。

文明以後の遣明船に於いても、明の諸制度・貿易事情の如きも或は徐々に或は新規の推移を遂げてゐるが、遣明船經營組織の立場より見て、永正以後一段の變展を示した。(イ)經營上の大内氏勢力の伸張　(ロ)細川氏の退歩と別船の派遣　(ハ)堺商人の獨占的從商貿易よりの後退　(ニ)大内氏經營下の抽分錢の復活等は其主なる事項である。之等の事情が又明の諸制度の上にも交互に作用した。例せば明にては永正以來、遣明船が將軍の自主的の發遣にあらずして豪族の計劃に出でたるものである事を察知するに至つたのであり、遣明船に對する諸種の制限的監察的態度の變化に微妙なる動機ともなつた。大内、細川兩氏の勢力消長の磨擦が寧波の亂の導火線となつた事は周知の如くであるが、其事件の明の制度乃至態度の上に與へた影響は大きい。然し自分が本論に於いて永正以後の遣明船を對象とせるは、必しも此點に理由があるのでなく、前述の如き便宜的のものである。

顧れば前後約四箇年公務の餘暇を以て、ともかくも自分として一應遣明船通交貿易を概觀し得た。此間に前賢先進の研究より得たる學恩は甚だ深い。就中故栢原昌三氏の「日明勘合貿易に於ける細川大内二氏の抗爭」史學雜誌二十五・二十六「日明勘合の組織と使行」史學雜誌三十一は當時に於ける劃期的文獻といつて過當でない。恩師故三浦博士の日明關係の諸論著多きが中にも「日明貿易の發展につきて」史林一二ノ一、日本史の研究第二輯に收むは卓越した見解を提示され、堺市史中に文明以後堺津出帆の遣明船を主として其事件的經過に委曲を盡した敍述をしておられる。　故後藤秀穗氏の日明關係論文は氏の畢生の業たる倭寇の研究を核心とせるものが多いが、豐富なる明代史料の驅使と其批判の法に於いて自分を啓發する事頗る大きかつた。　又辻博士は我が國所存の文書記錄を博捜されて中正なる所論の一端を日明關係史にも示されてゐる。増訂海外交通史話　木宮泰彦氏の日支交通史の中、遣明船に關する部分は多くの論著に由據せられてゐるが、綜合的敍述に於いて優れたるものあり、隨所に氏の見解を挿入され、傾聽すべきものが尠くない。　勿論之等の研究に於いて、誤解と思はれるもの、新史料によつて新に展開さるべき個々の事實も尠くない。　自分は別著及び本論にては遣明船通交貿易の一般的研究を主としたため、之等の個々の事實に就ては、其若干の批判是正を試みたる外に、一々異論を擧げてはゐない。　唯、かゝる場合にも自分としては相當の根據に卽するものなる事は附言したい。　前揭諸賢の研究は、大體に或は特殊の事項に關するものであり、或は通史的敍述の一部としてなされたものであるから、他の事項事態に言及せず、又一般的研究に徹底せざる憾あるは已むを得ない。　自分は前後の二論を以て何程か一般的研究の上に加へ得た事を敢へて信ずるものであるが、猶不備・未熟の論議多きは自ら知る所であり、或は却つて前賢の正論を覆ふ事あるを虞るのである。　唯、日明關係の研究は今にして漸く序に就ける程度で、將來の進展に俟つべきものなる事は確言して憚らざるものであつて、其意味に於いて他日に對する自分の覺書たらしめんとするものである。

一　永正年間の遣明船

永正六年に細川船一隻、同八年に大内船二隻、細川船一隻が、各春の大汛を利して明へ渡航したのであるが、船の經營者がかやうに決着したまでの經過は鹿苑日錄に據つて堺市史中に詳述してゐる。[1]　明應七年に至つて、九年の後に迫つた足利義滿の百回忌佛事の經費を收得せんために、相國寺側から遣明船を發する議が提議された。　遣明船三隻を相國寺にて經營せんとする希望は鹿苑院の景徐周麟や幕府の權臣伊勢貞宗等を介して幕府へも屢〻申達されたらしいが、翌年の春頃には幕府・細川氏・相國寺にて各一隻を持つといふ事に定議されたらしい。　此時に當つて堺の富豪が千百貫文を出して遣明船三隻の渡航に要する勘合符を領したと傳へられた。　即ち千百貫文は蔭凉軒等緣・伊勢貞宗・安富元家・猿樂與四郎に贈られたといふが、等縁は細川氏の一族の出で前回の明應二年の遣明船には一度副使を任命された者、猿樂は貞宗の家臣で幕府に出入する者である。是等遣明船決定に關する有力者或は特殊の便宜を有した者に禮錢を致した底意は、從前の如く堺商人が從商人及び其貿易を獨占せんとし、勘合の受領者卽ち經營者を自己と不可離の關係に置かんとしたものに外ならぬ。相國寺の長老は蔭涼軒に告げて、幕府に申請する所あつたが、幕府は勘合を賜給するといふ公言を避け、諸老吏に督促するに及んで、未たかゝる報告は出でてをらざる旨を回答した。周麟は之を記して「而亦竊令富兒與二勘合一云々、吁、船者相國、而相國不レ知焉」といつてゐる。

其内に又太秦の廣隆寺が遣明船を申請し、幕府では同寺に對し、三百貫文を禮錢として納むべきを命じ、廣隆寺では其減額を請うたと傳へられた。果して然らば、幕府船・相國寺船の孰れを以て廣隆寺船に代へるかゞ、相國寺側の懸念する所であつたが、六月に至つてかねて相國寺船とされた第三號船を相國寺廣隆寺の孰れにも與へず、幕府船と決定された。卽ち蔭涼軒等縁は細川政元の狀を提出して第三號船を廣隆寺に與へられん事を申請したので、將軍義澄は政元は第二號船を既に得たる上に更に求むるは不當なりとして、結局幕府船とする事にし、之を政元に通じたので、政元は廣隆寺の事は關知せずとて幕府船に決するを可とせる答書を呈出した。幕府は政元の答書に御教書を副へて貞宗に其旨を告げた。廣隆寺船に就き等縁は政元の狀を以て幕府に申請したといふに拘はらず、政元の答狀に關知せずとあるから、或は等縁の奸謀に出でたことかも知れぬが、第三號船は結局幕府船に併されたので、周麟も「隷二于寺一而以二僭袍一奪二此船一、以爲二公船一者也、起二于欲心一、吁」と記し、堺商人と結託して利を私する陋劣を責めてゐる。同年七月幕府は北鹿苑寺の泰甫和尚を以て正使とし、貞宗は周麟に命じて其旨を泰甫に傳へしめ、又周麟に告げて幕府の意向として今回の遣明船を幕府船とせるは義澄の鈞軸を秉つて最初のものなるが故であり、今後の派遣には必ず三艘を相國寺に附すべしと告げ、又相國寺船派遣の目的であつた義滿百年忌佛事費のため公文寄進の意を示し、其意を迎ふる所があつた。

同年八月幕府にて弘治の新勘合三道を取出し、第二號は政元の許に交付され、第一號・第三號は別人に付されたのであるが、之が東福寺の了菴桂悟の手に歸した。泰甫の談によると、前年大内氏が杉勘解由に命じて明への進貢物を調達せしめたが、龍安寺と堺商人とが謀つて奪つたが故に、大内氏は東福寺に此物を寄附し勘合を取つたのであるといふ。前回の遣明船では當初に一號・二號・四號の三隻を相國寺に寄附し三號船を大内氏に與へるといふ事であり、後一號・二號を幕府船とし、三號船大内船と倶に船舶の調達其他に大内氏を煩はす事となつた。然るに其後細川氏は隱然反對の態度を執り、延德二年閏八月果然一號・二號・三號の三船を悉く手中に收めた。細川船の出資者は堺の商人で、政元の緣者上司遊初軒等緣に既に交付されてゐた成化の第一號・第二號勘合は堺商人の勸告で景泰第十號・第十一號に代へた程である。泰甫の談に「中道而龍安寺與二泉南之界人一相謀以謀レ之」とあるは右の經過を指すので、龍安寺は細川勝元の開基であり、此結果は計畫のみで大内氏の遣明船は行はれなかつた。更に又泰甫の談に據れば、當時勘解由の被官が堺に在東福寺領德治庄主の健都寺も周防より來て、東歸長老が之を誘ひ、三百貫文を納めて勘合符を取つたといふから、進貢物を東福寺に附し、之を以て勘合下附の禮錢としたといふのは誤聞で、堺の杉の被官や健都寺の手で支辨された三百貫文を禮錢としたのである。同じく泰甫の談に「進貢物大内已調レ之」とあれば、前年調達した進貢物の其儘に準備し得たものが多かつたであらうし、又「乘船者、或中國之者、或界之杉之幕下者、是皆乘船」とあつて、堺居住の杉の被官が或は從商人として搭乘する事が豫測され、禮錢三百貫文の支出に加つた理由も明かである。　周防國徳地庄は東福寺有數の寺領で、庄主の上洛は或は大内氏の請託せる所もあつたであらうし、之に東歸光松が參劃して、東福前住の桂悟の手で勘合符收得が成功したのである。かくて大内氏は第一號船・第三號船を占め、細川氏は第二號船を派遣する事になつた。　桂悟は泰甫に代つて正使となり、副使に光堯西堂が選ばれた。　義澄の國書は弘治十九年（永正三年）正月十九日の日附で、桂悟は同年二月頃堺に下向した。　十一月に住吉を出帆して兵庫に到り次いで山口に赴いた。　永正六年五月桂悟は赤間關に出で、翌年正月十一日博多を出帆したが、途中逆風のため歸り、四月頃には一號船は五島奈留浦に泊してゐた。

　同年十一月桂悟は三條西實隆の取次を以て遣明使を辭したき旨申出でたが、十二月幕府は之を聽かざる事に決した。(2)

　大内船の艤裝は博多にて完了したものであらうし、細川船は別に堺より出でて博多にて會同したものかとも推想される。　明應八年九月泰甫和尚は、遣明船歸朝の途は大内氏領内を撰ぶは必然であるが故に大内氏が前年の憤のため細川船を押置せん事を憂へ、幕府より東福寺に命じて證狀を作らせ「并界之乘船者註二名字一以校焉者明白」といひ、歸朝次第速かに船を歸着せしむる事を周麟より申請せしめた。細川船は前年來の慣行に據り堺商人が抽分錢を請負へるもので、船の經營費は大體堺商人の獨占下にある從商人の乘船賃・荷物料等の出資に係り、堺港にて艤裝を完了したものであらう。故に細川船の堺歸着を泰甫も述べてゐる。博多・門司の商人は之に反し歸朝後の抽分を慣行としたやうで、之は勿論博多で艤裝を完了する。之等の點に關しては後に述べる。

正使桂悟・副使光堯の外に、所謂官員として異國出契・壬申入明記に見ゆる名に、居座玄衞・同光悅・同省佐・同宗設・同永賢、土官宗棟・同勝康・同安範、通事沈運等がある。居座玄衞は實隆公記永正三年十月十一日の條に「東福寺玄衞藏主（字伯奇）持二了庵并喝食等書狀一來」とある玄衞藏主其の人であらう。居座省佐は第三號船に乘じたやうである。（實隆公記永正五年八月七日）翰林葫蘆集に據ると、貞友竹・桂岫久が渡明した事が見え、又實隆公記に慈照院の珊藏主の渡航の事が記されてゐる。猶次回の細川船の使者となつた鸞岡瑞佐が、此際も多分從僧として渡航したので、壬申入明記所收の呈疏文に周良が東樵の製作なる事を朱記するものが尠くない。東樵は瑞佐の號である。瑞佐が次回の渡明のため堺より土佐を經て日向に到つた時、永正十七年夏其師待雨と會し待雨瑞佐のため詩を賦したが、其文に「公嚮在大明國、所著詩文、諸儒搢紳競借而謄錄焉、通事舍人鄭公、記其事詳焉、又近歲琉球國人到大明、明人問曰、正德某年日本遣號東樵者、蓋是倩(借歟)朝鮮之人以來之歟、何其文字氣脈與吾國相似也哉、其說傳播日隅等之間、予今來此地而得親聞也とあるは、卽ち其渡航に關する記事である。（日下一木集）其詩文に秀れたるは、滯明中正使等に代りて疏文等を草せる事實にも窺はれる。周良が、渡明に際して博多に滯留した時、瑞佐の詩文を誦し「東樵ハ鸞岡ノ表德號也、聯句詩ノ跋也、寫以示后學」とて、摘記した文に「余昨暮聽兩對臘梅而閑坐、忽剝啄在階、出迎則安山繼光主盟也、于時懶翁亦在座、余欣然卽指梅吟五字句、繼光言下酬對、爾來各吐奇呈新、琅琅乎如編貝珠、陋室俄生輝光、豈可不喜乎哉、余雜瓦礫其間、唯恐觸著他、還生瑕纇也矣、漸汗々々、己巳蜡之廿六日東樵書之」とある。正使桂悟は永正六年五月一日に赤間關に越し、次いで博多に赴き翌年正月十一日には博多を出帆したのであるから、己巳蜡月卽ち永正六年十二月の末には、既に出帆の期迫り、大内船細川船の孰れに乘坐するにしても博多にあつたものであらう。繼光は博多の寺院名であるが、或は同渡の一人とも考へられ、梅吟五字向の唱和も待雨のいふ大明に在る日の詩文の書の一かも知れぬ。（策彦初渡集天文七年九月四日）又桂悟に從渡したものに三條西實隆の子桂陽喝食のあつた事は實隆公記に疊見してゐる。 待雨の文に鄭通事とあるは、壬申入明記に屢〻疏文を製作し、又瑞佐の作を添削せるを朱記せる鄭通事で、鄭澤通事ともある。 通事には沈運・鄭澤の以外に壬申入明記に沈呉二通事とあり、沈氏は沈運であり、他に呉氏があつた譯である。 景徐周麟の送錢宗璃入大明と題する文に據ると、桂悟と倶に渡航した通事錢六官宗貞は通事として長く幕府に仕へて文明八年の遣明船にも通事であつたらしく、永正六年には惣通事として正使に随伴した。 其子宗璃は久しく我が國に生活したためか、明の言葉を識らず、通事の業を継ぐ事が出來ぬので桂悟は特に之を愍み随行を許したといふ。（翰林葫蘆集第七巻文） 初渡集嘉靖十八年九月十三日の條に錢得保官人原　上國定海縣人也、百餘年之先、吾國邊海賊破定海關、驚擾群黎之頃、擒數ケ人而還、錢得亦其一也、遂僑居于弊邦冷泉之津、事達京師、吾國王垂憫、遇待隆盛、貴異邦人物也、茲有岡部寶住者、謂人云、保官人雖云停囚、非其罪也、以其親族之子妻之、無幾年産宗黃、官人棄世之後、國王俾宗黃通支倭兩國之事、蓋以其便言語也、兩觀上國之光、勤爲入貢之事、宗詢乃宗黃之令子也、正德六年吾邦修職貢、宗詢亦從專使入上國、今復居通事之列而來」とある。 宗黃は翰林葫蘆集の宗貞であり、宗詢が宗璃であらうと思ふ。

永正七年正月博多を出帆し、平戸邊りに停泊した頃かとも推せられるが、二月廿六日の日付で、大内義興は矢田義宣に宛てゝ、渡唐船の近々出洋すべしとの注進ありしを告げ、無事歸朝を待入る旨を書送つてゐる。（萩藩閥閲錄百一 矢田庄左衛門）天文八年の遣明船に矢田增重が士官として、同十六年の遣明船に矢田三郞兵衞、同民部が用人衆として乘坐してをる例もあり、義宣は大内船の士官として渡航したものであらう。(3)

三隻の官員人伴併せて、壬申入明記所收の桂悟等の書狀に六百餘名とあるが、日本一鑑に六百六十八人と記すは確かな憑據あるものであらう。（富岡本日本一鑑窮河話海卷七貢人、同書の貢人數に就きては後段參照）

遣明船三隻は弘治の勘合符第一號より第三號迄を携へ、景泰の舊勘合符八十七道及び成化の舊勘合符九十八道、底簿各一扇を携へた。（鹿苑日錄 明應八年八月十九日・十二月廿三日）

然るに細川氏は別に一隻を渡航せしめて大内氏と隻數を同じくせんとし、宋素卿を綱司とし、佐々木永春を副へて派遣した。其携へた義澄の國書に「今有進貢之事、例遣三船外、別發四號船。（中略）乃幹厥蠱、其心欲吾都邑建孔子廟、敎民興學、庶俾是荒服移爲闕里」とある。（異國出契）永春は江州の人で、明應二年秋桂菴玄樹を飫肥の安國寺に訪うて師事し、翌三年春桂菴の薩南桂樹院に遷るや、又來遊一旬餘にして辭去した。蔵端正の「贈日本桂菴樹禪師詩序」に、弘治（八）乙卯仲秋既望、永春來訪して玄樹の學德を稱し、七言二絶を贈られたるを以て上國の名卿鉅儒に和韻を索むるを告げたとあるが、「弘治九年歲在丙辰七月既望」の洪常經の島陰集序も亦彼の請得したものであらう。明應二年三月正使壽蓂の遣明船三隻は堺を出帆したが、明應四年の春の大迅に渡航したのであつて、西國に暫く滞泊したものと見える。永春は西國にて便乘渡航せる事はいふまでもない。彼を使人とする船が孔子廟を建てゝ儒教を興隆せん事を以て遣明の目的に揭げた事は、人を得た事でありかゝる希望もあつた事であらう。明の史籍には孰れも宋素卿等が孔子を祀る儀註を請うて之を拒絕した事を記してゐる。されど細川氏の遣明船發遣の事情は勿論他に在つて、從來明に於いて貢船三隻の制規があるが故に別に第四號船を渡す事には特殊の理由を示す必要を感じた事であらうし、孔子廟建設の申請の裏面にかゝる意味が無いでもなかつたであらう事は右の圖書に示す通りである。宋素卿等は弘治の勘合符第四號を齎らしたものと思はれる。

宋素卿等の細川船は南海路を經て渡航せる事は、壬申入明記所收桂悟の呈疏中に見える。渡航の時期に就いて籌海圖編に、正德四年 永正六年 五月にかくるは其後の皇明實錄の記載事實に要照するも根據あるものと認定したい。（籌海圖編卷之二倭奴朝貢事略）然らば永正六年春の大汎を利したものである。同年十一月禮部奏して、明年正月の大祀慶の宴に朝鮮の使臣の如きは殿東の第七斑に列するが、今來る日本國使臣は宴に會する例が無き故に、朝鮮の例の如く殿西の第七班に列せしめん事を請ひ、聽許された。又禮部奏して日本國進貢の例は三舡たるに今一舡に止むるが故に、賞する所の銀幣は三分の一に節し、又表文なく禮部宛の咨文のみを齎らせるが故に、勅書を賜ふべきか否か上裁を請ひ、旨を得て勅を寫さず、所司より文を移さん事を述べ、同じく聽許せられた。（皇明實錄正德四年十一月乙卯）これに據ると十一月中には既に宋素卿等は入京してゐたのであらう。皇明實錄の翌正德五年二月己丑の條に「日本國王源義澄使臣宋素卿來貢、賜レ宴給レ賞有レ差」とあるは賜宴給賞の時日にかゝるものである。

宋素卿は本名朱縞で浙江鄞縣人、弘治八年壽蓂等の寧波に到つた際、其父は朱漆匠で從商人湯四五郎より漆器の代價を受領し、翌年歸國に臨んで猶漆器を交付せず、遂に子朱縞を債務方に塡去せしめたのである。朱縞の叔父朱澄は素卿の貢使として到るを見て、其レ起京に隨つて蘇州閭門に到り伴送官に混じて素卿たるを確しめ、遂に彼の素性發覺し守臣より拨夷の重典に處論すべきを聞した。正德五年四月武宗禮部に下して議せしめ「素卿以中國之民潛從外夷、法當究治、但既爲使者、若拘留禁制、恐失外夷來貢之心、致生他隙、宜宣諭德威遣之還國云々」との申奏に従つた。籌海圖編、日本一鑑、殊域周咨錄等の諸書何れも太監劉瑾に賄賂を贈り、劉瑾は澄既に自首したるを以て其罪を許さん事を請うた事を記す。　素卿は先に京にあつて劉瑾に黄金千兩を饋し、飛魚服を得て「陪臣賜飛魚前所未有也」と稱せられた程で、かかる裏面工作があつたかも知れぬ。（4）皇明實錄正徳五年二月乙丑、夏四月庚子、富岡本日本一鑑卷之七市舶、殊域周咨錄卷二日本　素卿の船は表文を持たず、既述の義澄の書は禮部宛の咨文であつて、明よりは國主（將軍）への賜物なく唯附搭品に對する賞ありしのみで、勿論勅書や新勘合符の頒付等は無かつた。後に桂悟に對し南京禮部や北京司務陳氏の語つた内に「備所謂　朝廷亦能知之、故不賜王妃之贈并勘合等、只憫其遠來、渥沐恩賜、返之而已矣」とある。　素卿の船は第四號船の形式で渡船したのであるから之は當然である。　恐らく正徳五年 永正七年 の五・六月歸航した事であらう。

正使桂悟の率ゐる三隻の遣明船は永正八年 明の正徳六年 の春の大汛を利し渡航したものと思はれる。　異國出契に收むる正徳六年六月廿三日付の三紅從人等より桂悟に呈した書狀に、篷破れ紅漏れ、朝貢物件は濕爛し、麻纜は久しく水底に沈んで蟲損し、鬱蒸の際とて獺皮の如き脱毛して其損害莫大に達するを以て、「伏承老公々曰、廿四五日可」出」賜行李」、歡喜無」極矣、僕」指以待焉、官命復遲々、則如何乎、腐」損貢物」、蕩」盡財産」、と述べ、他日責を受けて歸國後誅戮せらる程ならば、大國中國に死するも一なりとて、自ら封印を破り物件を收取せんと極言してゐる。　遣明船が寧波に到着すると、早き時は數日にして、市舶太監・按察司の官吏〇普通副使・寧波府知府・鄞縣知縣・市舶提擧司提擧等が、一號船の進貢物以下、正副使・居座・土官等の貨物、從商人の附搭物等を盤驗し、順次二號船、三號船所載のものに及ぶ。　盤驗終へたものは東庫に入れ、盤驗證明には正使以下の官員が列する。　盤驗終了せざる間は貨物を荷揚げしても、自由に開封する事も出來ぬ。　右の三艘從人等の書に「况頃者著船之輩」とあれば、三隻の內遲れて到着したものもあつたであらう(5)。　使人等嘉賓館に滯泊してゐる間に、日本貢舶到着の事が北京に報告され、起關すべしとの禮部の劄が到り、按察司、知府より起京人員幾人の牌を示される。　正德六年九月日付恐らく知府に宛てたと思はるゝ正使桂悟以下の連署の呈書は、起身唯五十人にして皆怨戾を懷くを以て二百九十二人俱に杭州に赴かん事を請うたもので、かゝる際のものである。　起京五十人の制限は弘治九年壽蓂一行が濟寧にて事件を惹起したるを機會として、規定されたものである。

遣明使一行の其後の明地に於ける消息を明かにする爲めには、勿論壬申入明記に據らなければならぬ。壬申入明記は正使桂悟・土官勝康・惣船頭重秋等の明官司に宛てたる計三十通の呈疏文を收め、其日付の序・內容の順、孰れも一定せずして而も多く日付を缺く。妙智院所藏の原寫本は周良筆のものと考へられ、恐らく彼が渡明に際して主として明官司との應答等に要照せんため辭文を摘寫じたものかと思はれる。されど三十通の疏文の內容を檢して、日付缺くるものも略〻其年月を決定し、遣明使一行の消息も窺知し得る。

周良自筆の初渡・再渡入明記の卷初及び卷末の餘白は悉く自筆備忘記にて塡られ、內容は文筆の應酬若くは詩句の唱和に必用なる文句、又は在明日用の事物名句等である。各卷初事文記の初に續筆・三筆・南遊集・再渡集上・再渡集下等としたるは、その初卷初一葉の餘白を存し其左上隅に各卷日記の題名として周良の標書したものである。大日本佛教全書遊方傳叢書四の編者は、第一卷を續筆とせる點より推し、初筆には足利氏大明交通の來歷、若くは天文年間自身入明に至れる事情、水陸準備等を序記せんとしたるものならんといひ、同叢書に入明諸要例として揭出したるものは、卽ち應仁二年戊子入明記・渡唐方進貢物諸色注文・至大唐御進物別幅分・大明譜等は、或は序記の材料として和尙自身が存錄せしものを含めるに非るかとなしてゐる。壬申入明記を檢するに、書狀の後に東樵の製作或は鄭通事の製作たるを多く朱記し、特に第廿八號文書の後に「此文鄭通事作」之、用二此式一也、後人着眼見レ之、莫レ論二文之巧拙一」と記し、巻末其他文書間に記せる辭句は兩國通交に關するものを集錄せるものである。且、文書寫の順序は日付或は内容に依らず、却つて日付、差出人名等を筆略せるものが尠くない。之等を總合して見るに、周良の壬申入明記を手寫せる目的は、かの足利氏通交の來歴を序せんとするよりは、滯明中に於ける明人との應答に參資せんがためかと思はれる。

同書の冒頭に第一號書狀に先んじて、「依樣葫蘆」と記してゐるが、之やがて此書抄寫の目的とする所を簡明に表現したものといへよう。

壬申入明記所收の文書に假に第一號以下第三十號の番號を附し、内容を比考し、記された年月を考察しよう。

第一號　日付・差出人缺

土官勝康の書狀なる事は文中に明記がある。始めに「船隻到レ岸、經二數日一、缺二貨船人夫一、不レ能二入城一」とあれば寧波到着の際のものと考へたいが、「三伴送大人不レ見二一人來顧一」とあり、三伴送官は寧波より起京の際添へらるを以て、或は杭州・南京等に當着せる際のものかとも疑はれる。

第二號　正德七年八月付正使桂悟、副使光堯、居座玄衞、土官勝康、通事沈運連署狀

之は杭州にて認めたものである。次號參照。

第三號　日付缺　桂悟等書狀

之は杭州にて正德七年七・八月認めたものである。桂悟等の南京着は早くとも正德七年四月末であつたが、南京にて宋素卿の船の例に倣ひ、刀價每把新舊錢三百文を賜はり、猶附搭三千把のみにて使臣私進物は收めざる旨を達示せられ、南京にて其舊規喪失の事を屢〻呈疏した。「舊季於二蘇州一呈疏、以稟二此事一」とあるは同樣の呈疏で、之は南京よりの歸途と見らるゝが故に、閏五月頃かと思はれる。同年六月中には寧波に來り、七月

には再び杭州に滯在してゐたと考へられ、(第四號參照)未進分附搭刀四千把並に使臣自進刀劍すべてを收買して弘治年間の例により給價するといふ勅書の寫を寧波に於いて披見し、八日(多分七月)に杭州に來たのである。(第十四號)本文書に「以レ此諸位老爺、唯愚訟奏達、蒙二聖旨一國王附搭・使臣自進刀都准二進收一後不レ爲レ例、刀價依二弘治年間支給一」とあるは勅書の事を述べたものである。然るに今布政司文書を見るに弘治八年一千八百文の例を捨てて弘治九年三百文の例を用ふといふので、八年の例に依らるべきを要請したのである。布政司に宛てたものであらう。

第四號　正德七年七月　市舶司老公宛　士官勝康書狀

本文中に「倭人數百人、在二寧波府一者、動犯二嚴令一恣遊行、想是勞二尊念一、眷々導諭得二無事一、何惠加レ之、況今老少若干名、到二此地一、或訪二勝境一、或議二交易一、不レ朝二帝闕一之恨、頓氷泮矣」とある。恐らく正使以下若干名が再度杭州に到れる際のものであらう。市舶司老公は提擧で、「今日雖レ可二拜謁一云々」とすれば、當時杭州に滯在してゐたものと見える。

第五號　日付、差出人缺

勝康の書狀なる事は文中に明記がある。本文に「曾承、爾等在レ此、可レ待二聖旨降下一」とあり、「自二去月一至二此日一、中略又不レ聞二京音來一」とあるは、刀劍收買に關する勅書の來到未だなるを指し、「蒙レ命速歸二寧波府一促レ裝、以待二京使回來一」といへるを併考すれば杭州にて認めし事明かであり、而して「南風之來、在二一旬間一」とあり、歸航の期は通常五、六月の前後であるから凡そその日付を察せられる。速かに千八百文の舊價を得て、正德七年の風汛期中に歸國したき旨を陳してゐる。聖旨降下を此地にて待ち、銀を借りて貨物を營辨せよとの釣命を受け「徒然自二去月一至二此日一」とある。七月に再び寧波より杭州に來在しており、南京より歸回出發は五月より早い事は有得ないから、恐らく五月末か、閏五月中に南京より杭州に着到したのであらう。然らば此書狀は正德七年閏五月或は六月のものと考へられる。因みに異國出契の正德七年五月二十日の桂悟等連署の書狀は南京杭州の孰れに於いて認められたものか明かでないのである。

第六號　日付缺　居座光悦等書狀

弘治八年毎把千八百文の例に依り給價を請へるもので、第三號と同じ頃のものであらう。

第七號　(年號缺)夏五月　土官勝康書狀

第十六號より第廿六號に至るものと內容相關聯してゐる。恐らく牙行である高老官・孫瓚・潘五が遣明船寧波到着の際、附搭貨を受領し行販するを約し、其債務を履行せざる旨を告げたもので、正德八年のものである。「此孫瓚付二貨物一經二三歲一、自二今年二月一到レ此」とあつて、其事は明白であるが、第十五號を參照すれば二月に寧波より杭州に三度來到したのである。

第八號　正德八年二月　鎭守劉老公宛　土官勝康書狀

先日王老公より勅に弘治年間の例に據り刀劍給價せよとあるは、毎把三百文の事にて布政司之を惜しむにあらずとて强硬に言渡せるを反駁したる結果、王老公は始めて此地に來任し日本進貢の事實を知らず鎭守老公と議すべきを告げし旨を陳し、鎭守劉氏に對して毎把千八百文の例に據られん事を請うてゐる。王老公は正德年間に左布政司使として王懋中及び王紹があり、其孰れかであらう。初渡集に據ると嘉靖十八年六月廿九日碩鼎等が欽差鎭守浙江等處地方兼管市舶御馬監太監劉氏に呈した書狀に鎭守老公と宛ててゐる。正德四年頃、鎭守浙江太監劉璟の名が見えるが、此書狀は劉璟に宛てたものであるまいか。(弇州史料前集卷之十三)第七號・第十五號に據れば此歲二月勝康等は寧波より杭州に來ており、本文は勿論杭州に於いて認められたものである。

第九號　日付、差出人缺

士官勝康の書狀なる事本文中に明記がある。「康等所レ訴、刀價賜不二復舊例一、則今年留二浙江之地一、再待レ蒙二勅諭一、可レ歸二本國一」とあれば、刀劍給價勅書の到らざる前、卽ち正德七年七月以前のものたるは明かである。前年來、山東等の賊橫行のため北京に赴くを得ず、南京にて賜宴賜衣の儀があつたが、本文では「萬一兇徒來處、不レ服レ誅、則希蒙レ命、將二羸卒一負二弩矢一、抽二寸誠於萬夫之後一矣」等と述べてゐる。

第十號　日付、差出人缺

士官勝康の書狀であらう。文中に「歸國風候、在二五月中旬一、有擇二五月初十日一、出二定海一開洋、六月初可レ到二國境一、中略以レ故二十三日欲下令總船頭重秋領二從人等約十人一、回二寧波府一、先レ期下上船中上、俟二京音至日一、就可二啓レ船歸國一」とあり、京音卽ち勅書未到の際で正德七年五月乃至閏五月のものであらう。此文書に歸國の風候を敍せる條は一般的にいへるまでで、此歲の閏月を考慮してゐる譯でなからう。

第十一號　日付、差出人缺

正使桂悟の書狀なる事本文に明記がある。本文に昨日憲府相君鄭通事を召し、日本人の久しく淹留するは其敎唆する所であるとて、之を痛責せるは甚だ不當であるとて之を反駁してゐる。卽ち「今年逼留事、不レ照二舊規一、特依二國王附搭太刀舊例甚減一、故不レ可レ奏」といふ理由がある。「又久留二蘇州一、待二勅命降一、而赴レ南、拜二受恩賜一、當二此時一南風節已過、何時歸二本國一乎哉」、卽ち桂悟等は蘇州に留まつて勅書の下降を俟ち南京に出發したのは、四月十五日で南京滯在は五月中ばにも及んだであらう。而して「悟等在二南京一愁二告條々事一、列位老爹以二愚訟一爲レ有レ理、差レ官賚レ文此來、與議欲二奏達一」といひ、此刀劍收買につき南京より浙江布政司等と議するため官を派した。官とは多分鴻臚寺梁氏であらう。（第二十八號、第三十號參照）故に刀劍收買の事は「縱雖三六百餘人滅二死此地一、不レ可三奏達一、而豈可レ歸二本國一哉」と强調してゐる。本文書は憲府相君に宛たものであらうが、憲府相君は初渡集の用例を參照すると按察司使であらう。第四號、第五號と第三號との中間、正德七年六月頃のものであらう。

第十二號　日付、差出人缺

正使桂悟の書狀であらう。「昨二十六日伴送官盧大人、回レ自二寧波府一、承二刀價事一、馳レ使告二稟鎭守劉老公一」とあるは刀價の舊例につき提擧の報告を得たのであらう。本文にて先に弘治年間の例に依れとの聖旨ありとし、又弘治年間の收買の實際を陳し、通事稟する所と提擧司報する所異事なからんとし、「希速照二舊例一、出二賜價錢一、不レ失二順風一、可レ歸二本國一、夫歸國必四月之間、寧波府起身、五月梅霖晴、待二順風一歸國」とし、然るに又遠く使を遣し南京或は寧波であらう刀價を告議すれば「則失二順風一必矣」と述べてゐる。之に據ると正德八年二、三月頃の書であらう。

第十三號　日付、差出人缺

桂悟の書狀であらう。本文は附搭硫黃の給價を請うたもので、他の文書に聯關がなくて何時のものか不明である。

第十四號　日付缺　桂悟等書狀

本文に「其價照二依弘治年間例一支行、悟等於二寧波府一見二北京文書寫本一、歡喜如二再生一」とあり、「而五十人今月初八日起二寧波府一到二乎此一矣」とあれば、正德七年の恐らく七月杭州にて認めしものである。（第四號・第五號・第三號參照）

第十五號　（年缺）二月　寧波府老大人宛　土官勝康書狀

舊季刀劍八千把内精緻のもの三千把を進めし時、隷人刀劍を散亂し柄鞘摧破せる者多く、「前日所ニ擇捨一者、若加ニ再装一、與ニ前日所レ收刀一不レ異矣、希再加ニ装治一以奉焉、否則參百把之外、又費幾百乎、希蒙ニ許諾一、不レ然則想是似レ欲レ減ニ刀劍員數一者也」とある。寧波府老大人は知府を指してをり、黄堂は太守の正廳を意味する。是は正德八年寧波にて記され、勝康等は間もなく杭州に赴いたと思はれる。（第七號・第八號參照）右の文によると三百把の破損刀劍の外に猶擇捨されたものが多かつたやうである。前號の本文に「進付者七千、寧波府大人、并提擧司大人、柄鞘破損者三百餘把、擇捨之也」とあれば、正德七年弘治の例により三千把の他に四千把及び使臣自進刀劍を收買する事となり、杭州赴上に先だち破損分三百把を擇捨したのであり、其後又擇捨せる刀劍が多かつたやうだ。

第十六號　（年號缺）四月付　土官勝康書狀

以下第廿五號に至る同じ問題に關係し、孫璜・孫二・汪良佐の債務不履行に就き訴へたもので、正德八年のものにかゝる。主なる被害者は總船頭重秋で、總額銀五百餘兩であり、孫璜等は叔并に兄弟が日本人の資財を持ちて交付すべき白粉・藥材等を購入のため廣東、南京に行き未だ歸らずといひ、「總船頭重秋明日先下ニ寧波一、伏乞老公ゝ捉ニ彼三人一、同其親族共速還了可也、不レ然此三人、又可ニ同下ニ寧波府一、待ニ還了一可レ歸レ之」といつてゐる。

第十七號　（年缺）二月二十日　孫處白宛　重秋書狀

正德八年のものたる事は「所レ約商事、付題給巳歷ニ三歲一」とあるに據つても明白で、商事は勿論前號にいへる白粉・藥材等の購入の件である。孫處白と按察司の官人と思はれるが、正德間按察司副使に孫恭とあるがそれであらうか。

第十八號　日付、差出人缺

多分重秋の書狀と思はれるが、然りとすれば正德八年四月のもので、「生等二十一日幾可二起身一、彼若不二清了一、挐去到二寧波府一、待二清了一之可二放回一」とあるは第十六號と相通ずる。第十六號は、本文に「十八日曾蒙下老公ゝ命二斑頭一促催上」とあり、重秋の明日寧波に下るをいへば四月二十日のものである。

第十九號　正德八年二月　孫虛白宛　重秋書狀

此によると重秋等より孫璜等が賒得した資財は黃金・錢・銅等であつた事が判る。彼等を拘禁して決濟終る後放免されん事を請うてゐる。宛名に代天主恩王老公とあり、之は既述の左布政司使と思はれるが、本文に謹呈二於孫虛白老官一とあり、筆寫の錯誤があるのではあるまいか。

第二十號　日付、差出人缺

重秋が孫虛白に宛てたものであらう。

第二十一號　日付、差出人缺

曾つて王老公に債務不履行の事を告げ、王老公より必ず命じて損害を及ぼさず、若し不履行の際は我より銀子を以て償還すべしと應へられたが、早く託買の貨物を手交すべき嚴令を降され度き事を請うてゐる。前號と共に正德八年の二、三月のものであらう。

第二十二號　日付、差出人缺

「向承下降二嚴命一十七日還了上、十八日敎二偏等赴一寧波府一、然未レ有レ還レ之」とあり、「唯須レ挐二去彼三人妻拏一、可レ到二寧波府一、待二彼還了日一、可レ放レ之」とあり、第十六號を參照すれば、之と前後し正德八年四月末のものである。差出人は勝康か重秋かは明かでない。

第二十三號　日付、差出人缺

土官――呈とあり勝康の書狀である。本文中に孫璜等、一行が正德七年杭州より寧波に下向の際貨物を寧波に屆くるを約し、次で八年二月、三月と履行を遷延し、「特總船頭重秋賣買之缺最多了、勝康曾雖レ欲レ使下總船頭遣二寧波府一、調中於開船之事上、依二此缺未一レ了、不レ遣レ之」といひ、「時候已移、開洋日迫」とあり、第十六號・第二十二號と同時のものであらう。

第二十四號　日付、差出人缺

「數日間便可二起程歸國一」とあり、「伏希老公ゝ責令二孫老官一、速可下點二其房屋什物一早出中還之上」とあり正德八年四月のものであらう。

第二十五號　（年缺）四月　王老公宛　勝康書狀

第二十二號と殆んど同樣のものである。

第二十六號　日付、差出人缺　王老公宛

「伴送官大人早回レ自二寧波府一、吾輩歡喜不レ可レ言焉、想是如二會通事等所一レ稟也」とあるは、第十二號の「昨二十六日伴送官盧大人、回レ自二寧波府一、承二刀價事一、馳レ使告二稟鎭守劉老公ゝ一」とあると同事實である。正德七年二・三月頃の多分桂梧の書狀であらう。

第二十七號　日付、差出人缺

成化以來の刀劍收買の優寵さるゝ例を擧げ、今次進京五十人・收刀三千・每把三百文、賜衣單簿にて裹付無く、前例と減剋變異の極まれりを陳し、使臣自進を進むるは古來の禮といひ、「必欲下請二明降一然後敢領上」と南京禮部にても呈疏せる事を述べ、布政司宛に强硬に刀劍收買の價直數量の增加を要請したもので、勅書下降前、即ち正德七年七月以前で、文中「今六月已過無㆓歸國順風㆒」とあれば六月中正使桂悟の認めたものであらう。

第二十八號　(年缺)菊月望後　黄老公・魏國老爹宛　桂悟疏狀

文に「悟等在㆓貴治㆒、重辱㆓垂愛㆒、佩感惟深、且挐㆑舟至㆓儀眞㆒、一路過㆓擾亂㆒、縣驛處斷、人夫廩給、竄匿不㆑出、延陵遲滯、艱難殊甚、非㆓鴻臚梁大人一力奔走衞㆑捍、則大害幾及也、幸爾到㆑杭、悟等舊規變失之事、拚㆑命告㆓得浙江諸老爹㆒、憐憫爲之奏達、皆伏二老爹之餘恩也」とある。本文は第二十九號・第三十號と同時に杭州に於いて正德七年九月呈送されたものと思はれる。舊規變失之事云々は三通ともに同じく主として刀劍收買の件につき奏請し得た事を指す。楊州府儀眞縣に到り、流賊横行の際とて、驛より幸船等の人夫や驛毎に給付さるゝ廩給等を附與されず、延陵遲滯したが、鴻臚梁大人の奔走により難を免れたといふ。第三十號禮部主客司宛の文に「而又蒙㆓選擇㆒、鴻臚寺梁大人仁德君子、視㆓我輩㆒猶㆓父子㆒」とある。鴻臚寺は外國朝貢使に拜跪儀節を敎ふとあり、「又設㆓外夷通事㆒隷焉」とあり、(明史卷七十四職官志二)文明十五年の遣明使が明地にある時「王宗仁鴻臚寺主簿・戴琳・戴仁・烏亮・錢貴以上共五員在㆓大明㆒之日、日本之通事舍人也」と見えるが、(蔗軒日錄文明十八年七月九日)主簿は從八品である。本來寧波より起闕に際し、伴送官三人が作隨し、之が驛々の車馬船・人夫・廩給等の交渉に當る。而して北京より回還には鴻臚寺の通事が一人護送官として同伴する。嘉靖十九年には鴻臚寺通事鄧壁、同廿八年に同じく溫潤が同行した。梁氏も恐らくそれに當るものであらう。桂悟が梁氏の懇切と奏達の勞を併せ謝しており、第十一號の「在㆓南京㆒愬告條ゝ事、列位老爹以㆓愚訟㆒爲㆑有㆑理、差㆑官賚㆑文、此來」とある官人が卽ち梁氏其人であらう。然らば儀眞縣下にての延陵淹滯は南京よりの歸途の事である。儀眞驛は鎭江より揚子江を渡つて北岸にあるが、南京に赴くために乘換へる罷江船も、廩粮人夫等も驛丞官の管轄であるから、儀眞縣驛よりの支給を受けなければならぬ。黄老公・魏國老爹は共に禮部の官人かと想像される。勿論之は鴻臚寺とともに南京の官である。

第二十九號　正德七年九月　禮部老爹宛　桂悟等書狀

附搭太刀等の舊規喪失を浙江諸大人をして奏達せしめ得たるを謝し、猶禮部に奏達を依賴せる賜衣等の舊規喪失の返令なきを問うてゐる。

第三十號　（年缺）菊月望後　主客司宛　桂悟等書狀

舊規喪失の奏達・鴻臚等梁大人の懇切につき謝してゐる。

正使桂悟等五十人は九月中には起京の途に就いたであらうが、山東・直隷等は流賊縱橫の巷となつてゐて其事は不可能と見られた。武宗秕政の時代に當り既に前年藍廷瑞等の巴州に繼起し、其徒陝西湖廣の境に蔓延するあり、又江西の諸賊益〻熾んにて、此歲二月左都御史陳金をして福建・浙江・廣東・湖廣の軍勢を總制せしめた。此頃又劉六の黨山東に轉寇し、劉七等は兗州に到り曲阜を掠め闕里を犯し、大名眞定を擾し、四月准安に盜起り、五月に劉六・劉七等山東より河南を犯し湖廣に到り、又山西に抵る等縱橫數千里到る所人なきが如くであつた。十月には賊徒長山を陷れ濟寧を圍み運舟千二百餘艘を焚く有樣で、十一月には楊虎は宿遷を陷れ、准安知府劉祥等を執へ、劉六は沂莒間を縱橫し道路梗絕した。斯くの如くして山東・直隷等は渦亂の中に閉され、諸方に又盜賊橫行して容易に鎭定すべくもなかつたのである。

桂悟等は寧波より杭州を經て蘇州に赴き長く勅命の降下を待つて南京に到り恩賜卽ち賜宴・賜衣・賜物等を受領したといふ。（第十一號文書） 皇明實錄正德七年二月癸卯の條に「日本國源義澄、遣レ使貢二馬匹・盔・鎧・太刀・諸方物一、浙江守臣奏、今山東・直隷盜賊充斥、恐夷使遇レ之、爲レ所レ得、請以レ所レ貢、暫貯二布政司庫一、收二其表文一、禮兵二部會議、請勅二南京守備一、卽所在如レ例宴賜遣回、從レ之、仍令下附進方物、亦給二全價一、毋上阻二絶遠人效順之意一」とある。 之によると山東・直隷盜賊充斥のため貢物を暫く布政司庫に貯へ表文を收めんとの浙江守臣よりの奏請に對して、禮部兵部會議して、南京守備官に勅して南京にて例の如く宴賜し回還せしめん事を請うて聽許された。 仍つて勅して附搭物に全價を給して遠人效順の意を阻む事なからしめたといふ。 實錄の記事は疑もなく勅書降下の際にかゝるものであつて、それは二月癸卯(二十八日)といふ事になる。 途中擾亂の巷を通るのであるから、船車の運行も順調ではなかつたであらうし、蘇州到着は、三月末・四月初旬頃と推察出來る。 姚江の揚端夫は皇明正德七年四月望日、送了庵禪師の詩を詠じ、其の序に「日本了庵禪師、膺二使命一、來二我皇明一、館二于姑蘇一、幾半載、凡士大夫之相與者、無レ不二敬而重一レ焉」とある。 姑蘇は本來は蘇州府西南境の山名で、蘇州の別名である。姑蘇驛は蘇州閶門より約六里支那里の位置にあり、蘇州の水驛である。されば桂悟等は四月十五日に蘇州を出發、南京に向つたのであらう。館ニ于姑蘇一幾半載といへば、其蘇州に到れるは、正德六年十月末か十一月初旬であらう。同年九月中には寧波を出發する事態にあつたのであるから、彼此時日も協ふであらう。桂悟等の南京到着は大體普通に行けば四月下旬であらう。南京に於いて刀劍每把三百文として附進三千把のみを收買する事を達せられたので、再三其舊例に違ふ事を訴へた。此等の經緯は後節に考敍する。其他賜衣等も粗末で舊例に異なる事等も指摘する所があつた。刀劍の事に就いては南京禮部より官を派し浙江布政司等と諮るべきを示した。即ち恐らく鴻臚寺通事の梁氏がそれで南京に於ける接伴の通事でもあつたであらう。儀眞縣下で流賊橫行の餘波を蒙り人夫や廩給の下給なく難儀したのは多分歸途で、梁氏は其間大に奔走した。同年閏五月頃には杭州に在り、六月中には寧波に歸へり、其間刀劍收買につき蘇州にても呈疏してゐるし、浙江布政司等に對し强硬な折衝も行つて、奏達をも懇望してゐる。第五號・第七號・第十號・第廿四號文書三千把の外未進四千把及び使人自進九百八十把も全部收買し、給價は弘治年間の例に據れとの勅書は、やがて寧波にも到着し、桂悟等も其寫本を見て大に歡び、恐らく七月八日に再び杭州に赴いた。第三號・第十四號・第二十三號文書 然るに布政司の方は弘治年間毎把三百文の例を主張し、桂悟は弘治八年の給價千八百文にて九年は三百文なりとて、千八百文の給價を請うて讓らず、土官勝康・居座光悅等も呈疏して折衝した。正德八年始めには其交渉も決着したと見えて、再び寧波に歸へり擇捨された破損刀劍の修理收買の事等を論じてゐる。第十五號文書 同二月中には勝康・重秋等三度杭州に赴いたが、第七號・第八號文書 之には杭州在住の牙行等の債務不履行を處理せんとの理由もあつた。第十六號より第二十五號文書まで 風汛期も愈々迫つたので、猶債務は未決濟の狀にあつたが、總船頭重秋等は四月下旬に寧波に下り出船の準備を調へたらしい。第十號・第十六號文書 勝康等は五月猶杭州に殘つて折衝した。第七號文書 此間桂悟は寧波育王山廣利寺に住せしめられ、正德八年四月市舶司事黃氏疏并敍を書してゐる。高桐院文書 日東了菴禪師轉職育王寺疏并敍 又同年五月既望王守仁が送日東正使了菴和尚歸國序を記してゐる。子爵九鬼義隆氏舊藏 其寧波出發は六月中にあつた事は伊勢丹生神宮寺に藏せりといふ正德癸酉夏六月朔付の四明季春の送居士五郞大歸日本の詩あるによりて察せられる。米菴先生漫抄下 歸朝後桂悟は山口に暫く滯在したであらうし、入洛したのは翌永正十一年三月十二日であつた。如意茂彥和尚日錄

註

1 堺市史　第二卷第三編第十章

2 文學博士辻善之助氏　八十七歳の遣明使僧了菴桂悟　新訂海外交通史話所收

3 大内氏實錄附錄の大内系圖に據れば、義宣は治部丞・大藏左衞門・備前守・筑前守護、天文七年山口にて死すとあり、其子隆通は内藏助・内藏大夫、天文廿年九月十三日義隆に殉じて防州黑川にて切腹すといふ。然るに閥閱錄の系譜にては元通、初隆通・内藏助・藏人太夫・甲斐守、妻矢田備前守興保女、文龜三年七月廿日備後に於いて死す、三十二歳とあり、其子元直は甚六・新介・甲斐守、文龜元年八月七日備後に於いて死すとあり、孰れか適從し難い。矢田增重は備前守にて、義宣・其父保通共に備前守を稱するが、其關係を明確にし能はざるは遺憾である。

4 宋素卿に關し、日本一鑑・周咨錄の記載は、他書と稍特異の點があり、實錄と對照し補足すべきものがあるやうに思はれる。猶後節參照。

5 允澎入唐記に據ると、景泰四年四月廿九日第一號船寧波到着以後五月二日迄に八隻着岸した。（一隻は數ケ月遲れた）五月廿八日に進貢物を擧げたるを始め六月四日に陸揚げを終り、點檢は六日に始まり廿日に七號船貨を盤驗したから間もなく全部を終了した事であらう。策彥初渡集に據れば、三船の寧波到着は嘉靖十八年五月廿二日、使人等の上陸は廿五日及び廿七日に行はれ、降雨の爲め貨物點檢遲延して、六月八日に太監・海道按察司副使知府・知縣臨檢の下に貢物及び諸官員物件を盤驗し、十一日一號船物件盤驗、十二日二・三號船物件盤驗を終へた。又同再渡集に據れば嵊山より定海を經て四隻寧波に着岸したるは嘉靖廿七年三月十日で、十七日知府・提擧司・二府・三府・四府臨檢の下に正使等官員の貨物を盤驗し、廿日一號船貨物の盤驗終了し、廿一日他も亦終了した。此最後の遣使の際は諸儀接待すべて特に簡略した事が察せられるが、盤驗にも太監・按察司の官吏の臨席を失してゐる。十八年盤驗臨席の太監は市舶事を兼務せる御馬監太監で、浙江市舶太監は嘉靖八年に廢止されたが、それ以前は勿論市舶太監が臨席したであらう。景泰四年の場合は寧波着岸の日より荷揚げ、點檢までに月餘を要し、點檢終了までに相當時日を要したが之は荷物の多かつた故もあらう。然し提刑按察使馮大人（勅修浙江通志卷一百十七職官の條に據れば、正統年間副使馮誠があり僉事馮節靖があるが多分前者であるまいか）の來寧は五月十日で、其盤驗臨席を要する場合には、杭州よりの來着を俟たねばならぬ。而して嘉靖年間の場合は定海縣に比較的長く滯留し、景泰には順調に短時日に經過してをり、布政司按察司が寧波府よりの通報を經て官吏を派した結果、遣明使が寧波に着して、其來派を俟つと然らざる場合ある事も考へられ、後者の場合自然盤驗の遲延する關係にある事も想像される。

二　寧波の亂と其後の經過

前將軍義尹は大内義興に擁せられて永正五年六月京都に入り細川高國亦之を迎へた。同年七月義尹將軍職を復し、義興を管領とし、之より先高國又宗家を嗣ぐ事となつた。義興・高國倶に義澄の黨と戰ひ、永正十四年閏十月に義稙（義尹永正十年改名す）病を得て攝津有馬溫泉に浴するや、義興歸國を願ひ將軍抑留するを以て堺に滯在し、翌十五年正月幕府伊勢貞陸を堺に遣り其上洛を促したが、同年八月堺より歸國した。此間義興は遣明船に關する自家の權利につき、文明十四年の義政の御內書の如き書類を捧げて「代々存知之處、近年相違之旨」を主張する所があり、永正十三年四月義稙は先例に任せて永く取沙汰すべきを命じた。其御內書は見當らぬが、奉行の四月十九日付奉書が殘つてゐる。

大内氏は先に其手に收めた正德の勘合第一號より第三號に至る三道を以て、宗設謙道を正使とし三隻を渡航せしむる事とした。月渚永乘は薩州牛山の人で桂菴に師事して桂門の衆に推されて巨擘と稱せられ、時に日向の龍源寺より移つて安國寺に轉じてゐたが、大内船の居座として渡航した。（漢學紀源卷三）杉興重の島津氏に宛てた書狀に「日州安國寺英乘首座事、先年池永船爲二居座一渡唐之條云々」とあれば、船は豐前池永で艤裝されたものらしい。

之に對して細川高國は相國寺の西堂鸞岡瑞佐を正使とし、宋素卿を副使として、弘治勘合を携へて一隻を渡航せしむる事になつた。瑞佐は永正十七年春の季に堺を出でて、土佐を經て同年孟夏日向に渡り、次いで薩摩山川港に赴いた。琴叔景趣の松蔭吟稿所收の文叟號偈并序の後に「大永癸未三月初吉　遣唐使鸞岡書印」の記載がある。大永三年瑞佐山川正龍寺の郁芳春本を訪ひ、其徒、崇鏡に月溪の字を與へ、偈を作つて巢松以安に附し、崇鏡其韻に和したといふ。（漢學紀源卷四）南聘紀考に據れば同年閏三月十七日に瑞佐の船は山川を發して寧波に向つたといふ。船は種子島で艤裝された。永正十七年吉河出雲守が將軍義稙の命を奉じて種子島に來り、艤裝の事を種子島忠時に諭し、忠時命を奉じたる故、「翌大永元年十一月義稙に代れる將軍義晴の管領細川高國は忠時に向つて謝意を表し併せて將來の親睦を希望

してゐる。(1)

嘉靖二年（大永三年）四月夷舡三隻卽ち宗設等の船が來着、數日を經て夷船一隻卽ち瑞佐・宋素卿等が到着した事は、籌海圖編卷二に見えるが、恐らく薛俊の日本考略に據つたもので從ふべきであらう。南聘紀考に宗設等四月二十七日に寧波に着した事を明記してゐる。同じく五月一日に亂を興したとなすも、次に掲ぐ歐珠の奏に照して確かである。日本一鑑に宗設等三百餘人・船四艘來貢し、夏四月に瑞佐・宋素卿等一百餘人船一艘亦貢したといふ。船四艘は三艘とすべきであらう。（窮河話海卷之七本貢）

寧波の亂の情況に就いては先づ實錄六月甲寅の條にも見ゆる巡按御史歐珠の奏によれば、五月一日宗設謙道等東庫より武器を搶出して、靈橋門外より城壁に循うて北方東渡門を經て和義門に到り、宋素卿等の船を燒燬し、餘姚江岸に在つた素卿等の一行十二名を殺したので、素卿等は府衞に護られ、十餘里を隔てた青田湖に避難した。宗設等は趕つて紹興城下に到り、素卿を索めて搶掠し、寧波に歸へり指揮袁璡を執へて出帆し去り、備倭都指揮劉錦は海上に追うて戰沒したといふ。

此亂の動機に就き又歐珠は奏して「夾日將宋素卿等移入府城、會審、據各稱、西海路多羅氏義興者、原係日本國所轄、向無進貢、我等朝獻必由西海經過、彼將正德年間勘合

奪去、今本國只得二將弘治年間勘合一、由二南海路一起呈、至二寧波一、因二我說一出レ怪、恨レ被レ殺」といひ、其處置に就いては「會二同鎭守太監梁瑤一議得、遠夷入貢、禮應柔待、今宗設等、因レ怪二素卿一、計レ其詐僞一、遂行二讐殺一、若終待以二常禮一、許二其入貢一、不レ加二譴責一、不レ以二威示一、則犬羊腥膻、愈肆縱橫、終無二悔レ禍之期一、除二再加二撫處一及撥二官軍一防禦一外、乞勅二該部一會官詳議」とある。 仍つて政府では巡視守巡等の官民、事に先じ預防する能はず、事に臨んで擒勦する能はざるを責めて、姑く俸を奪ひ、鎭巡官をして各官を督率し官兵を調集して防守を加へ、首惡及び餘黨を追捕し、又事を失せる情を以て聞せしむる事とし、入貢當否事は禮部に下して議報せしめた。 禮部の覆奏は素卿は華人にして外夷に臣事してゐるが、既に前代宥免せられたるを以て再問せず、鎭巡等官を以て宋素卿に諭して歸國せしめ、國王(將軍)に移咨して勘合を査明して究治せしめ、當貢の年を待つて議處を奏請せんといふにあつた。（皇明實錄嘉靖二年六月甲寅・戊辰、殊域周咨錄卷二）

即ち宋素卿等を寧波に於いて査問し、互に貢使の眞僞を爭うて讐殺したるものとし、禮部に於いても勘合の査明從つて貢使の眞僞は將軍をして之を處置せしめ、次の來貢に際して議處せんとしたのである。

然るに此事件に際し素卿等の姦僞と浙江各官の怠慢乃至不正を指彈する强硬

なる處置が、先づ禮部都給事中張翀・河南南道御史熊蘭により主張された。熊蘭は素卿は先年進貢の際劉瑾に贈賄して、赤族の誅を逃れたるを述べ、海道副使張芹・市舶太監賴恩等禁令・守備を怠り、事件に際し、之を豫防禁遏する能はず、分守參政朱鳴陽・分巡副使許完徒らに拱手觀望し、把關管海指揮千百戸等の官は夷人の縱橫するに委せるを彈じ、張翀も同じく張芹・賴恩等の因循怠慢を責め、素卿等の嚴罰と釁を起せる使人の船の沿海に到るあらば官軍を發して截殺せん事を陳し、倶に一は事を誤る官人を查檢處斷し、他は日本の通貢の途を絕たん事を奏請してゐる。張翀は寧波・紹興等に無賴の徒ありて、外夷に通じ奸を作すを以て榜文を出して曉諭せしめ、かゝる無賴の踪跡の疑ふべきものあらば、隣里の官府に告發する事を許し、家屬を擒拏し究治せん事を請うてゐるが、事件の直接の動因として素卿等と浙江官司との私的の交渉には言及しておらぬ。（皇明實錄嘉靖二年六月庚辰、皇明兩朝疏抄卷十八、皇明疏抄卷五十四、殊域周咨錄卷二）

然るに指揮馮恩の奏詞に「其間情節隱礙尙多、不㆓敢盡露㆒、今若止令㆓鎭巡官查勘回奏㆒、竊恐㆘上誤㆓朝廷事機㆒、下貽㆗地方災害㆖、法令幾㆓於不㆑振㆒、功罪終是不㆑明、況巡按御史歐珠當時倉卒聞奏、稽察未㆑精、鎭守等官、身負㆓罪愆㆒、豈肯吐㆑實」といひ、才望有る近臣一員を遣り失事の緣由を遂一查勘せん事を請うてゐるが、（桂洲奏議卷之五勘處倭寇事情疏中に引く、日本一鑑窮河話海卷之八評議に亦收載す）十一月の兵科右給事中夏言の奏に至つて「再照宋素卿本寧波人、背棄中國、潛從外夷、正本朝叛賊、法所必誅、（中略）今次復因此人激成宗設之變、訪聞、宗設倭船先到、而盤貨在後、素卿倭船後到、而盤貨獲先、宗設内已不平、及市舶太監置酒命坐、又以宗設席次抑置素卿之下、其心愈加懷憤、搆此釁端」とある。（桂洲奏議巻之五、皇明實錄嘉靖二年十一月癸巳） 特に嘉靖四年の給事中鄭自壁の奏詞の如きは、太監賴恩肆意權を攬り、恣情貨を黷して、通事鄭澤の姦計を信じて僞使を延いて上賓とし、素卿より金銀を受けて、宗設の大事を致せるを痛論してゐる。(2)（殊域周咨錄巻二） 事件直後の巡按御史等の疏詞は素卿等の一方的の審査に據り、又彼等自身が事變の責任者たる所であつて、事件の全貌を明かにするに足らず、禮部等の覆奏も素卿等を歸國せしめて將軍に命じて究治せしめんとした程度であつた。嚴從簡も之を評して「按太監賴恩受素卿賂、浙參政副使許完・都指揮江洪、俱懼失事之愆、多匿其實、故疏詞多左右素卿耳」と斷じ、後の書は何れも賴恩の私爲を論じて釁端を開く事を記してゐる。　かくて浙江各官の事件處置の責任と賴恩の不正を糺彈する聲は一方に昂じたが、嘉靖八年の浙江市舶太監廢止によつて一般的の形に於いてゞはあるが、其處斷が漸く示されたといつてよい。　宗設等の不平は後到の素卿に搬貨の先ぜられた事、酒宴の席次を瑞佐等の下にせる事等に在るが、猶賴恩の指定により一を市舶司に館せしめ、他を境清寺に館せしめ、宿館の待遇に於いて兩處にて偏頗あり、事件のため境清寺の燔炳せる事が日本一鑑に見える。窮河話海巻七使館之恐らく事實であつて嘉靖十八年八月四日周良南門外の南關寺に遊び、出迎へる僧に德性といへるものあつて、元、境清寺の僧であると記し「嘉靖二年嬰」日人生」事之災、寺已回祿、衆僧離群索居」と述べてゐる。(3) 初渡集中

夏言の上奏に先んじて、朝鮮より寧波の亂の餘類と稱し、生擒せる中林・望古多羅二人と首級三十三を送獻して來た。

朝鮮中宗十八年嘉靖二年五月廿七日黃海道觀察使蘇世讓は豐川府使李繼長が到泊せる倭船一隻を逐へるを馳啓し、翌日李繼長が船五隻を領して椒島黃海道松禾郡豐海面に入り倭船一隻六十餘人と戰ふを報じたので、備邊司をして捜捕の節目を磨錬し助防將金鐵壽を送り、又忠清・全羅・慶尙道に諭して其捕獲に備へしめた。　翌月四日生擒の中林を義禁府に囚し、五日委官南袞之を鞫したが、中林は中原朝貢船の漂流者なりと供述し、其辭に違端も認められなかつたので、海上倭人を生擒して來使に付送する事に議定し、黃海・京畿三道に命じて此意を以て倭人を招諭し、又中林より其同類に曉諭する書を黃海道に送らしめた。　然るに中林の招辭に違端あり、又先頃巳

に其徒の朝鮮人を殺害せるを以て翌日之を追撃せしむる事とした。然るに同月十四日慶尙左兵使尹熙平は、對馬島主特送の盛重及び島僧有小只が、日本國使の明に赴きし者唐船を奪ひ、官人二名を擒へ、海中惡風に遭つて行方不明の事をいへるを馳啓したので、朝鮮では對馬島主の本國虛實を窺覘せるために遣せし船かと疑ひ、更に中林を鞫問した。同類の船と覺しき倭船は其頃仁川其他に現はれたが、之を追捜して得ず、翌月五日に到りて全羅道兵使吳堡等捕獲せる報を得た。其生擒者望古多羅を亦鞫問する所があつた。翌八月三日、中林等の船に乘坐せる唐人等擒へられて入京し遂に自供して、本年五月賊倭寧波府に入寇して千戶・指揮を殺害し鹽船一隻を奪ひ、夜に乘じて逃去せるを聞知せるが、彼等十人煎鹽柴木刈取のため海中桃花山下に到り、惡風に因りて海中に漂入し、倭船に逢ひ、二名は死し八名は捕へられて、海島に放置せられしを貴國人に逢ひて出來せるものと述べた。唐人及び中林等の招辭略ぼ一致したるを以て、唐人刷還の時中林等を送付する事とし、大提學李荇をして奏文を奏せしめ賀正使成世昌を奏聞使に移差し、成世昌等は同月廿九日唐人王樣等八名中林・望古多羅及び倭馘三十三級等を帶して出發し、十月には明都に着到した。（以上李朝實錄に據る。皇明實錄 嘉靖二年十月丙寅）（4）

夏言は既述の奏詞に於いて素卿等賊首は典刑を明正ならしめんため海濱に梟首すべしとなし、朝鮮國執獻の中林・望古多羅二名を浙江に押發して欽差官處に解赴し、宋素卿と對鞫し、旣を搆へし緣由・遣使の先後・勘合の眞僞來歷を明かにすべしとなし、又諸沿海備倭門官員、虛名を擁して實效なきを指摘し、官員を派し山東より淮楊・浙閩を歷て廣東に到り、巡撫と會同して沿海を親しく檢視して、兵備防海を嚴ならしめん事を述べ、又夙に禮部侍郎楊守陳が唱へた通貢絕約の事は「其應否通貢絕約事、宜關係甚大、臣等未敢擅議、乞俟查明奏報之日、禮部奏請、勅下勳戚文武大臣及在廷羣臣、詳加會議、上請定奪」と述べてゐる。才望ある近臣を遣り事件を訪察査勘せしめん事は馮恩の奏請せる所でもあつたが、戶科給事中劉穆を浙江に派する事となつた。

次いで兵部尙書金獻民・刑科給事中張逵等、備倭衙門武備廢弛の情況を閱視すべき差官等の法につき陳奏する所があつたが、劉穆が寧波の亂の事情を訪察中であり、更に浙江沿海地方に往かしめて武備等を整理せしめる事としたらしい。

やがて素卿は杭州有司に移され謀叛下海の罪を以て審問され、中林等と共に浙江按察司獄に繫られ、論鞫囚獄久くして誅決を行はず、前後して獄中に瘐死した。

一方市舶太監賴恩の非違は檢察されず、却つて嘉靖四年には賴恩奏して、提督海道を兼理せん事を請ひ、世宗之を聽したので、十一月兵部尚書李越之に反對して、沿海寇を禦ぐには海道副使・備倭都指揮使ありて下に分理し、鎭守太監・巡按御史ありて上に提調するに加へて、市舶太監の提督兼務は政務多門に出づるの弊ありとし、「推原其心、不レ過レ欲下假二借綸音一以招レ權罔上レ利也、乞將二原降成命一收回、仍戒二諭賴恩一、令下其謹守二舊規一安中靜行事上」といひ、給事中鄭自璧は賴恩の私利を貪り宗設の大變を致せるを痛責して、兵權を受轄し專擅を冀ふの非を擧げ、別に老成の内臣を選んで之に代へ、市舶太監は舊により夷人進貢抽分貨物を管し、備倭所官軍に干預して事端を紛擾せしめざる事を請うたが、容れられなかつた。弇州史料前集卷之十五、殊域周咨錄卷二 加之賴恩叉奏して、日本國に大内・細川・畠山の三權臣ありて進貢の事各專擅すといひ、別に勅を齎らし國王將軍に往諭し、今後來貢は益〻效順にし、親ら表文を具し國璽を用ひ詐僞を容れず、船三隻・人百を超過せず、大内等の私貢を致す餘地なからしめん事を述べ、浙江備倭の官庫材を除き、別に賢能一員を差し軍備を充實せしめ、倭人入貢の際は舊に照して報を瞭かにし實を審かにして、一方に防備を嚴にし入港を護送する等の件を縷述してゐる。

之を以て觀るに事件の審勘も未だ充分ならず、太監等の譯審も瞭報を得ず、而かも之を糺彈する論は顧みられず、一方素卿等は獄中に瘦死し終つたのであるが、同年四月の劉穆の報告も殊域周咨錄に收めてゐるが、巡按・海道・備倭各官と共に沿岸を巡視し、防備の充實を計り、又之が具體策を擧ぐるに過ぎぬ。　張孚敬が張芹、朱鳴陽の寧破搆亂に重責を有しながら、張芹は今右布政使に陞り、朱鳴陽僅かに輕罰を受け大學士費宏の曲庇を獲て戸科左給事中に任じ更に太常寺少卿に陞りたるを彈じて、張芹の罷黜と朱鳴陽の降調を請ふと共に、劉穆の治罪を求めて「劉穆明任ニ勘官一、懷ニ顧望推避之嫌一、竟莫レ伸ニ天三尺之法一」と斷じてゐる。（太師張文忠公奏疏卷三論勘處倭寇、皇明實錄嘉靖六年九月癸未）之恐らく劉穆の譯審報告の不當なるを難じたものであらう。

嘉靖六年九月浙江巡按御史楊彝の言に、舊例日本入貢十年を期とし、徒百人・貢船三隻を超えず、兵杖を自隨するを許さず、布政司をして日本國に移咨し今後定例に遵ひ、如し違反すれば阻回するを告げ、一方巡海備倭諸臣をして戰具を修め烽堠を謹しみ、鋭兵を蓄へ、不虞を戒しむるを請うて、聽許されたるも、大體賴恩の奏詞の旨意を出でぬ。（皇明實錄嘉靖六年九月丙戌）　熊蘭・張翀の絶貢・閉關の強硬論の如き全く顧みられず、言官の意見も勿論絶貢を主張せず、大勢は賴恩等浙江在官の意見に動かされたものと見られる。(5)

素卿等既に獄死して、明に於ては事件一方の元兇は宗設と認め、琉球人蔡淵等を遣り日本僧妙賀等を歸國せしむる事とし、勅を齎らし宋素卿・中林等兇叛を以て戮し、妙賀等罪なきを以て禮を以て歸國せしむと告げ、元惡宗設及び亂を謀倡せる數人を亟に捕繫して中國に送り、天討を聽しめ、餘は並に處治するなく、又擄去の人民は優恤を加へ歸國せしむべしと諭し、然らざれば貢路を閉絶し征討を議すと述べて、以て威示した。偶〻嘉靖四年六月琉球國貢使鄭繩が歸國するに際して勅を齎らし轉諭せしめた。（皇明實錄嘉靖四年己亥）鄭繩は副使金良等と共に嘉靖二年八月十七日付琉球國王尚眞の國書を持ち仁字號海船にて渡航したもので、同四年八月十五日付尚眞の國書を持し、金良が正使となり同じ仁字號にて再び渡航してゐるから、鄭繩等は間もなく福州を出帆し遲くも八月初めには歸國したらしい。（歷代寶案符文卷之廿五・執照卷之廿九）

大永七年（嘉靖六年）六・七月の交に智仙鶴翁等が幕府に到り、明帝の書を傳へたので、同年七月廿四日日付にて義晴は琉球國王尚清宛兩國の和與の儀中とゝのへたるを謝してゐる。此時義晴の明帝への表文・禮部への咨文を草した月舟壽桂は、鶴翁字銘の序に「抑前年夏秋之交、中山王以レ僧爲レ使、齎下大明皇帝與二日本一國書上來、且曰、嘉靖以來大明日本兩國不和、違二先王盟一、自レ今而後、兩國尋レ盟、如二先王時一、蓋大明俾二中山王爲二之地一也、吾王亦所レ欲也、命レ予製レ遣二大明一表、使僧忻然持歸矣」とある（幻雲文集）。

明帝の書は元兇宗設等の擒獻と指揮袁璡等の歸還とを以て、一應兩國間の事件を解決せん事を示したので、貢路の閉絶や征討の云々は彼の常套の威示に過ぎぬ。されば幕府も之を以て和與の成立と見たのであり、義晴の表文に「式沐二天恩一、玆自二琉球國一遠傳二勅書一、寛宥之敦、不レ忘二側陋一」と述べてゐる。而して其別幅に瑞佐西堂・宋素卿等弘治勘合を以て進貢せしむるに當り、西人宗設等竊に正德の勘合を持して進貢船と號したが、桂悟西堂歸國の時、弊邑は戰亂のため路が梗れており、正德勘合が東都に達せず、弘治の勘合を齎らしたのであり、勅諭の旨の如くは宗設等の僞使たる事明かで、大內義興の幕下神代源太郎は其元兇にて既に誅戮され、明人の捕虜は既に發船送還したが中流で颶のため西國に滯留するが近日歸るべしと告げ、明に留まる妙賀・素卿等の生存者は多少を問はず恕せられて琉球を經て本國に還らせられたい、前代賜はつた金印は頃兵亂のため所在を失つたから、花判を用ひて信とするは琉球僧も知る所であり、妙賀・素卿歸國の時新勘合・金印を賜はらば永く寶となさんと述べてゐる之によると瑞佐、宋素卿等を眞の遣明使とし弘治勘合を眞正のものとして、宗設等を僞使となしており、義晴の書に託して細川氏が自家に有利な釋明をなしてゐるものと考へられる。

此時に際し大内義興は大永七年九月十一日日付書狀を持つて尙淸王卽位の禮のためとて德雲軒源松都文を琉球に渡航せしむる事とし、日明間不快の處、明國より琉球を憑み勅書を日本に渡せらるゝ由明星院賴求を以て報を受けたが、「渡唐船事、依レ有二子細一、當家永代可レ令二取沙汰一之旨、別而蒙二國王宣旨一候上者、對二當家一示二頂候者、可レ令二奏達一候之處、以二天王寺一直御傳達、併彼段無二御存知一之故候歟」といひ、又其外袁大人歸國の事も源松都文より巨細陳述すべしと述べてゐる。（大内氏實錄第十二）袁大人とは宋設等の擒へ來た指揮袁璡の事である。

之より先、中林等が奪つて逃脫した船一隻は大永三年七月全羅道で捕獲されたが、六月に慶尙左兵使尹熙平より、對馬島主特送の盛重等の言として、日本國使の明に赴けるもの唐船を奪ひ、官人二名を擒へ、海中惡風に遭ひて去處を知らずと報ぜる船は、恐らく盛重等が對馬附近にて聞見せる別の船であらう。歷代鎭西要略卷十に翌大永四年二月大内氏の使船が明より還へり筑前志賀島にて破損せる事を記してゐる。此には宋設や月渚永乘及び指揮袁璡が乘坐したるに相違ない。中宗二十年（大永五年）四月幕府使臣景林は大内氏使臣と前後して渡航したが、其賚せる義晴の國書の大意は「癸未（大永三年嘉靖二年）春進二貢大明國一、弊邦有二奸細之徒一、竊二府庫燒失一、偸二弘治勘合一、竄二居遠島一、渡二茫洋一、到二寧波府一、訴二於太監并三司大人一、我使臣逢レ之、欲レ殺則奸賊盡走、使臣逐北至二餘姚縣一、武官袁璡爲レ之嚮導、於レ是使臣擒二挐袁璡一、同船而渡二陋邦一、來歳艤船而奉二送袁璡等三員一、伏冀陛下預達二大明上皇之清聽一、而示諭則不レ啻不朽之恩霈」とある。（李朝實錄中宗二十年四月乙巳）景林は五月十七日入京し、萬壽寺改創のため助緣を求め、對馬島主特送接待及び胡椒公貿を請ひ多くの貿易貨を艤載してゐるが、本來幕府使船と稱するも殆んど博多邊で商人等出資の下に艤裝されたもので、庚午の亂後は殊に對馬船の接待優見を請ふを名として、幕府使船と稱するもの多く渡航し巨額の貿易貨を艤載した。景林と同時に來使した大内氏の使臣も、袁璡等の事を記せる大内氏の書契を齎らしてゐる　日本使臣等の刷還せる朝鮮漂流民の金必（弼）の談に、大内氏の許にある寧波府人が朝鮮を介して還國したき希望を告げたる事が見え、其の名を裴大人と稱してゐるが、朝鮮でも袁璡と同一人ならん事を推知してゐる、　中宗は六月に景林と大内氏使臣とを同時に接見せんとし、袁璡を明に還送する件につきて申奏すべき事の可否を諮問し、大臣等之を不可としており、次いで兩使臣並に對馬島特送使臣を勤政堂に引見した。　漂流民金必等は、又前後來到の日本國使及び大内氏使送と稱する者皆對馬島人の詐稱なる事をいへるも、景林の來使も又大内氏の主謀せるもので、博多商人の商業的・對馬島の政治的背景の下に成立せるものなる事前後の事情に照し容易に推察し得る　既掲の義晴の書に於いては、大永七年京都にて琉僧に附託せるものと全然相反して、弘治勘合を持せる瑞佐・宋素卿を以て奸賊とし來歳使船を派遣し袁璡を奉送せんとして朝鮮に先容をなすを請へるものである。其後享祿元年大内使僧東雲が明人袁希玉等三人を本國に轉送せん事を請ひ、明に送る書契を送つてゐるが、袁希玉は或は袁璡と同一人であらう。李朝實錄中宗二十三年七月壬申・甲戌　天文六年に幕府使僧東陽等が漂民重林中林を明に轉送せるを抗議せるも亦大内氏の立場を反映してゐるものである。李朝實錄中宗三十二年正月癸巳・甲午・四月壬戌

嘉靖八年八月十五日付琉球國世子尚清の國書を齎らし、長史蔡瀚・通事梁椿等册封を請うて明に渡航したが、翌年三月には既に入京しており、此際義晴の國書を携帶した。禮部其文を檢するに倶に印篆なく、夷情譎詐不レ可二遽信一とて、更に琉球國王に勅し人を日本に遣りて傳諭し、宗設を擒獻し指揮袁璡を送回せしめたる後、義晴の請へる新勘合金印を給し常貢を修むといへる件を參酌奏請截奪せん事を請うて聽許された。歴代寶案卷之廿五符文・卷之廿九勅照、皇明實錄嘉靖九年三月甲辰

嘉靖八年三月御史毛鳳韶の議に依り兵部より裁革すべきものとの意見を上つて、浙江市舶太監は罷め市舶事務は鎭守太監をして兼理せしめる事になつた。福建にても嘉靖初年御史聶豹が鎭守太監及び中官の市舶を司るものを罷めん事を奏請せる事閩書に見え、高岐の福建市舶提擧司志の市舶太監歷任職名にも嘉靖五年四月十五日任の趙誠を以て最後とするから、浙江と前後して廢されたのであらう。廣東に在つては「嘉靖中革二去市舶內臣一」と嘉靖三十七年刊黃佐等纂の廣東通志（卷六十六夷情上）に見え、詳しくは同十一年五月巡按林有孚より鎭守內臣の害を奏し、兵部尚書李承勛覆議し、大學士張孚敬又之を力說して、鎭守並に市舶の內臣を革めた事が萬曆二十九年郭棐所纂の廣東通志に見える（廣東通志卷一百八十七所引）嘉靖十八年遣明船渡航の際には御馬監太監劉氏が市舶事務を兼管してゐた。市舶太監廢止の理由として毛鳳韶の疏に「內臣外差大冗、如二浙江福建一有二鎭守一、有二提督市舶一云々」とある（皇明實錄嘉靖八年三月甲子）

嘉靖十八年の遣明船に際しては、後に詳述する所によつて明かであるが、皇明實錄同年閏八月癸卯の條に見える如く、「上曰、夷性多譎、不レ可二輕信一、所在巡按御史督二同三司一、嚴加二譯審一、果係二效順一如レ例起送、仍嚴二禁所在居民一、無二私交通一、以滋二禍亂一」とあるに略〻明側の態度が示されてゐる　十八年九月巡按御史杭州より寧波に到り、正使碩鼎等の挨拶終り、數日を經て柏亭に於いて御史より今次進貢の顚末并に素卿等の事を査審した。　碩鼎等の入京したるは翌十九年三月上旬であるが、之に先だち實錄二月丙戌の條に「初日本自嘉靖二年因宋素卿・宗設等事、絕其朝貢、至是復請通貢、因乞給賜嘉靖新勘合及歸素卿等并原當貨物、言官論其不可、上命禮部、會兵刑二部都察院、僉議以聞、衆言、夷情譎詐難信、勘合令將舊給繳完始易以新、素卿等罪惡深重、貨物已經入官、俱不宜許、以復（後カ）貢朝定以十年、夷使不過百名、貢船不過三隻、違者阻回、督遣使者歸國、仍飭沿海備倭衙門、嚴爲之備、詔從之」とある。　碩鼎等の要求する所と明の對策とは、結局嘉靖四年明より幕府への要請と同七年の幕府の應酬とに一致する。　かくて四月十四日禮部に於いて前述の會議決定する所に基き、十日附牌を郎中より正使以下に示したのである。　牌に云く「該國既稱宗設、詐圖朝貢、干犯國憲、是該國不知情矣、其沒官貨物、係有罪之贓、焉得請討、若宋素卿貨物、先因雙殺燒盡、無憑給與、且先年奉旨不許朝貢、待擒送罪人宗設等、及送還袁指揮、方許奏請定奪、今宗設・袁指揮、俱未見有眞正下落、朝廷念爾航海之苦、又據通事人等審稱別無他、故容入貢、賞賜之類、又准照例、朝廷柔遠之恩至矣、今乃執以貨物爲言、是此來專爲判也、敬順之意何在、今朝廷且不深究袁指揮漂沒來歷、該國反以貨物爲言乎」。　正使等翌日禮部に呈疏して、指揮の送還、宗設等擒送に就いての責諭に對しては、宗設は寧波にて斬死し袁指揮は嘉靖十年享祿四年妙賀に附し送還せる途中大風のため中流に漂沒せるを陳し、使臣中一人を留めて袁指揮に代り當國の刑を受けて其罪を贖ひ至誠を魏闕に致し孤忠を吾王將軍に竭さんと述べ、宋設・宋素卿の舊貨を還納し新勘合を給付を求むるは國王別幅に具する所であり、使命を達せず蒼皇歸國せば戮に就く事掌を指すが如しとて、舊貨物の復給・新勘合頒付を强固に要請してゐる。

日明交渉の打開策として明にては宋設等の擒送・指揮袁璡の送還を以て一應解決せんとし、幕府は更に素卿等の歸送、舊貨の復還等を請ひ、事件の責任を無視する態度に出で、新勘合頒付と從來の通交を求めてゐる。 始め明では其要求を容れざる時は絶貢を以て威示しており、幕府が之を履行せず、加之に貨物の復給・素卿等の歸還を請ふ等事件の責任を無視せる態度に出でたる事を認め、牌にも「且先年奉旨不レ許二朝貢一、待下擒二送罪人宗設等一及送二還袁指揮一上方許二奏請定奪一」といつてゐる。 されば明にて積極的に閉關絶貢の處斷に出でて、之を實施せるにあらざる事は既述の經過に徵して明かである。 寧波雙殺後 (一)備倭衙門等海備を嚴重充實する事 (二)入貢の年次・船隻・人員の制限を嚴守せしむる事 (三)使臣一行と姦謀の徒との私通を嚴禁する事等が明國側に於ける事件の處置として大體擧げ得るであらうし、日本側との事件後の折衝は既述の如くであつた。　嘉靖十八年禮部尚書嚴嵩が、禮部都給中丁湛等の奏に「臣等切惟、日本自二近年宗設之亂一致レ擾二一方一、已奉二欽依一不レ許レ貢矣云々」とあるに自己の意見を付し「我皇上嘉靖二年、因二使臣宋素卿等、逞レ兇、構レ亂、干二犯天紀一、奉二有明旨一、不レ許二通貢一者、一十七年、此我皇上絶之心、即太祖之心也、春秋懲二其不恪一之義也」とあるは、（南宮疏略巻八今議日本朝貢事宜疏）　既述の碩鼎等求請の際に、世宗言官の疏を聞き次いで禮兵二部都察院に命じて僉議せしめた疏詞の一に當るものであらう。　後藤秀穂氏は嘉靖二年に閉關絶貢行はれたりとする說に反對せられたが、時代と共に其實施せられたりとする謬說が信奉せらるゝに到つた事を敍し、嚴嵩の疏を其一例として、嚴嵩自身は日本の通交を斷拒する所か前年には大廟奉謚の祝義として朝鮮・安南・琉球等と共に日本招諭を上表奏請してゐる事を指摘し、其思考の矛盾を論じたが、之は後藤氏の解釋に不足がある。　嚴嵩の疏詞を以て、既述の牌に比照すれば、其「奉二有明旨一、不レ許二通貢一者一十七年」の意味は明瞭であらうと思ふ。　加之彼は「此我皇上絶之心、即太祖之心也、春秋懲二其不恪一之義也」といつてゐる。　日本一鑑に嘉靖乙亥《十八》禮部等衙門會議奏略曰として「嘉靖癸未使臣宋素卿等、逞レ兇構レ亂、干二犯天紀一、不レ許二通貢一一十七年、此我皇上絕レ之之心耶、卽太祖之心也、春秋懲二其不悛一之義也、昨歲使臣碩鼎等、航海遠來、卑レ詞納レ款、禮部題奉欽依照レ例進貢、此我皇上容レ之之心、卽　成祖列聖之心也、春秋嘉二其自通一之義也」とある。　鄭舜功は之に附記して「已上之言、正所謂春秋會戎、來者勿レ拒、去者勿レ追、以レ不レ治而治レ之之意也」とある。（窮河話海卷之八評議）　不レ許二通貢一者一十七年は頗る支那流の表現で、事實は後藤氏のいふ如く、我が國側の事情より十七年目に遣使したるのみであるが、之を明の幕府に對する交渉の經緯に照らして其意の明かなるものがあり、一方明國側にて既述の如く始めより來使の際に於ける應接を議しておる。閉關絕貢を既定の事實とし、之に基く對策を採りし事は終止あり得なかつたのでありかゝる事態を一面より春秋嘉二其自通一之道を以て示せる事は抽象的であるが、面白き觀方であると思ふ。　嘉靖十八年碩鼎等三隻の使船を以て浙江に到るや、明では其容否は問題とせず、其眞僞と姦謀異志なきやを審査せる意味は、かくして始めて理會し得るものと考へる。　嘉靖二年閉關絕貢を斷行し市舶司を廢止せりとなす說、及び之を否定せる說との批判は以上說く所に依つて略ゝ明かであらう。

嘉靖二年閉關絕貢說に就いて之以上に絮說を要せぬと思はれるが、猶其說の憑據とする所を簡單に批判を加へる。其根據といふは明史職官志市舶の條・籌海圖編の通政唐順之の上奏同じく兵部尙書張時徹の言等である。

明史職官志に「嘉靖元年中夏言奏、倭禍起二於市舶一、遂革二福建・浙江二市舶司一、唯存二廣東市舶司一」とある。福建市舶司に就いては閉關絶貢說の矢野博士も疑問とされるが、今此處には述べない。後藤氏は明史の該記事の出處は吾學編であるといふ。大體其に相違なからう。吾學編に「嘉靖元年。〇中略故事凡番貢至者、閱貨宴席並以二先後一爲レ序、時瑞佐後至、素卿奸狡通二市舶太監一饋レ寶賄萬計、太監令三先閱二瑞佐貨一、宴又令レ坐二宗設上一、宗設設席間、與二瑞佐一忿爭、相讐殺、太監又以二素卿一故陰助レ佐、授二之兵器一、〇中略旁海鄉鎭素卿坐レ叛論レ死、宗設瑞佐皆釋還、給事中夏言上言、禍起二於市舶一、禮部遂請レ罷二市舶一、而不レ知下所レ當レ罷者市舶太監非中市舶上也〇中略（洪武）七年罷、未レ幾復設、（市舶司を）所下以通二華夷之情一、遷二有無之貨一、收二徵稅之利一、減二戍守之費一、又以禁中海賈上、抑奸商使利權在レ上、罷二市舶一而利孔在レ下、奸豪外交內詷海上無二寧日一矣」とある。之と同じ記載が鄭若曾の日本圖纂市舶の條にある。宗設・素卿等に關する處置、夏言の上奏等既述する所により之を比考する事が出來る。嘉靖三十年代の大倭寇の災に苦しみ、其に對する軍事的政治的な對抗策或は防禦策が議せられ、又所謂拔本塞源の根本的對策が論じられたが、其に開互市の論或は通貢說と其反說とがある。鄭曉にしても鄭若曾にしても前者に屬する。遣明船通交も嘉靖二十七年のそれを以て絕え、其前後數年は明政府は勿論通番禁止政策を嚴してゐたとはいへ、さしたる衝突もなくて事實上所謂商船の貿易が兩國間に行はれてゐたが、間もなく海寇猖獗を極むるに至つた。其際に開互市論等が喧しく唱導されたので、鄭曉も鄭若曾も大體開互市論者であり、唐順之も亦其一人で、張時徹の如きは反對論者の代表的の一人であるが、當時の論者は市舶を罷むとは何を意味するかといふ事、開互市とは貢船を復するか、商船を認むるとなすか、頗る混亂して使用してゐるやうである。本論の最後に詳細に論じたから之を省略する。中には唐順之の奏に引用せる總兵官盧鏜の辭の如く、既述の嘉靖十八年の禮兵二部都察院の僉議等の條件付の絶貢云々の辭句を不用意に使用したと思はるものもある。張時徹の議を以て絶貢論の憑據とするのは、彼が反對せんとして揭げた「或云、謂定海沿邊舊通二番船一、宜准二閩廣事例一、開レ市抽レ稅則邊儲可レ定而外患可レ弭」といへる鄭曉の說同樣の開互市說をいふので、彼は之等の說を批判して、商舶と貢舶との別を指摘し「夫貢者夷王之所レ遣、有二定期一、〇中略無レ僞、我國家未二嘗不一レ許也、貢未二嘗不一レ許則市舶未二嘗不一レ通、何開レ之」と明言してゐる。

註

1 堺市史　第二卷第三編第十一章。

2 鄭澤は正德六年通事として渡航した鄭澤其人であらう。彼は瑞佐の文を添削した事壬申入明記に見え、且其詩文につき記錄せし事日下一木集にあつて、特に瑞佐と昵懇であつたやうだ。

3 市舶司に館すとはいふまでもなく、市舶司安遠驛々中の所謂嘉賓堂に館するのである。籌海圖編卷二に「正統七年入貢、時貢船九隻使人千餘、方發二境清・天寧各寺一安歇」とある。正統七年は景泰四年の誤であるが、此時の遣明の船人共に非常に多數であつたので境清・天寧等の諸寺に分宿せしめたといふは或は確しかな根據ある記事であらう。然し允彭入唐記にも記す如く、此際も正使は嘉賓堂の按字一號房に居り以下各房に綱司・居座等の官員は館してゐる。故に宗設等が境清寺に館せしめられたのは官員以外の人件並に遇せられたといつてよい。

4 朝鮮李懌(中宗)の表文は「今照倭奴打二攪上國地方一、肆二其兇頑一、至レ殺二官兵一、不レ伏二天誅一、偸レ生到レ境、臣仰二仗皇威一、剿殺幾盡、所レ擒中林・多羅等二名、合二即誅一、緣レ係二罪犯上國一、未レ敢レ擅、便計處、今將二賊倭二・俘首級三十三顆及長箭二枝・船窓二扇一、差二陪臣刑曹參判成洗昌一、賫領、幷將二搶四人王漾等八名一管解前赴、外理合具由陳奏」とある。殊域周咨錄卷一

5 後藤秀穗氏の史學雜誌三十三ノ七に揭載せる論文「矢野博士の葡萄牙人渡來顚末の一節に就いて」は嘉靖二年寧波市舶司廢止說を否定して好個の文獻であるが、明紀卷二十九に收むる陳九疇の上言に「今卽不レ能レ如二漢武興二大宛之師一、亦當レ效二光

武絶二西域一之計」とあるを日本に對する閉關絶貢說とせられたが、之は覗易き誤で哈密に對するものである。

三　天文八年の遣明船

大内氏は享祿三年正月再び幕府に對し遣明船の特權の行使に就き求める所があり、幕府は御敎書を發し、速かに其沙汰を致すべき旨を達してゐる。之より先朝鮮中宗廿三年 享祿元年 に大内氏の使僧東雲等到り、明人袁希玉等を轉送せんことを請ひ、明に送る書契を呈した事があつたが、之も遣明船派遣の準備工作であらう。李朝實錄 中宗二十三年七月壬申、甲戌・壬午、八月庚申

天文五年五月に至り、大内義隆は明春を期して遣明船を出す事と決し、幕府に硫黄の進納を島津勝久に命じ、且松浦黨に沿途の警固を達せられん事を請うた。古簡雜纂 蓋し進貢物である硫黄一萬斤を島津氏が調進するは從前よりの例であつた。同年十二月には大内氏の使僧石山本願寺の證如の許に到り、同じく進貢物として要用の瑪瑙を所望し、所持なくば加州江沼郡那谷觀音堂下にあるものを賜與されたき旨を傳へた。那谷の瑪瑙は古來品質佳良を以て聞え、進貢用の瑪瑙の如きは常に此處より調進されたらしい。後段參照 證如よりは降雪の季なるを以て如何とは思ふ

が江沼に中下す事を返報し、翌天文六年三月江沼郡中宛右の件を通じ、同年六月には瑪瑙五箇石山に届き、同年十二月堺ひらや取次にて堺發の便船にて大内氏の許へ送付してゐる。（石山本願寺日記天文五年十二月廿四日・廿六日・廿八日、天文六年三月十五日・六月廿七日・十二月一日、證如上人書札案）

遣明船の正使には博多新篁院碩鼎が任命され、副使に天龍寺塔頭妙智院の策彦周良が當用された。諸禪僧の送策彦行詩中に見ゆる三會院天用眞霖の詩序に「予茲歳天文六、俗年既得二六十六一、○中略吾門策彦老人迺三十三年舊識也云々」とあつて、鹿苑院の梅叔法霖が鹿苑日錄同年十二月廿七日の條に渡唐送行詩製レ之」と記すはそれであらう。周良が其初渡集嘉靖十八年八月十一日の條に自傳を敍して「是故天文六祀春仲、依二防城府君一ゝゝ命以二入唐之事一云々とあつて、天文六年春副使の委命あり、翌年正月早々防州に下向したのであらう。妙智院所藏の六月廿日付義隆の周良首座禪師と宛てた書狀に「來春渡唐之儀如レ定候、無二餘日一之間、早々可レ令二下向一給上候云々」とあり、八月十日付相良武任等大内氏奉行の妙智院侍者御中と宛てた連署狀に「急度爲二飛脚一宗泉入道被二差上一候、來渡唐船之事來春可レ爲二必定一候、依以二直書一被レ申候、早々御下向肝要候、御疏事是又可レ在二御隨身一候、年内役者悉至二博多一、可レ被二差下一候條、聊不レ可レ在二御延引一候、隨而御出立料百貫文此宗泉可レ致二勘渡一候、惜被二請取一之御請取狀對二此宗泉一、可ㇾ被ㇾ遣候云々」とあるが、孰れも通說の如く天文六年のものであらう。後のものに「御疏事是又可ㇾ在二御隨身一候」とあるは、將軍義晴の國書を指してゐる。妙智院所藏の渡唐方進貢物諸色注文に、御疏紙一枚寸方事等以下、國書に就いての委細を記錄するが、之は天文八年及び十六年のそれを通じて記してゐる。「一、疏紙一枚、別貳百文宛、於二德地一漉ㇾ之」とあり、次に「同紙事、近年は對馬紙上六枚并唐紙一枚己上七枚重二合之一、一紙に認ㇾ之、但唐紙は面成方の裏紙也、經師末松誘《スク》ㇾ之」とあるが、近年對馬紙唐紙を使用するといへるは天文年間の事實を指すものとすれば、以前德地紙を使用したるは大內氏が第一號船を占めるやうになつた永正以來の事實であらう。何れにしても疏紙は大內氏から調進したものであるが、國書は將軍の名で署せられるのであるから、其閱覽を經なければならぬ。「一御疏紙御認事」の條に「一於二京都一天文七年御二調之一、同八年渡唐事」とあるに據ると天文七年の日付らしく思はれる。然らば周良が京都辭去に當り之を得て齎らしたものと見える。當時所謂日本國王印は大內氏の許に保管されており之は山口で捺印された。三隻の遣明船が齎らした勘合は明確ならざるものがある。第三號船は定海縣到着が遲れて市舶提擧司通事周文衡の書狀に弘治勘合第十六號一道・正德勘合第十號一道を齎らした事が見える。初渡集嘉靖十八年五月廿一日 弘治・正德兩勘合共に當時大内氏の手にあつた事は事實であるが、皇明實錄嘉靖二十八年六月甲寅の條參照、猶後段に述べる自餘の船も第三號船同樣に弘治・正德の兩勘合を持したものであるまいか。前回宋素卿等は弘治勘合、宗設等は正德勘合を齎らしており、明では其何れが正貢使なるかを査明せんとした事であり、嘉靖六年の義晴の國書に正德勘合は途に奪はれた事を報じたのであるから、弘治・正德兩勘合を齎らして豫め用意する所があつたのであらう。

第一號船の役者卽ち官員として初渡集に收める明の諸官司に宛てた書狀の連名には、正使碩鼎、副使周良の他に、居座梵琢・等越、土官吉見正賴・矢田增重、通事吳榮の名が見えてゐる。此外に從僧として渡航せる六名がある。總船頭は博多の神屋主計であつた。初渡集を熟讀すると大光及び釣雲と記さるゝは一號船居座に相當すると考ふる他はないが、釣雲は北鹿苑寺泰甫和尚の弟子で雲窓と號し、大永三年にも渡航しており、又次回天文十六年にも周良と行を倶にした。初渡集嘉靖十八年八月十五日、同十九年六月廿八日 第二號船の居座には博多の東禪寺の仙甫祥鶴があり、彼は寧波で客死した。嘉靖十八年七月十五日 居座啓竺も恐らく同船に坐乘せるものであらう。嘉靖十九年十月十日 土官に阿野備前守があり、嘉靖二十年正月十七日 通事に助左衞門の名が見え、天文八年二月八日 船頭は河上木工左衞門であつた。第三號船に居座には周琳があり、又德忠上司があつた。嘉靖十九年十月十日 土官は堺の吸江延上司で、宗演も亦恐らく此船の土官であるが、延上司と同一人か否かは明かでない（吸江は庵名であらう。）通事は明白でないが、船頭は多分薩摩の又左衛門であらう。

從僧・從人或は同宿等の名で渡航せる僧に、孤竹（嘉靖十八年閏七月八日死）三英・熊松・實際・萬祝英首座・三正統公上司・天初・慶裕・宗桂等多くの名が見える。其内三英は碩鼎の遺稿三脚稿にも見ゆる三英性省であらうし、實際とは寺名であり豐前の實際寺かと推せられ、三正統公上司は博多の龍華庵主であり、萬祝英首座は山口の僧で、彼等は崇恕と共に從僧であつた事は略ゝ推察される（天文七年九月廿八日）崇恕は博多の聖福寺搭頭順心庵の仁叔恕上司とも記されてゐる。知庫に三井氏及び谷源四郎があり、前者は第一號船知庫である。（嘉靖二十年三月一日）重付に谷清左衛門があり、通事には永正八年にも渡航した錢宗詢があつた。

續史籍集覽所收の記錄に一號舡官員十五名、從商人百十二人、水夫五十八人、二號舡官員五名、從商人九十五人、水夫四十人、三號舡官員六名、從商人九十人、水夫三十八人、總計四百五十六人とある。嘉靖十八年五月の一號船の廩給は官員十五人、口糧は從人共百七十九名に支給せられてゐる。續史籍集覽の記錄に比し人件が一名尠いのは、口糧は實員に對したものであり、右の記錄は恐らく勘合符塡寫の案文の類であつた故であらう。翌年十二月巡按御史王憲より贈與した禮物は、正副使・居座土官及び從僧總船頭通事十員の三段に種類量額を異にし、別に從人水手三百四十九名の給與があつた。通事迄が官員であり、從人水手が人件なる事は明かである。居座土官の總數は明かでないが、續史籍集覽所收の記錄に據れば官員合計二十六名で其内居座東禪寺と從僧かと推せられる孤竹は十八年中に病死してゐるから、官員二十四人となり、王憲の禮物開發の牌では居座土官以外の官員十二名となるから、殘り十二名が之に宛て得るであらう。

一號船官員十五名は既述の正使以下十三名に、總船頭を加へ、之に吳榮の他に通事一人を加ふべき事は先づ疑ひない。日本一鑑に嘉靖己亥正副使二十四人・從人生手三百五十八とあるが、此記錄も他の例よりいつて根據あるものであらう。王憲の牌で人件三百四十九名となり、續史籍集覽の記錄四百三十人より著しく尠ない理由は、官員の同宿、僕等の給與は官員禮物中に含まれて特別に人數を擧示しなかつたためである。（後段參照）日本一鑑は何に據つたか明かでないが、官員二十四人は二名死亡後の數と考へられ、人件が又四百三十人と開きがあるは王憲の牌と類似の記錄に從つたものであるまいか。唯牌と比して九人多きは之より早期の記錄であつて、死亡等により出入を見たるかも知れぬ。後勘を俟つ所以である。

遣明船は豫定の如く天文七年春博多より平戸、五島に渡航し順風を待つたものらしい。然るに遂に好風を得なかつたものと見えて、六月二十六日五島奈留浦より廻航して第一號船は七月一日博多に着し、其他も之に倣つたであらう。正使碩鼎は新篁院に入り、周良は二日に龍華院に移居した。翌天文八年二月十四日「今夜一號船浮」とあるは修理装備を終へたのであらう。三月五日開帆して志賀島に到り、十七日小豆島に移り、廿二日平戸に赴き廿四日河内浦に着岸、晦日五島奈留浦に到つた。四月十九日奈留浦發船第一號・第二號兩船のみ翌五月二日浙江省温州府大瞿山に到り、次いで北向して七日寧波府象山縣昌國に着した。昌國衛の總兵官劉東山の派遣せる軍船等に護送されて定海縣に入り、十四日定海の總兵官・千戸二名を派して、使臣・通事・貢物・駕船人件・起程時日等を問ひ、十五日には寧波直司、千戸と倶に市舶司通事周文衡を來訪せしめて「承二何王差遣一、奉二何年間勘合一、有無表箋、今次來船幾艦、有二何方物進一、正使・副使・居座・土官・從僧等各員名、商人若干名、水夫從人若干名、進貢刀鎗・鎧甲若干、防船軍器若干、馬若干匹、後有無船隻、船名號等」を糺さしめた。十六日定海港に到着、十八日副巡海葵陽より報じて、昨日總兵官寧波に往き市舶司に到りしに、別に使船一艘一・二日中に定海港に到着する筈なるを以て、之を待ち偕に寧波に到らん事を傳へた。　此葵陽の書狀は妙智院所藏文書中に收められてゐる。　別の使船一艘とは卽ち第三號船で、四月十九日ともに五島を發船したが、風のため朝鮮の沿海に流され、五月十二日大茅海岸に著し二十日に定海港に到着した。　十八日に提刑按察司副使盧氏浙江通志卷一百十八職官志に據るに盧憲は之より先使船到るの報に依り寧波に來到し、把總梁劉・通判周初・再渡集に府の通判を三府とも記す、又知府に次ぎ同知を二府といふ　市舶提擧魏璜を定海に派して、宋設・宋素卿構亂後の處置、今次來貢の勘合は何年給領のものなるや、表文の有無、寧波府備置の布政司原給の底簿と勘合の印信字號を比對し、表文の驗看を俟つて鎭巡衙門に通行を呈請すべき事、正使等寧波府の安揷に從ひ國法約束を謹守する事、商從水夫等法を守り館に就き住歇し、方物を盤收し、令に准じて開市買賣し、牙行人等に藉り財物を騙するなく、安靜に奏請伴送して赴京せしむるを待つべき事等を達示した。　同じく盧氏の牌示に據り、五月廿二日定海總兵官の派遣せる軍船に護送されて定海港を發し寧波岸に到着した。　廿三日使人等の携帶せる大小兵器等を盤出し、簿記に註し封じて庫に收藏し、廿五日に正使副使等官員上陸し、按察司副使等に挨拶し嘉賓堂に入り、第二號・第三號船の官員は廿七日上岸した。　廿九日杭州より兼管市舶事務御馬監太監劉氏來寧し、六月一日正使以下太監按察司副使・巡按御史（但し他適中）・市舶提擧・寧波府知府・鄞縣知縣等に朔禮を行つた。七月八日貢物及び諸役者物件の盤驗、十一日より一號船物件より始めて順次盤驗し翌日之を終了した。館の出入頗る嚴重であつて官事を除き之を許さゞる有樣で、正吏等屢〻之を諸官に訴へてゐる。按察司副使・太監は間もなく杭州に歸府した。皇明實錄嘉靖十八年閏七月癸卯の條に浙江鎭巡官より日本國王源義晴の遣使來貢の事を聞し、世宗命じて巡按御史をして三司を督同し、嚴に譯審を加へ、果して效順ならば例の如く起送せしめ、仍つて所在の居民の私に交通して以て禍亂を滋すことなからしめたとある。右の詔の寫は翌八月十六日寧波に着し、十七日知府より正使以下に示した。廿一日新任の按察司副使（浙江通志職官志によれば胡有恆か）來寧し廿六日に牌を以て日人北上五十人等の事を示した。廿九日に知府に呈書して「雖然起程未定、假裝未辨、爲之奈何、仰望隨例、先甲俾吾商從等若干名速到杭州、少焉赴京之日、擇五十人上途則可也、想夫北地多寒、河水早凍、然後起身、則舟車足力摠難、及徒費日月於中路、朝趨如遲延、明年歸船失風候也云々」とあり、九月一日にも知府に呈書して「往古以來、進貢使臣及商從等擧群見許造進于杭府、每貢靡有缺少、今次朝貢、除上京五十人外、弗蒙恕容、是何謂哉」とある。

赴京五十人の制限は弘治九年の規定であつたが、杭州までは交易等のため從來別に多數上途し得たので、此事情は後に述べる。然るに今回は赴京五十人以外は、一切之を許さゞる事になつたのである。十一日知府より正副使以外の居座・土官及び商伴人等赴京の姓名を開具すべきを達せられ、十六日巡按御史杭州より來寧し、廿二日正使等に今次の進貢顚末及び宋素卿等の事を査審し、廿七日按察司副使・都寺・巡按御史等臨席の下に赴京と共に伴送すべき貢獻物を盤驗して朱漆箱に收めた。此時又此度は寧波上岸の際、剃刀・小刀類に至るまで鐵を以て造るものは、總べて兵器に擬し東庫に封藏されたので、日用の微織の鐵物の所持を請うてゐる。廿九日東庫にて定例の筵宴を終へ、十月四日按察司副使・北上の事を報じ、分巡道より都察院勘合已に到着せるを以て巡按察院案行を候して渡付する旨を達したが、此勘合は水路遞運船・陸路脚力に對する勘合であらう。後段参照 同月十七日鹽倉門より出でて乘船し、十九日發船したが、伴送官は提擧魏璜・通事張・周二氏の三人で、正使船に正使の二大字を書する黄色旗を副使船に同樣副使二大字を書せる黄色旗を挿した。

正使一行の北京會同館に就いたるは翌嘉靖十九年三月二日で、景泰四年允澎東洋等が沿途五十日間を費したに對し、其二倍半餘の時日を要してゐる　此間の遞運船・挽夫・脚力等の給付、驛々の廩給口糧等に就いては後節に述べる。嘉靖十九年二月八日德州安德驛にて提擧魏瓚入貢入京等の事を報ずるため一行に別れて先發してゐる。皇明實錄二月丙戌の條に「日本王源義晴差二正副使碩鼎等一來朝、貢二馬及獻二方物一、宴賞如レ例、又加二賜國王王妃、使臣方物各給以レ價」と記し、次に前述した如くに碩鼎等の要求せる宗設・宋素卿等の貨物の復給新勘合の頒與につき言官の論疏あり、世宗禮部をして兵刑二部・都察院を會して僉議せしめ、貨物の復給を許さず、新勘合は舊勘合の還納後に易賜し、並に以後十年一貢・使人百名・貢船三隻の制に違へば阻回し、使者を遣り歸國を督し、沿海備倭衙門をして嚴に備へしむ等の聞奏を、詔して聽從したとある。之に據ると宴賞加賜給價の事も、使人の入京に先だち、豫め審議詔示したので、實錄は其記事に係る。

三月五日鴻臚寺通事王・鄧二氏來り朝拜の禮を習ひ、七日闕左門に朝拜し茶飯あり禮部に到り尙書侍郎・主客司主事を訪禮した。八日王・鄧通事來つて表文を呈せん事を命じ、正副使等朝拜の際捧呈する先例を以て抗議したが、禮部堅請して遂に之を差出した。十一日貢物を禮部に收め、十五日正副使從僧一人禮部に到り自進の團扇小扇等を進め、十八日會同館に於いて太監・禮部（禮部は太監の下位に列してゐるから、尙書・侍郎ではなく主事正六品である。）相伴の大茶飯あり、翌四月三日禮部尙書嚴嵩より正使以下從僧に至る十三員の僧衣を給した。十日以後貨物の復給・新勘合頒與の折衝が正副使と禮部との間に續けられたが、正副使の求請は結局容れられなかつた。五月一日唐衣裳等の賜與あり、翌日諸役者之を着て禁庭に到り啓謝した。七日正副使以下朝參、奉天門の左側左順門にて正使返書を受け、一同闕左門にて茶飯あり、鴻臚寺・禮部にそれ〴〵謝禮を致し、九日馬官の給せる馬・驢・車輛を利して潞河驛に着し歸途に就いた。伴送官の他に北京よりは鴻臚寺通事鄧壁が同途した。七月廿四日鎭江府儀眞縣儀眞驛閘口に着し南京に航するため擺江船の事等を交渉し、廿六日渡口に到つて擺江船に移り、廿九日龍江驛に到着した。妙智院所藏の日付缺く鴻臚寺壁生奉復、及び壁生拜復の署ある二通の文書は何れも此際のもので、壁生は護送官たる鴻臚寺通事鄧壁である。之より先正使以下の北京を辭するに當り、詔して官人一人を南京に先遣して、硫黃代價及び使臣等に賜給する銅錢（之一定してゐる、後節に述ぶ。）等につき準備せしめた。

正使等は三十日龍江驛に上岸し、太監・禮部郎中・主客司以下迎へて河岸に禮を交はし、正使以下從僧に至る順次正賞銅匁即ち銅錢の賜給の儀があつて、翌八月一日二日使人一行船中に留まり、三日開船歸途に就いた。

允澎入唐記によると正使允澎等は景泰五年四月十日に龍江驛に着し、翌十一日内官三員都督一員廣恩街に迎接し、五月三日迄二十日間餘滯在し、寺觀或は近傍の鍾山等を歷遊してゐる。楠葉西忍は第八號船の土官として渡航したが、彼の記錄では四月九日南京に入り五月三日に辭した事が見える。官收買物の給價等を得るために歸途南京に到る例となつてゐる。蔗軒日錄文明十八年七月廿二日の條に「子西臨レ席、話及二江南之事一、金陵城中禁二日本人一而不レ許レ入」とあるは注意すべき記事である。子西は東山天潤庵に住した宗悅書記で、還俗して癸卯の歲卽ち文明十五年の遣明船に乘坐して明へ渡航した。彼は明人らしく、字を子西といひ名を金と稱した。子西の談によると此遣明船頃から使人の金陵城中に入る事を禁止したらしい。之は我が商人が張家灣の鹽を購入して南京にて販賣せる如き不軌を行つた事が直接の原因であらうが、屢々他の機會にも述べた如く明側の遣明船に對する退嬰的な態度の一具顯である。猶之に就いては後にも闡說する。正德七年南京に入つた桂悟等の場合は、沿途梗塞のため北京に赴くを得ず、南京禮部に於いて特に賜衣賜宴等を行はしめたのだから例外である。妙智院所藏儀眞縣で記したと思はれる璧生拜復と署する正副使以下に宛てた通事鄧壁の書翰に、「南京之山水、不レ如二蘇杭之富麗一、南京之物產、高不レ如二蘇杭繁演一、可レ買二朝廷配重相二待使臣一、各持二大體天重一、卽行不レ先二體面一、尊榮而歸、安淨而往、足レ見二使臣之位一、望端重取二重于兩京一多矣、此處實不レ比二比《北カ》京各守臣嚴切畏一レ事、岸上物色足二以知一レ之、量用復、惟高明深察々々」とある。之頎鼎等南京の勝蹟寺觀の遊覽、交市易賣を請うたに對して應へたものと思はれる。

かくて一行の寧波に歸着したるは九月十二日、歸途も亦允澎等の三箇月間に比し、南京滯在の十數日短きに拘はらず、四箇月間を要してゐるが、之等の事情は又後に考敍しよう。歸航の風期既に過ぎたるを以て、此歲は滯留せざるを得ず、同月廿二日に正使以下海道按察司副使・知府・提擧・知縣に到りて此事を謝してゐる。

翌嘉靖二十年四月二十九日艤裝成れる三隻の船の檢視を行ひ、翌月九日貢舡修造料及び椶纜・鐵猫費等の官給あり、十六日知府・通判・提擧・知縣に禮謝を敍し、二十日又諸衙門に最後の別を敍して東渡門より城外に出でそれ〴〵乘船した。廿四日定海・昌國の軍船等の來迎護送を得て定海港に着し、廿五日定海官廳前に近く移りて、總兵官に先に收藏した兵器等の事を啓申した。翌日臺州・溫州・寧波等の軍船百二十艘人員五千人の護送裡に徐々に船を進め、廿八日沈家門口に泊して、呉通事及び三船の人員を遣りて兵器を收めた。明側の警備の嚴に過ぎて餘りに怯なるを見るべきである。晦日烏沙門に達し、此近邊にて好風を俟ち、六月二十日開帆し、二十六日に五島姫島に達した。次いで七月四日第一號船呼子に移り、九日藍島に到り、十日赤間關に着岸した。第二號船は正使船と同時に五島に着き、以後先行して赤間關に到り、第三號船は其客商等正副使の赤間關上岸後來賀せる事實を見れば別に早く歸航したらしい。やがて廿二日正使碩鼎は博多に歸休し、廿六日堺衆等室の便船に乗じて東上し、副使周良は廿八日起身して晦日湯田に到り、先着せる堺衆の一部池永宗巴等に迎へられ、翌日山口に移つた。時に義隆は安藝金山に出陣中のために、周良は八月十二日山口を出でて十八日金山著、十九日義隆に謁し明の返書の事等を陳した。義隆の西條出陣よりの金山歸城を待ち、十四日に舊勘合の檢點を行ふ等あり、十六日再渡明の命を受け、十八日山口に出發し、廿四日到着した。周良の初渡集は翌十月廿六日山口に滯在中にて筆を擱いてゐる。

大内氏が遣明船を計劃せると前後して堺の商人も細川氏の名によつて發遣を準備した。其經過は堺市史に主として石山本願寺の日記に據つて詳述してゐる。堺の客衆、卽ち抽分錢を請負つて事實上遣明船從商人貿易を商權下に置き其經營費等も一切出資した代表的の商人は、遲くも天文五年中には土佐の中村の領主一條家の下で造船を企てゝゐる。天文六年の春客衆より板原次郎左衞門に交涉して渡唐船請取のため土佐に下向する事を依賴したが承諾しなかつたので、本願寺の證如に交涉を依賴し、證如より板原に下命した所板原は早速下向した。石山本願寺日記天文六年三月十日、天文七年正月十七日　板原に託した證如の書翰に對する一條家の返書は、同年十二月廿四日に證如の許に屆き、其中に「殊本寺建立候者、此間造營候唐船に、去年自二山中一四月ニ材木出候條、被↓貯↓之、此方可↓被↓差上↓とある。天文五年四月伐出した材木は造船のため、であつて、造船の依頼は勿論其以前にあつた。翌天文七年正月に堺十人の客衆より木屋宗觀・小西宗左衞門を使者として本願寺に遣り、板原に下命されたる事を謝してゐる。使者の談に遣明船は堺津より出帆するが吉例であり、來夏土佐より堺浦に廻航する事を望んでゐるが、當時堺津は船の碇船に不便となつてゐて、紀州の藤白湊外一二箇所山際にあり風波の難を防ぐ港津があるといひ、紀州の門徒に下命して水夫二十人を土佐に下向せしめられたく、此件は一條家より通知ある筈であるが、豫め非公式に堺より本願寺へ申入れよとの事であると告げた。證如は直ちに此事を紀州へ照會し、其返答は、一條家及び堺衆の申出であり涯分の警固は致すが、水夫は大船に乘る者なしといふ事であつた。船はやがて堺に廻航され、十二月には證如も堺に微行して見物してゐるが、天文八年紀州の湊に移された。然るに翌年三月頃には再び堺に廻航されており、證如は廣橋・白川・富小路の諸氏を誘つて遣明船を一覽せしめてゐる。

天文十年十一月大内氏は伊勢守を以て堺浦より遣明船を催す由の風聞あり、延引するやう下知有りたき旨を幕府に申請した。幕府の諸奉行等も亦大内氏の請を聽くを可とした。大館常興日記天文十年十一月十二日　細川晴元は其岳父近江國守護六角定頼に對し、翌年正月書狀を送つて、堺遣明船の事を命じた所、大内氏の申請により昨年下知あつて面目を失ひたる事を告げ其救解を求めた。萩藩閥閲錄五十九

大内氏は碩鼎等の歸朝の頃には既に再遣の事を計劃しており、天文十年九月金山城で周良に入明の事を命じてゐる。堺より遣明船發船を延引せしむるやう申請したるは、或は全然阻止せんとする婉曲な言方とも思はれるが、直接次回渡航の障碍となる故であらう。翌年五月大内氏より「唐船事存知段、先年御内書被下案文」を奉行に呈出した。之は細川氏の計畫の阻止と共に、自己の遣明船派遣に豫め備へたものであらう。

天文十一年二月大内氏より遣明船歸朝を幕府に復命し、明よりの進物を上つてゐる。第一號船が何人の經營に係るとも、明帝よりの頒賜品は必ず幕府に納むるを舊例とするのである。蜷川親俊日記 天文十一年二月朔日　大館常興日記 天文十一年二月十二日

四　天文十六年の遣明船

大内義隆は天文十年九月副使策彥周良より安藝金山城に於いて歸朝の復命を

受くるや、早くも次の遣明船の事を命じた。恐らく其正使たる事を委囑したのであらう。又同時に舊勘合の點檢を行つてゐる。之は明に於いて舊勘合を還納したる後新勘合を給付するといへるにより、弘治・正德勘合の殘數等を調査したものであらう。渡唐方進貢物諸色注文に據ると、進貢物の屛風三雙・扇子百本等の調製を天文十年十一月三日に狩野大炊助に命ずる所あつた。此日付は注文狀の案文のそれである。而して前正法寺慶喚が上洛して「爲二御使僧一參上之時」之を誂へ、天文十二年六月に山口に到來したといふ。使僧として參上したとは幕府への遣使を意味してゐる。同注文に「御印在り所口傳在」之、保壽寺殿從二雲州御陣一、有二御下向一、武任同前於二御殿一御印被レ押之云々」とある。即ち幕府の國書に、義興の庶兄なる保壽寺住職の梵良及び相良武任二人が、出雲國尼子征伐の陣より歸國して大内邸にて「日本國王印」を押印したのである。雲州御陣とは天文十一年六月初めて出雲に先陣の兵を入らしめてより、翌十二年五月廿五日義隆の山口に歸陣せる迄の征戰をいふ。天文十二年二月周防の正法寺二百錢を持し鹿苑院に到り出雲宇賀庄代官職所望の件につき斡旋を依頼してゐるが、彼は三月四日に周防に下向するといふ事で、法霖は彼に託送すべき義隆、凌雲寺、杉民部入道等への書狀をも用意したのであつた。鹿苑日錄天文十二年二月廿七日、廿八日、三月二日 正法寺は卽ち慶喚であつて、彼が幕府への使命をも帶びたといへば、圖書も此際齎らし歸國したものと思はれる。

天文十一年十二月本願寺證如の許へ、義隆より陶安房守添狀を以て來年遣明船を出すに就いては又瑪瑙を所望する旨書送り、翌年二月證如は下間賴堯に命じ陶安房守宛に先年の瑪瑙の事は那谷寺の者觀音の祕寶として容易に承引せず、種々申下した結果重ねての儀は調へずとて漸く呈供した事を傳へしめて之を拒絶した。石山本願寺日記天文十一年十二月廿六日、天文十二年二月十四日 蜷川親俊日記に天文十一年六月佐々木定賴より慈光院を使者として唐船勘合の事に就きて上洛せしめた事が見える。定賴は細川晴元の岳父で、前年晴元より堺の遣明船が大内氏の申請に依り妨げられた件を報じた事もあり、晴元のための斡旋とも考へられる。先に幕府の許にあつた弘治の勘合は、其内何程かゞ寧波の亂中に紛失したらしく殘部が大内氏に歸した事は確しかであつて、堺の商人が勘合符を既に所有してゐたか、或は入手の法を用意して遣明船發遣の準備を成したかは明瞭ではない。然るに慈光院は佐々木氏の昵近者で屢ゞ隨伴して入京し五山僧徒とも往來してゐるが、天文十六年遣明船には副使として渡航してゐる。副使慈光院とは大永以來三度渡航した釣雲を指すといふ說が行はれてゐるが、是は誤謬である。巡撫朱紈の哨報夷船事の奏に「引二送正使周良副使壽文居坐等共二十二員名一到」と見える。妙智院藏の謙齊南游集に「副使竺裔遊二天童一、於二密菴塔一有レ偈、次二其芳韻一」の詩がある。竺裔は蓋し號であらう。周良は當時既に次の遣明船正使に略レ内定せる事は察せられるが、副使の事は確しかでない。されど慈光院が定頼の使者として勘合の件に就き幕府を訪うた事は、かゝる結果より見て單に細川船勘合符の斡旋の故とのみ解し難い所がある。

再渡集に「予副使釣雲土官慈眼以下迎接」とか「待予及副使釣雲土官慈眼以下」といふ記事の類が散見して一見如何にも副使釣雲の意を示してゐるやうだが、少しく熟讀すると「招副使慈眼議評」とか「待副使土官釣雲慈眼以下」の類の記載も多く、之等は副使の人名を略してゐると解する外はない。初渡集では正使の名を記さずして單に正使大和尚と記す類が多いが、副使の記載も之に準じたのであらう。釣雲が副使にあらざる事は、嘉靖廿六年十一月廿三日の條に「今夕土官价二慈眼一見レ招、偕二釣雲一往、應レ之、副使亦侑レ座」とあり、又廿七年四月廿一日の條に「於二予館一與二副使土官慈眼以下一會議、釣雲以二微恙一不レ出」とある例により明瞭である。釣雲は雪窓と號して前回は居座であつたが、今次は土官であつたらしい。「待二副使土官釣雲慈眼以下一」「倂二土官釣雲從人被レ酒」の類の記事が多い。

鹿苑日錄に據ると天文十三年七月定頼の上洛せるに慈光院も隨伴して、八日慈光院文首座が三百文を持して鹿苑院を訪うた事が見える。此文首座が竺裔壽文首座其人であらう。

周良は義隆より岩國梅福院を賜つたが、其後間もなく洛西妙智院に歸住した。天文十二年二月法霖は妙智院を訪ひ、周良に引合二状、帶二筋を贈り、九月にも扇子を呈してゐる。（鹿苑日錄天文十二年二月九日、九月廿一日）妙智院に十月廿六日日付及び十一月十五日日付で、來春遣明船渡航必定につき早々下向すべき事を達した義隆の書狀が二通ある。

大明譜に諸役者として「正使都さかのてんりうじ、副使近江の慈光院、御土官吉見治部丞殿、そへ御土官杉大藏忠殿、但大藏殿於𨛗山死了、御用人衆矢田三郎兵衛殿・門司日向殿・杉佐渡殿・杤綱左京殿・福江治部殿・御郷源三殿・矢田民部殿、同役仁は通事也、其外四艘御役者拾人」とあり、又「水夫以下京さかいいづれも卅九ヶ國の衆也、一號船頭博多津小田藤左衛門、但寧波にて死了、子彌五郎有」とある。　又（以下は古事類苑・大日本佛教全書所收のものに之を缺略す）「二號船頭鹽屋又左衛門・土官鹽屋對馬守殿・そへ土官播磨國圓通寺典藏主・御小座(居)繼光院《はかた》死了、そへ小座(居)山口慈眼院、三號船頭盛田新左衛門死了、同船頭池永次郎左衛門土官山口眞如寺内宗くん（○再渡集に宗薫と記してゐる）そへ土官さかい(堺)吸江・小座(居)ゑんきう《即休》・同性首座ふしみの人」とあり、「四號船頭さつま田中豐前守・土官玄じゆく（再渡集に玄叔と記してゐる）同小座(居)しゆ《はかた》んしん《正福寺内》（○正福寺は聖福寺である。再渡集によれば四號船居座に恕上司があり、彼は前回の船に從僧であつた崇恕であらう。博多順心庵主であつて、しゆんしんは卽ち順心である。）しうそう《從僧》しゆ《來》いづれもこれあり」とある。　釣雲は一號船の土官であつたと思はれる。　其他に三英・

琇楞・三正統上司・江雲・景轍鞠等の名が見えるが、其大半は前回にも渡航してゐる。通事に呉榮並に藤左衛門があり、重付は前回同樣に谷清左衛門であつた。客衆の事は後節に述べるが、二・三號船に堺衆が多く乘坐してゐた。人員總數は巡撫朱紈の哨報夷船の奏に「稱、爾來從伴水夫共六百三十七人、自去年在外洋候、至今染病死者二十一人、見存六百十六名」とあり、日本一鑑にも「嘉靖戊申使人六百三十七」とある。

大明譜は奧付に「嘉靖廿九年卯月十五日柳井藏人鄕直　浙江寧波府嘉賓堂書之」とある。之に據ると天文十六年二月廿一日に山口を出發したといふ。正使以下の多くの役者も勿論同時に發足したであらう。南海通記に收める大内氏の渡唐船法度條々は二月廿日付になつてゐる。大明譜に三月三日博多着、八日に志賀島に渡り、廿一日に出船、名護屋・大島を經て廿八日に平戸着、四月一日五島川地(河内)浦に移り、五月四日に四艘ともに開洋したとある。五月十三日に臺州府に一號船到着し、他三艘は相離れて三號船の如きは同月十四日に溫州府にて二十八艘の海賊船に襲はれ死者九名を出した。(1) 六月一日四艘倶に定海港に到着したが、十年一貢の年期に滿たずして官司許さず、愁訴して三十日間逼留したが、遂に聽かれず、七月二日に定海を出でて嶴山に移つた。昆陽漫錄に、昆陽が寛保元年官命を帶び信州を巡つて古書を索めたる時呈差せる文書として、嘉靖廿六年六月初五日（初五の二字原書朱書）日付の寧波府より周良に阻回を諭する書を收めてゐる。

以來翌嘉靖廿七年正月下旬に船を出し、川山近傍に廻航し、次いで定海に到るまで、嶴山に滯在したのであつて、「於定海并嶴山下行價銀帳」は初め定海に赴き次に嶴山に淹留した期間の支拂帳である。即ち六月廿一日の下行より始まり十一月廿九日の下行までの分を記して、「以上肆佰拾玖文目七分貳厘捌髮、自六月至十一月廿九日」遣足分」とあり、又別に十一月晦日に始まり十二月廿六日に終る下行帳がある。此間は所謂貢期外であり、「恆例の廩給口糧の支給もなく、右の下行價銀は使船の負擔であつて食料其他の購入に宛てられてゐる。

此度の遣明船浙江到着の際は、前回の場合とは頗る海邊の事態に異なるものがあつた。其事は後節に述べる筈であるが、嘉靖廿一、二年頃より浙閩海商の南海に到り葡萄牙人等を勾引し、浙江にては雙嶼にて交易が行はれ、又日本に到り博多商人等を誘つて同じく雙嶼等に會市した。明では通番下海は一般に禁止する方針であり、其間衝擊の避け難きものがあつたが、遂に嘉靖廿七、八年に於ける朱紈の雙嶼及び漳州府月港の掃蕩となつた。此頃より浙閩の海邊漸く海寇跳梁の風を生じたのである。嘉靖二十三年に釋壽光、同二十五年に清梁が入貢と稱して到つたが、表文なく貢期に違しとて容れられなかつた。かゝる時勢にて今回の遣明船に對する明の態度は一入警戒の嚴なるものがあつた。

皇明實錄嘉靖二十六年十一月丁酉の條に

日本國王源義晴、遣二使周良等一求レ貢、故事、倭夷十年一貢、船不レ過レ三、人不レ過レ百、良等以二四舡六百人一、先レ期而至、欲二泊二待明春貢期一、守臣阻レ之、以レ風爲レ解、至レ是疏聞、上謂、倭夷不レ守二貢期一、又挾帶人舡越レ數、三司巡海等官、不レ遵レ例阻回、乃容二潛住港外一、引二越事端一、且往年宗設之叛而未レ正レ法、其令下巡撫官亟爲二處分一、及宋素卿曾決否、一併查奏上

とある。巡撫官は七月浙江巡撫を命ぜられた朱紈である。（皇明實錄嘉靖二十六年七月丁巳）明紀に據ると朱紈便宜に貢船をして待期せしめたので、十一月其事の聞に達するや、閩人林懋和主客司となり、期に先んじ人船額を越えたるは違制とし、守臣（朱紈）に勅して勒回すべき事を陳べて詔して其議に從はしめたが、朱紈亦中國の諸番を制馭するに大信を守るべきを以て疏し大に抗爭したとある。（明紀三十三）一旦浙江の官司が阻回の處置に出でたが、巡撫朱紈が便宜待期せしむる法を採つた事は確しからしい。實錄に朱紈をして處分せしめたとあるが、彼自ら甓餘雜集の自序に記して

戊申。〇嘉靖廿七 正月在㆓興化㆒、聞倭夷求㆑貢、詔不㆑許、下㆓撫臣㆒處分

とあつて、福建興化にあつて翌年正月處分の命を受けたのである。

周良の再渡集には寗山滯泊中の嘉靖廿六年十一月朔日以後の日錄が現存する。十二月十三日一官人定海總兵の牌を齎らし、近く都察院の明文諭仰を奉ずるに、貢期來春を待ち赴京せしむるが故に安心守候すべしと告げ、缺貲あれば具書官に告げ、奸人の誘引を聽かず又私に貨を交易して國法に悖らざらん事を示した。 翌年正月十六日減萬戶、陳傑・盧錦・周文苑の市舶司三通事と倶に來り、知府・提擧・定海縣・總兵の牌帖を示してゐるが、廿二日寗山より船を出だし、穿鼻山下を經て次に川山近邊の島前に泊した。 二月廿一日總兵來り總督の榜を示し、且撫臺批廻の旨を傳へ三月六日開船して定海港に到つた。

八日定海總兵及び寧波總兵張氏來り、牌を致して海道の牌面を奉じ、撫臺の明文を賚し奉じて、本月九日關に進み十日寧波港に進むべき事を達した。 九日解纜して寧波港近邊に到泊し此間軍船百餘艘護送し、翌十日府に到着、正使以下の官員上岸して撫臺に謁した。 撫臺は卽ち朱紈である。 撫臺筆を把りて今次進貢の顚末を問ひ、周良之に答へ、點燭の刻に到つて進貢の事講定して、一同喜氣凞々として本

船に歸泊した。 甓餘雜集自序に「三月、入二寧波一、致二諸夷至一、面二定約束一」とあるは之であり、又此年三月廿八日付の哨報夷船の奏に「引二送正使周良副使壽文居坐等、共二十二員名一到、臣自譯審得、周良等頗通二文墨一、誠恐三通事增二減情詞一、臣遂一寫牌、諭以二聖旨嚴切一、本使親筆具啓、隨問隨答、卑辭哀請」とあるは夫である。 十二日正使以下官人上岸、海道に謁し、十五日一號船所載の進貢物を陸揚げし、十七日知府・提學司・同知・通判等河岸の假屋に出でて通事をして正使以下一號船役者の上岸を示諭し、正使等上岸して知府以下に謁禮し、各人の貨物を府面前にて下官盤驗し、終つて嘉賓堂に投じた。 十九日二號船以下の役者上岸、廿日一號船附搭貨物の盤驗、廿一日二號船以下の貨物も之を了した。

再渡集五月十四日の條に「午時三府唐大人來、擧二短書并一書於都堂一、胡紋銀十三兩銀、豆米弋、雙嶼賊事」とある。 巡撫朱紈の嘉靖二十七年五月二十六日の疏に「據二浙江按察司帶管巡視海道副使魏一恭呈一、據二寧波府通判唐時雍呈一、嘉靖二十七年五月十四日等日、帶二同通事盧錦一、親詣二嘉賓館一、譯二審日本貢使臣周良等一、親筆回詞、內開、占二據雙嶼港一事、進貢使臣非レ所二敢知一、想大邦海寇之所レ誘」とある。甓餘雜集卷二章疏 議處夷賊以明典刑以消禍患事 再渡集の三府唐大人は通判唐時雍であり、周良の短書を呈した都堂は巡撫朱紈である五月十七日北京文書到來の說が翌日正使等に傳へられたが、之は訛傳であつたらしい。七月二十三日同知顧氏嘉賓堂を訪ひ、北京文書到來を告げてゐるが、翌八月廿二日に至つて周良は昨日其到着せる事を聞き廿四日案文を一見した。

三月の巡撫朱紈との會見は進貢の事を約定し得て周良等の歡喜したものであるが、既掲三月廿八日の奏に「今照、使臣周良等自以勘合表文眞正、貢期止隔數月、比與釋壽光・淸梁等不同、屢屢求進、後雖强令回國、却稱連遭逆風、秋候不便、節據書呈、祈哀懇切、況大海茫洋、非有關津。中略 今年己係應貢之期、其於國家大信似亦不違、若嚴拒絕之、恐非善策」といひ、又人船超數を論じて「稱、原來從伴水夫共六百三十七人、自去年在外洋守候、至今染病死者二十一人、見存六百十六名、三隻船之外、副軍船一隻、要在防賊舟而完貢船而已、嘉靖二十一年以來邊寇指商舶爲名、不時來國、或與寘島兇賊交通、或侵劫邊民、剽奪家財、不可勝數、國王遠慮、設副軍船一隻」と述べてゐる。朱紈の奏は六月中には北京に達した。仍つて禮部は奏して、日本遣使期に先んじ船人の數超加し、海濱に蟠結し情實測り難きも、表詞恭順にて貢期に遠からず、拒絕せば航海の勞憫むべく、又猥に含容を務めれば、宗設素卿の事鑒むべしとて、朱紈に命じ十八年の例に循ひ、五十人を起送し赴京せしめ、餘は嘉賓館に留め犒賞を量加して歸國せしむる事とし、互市は事宜を防守し、倶に斟酌處置し、上は國法に遵ひ下は日本の事情を得て永く邊釁を弭めん事を請うた。（皇明實錄嘉靖廿七年六月戊申（五日））世宗之を容れて、其旨の詔書は七月末寧波に到着したのである。

九月十八日下飯あり、東庫にて行ふを恆例とするも荒廢甚しく按察司激揚堂を以て代へた。廿八日海道東庫にて進貢物を再査し、四艘の勘合を受領した。十月六日東渡門より出でて北門外より乘船し赴京の途に就いたが、實に六箇月餘を費し翌年四月十八日に入京してゐる。伴送官は七府蔣文粹及び李・周二通事である。十月十六日杭州にて正使等先づ都堂に到りしも朱紈病氣で面會せず進京五十員の名を開呈した。布政司では進貢顚末を査明し、按察司では北上船隻の事を命じた。

四月十八日正使・副使・二號船土官慈眼等玉河館東館に就き、廿一日四號船居座恕上司・三號船土官宗薫及び二・三號船客衆等張家灣より到つた。廿三日二通事來つて、朝參の禮を敎へんとしたので周良は朝參の前日鴻臚寺習禮亭前にて朝禮を習ふを恆例とするを告げたが、禮部・鴻臚寺の命なりとて已むを得ず服した。翌日例の如く朝參あり、闕左門後にて茶飯あり、鴻臚寺・禮部等を訪禮した。廿五日表文を廿八日勘合底簿を禮部に呈した。　五月朔日主客司及び主事が紙牌を以て人船の多寡・勘合底簿等の事を詰問したが、翌日主事を介し禮部に短疏を呈し、主事より禮部領納の旨を報ぜられて「各歡聲盈耳」と記してゐるのは右の詰問に關係したものであらう。　五月六日進貢物及び使臣自進の扇子を禮部に納め、廿七日會同館にて茶飯の事あり、其儀式は前回同樣であつた。　廿九日に正使・副使、周・吳二通事を連れて禮部に到り、勘合衣裳の事を再三直訴し、禮部は計較する旨を以て答へた。

皇明實錄嘉靖二十八年六月甲寅(十六日)の條に、禮部は定數たる百人を賞犒し、爾餘の人員は之を罷めんとしたが、周良は貢舟大にて猶五百人あり、中國商船が日本國に來り海島に匿れて寇を爲すが故に、保護のため一艘を增遣したる事情を陳したるを以て、禮部も已むを得ず百人の外量加賞犒し、又百人の制は遵行し難く其點も斟酌されん事を奏請したとある。　是五月朔日の主客司主事の人船の多寡の詰問に對して周良が呈疏し、禮部領納せるを記せるものに該當しよう。　實錄に又「日本故有弘治正德入貢勘合幾二百道、夷使前入貢時、奏乞嘉靖勘合、期延令以故勘合納還、始予新者、至是良等持弘治勘合十五道、言其餘七十五道爲宋素卿子宋一所盜、捕之不得、正德勘合留五十道爲信、以待新者、而以四十道來還、禮部覈其籍脫落故勘合多未繳、請勿レ予二新者一、令下異日入貢持二所レ留正德勘合四十道一、但存二十道一爲上信、始以二新者一予レ之、而宋一所レ盜、責令二捕索以獻一、報可」とある。　之に據ると四月廿五日禮部に呈した勘合底簿は弘治・正德の底簿二扇と、弘治勘合十五道、正德勘合四十道であつて、弘治勘合の殘餘七十五道は宋一の盜掠せる所といひ、正德勘合の殘餘五十道は國に留めて後貢の信とし、嘉靖の新勘合の給付を待つて來還するといつてゐる。　弘治勘合の喪失せる七十五道が果して宋一の盜掠せるものなるや否やは別問題として、還納分十五道と合して九十道となり、卽ち十道が永正の遣明船以後行使されたるものとなり、又正德勘合の殘部十道が大永の遣明船以來行使されたものとなす事はいふまでもない。　之に對し禮部は他日日本國に留る正德勘合五十道內四十道を還納し、十道は留めて信となすを許し、其上にて新勘合を附與しようといふ意見であり、世宗も之を聽したのである。

徐文貞の覆處日本國貢例に「及査、日本國王源義晴、將二弘治正德年間底簿共二扇勘合共五十五道一、齎繳前來、請レ給二新勘合一、并據二周良等再三懇請一、但査、弘治年間、不二惟底簿脫落一、而未レ繳勘合尚七十七道、正德年間、底簿僅全、而未レ繳勘合尚有二五十四道一、雖下據二本王（日本）一各稱二被レ盜遺失一、及存留在レ彼、以防中中流飄沒上○中略　令下本王於二下次該貢之年一、將二見存正德年

間勘合五十道、先繳二四十道一、量留二十道一存レ彼、候下給二新勘合一到レ國之日上、仍將二十道一繳還、其被二宋一偸去一弘治年間勘合、并正德年間尙缺二四道一とある。自分は今不幸にして徐文貞の原文を見る能はざるを遺憾とする。以上の文は栢原氏の引用に從つたのである。文貞に據れば、周良が弘治勘合十五道正德勘合四十道を還納して正德勘合五十道を留めて信とするをいへるも「但査弘治年間、不二惟底薄脫落一、而未レ繳勘合尙七十七道、正德年間底簿僅全、而未レ繳勘合尙有二五十四道一」といひ、禮部の意圖とし次回の貢使に正德勘合四十道を繳さしめ十道を日本に留むるを認容するも、前後併せて結局宋一の偸去せりといふ弘治の勘合七十七道と正德年間の勘合四道を缺くといふのである。彼は周良のいへる正德勘合の計數に誤ある事を指摘して、周良の言にして僞妄ならずば、正德勘合は尙他に四道を缺失せる事を述べたる事栢原氏の論の如くである。又彼が弘治勘合の殘餘は七十七道なるべきは周良の計數に異議なしとせる事亦栢原氏のいはるゝ如くである。然るに氏の引用せる實錄の文に「言其餘七十七道爲二宋素卿子宋一所一レ盜」とあつて、徐文貞の疏に對し弘治勘合に關する計數に疑義を挿まれなかつたのであるが、此七十七道は恐らく七十五道の誤である。自分の見た內閣文庫本實錄に七十五道とあるのみならず、實錄に憑據せる明史も國期典彙（卷一百六十九）も同樣である。 されど徐文貞も弘治勘合の計數に關しては周良に同意してゐるから、此數は一致すべき筈のもので、實錄の場合の如く栢原氏の引用に誤りなくば幸である。

徐文貞が周良の勘合計數に猶正德勘合四道を缺くといへるは、いふまでもなく兩勘合頒付以來行使された勘合數と、周良の現在還納の勘合數並に喪失分弘治勘合七十五道（或は前掲文貞の疏によれば七十七道）殘存分正德勘合五十道とを加減し計算せるに基づく。故に彼に據れば、弘治勘合の使行數は十道（或は八道）正德勘合の使行數は六道といふ事になる。 此場合弘治勘合七十五道（或は七十七道）が果して盜去されたか、正德勘合五十道が果して存留するかといふ問題は論外である。 其事實は疑ふべき點が多く、周良がかくの如き確數と說明を加へたるは、却つて兩勘合の使行數を前提として計出したるものであらう。 周良が兩勘合使行數を兩國當事者間に既知の事實としてゐる事は明かである。 卽ち彼に據れば弘治勘合の使行數十道（或は八道）正德勘合の使行數十道となる。 されば正德勘合使行數六道となす徐文貞の考が正しきや、十道となす周良の計算が妥當なるやは、之のみを以て俄かに斷定し難い。 唯實錄に據れば、以上の文貞の疏ありしに拘はらず、禮部は遂に周良の計數そのものに異議を認めなかつた事は明かである。之を兩勘合使行の實情より推して寧ろ文貞の計數に誤算ありと認められる。

栢原昌三氏は「余は徐文貞の此の精密なる勘合の計數を以つて、よく明國政府の勘合に對する嚴重なる取扱を言ひ現はせる信據すべきものとして」とて、徐文貞の議を冒頭より信據し「之より既往の使行數を計算するに、弘治勘合の殘餘は還納十五道と日本存留七十七道を合せて九十二道なれば、永正七年貿易以來の使行數は正に八道ならざるべからず。此の八道は永正七年貿易に於いて、大内船に第一號第三號、細川船に第二號の三道を使行し、大永三年貿易に、細川船に第四號一道を使行し、天文八年貿易に第十六號一道を使行し、天文十八年貿易に二道を使行し合せて八道を使行せるものとす。正德勘合の殘餘は還納勘合四十道と、日本存留五十四道を合せて九十四道なれば、大永三年貿易以來の使行數は正に六道ならざるべからず、此の數は大永三年貿易に大内船に第一號第二號第三號の三道を使行し、天文八年貿易に第十號及び番號不明の一道と合せて二道を使行し、天文十八年貿易に一道を使行し、合せて六道を使行したるものとす」と推論してゐる。日明勘合の組織と使行、史學雜誌第三十一編七四四―七四九 栢原氏の論文の徐文貞の勘合の計數に於いて、弘治勘合七十七道か七十五道の何れかを決定する事が先決問題となるが、氏に於いては既述の如く實錄の文も七十七道と誤引されたから問題とならぬ。徐文貞の計數が精密なりとて、周良の計數を誤謬と斷定されたるは些か獨斷である。更に此計數を前提として、永正以來遣明船の使行せる勘合を計數に合致する如く按配せるが如きは其法を誤つてゐる。之は寧ろそれ〴〵の遣明船に於いて如何なる勘合を行使したるかを考へて、かくて推算されたる使行勘合數を文貞又は周良の計數に對比すべきであらう。

永正八年遣明船三隻は弘治勘合第一號より第三號に至る三道を携へたる事は栢原氏の言の如くである。然るに第四號船として別に渡航せる宋素卿の細川船は如何。　明應八年十一月幕府は周麟に命じて次の遣明船にて成化勘合九十八道・景泰勘合八十七道を還了すべき事を記さしめており、之は桂悟が齎らし還納したのであつて、宋素卿は弘治勘合第四號を齎らせる事疑ひない。　栢原氏は弘治勘合の使用計數より之を全く除外されてゐるが、氏は素卿は舊勘合を使行したと考へらるゝのであらうか。　一道の勘合使行の有無によつて氏の論は崩壞するのである。　氏は徐文貞の計數により、前論「日明勘合貿易に於ける大内細川二氏の抗爭」中の弘治正德勘合の使行の考を訂正されたのであるが、木宮泰彦氏の如きは補正論を捨てゝ前論に從つておられる。日支交通史下三三四頁　其理由は臆測し難いが、木宮氏も素卿の細川船が弘治勘合第四號を携へたと考へらるゝのであり、同三二五頁　此一事實のみよりいつて必然に栢原氏の補正論は成立し難いのである。　次に大永三年の大内船三隻は正德勘合三道を、細川船は弘治勘合一道（第五號）を携へし事は栢原氏も異論はない。　天文八年遣明船に於いては、三號船が弘治勘合第十六號、正德勘合第十號を齎らせる事は初渡集に明記する所である。　栢原氏は三隻の船が弘治勘合第十六號、正德勘合第十號及び番號不明の一道合せて三道を使行せりとて、前後の計數の合致する如く按配されたが、之は如何にも無理である。　氏によると三號船が他船の勘合を併持した事になつて、かゝる事は有り得ない。　勘合は貢船の證明書であつて、三隻の船は必ず明地の一地に同時に着岸するとは限らず、寧ろ前後するのが一般であり、各船に各勘合を携帶すべきものである。　殊に三號船が一號或は二號船に代り、勘合を併持する事等は考へられぬ。　三號船が兩勘合携帶の要ありとせんか、他の二船に於いても同樣となすを至當とする。　天文八年遣明船が弘治正德兩勘合の携帶を必要とした所以は既に述べた如くである。　又天文十六年遣明船に於いては、弘治・正德勘合合計五十五道、底簿二扇を還納せんとするのであり、兩勘合併持の必要はなく、當然最新の正德勘合四道を携行すべき筈である。　然るに栢原氏が弘治勘合三道と正德勘合一道とを使行せりと考へるゝは、計數按配の必要からとはいへ、不合理至極といはなければならぬ。かくの如くして、以上の遣明船に於いて使行せる勘合を個々の場合について稽へ、之より推定さるゝ使行數は弘治勘合八道、正德勘合十道となる。假に之を以て周良・文貞の計數に對比すると、宋一偸去の弘治勘合七十七道となす周良の計數と一致する。然るに嘉靖二十八年以前に、同廿四年渡航せる肥後國刺使の遣使御倈、同廿五年渡航せる大友義鑑の遣使清梁等が勘合を所持せし事は略ゞ疑ひない。（後段参照）此勘合が弘治勘合と推定すれば、實錄記載の周良の計數と一致する事となる。唯、周良の報じた宋一偸去の弘治勘合數が、栢原氏の誤引か、或は徐文貞疏詞の誤謬か、乃至は實錄の誤記であるか、七十五道、七十七道の何れかが明確となる迄、周良の使行計數中に肥後刺史・大友氏使行の分を加入すべきや否やの断定を避けたいと思ふ。されど以上に據つて徐文貞の計數が（正德勘合四道の相違）寧ろ疑ふべき事は明白であらう。

新勘合給付の件に就き周良等の希望容れられず、七月十二日又通事を以て主事に呈書した。廿一日賜衣の事あり、廿七日會同館にて上馬宴あり、晦日に朝參し左順門にて勅書を受け、闕左門にて茶飯あり、禮部に到り進貢船數等につき訴ふる所があつた。策彥和尚貢蹟二番渡唐によると此際に主客司に到り禮部劄と共に新勘合一通を受けたとある。新勘合卽ち嘉靖勘合一通を得た點に就いては疑がないでもない。

策彥和尚貢蹟一番渡唐の嘉靖十九年五月七日の條に

一、七日朝參、領二返書并勘合一有二茶飯一

とあつて、天文八年遣明使碩鼎等が嘉靖勘合を領納した如く記してゐる。栢原氏は策彥和尙眞蹟一番渡唐・同二番渡唐入明略記は策彥自筆の初渡集・再渡集を何時の頃か何人かによりて抄錄せられたものにて、原本に毫もなき記事が抄本に記錄さるゝ事に對しては疑を抱くべしといひ、初渡集の五月七日の記事を引用し、此內に勘合頒付の事もなく又茶飯の事も無しとし、天文八年貿易に嘉靖勘合及び底簿を得たるならば、天文十八年貿易に正使策彥が再び之を求むる理由なしとて、又之を既述の如き徐文貞の勘合計數より有り得べからざる事と論じてゐる。徐文貞の計數の誤謬は前述の如くであり、入明略記が單なる初渡集・再渡集の抄本と考ふべきやは後に述べる。氏は初渡集に茶飯の記事なしといはれたが「於二闕左門裡一飯、飯了到二午門前一」と明記してゐる。然し天文八年遣明船に嘉靖勘合の頒付無かりし事は氏の想像されたる如くであつて、既述の正使等勘合求請と禮部の應答との經過に照し、又策彥の求請と禮部の應答との記錄を稽へ疑ふ餘地はない。

次に策彥和尙二番渡唐嘉靖二十八年七月晦日の條に

○前略　又於闕左門茶飯、次詣二禮部一、々々、喚二周・吳二通事一、再三面諭、同列亦再三愁訴、及二來進貢人船數等之事一、次詣二主客司一、主客司已渡二禮部劄幷新勘合壹通一

とある。之に相當する再渡集の記事は

○前略　於是乎、予副使就二闕左門一、卽隨レ例下飯○中略次詣二禮部老爹一、々々未二朝退一、各聽候者久、遂禮部歸第、暫休息而出、○中略於レ是老爺喚二周・吳二通事一、面諭者再三、生等亦稟二陳愚訟一、次詣二郎中一四拜、々了、后度二與禮部箚付一封於生等一、云々

とある。栢原氏は再渡集の記事を解して禮部は周・吳二通事を呼びて、再三面諭する處あり、正使周良また禮部に面謁して、嘉靖勘合の頒付を強要する處ありしも、遂に聽かれずして、禮部は箚文を與へて嘉靖勘合の頒

附すべからざる所以を說明せるものとし、又入明略記の記載を解して、周良等の禮部に對する要求が來るべき十年後の貿易船數を更に天文八年條約より超過して、三艘以上を渡航せしむる要求なる事を明白に記錄せるのみならず、禮部は周良に嘉靖勘合一道を與へし事を記錄し、何故に原書になき記事が抄錄本に有るやは解く能はずとするのである。史學雜誌第三十一編七三六―七四四頁

以上兩文の比較に際しては先づ兩記錄の關係を考覈すべきである。入明略記が初渡集・再渡集の單なる抄錄本にあらずして多くの異同が存する。而して兩渡集に筆略して入明略記に偶〻記錄したる事の史實と信ぜらるべきもの少くない。例せば嘉靖十九年三月初め碩鼎等入京し、朝參に先んじて恆例の如く鴻臚寺亭前にて習禮の事があつた。初渡集に

三月五日、齋後假稱二大通事一者、紗帽二員來、各習二朝拜之禮一

六日巳刻正使及予兩居座從僧以下諸從人到二鴻臚寺一、各於二習禮亭前一、刷衣消拜、

とあるが、之に據ると五日通事が玉河館に來り朝拜の禮を敎習したのみで、鴻臚寺に於いて習禮の事を記さぬ。若し人あつて右の文を抄略せんとするに當り、刷衣消拜の句より「唱以二鞠躬一、各深揖低頭、又唱以レ拜者五、又唱レ興、起來之義也、各消拜者五度、拜徹未レ起、唱以二扣頭一、頓首者三、又唱以二平身禮畢一」といふ跪拜の禮の習禮に想到し得ようか。率直に本文を解すれば唯鴻臚寺に對する消拜といふ事にならう。然るに入明略記に

三月五日鄧壬二大通事來訪、六日於二習禮亭一學レ禮

と明記してゐる。されど入明略記の誤ならざるべきは、再渡集嘉靖二十八年四月廿二日及び廿三日の條を參照すれば明白である。廿二日、二通事來りて預め朝禮を敎へ、廿三日の條に「午前二大通事來、傳二禮部老爹既鴻臚寺之命一、敎二朝參之禮式一、生日、凡倭邦入貢之時、爲二使臣一者、將レ趨二朝廷一之前一日、就二鴻臚寺習禮亭前一習二治

朝禮一者、是恆例也、是以生等十八年來貢之時亦復加レ此云々」

とある。

再渡集嘉靖廿八年七月廿一日の條に

寅刻趨二禁庭一領二衣裳一

とある。入明略記に

參內領二返朝物并衣裳一、主事證明、只勘二渡百人分之衣裳一、於レ是同列以二周吳二通事一再三直下訴於二寧波一五百人餘之衣裳缺了之旨上、主事答、以二粗於レ杭可レ被レ下之由一

と詳記してゐる。再渡集に朝物領返の記載を缺くが、翌日の條に「五更乘レ月朝參、謝二昨日賞賜之恩一云々」とあり、賞賜は衣裳のみならず、絹・羅・銅錢（銅錢の給付のみ南京に於いてする）等がある。之より先五月廿九日に周良は副使以下と倶に禮部に到り、再三勘合衣裳の事を訴へ、禮部は溫和示諭して再考する旨を答へた。衣裳につき訴へた所は皇明實錄に據ると「請二百人之外各加二賞犒一」といふ件に關する事、卽ち百人分の賞賜の一として衣裳も亦百人分を給する以外に更に賞給を請うた點なる事疑ない。されば七月廿一日の賜衣は唯百人分たりしを以て、周良二通事を以て寧波に於ける殘留五百人餘の衣裳缺了を請うたのであり、主事は大凡杭州にて下給する用意ある事を答へたのである。兩渡集の筆略は入明略記に據り補足し得るものである。

以上の如く入明略記は再渡集の單なる抄本ではない。大日本佛教全書に「入唐記眞蹟は策彥入明報告なり。記する所初渡集再渡集と異る所多し」と考記してゐる。其策彥入明の要領を抄記したるものには相違ないが、兩渡集に缺くる故を以て直ちに誤りとなすは早斷であり、之を前後の事實に徵し以て比較せなければならぬ。

栢原氏は七月晦日、朝參終り、闕左門の茶飯を經て禮部に到り、禮部に通事を喚び再三面諭し、周良訴へしを

嘉靖勘合の頒付を請ひしもの、と想像し、略記に「同列亦再三愁訴、及二來貢進貢船數之事一」とあるは事實に相違すと斥けてゐるが、氏の獨斷に非んば幸である。栢原氏は續史籍集覽本に據り「及二來進貢船數之事一」とし、妙智院所藏原本には「及二來進貢人船數等之事一」とある。人船制限に關しては別に詳述した所であるが、嘉靖年間には十年一貢・人百・船三隻といふ制限が行はれており、周良入明の際も人船超過が問題視された事は既に述べた。周良等入京して四月廿七日禮部より二通事をして進貢始末を問はしめたるも之に關する件である。皇明實錄六月甲寅の條に、禮部規定に基き百人のみを賞犒せんとし、周良も人員五百の超加と軍船一隻の添加の已むべからざるを呈疏し、禮部も「百人之制彼國勢難二遵行一」とて貢舟も斟酌されん事を請うてゐる。船三隻にて人員百の制限が到底遵守し難きものなる事は、別の機會に詳述したる所で、禮部も大體此點を容認したのである。されば辭去のため朝參終り禮部に到つて、愁訴進貢人船數等の事に及べるは當然有り得る事である。日本圖纂に「嘉靖二十九定、日本貢船毎レ船水夫七十名、三船水夫二百一十名、正副使各一員、居座六員、土官五員、從僧七員、從商無レ得レ過二六十人一」とあり、合計二百九十人と規定せるは、かゝる經緯に基き改制されたものと思はれる。されば此點に於いても略記は再渡集の筆略を補足し得るものである。次に再渡集に、禮部卽ち尚書より郎中に到つた事を記し「詣二郎中一四拜、々了、后度二與禮部箚付一封於生等一」とあり、恰も郎中より禮部箚を渡付せる如くであるが略記では郎中に到つた事を略し、「次詣二主客司一々々々已渡二禮部箚付并新勘合壹通一」とあり、主客司より渡交したとある。明の禮制より論じ、既往の恆例に准じて、尚書・郎中に順次禮謝して、主客司に到り、主客司より箚を給せる事は些かの疑問もない。されば此點に於いても再渡集は筆略あり、而も看る者をして誤解せしむる筆略である。栢原氏は禮部の與へし箚は嘉靖勘合の頒附すべからざるを説明せるものと解せられたが、之元より一の想像である。以上の如く、略記に嘉靖十九年五月七日に勘合を領したりと記すは、栢原氏と倶に略記の誤記であることを斷定し得る。さればとて嘉靖廿八年七月晦日に新勘合壹通を領せる記事を抹殺すべき理由はない。暫く之を疑問とする所以である。猶勘合壹通の頒付は頗る異例であるが、今次禮部が既に舊勘合五十五道の還納を容れ、殘留正德勘合五十道の內、再來の節四十道のみを持來せしめ十道を殘して信となすべしといふ異例を認めたとすれば敢へて不思議ではない。以上縷述する所は敢へて栢原氏の論を是非せんとするが故でなく、之を借りて兩渡集と略記との關係を覈ふるためである。

八月九日正使等一行は北京を出發し歸途につき、三伴送官の他に通事溫潤が行を倶にした。再渡集は惜しくも九月三十日濟寧州南城水馬驛と兗州府魯臺縣魯橋驛間の闕に到れる條を以て終つてゐる。大明譜によると八月九日北京發より百四十一日を費し十二月卅日に寧波に下着してゐる。歸帆は勿論翌年の風期を待たなければならぬ。大明譜は柳井藏人卿直が嘉靖廿九年卯月十五日嘉賓堂に記したものである。又妙智院所藏の都御史葉寅の贈專使謙齋老師歸日城圖序は庚戌五月吉日である。同院所藏の西山妙智三世策彥和尙略傳に「明年庚戌六月九日歸著」實嘉靖二十九年也、大內公歡賞特厚」とあるは、赤間關或は山口歸着の時日であらう。周良は山口に留りて歸洛せず、天文二十一年には五山の諸老等詩を賦して其歸洛を促してゐる。猶如作夢

註

1 大明譜の記事は前後錯綜してゐる所がある。「一、米酒其他やさい肴、唐人かくれ候て持參之云々」以下、「至北京海路四千八十八里云々」（原寫本二枚目）迄は、「一、ぞくせんの用心云々」の條の後に挿入し、「一、同十二日卯の刻に大唐の山を赤間關水夫源三郎見立之」（原寫本一枚目）の後に「一、太刀一ふり百疋被下之」（原寫本三枚目）が續くべきである。卽ち第三枚と第二枚の錯綴である。

2 遣明船も亦第四號船が溫州府で海賊の襲擊を被つており、寧山滯在中は「ぞくせんの用心無二油斷一、日夜うへのかたみにはんやをこしらへ、三日にあげず、うちまりのこと被二仰付一候也」とある。海賊の出沒は常事ではあつたが、其跳梁漸く急なる情態を察し得る。

3 六月十二日の條に「早旦陳・盧二通事齎二海道牌一而來、今夜都堂杭州去」とある。朱紈は十二日杭州に歸府した。

五　遣明船の經營及び組織

先に別著に於いて遣明船の成立事情を考述して、遣明船船舶の準備・乗坐員の構成・進貢品の調達・經營者の貿易・從商人貿易及び其遣明船經營との關係・抽分錢と遣明船經營の所得等を各項に分ちて論じた。卽ち大體應仁以前の遣明船を中心に稽へ、文明以後の要領を以て對照せしめたもので、具體的には應仁以前の遣明船經營及び組織を論述したると共に、其經營組織の一般事情を明かにし得た筈である。故に本論に於いては略〻足利後期の右に關聯する二三の事實を擧示するに留める。

遣明船船舶は應仁以前に於いては大體北九州、中國筋の港津所屬の船舶を傭用したものが多く、從つて經營費の内には船賃修膳料等が計上されてゐる。之等の地方は前代以來海外交渉の中心であり、又國内の海運業に於いても最も發達し、遠洋大船を多く所持してゐた。堺商人が著しく進出した文明年間の遣明船船舶調達の經路は未だ明かならざるものがある。堺商人が細川氏を背景とし、又實際經營者としての同氏の許に、抽分錢を請負つて從商人貿易を殆んど其獨占下に置き、從つて遣明船經營の諸費も其出資に俟つに至つた事は、別に詳述した所であつて此時代には博多・門司等の商人の從商に對しては頗る排他的になつてゐる。かやうな立場から船舶調達の上にも從來に比し多少事情を異にしたるものがあつたであらう。堺商人の關係せる船が、往復路に南海路を多く擇んでゐる事は、勿論大内氏に對する顧慮や内海々賊の難を避くるためではあつたが、船舶の所屬や船方等の關係をも一應は省察すべきものがあらう。

永正年度の遣明船三隻の内、大内船二隻は勿論博多で艤裝を終つており、正使桂悟は永正三年十一月に住吉を出船して山口に到り此處で三年間も滯在してゐる。桂悟の住吉より乘坐したるは勿論便船であり、遣明船々舶は門司か博多の所有船であらう。三隻の内細川船一隻は堺商人が抽分錢を請負へるものと推せられるが、此は堺で艤装し博多に廻航したものと思はれる。又別に宋素卿の乘坐せる細川船一隻は南海路を經由したものである事は、桂悟の書状にも見えてゐる。（壬申入明記）然し之は堺にて艤装を完了して出船したものであるか否かは次の瑞佐の遣使の場合を對照しても必しも明かでない。（第十四號文書）

大永年度の大内船三隻は豐前國池永で艤装されたといふが、細川船の調達は種子島氏に依賴したのであつて、瑞佐は永正十七年春堺を出發して、同年夏より大永三年閏三月の山川より出帆するまで約三ヶ年日薩隅に滯在したのである。

天文五年頃には堺南北二莊の「渡唐之儀相催衆也」といはれた代表的の貿易商が又遣明船を計劃して、船舶は土佐一條家に依賴して造築せしめたのである。之等の實例に據つて推しても、堺商人が細川氏を背景として從商人貿易に獨占的の勢力を握つた場合に於いて、遣明船船舶を新造して自ら之を所有する場合は勿論であるが、傭用する場合に於いても多少事情を異にするものあるを察せられる。

天文八年の三隻の遣明船は何れも大内船であつたが、第一號船船頭は神屋主計、第二號船船頭は河上木工左衞門で俱に博多の船頭であり、第三號船船頭は恐らく薩摩又左衛門嘉靖十八年八月十四日の條參照であつて、同船には薩摩水夫兵衛左衛門・薩州舟方三郎四郎・薩摩船人家信等の名が見える。而して堺衆卽ち堺の從商人は多く第三號船に乘坐してゐる點が注意されるのである。堺商人の十人衆と稱せらるゝ類、文明年間の湯川・小島氏の如きが、細川氏と結託して遣明船貿易に博多や門司の商人を排除したる事はあつたが、大内氏の經營する遣明船に堺商人一般を除外する事は無かつた。大内氏と堺との關係は義弘以來密接なるものがある。明應八年九月の北鹿苑寺の泰甫和尙の談に據れば、第一號第三號二道の勘合は大内氏輩下の杉勘解由の被官が堺に在つて、周防より上洛せる東福寺領德治庄主健都寺と謀り、東歸長老の勸誘に依り、三百貫を納めた結果桂悟の手に入つたといひ乘船者或中國之者、或界之杉之幕下者、是皆乘船」とある。天文兩度の遣明船に堺衆が多く乘坐せる事は何等不審はないのである。故に應仁以後の遣明船貿易に於いて、博多商人、堺商人の抗爭を一般的に論ずるは正當ではない。大内氏經營の遣明船が最後迄抽分錢請負の形式を採らなかつたと推せられる理由の一は、從商人が博多や門司の商人に歸一せず、從商人貿易の獨占化を妨げたる事情にも由る事と思はれる。

天文八年の第三號船が薩摩の船方により操縱され同地方の船舶なる事が推せ

られ、堺衆の乗坐には特殊の史的關係あるを想起せしむるものがある。天文六年のものと覺しき大内氏の家臣杉興重より島津氏に宛てた書に「日州安國寺英乗首座事、先年池永船爲二居座一渡唐之條、來春又種子島渡唐船、爲二役者一御乗船候者、可レ然候」とある。大永三年居座として渡航せる月渚英乗が、天文八年遣明船にて再渡すべき事を交渉したるものである。種子島渡唐船とは種子島にて艤裝せるをいへるもので、大内氏が經營する大内船たる事には變りはない。永乗は遂に渡航しなかつたが、種子島艤裝の遣明船が第三號船なる事は殆んど斷定的であると思ふ。

鐵炮記に「予嘗聞二之於古老一曰、天文壬寅《十一》・癸卯《十二》年間、新貢之三大船、將下南遊二大明國一、因レ是畿内以西富家子弟進爲二商客一者、幾乎千人、檝師篙師操レ舟如レ神者數百人、艤二船於我小島一、解レ纜整レ橈望二洋向一」とあり、一船は危難を脱し明國に達し、二船は殆んど半途に難破し、三貢船は翌年（天文十三年）再び艤裝して「遂二南方之志一、飽二載海貨蠻珍一、將二歸朝一時、大津之中、黑風忽起、不レ知二西東一、船遂飄蕩、達二於東海道伊豆州一」とあるが、種子島家譜に「天文十二年四月十四日二合船解レ纜渡レ唐、同十四年六月十四日渡唐船歸朝」とあるに對考して、天文十三年渡航の釋壽光の私貢船と天文八年遣明船との記憶が混錯したるにあらざるかとの疑問がないでもない(2)。

堺商人の琉球通商は文明頃より頻繁に行はれたが、同じ頃より遣明船渡航にも南海航路が擇ばれてゐる。種子島は其要衝に當り、薩隅の諸津も夙に琉球貿易が開け、又明との交渉も行はれたのである。而して兵庫や堺は足利時代港津として は繁榮したが、遠洋の大船を多く造築所有したかといふ事は必しも確しかでない。戊子入明記の渡唐すべき船舶中兵庫の船は一隻も擧げられず、又堺にあつては天文五年に遣明船のため特に大船を土佐で建造せしめており、之は必しも堺津に數多き大船を所有した證明とはならぬと思ふ。大永・天文の遣明船艤裝の實際をも參考して、薩隅地方の港津及び船舶の傭用乃至艤裝と堺商人の海外通商とには意外の關係を見出し得るのでないかと思はれるが、將來の研究を俟つべき一問題であらう。

遣明船の乘坐員は官員と人件とに大別され、官員は正使・副使・居座・土官・從僧・通事・總船頭であり、明帝への私進物を許され、明地滯在中は廩給あり、人件は從商人・水夫であつて口糧の賜給あり、官人隨伴の從人・從僕等も之に准ずる。此等乘坐員の構成に就いては別に述べた所であるから絮説せぬ。又永正以來の官員名並に乘坐員總數等も既に考敍した如くである。此處には從僧につきて些か補說し、從商人に關して尠しく具體的に述べよう。

戊子入明記に據ると

正使淸啓天與和尙從僧同宿叫僕

己上拾壹員

とあつて、居座・土官に隨伴する者は同宿・僕とあり、從僧は正使に隨ひ、第一號船に乘坐するものであつたらしい。初渡・再渡兩集を通覽するも略ゝ同樣の事が推察出來る。嘉靖十八年七月十五日正使碩鼎等の寧波府知府に呈した書狀に

往古以來、吾國進貢官員中、稱二從僧一者、凡一十人、然而以レ事出レ外之頃、俾二轎夫候一レ門、靡レ有二怠緩一、蓋依二舊例一也、今次來貢從僧纔得二六員一、常時出無二轎子一、候無二人夫一、是故且望拜謁、每々缺二班行一〇中略　所謂六個僧、乃從二生后一者是也、故不レ獲二默止一、代而陳言

とある。即ち從僧は從前は十人であつたといふ。

天文兩度の遣明船の居座・土官・從僧等に防長及び筑豐の禪僧多きはいふまでもなく、俗人の土官は矢田・吉見・阿野・鹽屋・杉等の諸氏で皆大內氏の家臣である。天文十六年遣明船に用人衆として矢田三郞兵衞・門司日向・杉佐渡・朽綱・福江民部・御鄉源三・矢田民部が乘坐してゐるが、用人衆なるものは勿論明側よりいつて官員名では

ない。天文八年遣明船に山田掃部助・門司中務・柳井藏人等が乘坐してゐて、特に用人衆と呼んだ事實はないが、何れも士官に准ずる職務を課せられたものであらう。

大内氏經營の遣明船從商人貿易に博多商人が優勢であつた事は想像に難くない。天文八年遣明船の從商に神屋彦左衛門があり、一號船乘坐の惣船頭は神屋主計である。當時の惣船頭たりしものは大貿易商であつて、永正年度の重秋の如きも多額の取引を行つてゐる。主計は其養子太郎左衛門を同行してゐるが、嘉靖十九年五月廿九日神屋氏の系譜に據ると彼は有名なる宗湛の四代の祖に當る。嘉靖十九年十月十二日寧波嘉賓堂の正使碩鼎の宿房にて懺法宿忌が修められたが、之は「神屋主計爲二亡父潤屋永富禪門三十三白諱辰一追薦」とある。永富は宗湛五代の祖即ち主計の父に當る。天文七年の七月より翌八年三月迄、周良等の博多滯在中は神屋加斗・神屋彦八郎・神屋壽禎或は主計の子息次郎太郎・婿孫八郎等の來訪貺贈が頻りに記されてゐる。天文十年七月一號船大島に着到するや、壽禎は早くも船を遣つて之を迎へ博多酒を贈つてゐる。銀山要集・石州銀山濫觴記等の類に博多の商船神谷壽禎壽亭・壽貞ともかく石見國銀峯山に登つて清水寺に詣り銀鑛を發見して、出雲國鷺浦の銅山師三島清左衛門と謀り、大永六年三月穿通子吉田與三右衛門・同藤左衛門・於紅孫右衛門を率ゐて採掘に從事し、天文二年更に博多から宗丹・慶壽なるものを連れ來つて銀の吹錬に成功したといふ。此の壽禎と同一人なる事はいふまでもない。(2)

第二號船船頭河上木工左衞門も亦博多の人かと思はれるが、彼も子息源次郎を同行してゐる。博多河上孫七郎と見ゆるも或は同族であらう。源次郎は天文十六年にも渡航しており、此時には神屋氏では新九郎が渡航した。此際の第一號船船頭は博多の小田藤右衞門で彼は寧波で客死したが、其子彌五郎は同船の客衆として渡航してゐる。（大明譜、再渡集嘉靖二十七年十二月廿九日）

天文八年遣明船の第三號船には堺衆が乘坐した。居座周琳及び德忠上司に就いて詳知し難いが、土官吸江延上司は堺の居住者である。（嘉靖十八年七月七日）初渡集天文八年二月廿八日の條に「堺四衆之内片山與三右衞門」とあるが、四衆は四人衆の略と見られるが、片山氏と並んで池永宗巴・同新兵衞・盛田（森田ともかく）新左衞門が巨頭株であつたやうだ。（嘉靖十八年六月十四日・九月十三日・十九年五月四日等の各條）「扣㆓三號船居座卽休琳公室㆒、池永新兵衞並宗巴・盛田新左衞門・片山與三左衞門以下出迎」「次訪㆓三號船居座㆒、又設㆓酒肴㆒、泉南森田新左衞門自攜㆓小瓶㆒來」「偶訪㆓卽休・吸江・盛田新左衞門㆒、出㆓盃㆒、蓋堺酒也」等と見える。四人衆は「堺南北のきやくしゆ（渡唐之儀相催衆也）」に類するものであるまいか。嘉靖十九年寧波にて歲暮の禮に副使周良の許へ、三號船總中より箏子一盆・蜜柑一盆・酒一壺を贈り、其使者として池永新兵衛の從人藤五郎を遣つており、翌二十年の正月の年賀には三號船船頭と共に宗巴・新兵衛・新左衛門來り尼崎屋又之に隨伴してゐる。彼等が堺衆の代表者たる事は明かである。其他堺衆として五井三郎二郎・石田與三五郎・岩井七郎左衛門等の名が見える。天文十年七月三隻ともに赤間關に歸着し、廿六日室津の又七の脚船二隻の開帆するに便乘して、堺衆石田與三五郎・岩井七郎左衛門・吸江延上司・德上司・卜田等は東上したが、池永宗巴・盛田新左衛門等は山口に赴き、周良・釣雲等遲れて同月晦日湯田に到着するや之を迎へてゐる。義隆時に安藝國金山城に出陣中にて周良出向いて面謁し、九月十四日義隆の前にて舊勘合を點檢せる際、彼は池永・盛田等の事につき問ふ所があつたといふ。周良の山口に歸るや、十月廿三日來訪せる商人新兵衛は池上氏であらう。

大德寺前住の古嶽宗亘が宗叱信士の描かせたる肖像に贊してゐるが、其序に據ると、宗叱は古嶽が南宗庵に寓してゐた頃其室に入り法諱を求めたる故宗叱と命じた。爾來旦暮に見舞つたが、近時海に航して南支に赴き豫て聞き及んだ程の禪刹を訪はざるはなかつたが、一人も知識を見出さず「大唐國裡無禪師」と信じ、歸國後彌〻深く大德寺の宗風を仰ぎ、古嶽の肖像を圖せしめて贊を請うたとある。古嶽が堺南莊舳松なる一小院を得て南宗庵と改め少憩の地に充てたるは大永六年八月で、大德寺大仙院に遷化せるは天文十七年五月の事であつて、宗叱は天文八年遣明船にて渡航せるものとしなければならぬ。初渡集には全く宗叱の名が見えぬ。宗巴の父は一休宗純に歸依して宗永の號をも授けられた人で彼も亦大德寺の宗風を仰ぎし一人たるべく、或は宗巴は宗叱と同一人ではあるまいか。

天文十六年遣明船に周琳が同じく居座として吸江延上司と共に第三號船に乘坐してゐる。嘉靖二十六年十一月鼎山にあつて貢期を待つ間に、廿一日正使周良は明叔・宗久・近藤甚三郎・同又次郎・石田與三五等を齋に招じてゐるが、明叔は三號船客衆であつて嘉靖廿七年十二月廿九日石田與三五は堺衆なる事は明かであるから、三號船中に堺衆の尠からざる事が察せられる。同船々頭盛田新左衛門は前回の船の堺四人衆の一人であつて明地で客死したらしく、又同じ船の船頭となつてゐた池永次郎左衛門もかの池永宗巴の同族であらう。又嘉靖二十七年五月三日に堺皮屋與三次郎・小西與三衛門が各正使に麪・酒を贈つてゐる。小西は二號船の客衆であつて嘉靖二十七年六月五日同じ客衆たる比々屋助五郎・絹屋惣五郎も亦堺衆と見られぬ事はない。其他に堺衆として木下三郎左衛門（嘉靖廿六年十二月廿五日）膳次郎（嘉靖廿七年一月二日）等の名が見える。(2)之に對し一號船船頭は博多の小田藤衛門であり其子彌五郎は同船の客衆で、神屋新九郎も亦同様であつたから同船には博多商人の多かつた事は容易に察せられる。

然し當時の遣明船貿易が勿論博多や堺の從商人に據り獨占された譯ではない。大明譜に天文十六年遣明船の官員を記し次に「水夫以下京さかいいづれも卅九ケ國の衆也」とある。從商も亦諸國の人を集めたのである。近江國甲賀の三雲氏の家譜に一族對馬守定持が天文年中幕府の遣明使僧天心の渡航せる時、猩々緋の韉を購はん爲に己れの奴僕を隨行せしめたるに、歸朝の際、明の吏部尚書聞石塘が紅鞍籠を定持に送り、之に添翰して定持が文章武略衆に越えたるを賞讃したと記すといふ。石塘名は淵字は靜中、嘉靖十四年周用の卒後代つて吏部尚書に補し同二十六年に卒してゐるから、勿論天文八年遣明船にて渡航したのである。（明史卷二百二列傳九十）天心とは或は湖心（碩鼎）の誤かも知れぬが、正副使諸役者の僕として入明したる者に商人の多かつた事は嘗つて述べた所である。天文十六年遣明船の副使は佐々木定頼と昵懇であつた近江慈光院主で、之に伴隨せる近江商人の貿易も想像出來る。

遣明船經營法・幕府と幕府以外の經營者及び經營と從商人との關係・經費と收得

等に就いては、別著に說ける所を以て大體足利後期の事態をも理會し得るかと思はれる。

日本一鑑に「又考、彼中列國得請奉使者乃繕貢船附貨互市、則必抽分、準備貢儀、貢船盤費人工及請勘合納錢、關節之用而不啻於萬計也」といひ、又「正德以來夷中列國請充貢使入朝者、必先具錢一千貫價値白金二百鎰、納於宮房、其餘關節費萬餘金、乃得請給勘合一道、奉表咨、具方物發艇入朝」とある。後に述べる如く明では正德即ち永正の遣明船以來、日本國王の貢船と稱するも權臣の私意に發して遣渡されたる事を識知するに至つたのであつて、鄭舜功も此旨を敍してゐるが、以上は末期の遣明船經營の事實を聞見して考記したものであらう。右の記述は外人としては鋭利な觀察の一面を示してゐるが、多少の混錯がないではない。經營者が幕府以外の場合に、勘合の禮錢は勿論經營者より幕府に致されるが、貢船の船賃・修繕料等を始め貢船盤費・人件費等は一切原則的に經營者の負擔であり一號船を占むる場合は進貢品の調達も同樣である。準備貢儀とは主として進貢品及び貢儀に關する經費である。然し抽分錢は經營者が從商人より課徵するものである。但し遣明船經費は事實上從商人の荷料・乘船料等より多く辨理されてゐる。一號船の經營者が何人たるかを問はず、明帝の頒賜品は幕府に納むるを原則とする。經營者は自家貿易の利益の外に、經費は殆んど自ら支償するを要せずして、抽分錢を主たる收得とする。以上が前後を通じて一般的な遣明船經營の内部關係である。

文明年間堺商人が細川氏を背景として抽分錢を請負ふ事を始めたが、此は必然に從商人貿易を獨占化する事となり、從つて遣明船經費を事實上荷擔し、商人の勢力は經營上の事に迄伸展し、或は勘合符を隨意交換せしめ、或は自ら禮錢を以て勘合を獲得した事さへ傳へられた。

大内氏の經營は抽分錢請負の制を採らなかつたものと見らるゝ。日本圖纂にも「其貢使之來必由博多開洋、歷五島而入中國、因造舟水手俱在博多故也、貢舶回、則徑收長門、因抽分司官在焉故也」とあるが、鄭舜功の記載と共に終末期の遣明船卽ち天文兩渡の遣明船の事態を主として聞記せるものであらう。抽分錢請負制の否定は制度自體が從商人の經營上の權力伸展を消極化するものであつた、特に永正より天文に至る遣明船に於いて大内氏の歷史的地理的の海外通商に對する潛勢力は强固に具現して、此間幕府も再三御敎書を以て其特權を容認した。大内氏は遣明船官員に從前の例の如く領下の禪僧を補せるのみならず、輩下の武家を數多く任じ、天文十六年には用人衆十人衆といへる如き新制の乗員を添補した。特に天文十六年の渡唐船法度條々の如き遣明船全般に對する統制の如何に強壓的であつたかを示してゐる。

然し上述の如き經營上の慣行は無視されてゐない。明應八年に堺なる大内氏輩下の杉勘解由の被官等が三百貫文を禮錢として勘合符を桂悟の手に獲得したと傳へられたが、天文十四年三月には義隆より勘合の禮として太刀一腰・牧溪筆の繪を幕府に致してゐる。天文の遣明船の進獻物として恆例の品數を大内氏の調達せる事は至大唐御進物別幅分等に明記されてゐるが、頒賜物は幕府に納めてゐる。蜷川親俊日記天文十一年二月朔日の條に「唐船歸朝、大内殿御進物目錄別紙在之云云」とあるはそれで、朝倉孝景に錦一疋（赤紋四季花）羅一疋（紺、紋雲織金胸背麒麟）紗一疋（萌黄、紋雲織金胸背麒麟）を渡唐船歸朝の標として與へ、細川晴元にも亦給してゐる。（大館常興日記天文十一年二月十二日、親俊日記三月六日）之等の錦・羅・紗はいふまでもなく恆例の頒賜品たる錦・紵絲・綵絹・紗・羅の一部である。

寛正五年七月幕府は正使天與淸啓等に出立錢を給しており、戊子入明記に據ると出立錢正使五十貫文・兩居座卅貫文宛とある。正使及び此兩居座は幕府船たる一號船に乗坐したのであるから、幕府より支給された。八月十日々付周良宛の大内氏奉行連署の書狀に飛脚として上洛せしめた宗泉より出立料百貫文を勘渡致す筈につき請取狀を同人に渡され度き旨を書送つてゐる。周良が天文七八年に渡航に先だち博多に滯在中も、同十年歸朝後防長に留泊したる際も月充米一斛錢一貫を大内氏より支給されてゐる。(初渡集天文七年九月廿一日・十一月廿日・十年七月晦日) 之等は人件費も亦經營者より支給された一例である。

註

1 神戸市史附錄 第二章第三節、同第六節

2 史林十八ノ一 石見銀山の研究 神谷系圖に據れば壽貞は主計の子、宗淅の父となつてゐる。(神谷文書、石城志卷九神屋傳)

3 堺衆の系譜事蹟等の他に照應すべきもの見出し難きは遺憾である。池永宗巴に就いて初渡集嘉靖十八年九月十三日の條に「亡親十三年諱也、日頭宗永、一休書」之」とある。一休宗純が堺に遊べるは永享四年・文明元年・同六年の三度に及び、其間に市民の彼に歸依した者としては尾和四郎左衛門が知られ、宗臨の號も多分一休より授けられたものであらう。宗永も亦俗弟子の一人で「一休書」之」とあり同じく其授與にかゝる號であると思はれる。今井宗久と時を同じうして交遊した堺の茶人に宗巴の名が見える。(今井宗久茶湯書)宗久は文祿二年八月五日に享年七十四歲で歿しており、天文八年頃は二十歲の若さである。池上宗巴も歌舞の趣好深く風流に富める事初渡集にも屢見するが、以上のみを以て茶人宗巴に當てる事は出來難い。自分は寧ろ之を宗叱に擬したいのである。片山氏を名乘る當時の堺人としては古嶽宗亘の生智稿に、泉南片山新五郎の婦を悼んだ偈抔がある外、餘り見當らぬやうである。

小西與三次郎は堺の富商小西氏の一族と見て大體差支なき事と思ふ。天文頃渡唐相催十人衆の一人に、小西宗左衛門があり、初名は彌太郎と稱した。其一家に帶刀・孫左衛門・兵衞・千三郎の名が見える。(天文日記天文六年正月三日・三月十日・十年九月十七日) 小西如

清は藥種商で彌十郎といひ、耶蘇教徒として有名である。

皮屋の屋號は有名な茶人武野氏が稱せる事天文四年の開口神社文書に見え、又慶長九年十一月・十年九月に皮屋助左衛門が東京に渡る朱印狀を得てゐる。勿論之は與三次郎・三二郎に直に關係ありとするものでなく、參考までに記すのみである。

六　遣明船に對する明の諸制度

遣明船の貢年次・人・船等の制限と其實行等に關しては、前年度の年報に日明通交史上の所謂永樂宣德兩要約の疑問と其眞相と題して詳論し、又勘合制度に就いては別著に概述したる所であり、足利末期の勘合使行の實狀は既に考論した如くである。唯、人・船の制限に附加して、一言補足したきは起京人員の事である。起京人員は壽蓂等起京の沿途濟寧で事端を開き、北京にても禮部に對し責任ある處斷を約束し得なかつたといふので、弘治九年八月今後の使臣等は五十人のみを起京せしめ、他は寧波嘉賓堂に留めしむる事とした。

嘉靖十八年八月廿九日既に正使碩鼎等五十人起京の事も決定したる際、知府に呈書して北上遲了を陳し「仰望隨例、先甲俾吾商從等若干名速到杭州、少焉赴京之日、擇五十人上途則可也」といひ、九月一日知府牌示して「昨見朝報、許五十人進京、汝等已是望外、今復呈請添撥伴從送至杭州、汝等不知朝廷之尊・法度之嚴、有此望外之求云々」といひ提擧よりも同様の事を牌示して之を拒けた。　頑鼎等直ちに又呈書して「往古以來進貢使臣及商從等擧群見許造進于杭府、毎貢靡有缺少、今次朝貢、除上京五十人外、弗蒙恕容、是何謂哉」と訴へたが、結局容れられなかつた。　之に據ると定限ある起京人員の他に、商從等杭州に到る事は許されており、而も起京者の寧波發足以前に出向する例であつたものと見える。　永正八年渡航せる正使桂悟等の一行は彼等の未知であつた起京五十人の新制限を强行されて九月寧波を出發する事になつたが、此時の桂悟等連署の呈疏に「日本國差來正使桂悟謹呈、悟等從人及商衆、歴歳月凌風波遠來、直欲拜帝闕之壯麗、且得京城貨物也、然今起身唯止五十人、故悉相聚議、皆有忿戾、悟等取禍之端也、願垂憐容、從使二百九十二人、同日赴杭州、則得慰衆人之誼諱、否則必致紛諍不虞之事、悟等雖堅制之、彼不肯聽之則禍害不保、憐察惟幸」とある。即ち起京五十人の新制限のため從人商衆の忿戾多く、二百九十二人の杭州に到るを許されて以て之を慰撫せん事を請うたのである。　起京人員は既に永享・寶德の遣明船に渡航せる楠葉西忍もいへる如く、明の官司より數員を指定するのである。然し當時は起京人員の他に杭州へは、猶往來するを許さるゝものがあつたらしい。

景泰四年八月正使允澎等三百人寧波を發して九月北京に着き、遲れて着岸した二號船の居座等は十二月初めに別に入京した、之より先六月貢馬を杭州に送るに作隨して、土官一人及び人件即從人從商等五十人が寧波を出發してゐる。之は勿論杭州迄赴くのであつて入京したものでなく、十二月の會同館茶飯に三百餘人列したとあるは九月入京の三百人と遲れて到着した二號船居座の一行である。桂悟等の一行は六百餘人であつたが、五十人起京の新規が動かすべからざるものとすれは、約三百名の杭州に到るを許して慰撫されん事を請うたので、之或は所定の起京人員外に杭州に往來し得る例に倣はんとしたものであらう。桂悟等が他の書狀で成化五・十四・十九年の進京三百餘人なる事を述べて、起京五十人の新規の意外なるを陳してゐるが、約三百人の杭州往來の要請も此數に准據したものであらうか。弘治九年の制限は五十人起京の他餘は浙江嘉賓堂に留まらしむといふのであるから、此規定からは便宜杭州往來の認許も困難であらうと思はれる。果して右の桂悟等の要請が聽かれたか否か明かでない。桂悟等の他の書狀にも刀劍收買給價の舊例喪失を責むるに並べて起京五十人の新制限の意想外なるを訴へてゐるが、之だけでは猶確定的には推想し難い。唯、起京の事の他に（事實は南京に往來した）其後二回に亙つて若干名が杭州に往來してゐる。　大永の遣明船は起京の件も未定の間に終つたのであるから、論外として、天文八年遣明船中には通事錢宗詢の如き永正にも渡航せる經驗者もあつて「進貢使臣及商從等、擧レ群見レ許レ造二進于杭府一、毎レ貢靡レ有二缺少一」といへるは、溯つて二百九十二名杭州往到の要請の容れられたる證左となすよりは、寧ろ南京より歸寧後二回に亙つて杭州に往來せる事を先例と爲すものであらう。

貢年人船の制限の加重及び遵行を始め、遣明船に對する明側の諸制度は漸次消極的態度を示して警戒的となり、寧波の亂以後は一段と硬化したが、之と同時に遣明船經營の我側に於ける內部事情について明側では新しき認識を獲て來た事を看却出來ぬ。

明應以前の遣明船に於いて、其經營者が社寺たると諸侯たるとを問はず、明にあつてはすべて等しく國王卽ち將軍の發遣船たるを疑はなかつたのである。　永正六年、表文を持たざる第四號船一隻が先づ渡航したる事は明にても稍ゝ意外とした所であらうが、遲れて渡航した桂悟は南京にて禮部等に語つて「宋素卿爲二大國之人一、我王愛レ之、而素卿與二王倖臣一最厚、共密謀、裝二一隻船一、號二四號船一、易二其姓一。曰レ宋、爲二日本人一、潛身自開道、渉南海来朝、全非出於國王之誠意、豈可為例乎といひ、(壬申入明記第十四號文書)暗に細川氏が素卿と共謀派遣せるを告げた。

大内・細川兩氏の船寧波にて衝突するに及んで巡按御史歐珠は素卿等を審査せるに基き、大内義興正徳勘合を奪つて發船せしめたるを告げ、次いで市舶太監賴恩奏して「竊審、日本國有武臣三人、一曰大内、一曰細川、一曰畠山、是皆權臣、猶魯之三家、彼國政柄不在國王、而在權臣、進貢之事、彼強則彼專、此強則此擅、國王則率、亦莫革」といひ、「另差官、齎勅、往諭國王、今後來貢益謹效順、親具表文、面用國璽、毋容詐僞、貢船毋過三隻、使人毋過百、毋得仍致大内細川等弄權私貢」とある。

大永七年琉球僧に託した義晴の國書は、宗設等の船は大内氏の家臣神代源太郎の主謀したるものとしたが、明にては勿論信ぜずして却つて兩船の權臣の意に出づるに想到したであらう。　天文兩度の遣明船が表文の眞にして勘合符正しく、貢期を守らしめて之を受容したので、船の派遣に權臣の參與せるを想察せりとするも、猶國王即ち將軍の貢船たる形式には疑義を挿まなかつたのである。　弘治二年來朝して豐後に到つた鄭舜功は、印章勘合の幕府に保存さるゝを信じて「正德以來夷中列國請勘合充貢」とて、正德乙巳(四)細川氏、同丁未(辛カ)大内氏、嘉靖癸未(二)細川氏・大内氏等何れも勘合を請ひ得て渡航せるを記してゐる。　金印勘合が大内氏の所有となつて以來「入貢倶山口自主、山城惟出」名而已」といふ實狀であるとは蔣州等の初めて齎らした報告である。之を要するに嘉靖二年以來、權臣が大體遣明船派遣の內部的には計劃者たる事は明にても察知するに至つたので、唯形式に於いて將軍の發遣たるを失はずと見たのであらう。而してかゝる觀察を猶溯つて、正使自ら我が國側の內情を漏らせる永正年間の遣明船にも充當したのである。されば日本一鑑に「正德以來」といひ、周咨錄に正德四年、細川高國勘合を强請し、同六年大內義興又請うて各遣使せるを記してゐる。大內氏が渡唐船法度條々にて「進貢意趣、公儀等事、對唐人等不可及言語、同私筆談停止也、但到醫學儒學等練習者、非制之限事」といへる事は此間の機微に觸れてゐる。

寧波東庫及び北京會同館にて行はるるを例とした筵宴に就いては別著に述べたる外に特に加ふる程の事も無い。寧波に於ける恆例の廩給口糧は、續史籍集覽所收の記錄に「在寧波官人廩給白米五升・其外十三色」とあり「又口糧黑米二升・其他四色」とあり、其明細は

廩給　米五升・肉八兩・油四兩・鹽四兩・醬四兩・醋四兩・茶四匁・酒三斤・筍三斤・蘿蔔三斤・花椒四匁・燭六枚・柴三十斤・炭六斤・以上十四色

口粮　米二升・肉二兩・蘿蔔一斤・柴五斤・醬二兩・鹽二兩

と見える。廩給は官員、口糧は水夫從商等に下給されるもので、以上の給付物及び

其額は景泰年間にも同一で恆例となれるものである。　嘉靖十八年五月廿六日廩給口糧あつて、其額を板に開寫したが、其文面は「寧波府鄞縣爲應付事、計開壹號船」とあり「使臣共壹拾伍員毎員毎日」として米五升以下の十四品を記し「從人共壹百漆拾玖名毎名毎日」として、米貳合（升の誤）以下四品を記してゐるが、後者に醬二兩・鹽二兩を逸するは誤脱と見らるゝ。　是は一號船に對する廩給口糧で、官員に廩給あり、他の渡航者全般に口糧の支給行はれた事が彌ゝ明確となる。　然るに正使等は市舶司通事周文衡に書を寄せて「諸官員廩給總計、旣開寫于板、卽今所支給、與板面霄壤矣」とあるを見ると、形式は恆例を追うたるも實際の支給は缺くるもの多かつたらしい。　其後閏七月七日にも寧波府知府に書を呈して、廩給支配の舊例を失はざるは纔に一箇月許にて、以來支給遲延し、量額正しからず、或は米紅く或は酒薄濁し、醋・醬も水を混じ、程經れば太だ酸味を持ち、疾に罹り死に抵る者すらあり、且つ前月七日以來諸菜洽からず、朝夕通事を督責すといへども未だ達せず、通事等諸司と相謀つて此事を行ふかと述べて、知府が支給の實際を査究されん事を請うてゐる。

北京より南歸後、周良は嘉靖十九年十二月十三日に十一・二の兩月分として廩給銀子二兩七匁を受領し、以後毎月一箇月分の廩給一兩三匁五分を給せられてゐる。

之に據ると南歸後は官員一人毎月の廩給は銀一兩三匁五分となつてゐたので、廩銀は獨り上京官員に限らるゝ譯はあるまいから、寧波に留滯せる官員も然りであり、進んで口糧も亦銀給であつた事と推せられる。

天文十六年遣明船に於いては、嘉靖二十七年五月十一日の條に「收㆓廩給銀子㆒」とあるから、上京前に於いても廩給銀の制となつたらしい。

在京中の支給は續史籍集覽所收の記錄に「於㆓北京㆒廩給口糧上下無㆓差異㆒（白米五升・羊一疋・鵝一隻、鷄一隻其外十二色、蓋五日分也、但羊・鵝・鷄十人別也）」とあり、大明會典に「五日下程一次、毎十人、羊・鵞・鷄各一隻・酒二十五瓶・米五斗・麪十二斤八兩・果子一斗・燒餅二十箇・糖二十箇・蔬菜廚料」とある。此下給は五日毎にあるので、前者は羊・鵞・鷄は十人別の額であるが白米は一人の給分であり、會典の記載は總べて十人別の計算である。其他十二色とは酒・麪・燒餅・果子・鹽・味噌・栗・酢・薔・花椒・薪・炭等である。此官給亦景泰の例も同じく、恆例であつた事は嘗つて述べた通りである。

起京回還沿途の官給に就いては大明會典に「凡使臣進貢沿途、關㆓支廩給口糧㆒、回還亦如㆑之、惟朝鮮・占城・琉球・爪哇・暹羅・滿剌加・日本・錫蘭山・迤北○中略使臣回還沿途、除㆓廩給口糧㆒外、仍日支下程一處、朝鮮等八國幷迤北、毎人肉半斤・酒半瓶云々」とある　續籍集覽所收の記錄に「自二寧波一至二杭州一之間同上（廩給）白米五升・其外八色（口糧）同白米二升・其他七色 於二杭州一廩給白米五升・十二色 口粮白米一升半・八色 自二杭州一至二北京一之間廩給白米五升・十一色 口糧白米二升・其他九色 北京貢回廩給白米三升・孔方七十三充 口糧白米一升・同卅五充」とある。

初渡集再渡集に據れば、沿途の廩給口糧は各驛にて支給するを一般とし、已むを得ざる場合次驛にて前經過驛の分を併給する事もある。上途杭寧の間廩給として米・鹽・醬・菜・柴・酒・燭・鷄・卵・蓖・煮等を支給されてゐる。

嘉靖十九年の回還の途、應天府龍江水馬驛の人別廩給五升と口糧二升を特記してゐるが、是は上京の途經過せざる驛にては上途と同樣の支給ありたるためである。此際に上途は杭州府吳山驛より湖州府德清・苕溪兩驛を經て蘇州府吳江縣平望驛に到つたが、回還の途は平望驛より嘉興府西水・崇德縣皂林の兩驛を經て吳山驛に達した。西水驛の廩給口糧に「廩五升・口二升、如二上京之時一、蓋初歷二本驛一之謂也」と記してゐる。前掲續史籍集覽所收の記錄に據り、回還の途は米の他は銅錢を以て支給するを例とした事が明かであるが、嘉靖二十七年十二月周良等の上途に於いて常州府毘陵驛に到つて「下二廩給一、初以二銀子一施二行之一、除二米薪一外銀子一匁四分云々」とある。翌日同驛の廩銀一匁四分の支給は或は呂城驛の分で、次いで鎭江府雲陽驛分も一匁四分であつた。雲陽以北の各驛に就いては廩銀の明記はないが、回還の途は各驛にて廩糧卽ち米を支給する外に廩銀每驛一匁四分の分を大略三・四驛每に給し、其他楞銀なるもの一驛當に三分五厘程度に付與してゐる。一匁四分の廩銀は七十三文の銅錢に折したので、官員の一人として周良に對するものなる事はいふまでもない。沿途の廩給口糧は所定額を各驛にて給するもので、滯泊日數の長短に拘はらざるは以上によつても明かである。

沿途の水路遞運船・陸路脚力等の應付の件は大明會典卷之一百四十八兵部三十一驛傳四の條に規定されており、兩渡集に據つて其具體的な事實を見る事が出來る。

恆例の廩給口糧以外に遣明船の浙江の地に入るや、定海縣知縣・巡檢司・寧波府知府・鄞縣知縣・太監・按察司・布政司或は巡撫等はそれ〲食糧品・水・薪柴・酒等を給し、之に對しては使人側よりも適宜の物を呈贈する。例せば嘉靖十九年十二月巡按御史王憲の贈れる禮物の數目は次の如くであつた。

正使　碩鼎　副使　周良

以上共米壹石　羊貳隻　麵貳拾斤　酒貳樽

居座　梵琢　等越　〃

土官　正賴　增重　〃　〃

以上共米貳石漆斗　猪肉肆拾伍斤　麵肆拾五斤　酒貳樽

從僧總船頭通事　拾員名

周祝

以上共米壹石捌斗　猪肉貳拾漆斤　麵貳拾漆斤　酒貳樽

從人水夫共參百肆拾玖名

共米參石伍斗　猪肉參百肆拾玖斤

之に據ると官員と人件との一人當りの給額は、恆例の廩給口糧に比し餘りに懸隔あり、且人件數は續史籍集覽所收の記錄四百三十名に比し(死亡等に據り多少の減數は想像されるが)差も多きいから、官員に隨件する同宿・僕等の給付は官員給の內に含まる事は想像に難くない。　殊に廩給にあつては同種同量なるべき官員給の中、正副使、居座土官、從僧等の各間非常な差等がある事は、各官員の同宿・僕の數に大差ある事實に關聯する事殆んど明白である。

歸國に際し市舶司より海上三十日闕米人別三斗を給せる事が允澎入唐記に見

えるが、天文八年遣明船の際も寧波府知府より三十日分資料を給しており、又船舶修造・船具料費を給してゐるので其額は

炭銀四兩七匁六分貳厘

棕纜銀十捌兩

鐵猫銀十貳兩

修船銀四十六兩貳匁

通計銀捌拾兩九匁六分貳厘

である。是等も以前よりの恆例と見られる。

北京に於ける正副使以下の賜衣正賞に就きては大凡別著に述べた所である。嘉靖二十八年六月正使周良等北京にあつて、禮部百人を賞せんとし周良請ふ所あつて、百人の外に賞犒を量加し百人の制は遵行し難き旨を認めて斟酌せん事を奏してゐるが嘉靖年間渡航人員百人の制限ありたるは、事實は賞犒數を限る以上に出でなかつた事は前に述べた。人件に至るまで賜衣正賞の事あるは舊例であつて、賞犒とは廩給口糧等にあらずして賜衣正賞を指すのである。されば七月正副使以下に恆例の衣裳賜與の事あつた時、只百人分の衣裳を勘渡し、正副使二通事を

以て寧波に於いて五百人餘の衣裳缺くるを訴へ、主客司主事略、杭州に於いて下給する由を告げてゐる。　正賞の内銅錢卽ち正副使十貫・居座土官八貫・從僧五貫の給付は成化嘉靖の實例に據れば給價と共に南京にて交付するを例としたらしい。

天文年間の遣明船に於いて寧波に到る道程・館の出入・明人との接觸等諸事警戒を嚴にし制限的であつた事は既述した。　景泰年間の寧波勤政堂に於ける茶飯の例はもとより、正德六年桂悟等の東庫裡の茶飯も太監（正四品）迎侯せるに拘はらず、嘉靖十八年九月の茶飯は通判（正六品）提擧司（提擧從五品）代つて迎接したので、使人等其舊規にあらざるを三司・御史に呈疏してゐる。　又北京に於いて表文の捧呈は朝參の際行ふ舊制なるに拘はらず、禮部より通事を來館して之を呈出せしめ、使人等舊規ならざるを指摘したが聽かれなかつた。　朝參に先だち鴻臚寺習禮亭前に朝禮を習治するは嚴たる恆規であつたが、（明史卷七十四職官志三參照）嘉靖廿七年十月の如き通事の會同館に於ける教習を以て之に代へた。

寧波に於ける廩給口糧の實狀は既述した。　正使碩鼎等の起京の上途は寧波を出でて北京會同館に入る迄に百四十四日間、回還には百二十一日間を費し、正使周良等の際は上途百二十日間、回還には百四十一日間を要してゐる。　景泰四・五年の允澎等の際は上途五十日間、回還には八十八日間を要ぜるに過ぎぬ。而も文明十五年遣明船の頃以後は南京城内に滯泊するを許さずして、允澎等の南京滯在二十三日間であつたに比し、碩鼎等龍江河岸に泊する事僅かに六日間であつて、之を以て見れば嘉靖には往復とも景泰の二倍餘の時日を要してゐる。妙茂等は成化十四年二月九日付の明帝の國書を齎らせるが故に、北京發は其數日後と認むべきであるが、王恕の奏に據れば同年四月十一日正賞給價を得て南京を辭しており、二月九日當日より六十一日を要したるに過ぎぬ。此内に南京諸官司の廻禮・寺觀・古蹟の巡覽等尠くとも十日以上の南京滯在日數を含む。然るに碩鼎等の場合は南京到着迄に七十九日間を經てゐる。

寧波・北京間の往來は殆んど河川・運河を利し、其間に閘・壩等も多く、自然的に旅程の多少の伸縮あるは免れぬ。然して又既述の如く沿途私貿易の發達の結果、例せば景泰には蘇州に於いては上途寒山寺に詣つて翌日直ちに無錫驛に赴き、回還には前後四日間を泊したるに比し、嘉靖十八年の上途に二十日間、翌年の歸途十日間同廿八年の上途に十八日間を滯留して物貨を購入せるが如くである　されど沿途遷延せる主要なる理由は每驛の廩給口糧の支給及び挽夫遞送船等の支辨の遲怠にある事は兩渡集を通覽して明かである。景泰間日々毎驛を通過せるは、以上の諸支給が圓滑に行はれたる證左である。諸支給の遲怠せるは驛丞官の怠慢にもよるが、其責の大半は伴送官にある。嘉靖二十八年正月上途儀眞縣の閘に於いて既に開閘すれど伴送官計調せず、之に應じて管閘官通過を肯ぜず澁滯したる事もあり、翌年回還の途滄州にて三伴送官及び護送官結託して人夫を賣却して滯留を餘儀なくせられし事もあつた。彼等の不正は常套であつて嘉靖二十八年九月驛丞官出奔せりとて梁家莊驛を通過したり、之恐らく驛丞官と結び廩口を節略せんとしたものであらう又其前年の上途呉山驛にて、典史等遞運所に赴き座船三隻・站船三隻・大民船二隻の支給を命ぜるに拘はらず、伴送官たる蔣文粹は座船三隻中の一隻に進貢物を載せて船隻を減ぜんとしたので周良之を按察司・布政司に告げんと脅かしたるに驚愕し降を乞うた事もあつた。されば嘉靖十九年十二月上途淮安府古城驛に達するや即刻廩給口糧の支給ありたるを以て「朝周二大人（伴送官）上岸、以治二其事一、故速辨レ之、酉刻開船」と特記してゐる。鄭舜功も伴送官の人を得ざる事が、遠人の心を失ひ侮を買ふ事を切言してゐる。

永正八年の遣明船の際は沿途梗塞して起京するを得ず、諸事異例も多かつたであらうが、桂悟等は南京にて受領せる正副使の袈裟が裏無く金鑭にあらずして鍍金なるを訴へてゐる。されど此際は渡航者三百の規定であつたから、賜衣正賞は人件に至るまで該數に及んだ筈であつたが、是も天文年間には百と制限された譯である。

以上の如くして宣宗朝以來主として財政的事情に基き明の海外通交政策は一般的に消極化して遣明船の如きも其年次・船・人に制限を加へ官貿易を縮減するに至つた。又日明兩國人間の偶發的の衝突等を動機として右の制限を更に起京人員の上に及ぼし、寧波の亂は海寇畏怖の念を增大せしめて、更に制限の嚴守を迫り、又兩國人の接近を警戒して行動を抑制し、一方には絶貢閉關の議さへ生じたのである。此間私貿易の興盛は兩國人間に事端を構ふる機會を多くし、元來姦詐僞謀の尠からざりし明官人の私爲を增長せしめたのである。而して廩給口糧・驛傳應付等の諸事・筵宴・賜衣・正賞の諸儀の舊例を喪へるは、單に官司の私爲に原因するものもあるが、猶遣明船通交に對する明の熱意の既に喪失し、諸般の取締紀綱の頽廢せる大勢を反映するものといふ事が出來る。殊に事大の儀軌を重視せる彼にあつて、習禮亭の習禮を罷め、上表捧呈の舊規を變ぜる如き其明白なる現れであらう。

七　遣明船貿易の動向

イ　官　貿　易

國王進獻物として齎らしたものは幕府の第一回遣明船の例を除き第二回應永十年遣明船以來大體恆例となつてをり、馬貳拾匹・撒金鞘太刀貳把・硫黃壹萬斤・瑪瑙貳拾塊・金屛風叄副・鎗壹百柄・黑漆鞘柄太刀壹百把・長刀壹百柄・鎧壹領・硯壹面匣并・扇壹百把である。唯文明八年遣明船以來馬貳拾匹が四匹に減じてゐる。進獻物に對する明帝の頒賜物も永享以來國王即ち將軍へ白金二百兩・粧花絨錦四匹・紵絲二十匹・羅二十匹・紗二十匹・彩絹二十匹・王妃即ち將軍夫人へ白金壹百兩・粧花絨錦二匹・紵絲十匹・羅八匹・紗八匹・彩絹十匹に略ぼ一定してゐる。應永年間に比して永享以後頒賜物は一般に減少してゐる。永享四年義敎の復活第一船は意外の歡待を受けて特賜品も多かつたが、寶德度の特賜物は奏討物で之は附搭物件給賞の意味があつた。義政時代には銅錢・書籍等の頒給を要請したが、殆んど之を容れられなかつた。文明十五年遣明船に對する頒賜物は定例より員數減少したといひ、居座として渡船した肅元壽巖は我が進獻物が粗品で返報品も之に應じた次第を說いてゐるが、（蔭涼軒日錄延德四年六月六日）續善隣國寶記收載の成化二十一年三月十九日付の別幅は銀のみを記して餘略之とあつて其減少の程度は判らない。天文年間遣明船の進獻物は渡唐方進貢諸色注文に明細な記載があるが、其品目員數は前例と異らぬ。

正使以下の私進物は附搭物件に准じて給價ある例であつたが、之は大體刀劍が主であつたやうである。正德七年八月恐らく杭州で正使桂悟以下連署で明の官司に宛てた書狀に「使臣自進太刀、正使一百、副使一百、毎居座五十、毎土官參十、毎通事幷總船頭各二十、從僧各十把、總奉行一百把、可レ爲二定例一否」とある。之より先、附搭物件の官收買する物は、民間市易禁止品たる刀劍類に略ぼ限らるゝ狀態であつたが、其刀劍附搭の數も三千把を超えざるやうに制限したのであつて、同時に私進刀劍も正副使百把以下右記述の數に限定したものと思はれるのである。此際桂悟等一行の自進太刀は九百八十把であつて、三船の官員の私進刀劍の合計とすれば略ぼ右の定數に遵つて將來したものであらう。天文八年遣明船の際は續史籍集覽驛程錄に附記する記錄に、一號舡自進太刀二百九十把、官員十五人、二號舡自進百六十把、官員五人、參號舡自進二百六十把官員六人と見える。一號船官員として初渡集嘉靖十八年六月十五日の條に據ると、正使・副使・居座二人・土官二人・通事一人・從僧六人計十三人が記されるから、官員十五名の內には猶先例に據れば通事一人・總船頭一人が加はり得よう。 若し正德以前よりの自進刀劍定數を齎らすものとすれば約四百八十把の將來が可能となる。 二號船・三號船の例は右の定數以下のものでないが、一號船の自進刀劍は確かに減少してゐる。 然るに初渡集に據ると、嘉靖十八年九月寧波よりの起京の日も迫り、廿七日正使以下官員出でゝ海道・布政司等屆臨の下に、東庫に於いて進獻物を盤驗し遂一朱漆の箱に收めたが、此時自進の扇子の件に就き短疏を海道以下に呈してゐる。 卽ち

日本ゝゝ謹呈、前度朝貢差使臣等、各自將㆓太刀㆒拜進者若干把、是恆例也、今次進貢、獻㆓扇子㆒以爲㆓薄贄㆒、蓋遵㆓上國嚴法㆒、禁㆓止兵器㆒也、其件目開㆓具于別楮㆒、列位大老大人、察㆓生等遠來之誠㆒、轉㆓奏天朝㆒、則慶加㆑焉、伏乞昭納

△日本國使臣等自

進扇子、件目開書于后

　二十把　正使ゝゝ　二十把　副使ゝゝ　計共ゝゝ把

とある。 而して北京に於いては翌年三月十一日進獻物を禮部に納め、十五日に正

使・副使及び從僧一人禮部に到り、自進團扇小扇等を進めてゐる。之に據ると刀劍を私進するは前例であつたが、天文八年遣明船の際は兵器の私進も嚴禁されて扇子を進めた事は明白といはなければならぬ。天文十六年の遣明船の際も同様であつて、嘉靖二十八年五月六日進獻物を禮部に納めたが、同時に使臣自進の扇子を進めてゐる。續史籍集覽の記錄も妙智院所藏に係るとあるが、自進太刀の記事は如何に解すべきものであるか。此記錄は勘合符の塡寫案文に類するものかと想像されるが、或は明地に到り、寧波の亂後の警戒嚴重を極めて殊に兵器類は一切豫め定海縣に收藏した程であり、私進刀劍禁止の新法の遵行を迫つたので、使人等も已むを得ず之に遵つたものであらうか。

遣明船貿易の主體は附搭物件貿易であり、其內には遣明船經營者の自家貨物も含まれるが、從商人貨物が主である。永享四年遣明船の附搭物中、銅・硫黃・刀劍・蘇木の主要貿易品の明の折價は鈔にて合計六萬四千三百九十貫であつた。大明會典に洪武二十六年定として「凡遠夷之人、或有長行頭匹及諸般物貨、不レ係二貢獻之數一、附帶到レ京、願レ入レ官者、照二依官例一具奏、關二給鈔錠一、酬二其價値一」とある。明では洪武八年以來大明寶鈔を發行して其流布のため非常な努力を拂つており同十年小錢と鈔とを兼行せしめ百文以下にのみ錢の通用を制限し商税に錢三鈔七の比で兼收すること〻し二十七年に至り軍民商賈所有の銅錢を鈔に換へしめて通用を禁止した。(1)故に二十六年諸國使臣の附帶せる物件に對し鈔錠を關給して給直する事に定めたるは當然であつたが、事實上鈔の流布は普からず、且鈔一貫を銅錢一貫銀一兩とする初制の法定價値は次第に行はれず鈔價は暴落の途を辿つた。されど宣德十年十二月梧州知府李本の奏に、錢鈔兼行は律文に載する所、然るに用錢禁止のため現在錢を使用せる兩廣地方の如き違禁に問はる〻民多きを述べて、其兼行を聽さん事を乞ふて容れられたるを見ると、法規の上では用錢の禁が此頃まで續いたらしく思はれる　然し事實上鈔の不流通と價直の暴落甚しき以上官收買に鈔錠を關給し給價する例は其通りには實施し難い　永享年間の遣明船の例によると給價に錢鈔兼給が行はれ、錢一貫鈔一貫銀一兩として計算し、鈔の給付に對しては、鈔百貫につき絹一疋、鈔五十貫につき布一疋として、錢・絹・布三種を以て給賞したのである。附進物の折價に鈔を以て行ひ、鈔一貫銅錢一貫とする點に於て洪武初制の形式を殘し、而も折鈔絹布は鈔の暴落せる時直に依つたのである。　永享四年遣明船の場合は大乘院寺社雜事記所載の楠葉西忍の談等に據り知り知らる〻如く、新足六萬貫段疋五百反を得たものとすると、附搭貨給價の大部分は銅錢にて支給され、他を絹布にて折給する事とし段子五百反を給付されたものであらう。 卽ち銅・硫黃・刀劍・蘇木の四種の折價六萬四千三百九十貫は官收買物の大部分と見て差支ない。然るに寶德度の遣明船に於いては附搭貨の數量莫大の額に達して、明では永享四年度の折價に比し半價若しくは數分の一に減價差定したが、而も總計錢一貫鈔一貫として通計九萬五千九百六十八貫に達した。 而も錢鈔各半給せんとし、鈔に對する折鈔絹布は既述の如く暴落せる鈔價に從つたために、事實上の給價は二重に減殺された。 正使允澎等は之が爲め禮部との間に增價給直の强硬なる折衝を行ひ、多少の銅錢・絹・布の增給あり、特賜品を奏討し、猶貨物の一部を積歸つたのであるが、而も到底各船の滿足を得ず今次の貿易の不首尾を鳴らしたのである。 從來附搭貨の多くは官貿易せられたのであるが、爾來官收買は大體刀劍類に限られた。明政府が財政上の要求もあつて、官收買に頗る消極的の態度を示して來た事、我が遣明船側にあつては折價の低減・給價法の變改に據る實質上の減價等の爲め、遣明船貿易に私貿易を主とする傾向を促進したのである。 此と同時に從來官貿易の結果、銅錢が尠からず齎らされたものが、私貿易に於いては支那商品に代へて舶載對する風を益〻助長したのである。 以上の經緯に就いては別の論著に於いて略ぼ論述したのであるが、猶本節に於いて考覈しよう。(2)

應仁年間渡航せる天與淸啓を正使とする三隻の遣明船の刀劍類の給價に就き皇明實錄に左の如く見える。

禮部奏、日本國所レ貢刀劍之屬、例以二錢絹紵直一、自來皆酌二時宜一、以增二損其數一、況近時錢鈔價値貴賤相違、今會議、所レ賞之銀以レ兩計レ之、以至二三萬八千餘一矣、不レ爲レ不レ多也、而使臣淸啓犹猨レ例爭論不レ已、是則雖レ傾二府庫之貯一、亦難レ滿二其溪壑之欲一矣、宜二裁節以抑二其貪一、上是レ之、仍令二通事諭レ之、勿レ使二復然一

成化年間に至り鈔價の暴落愈〻甚しく、錢鈔價値の懸隔は大となり、之を宣德年間に比するも約十倍となつてゐる。 故に鈔を以て折給する事は遉に忍びざる所であり、銀を以て計算し、賞給の銀三萬八千餘兩と差定した。 是刀劍を主とする給價なる事は右の記錄に明記する所であるが、此差定に對して淸啓の不滿甚しく其要求と餘程懸隔ありし事と察せられる。 賞給の價直を全部銀にて計算する事は從來鈔錢銀にて折價し、鈔一貫・錢一貫・銀一兩として計算し、實際の給價に當つては錢鈔兼給して、鈔に對しその時直に依つて折鈔絹布を充當せられたに比し、差定價

直自體を餘程減殺しなければ、實質上支拂に非常な差を生ずる。

壬申入明記に收むる桂悟等の浙江布政司に宛てた書狀に「先時上國重下我國王有中能滅二海寇一之功上、優寵之盛、莫レ可レ言、姑擧二近年例一以言レ之、假如二成化五年一、進納三萬餘把、十四年進納七千餘把、十九年進納三萬七千把、以上年中進京三百餘人、收刀數萬餘把、毎把賜二舊錢三千文一」とある。之に據れば應仁度の遣明船附搭刀劍數三萬餘毎把三貫であつたといふ。果して然らば其總額九萬貫に達する筈であつて、實錄に據れば銀三萬八千餘兩は例に准じて錢三萬八千餘貫、又銀錢時直に從へば大體三萬餘貫となる。正使清啓等の要請の結果若干の增賜ありとするも、二倍三倍の加給は前例に徵しても到底有り得ない。自分は前論著に於いて、此不一致を考へ、壬申入明記の記事は吟味を要すべきものなるを說いた。即ち桂悟等の右の書狀は、明の正德七年五月頃南京に赴き禮部より附搭刀劍七千把・使臣自進刀劍九百八十把中より唯附搭刀劍三千把を收買し、而も單價兩毎三百文と差定されたので、大に其不當を訴へ、間もなく杭州に來り布政司にも再三同旨の呈疏をなし、先例を援用して其非を鳴らしたので、其刀劍・收買數の加增を要請するため、前例の寬厚なる事を主張するの餘り多少事實を取捨し或は枉げたる嫌なしといはれぬ。鹿苑日錄收載の東歸和尚の談に「普廣相公之時唐（刀）之價者初者千疋、中者五百疋、後者二貫五百文也、其謂者所レ遣之太刀、或有名者也、裝束亦費ニ其工、次第減價以造焉、故唐（刀）之代亦次第減也、今則太刀惡、而其數太多、故五百三百之代唐（刀）辨レ之、不レ然者不レ受焉」とある。普廣相公即ち義教時代の遣明船は永享年度の前後二回に過ぎず、永享四年遣明船の折價は實錄に毎把鈔十貫とあり、義政時代の第一次寶德度のものは毎把鈔六貫文（我が記錄には五貫文とある）あつて、二貫五百文とは應仁度の給價を併せ指しておるものかと思はれ、今は刀數多く五百三百文ならでは收買せずといへるは彼の渡航せる文明十五年出帆の遣明船貿易の經驗に基くものであらう。桂悟の書狀に成化五年の給價毎把三貫文とあるは其間多少の差ありと思はれ、同十九年即ち文明十五年遣明船の際の給價同じく三貫文とあるは其懸隔甚だ大である。以上が自分が前に壬申入明記の記載を吟味を要すとせる主なる理由であつた。然るに近時一・二の新史料を索得して、壬申入明記の誤を訂正し、此間の官貿易の實情を明かにする事を得たるは幸である。

竺芳妙茂を正使とする幕府船以下三雙の遣明船は文明八年四月堺を發し、翌年即ち明の成化十三年九月末には既に北京に入つたと見え、實錄に馬及び方物を貢し、賜宴賜衣の事あり、勅書を附し、將軍夫妻に白金以下の頒賜あり、又妙茂の佛祖統記を求めたに對し法苑珠林等を與ふる事とした事が見える。 又翌成化十四年正月妙茂の陛辭したるに對して、勅を賜ひ、義政が戰亂のために公庫空虛となつたと稱し永樂年間の事例に依り、銅錢の賑施を申請せしめたに對し、禮部の調査の結果給賜の先例なきも、妙茂再應懇請するを以て、特に錢五萬文を國王(將軍)に賜つた事が、同じく實錄に見える。 明帝の勅書及び別幅は成化十四年二月九日の日附で、續善隣國寶記に收載してゐる。 妙茂等一行は二月中頃には既に南歸の途に就いたと思はれ、當時の恆例に從ひ附搭貨收買の給價及び正副使以下への賞給の銅錢受領のために南京に赴いたのである。

成化十四年四月の南京兵部尚書王恕の關過內府銅錢給賞日本國使臣事畢奏狀に次の如く見える、

節該欽㆓奉

勅㆒、臣等及南京戶部禮部、今該㆑給㆓日本國正貢并物價銅錢一千六百五萬六千三百九十文㆒、勅至、爾等會㆓同太監安寧等㆒、轉㆓行南京天財・廣惠二庫㆒、照㆑數關㆓出公同差去官員明白給賞㆒、事畢之日、爾等仍將㆓關過銅錢數目㆒、明白奏報、欽㆑此遵、臣等會㆓同南京守備太監安寧等轉二行南京戸部禮部及南京天財庫一、照レ數、關二出前項銅錢一、公同差來行人鄧庠給賞一外、各夷俱於成化十四年四月十一日起程去訖、緣下奉レ勅、仍將二關過銅錢數目一明白奏報事理上、今將二給賞過銅錢數目一開坐、謹具題知（太子王端毅公奏議卷四）

正使等が辭京するや、官司を南京に先行せしめて官收買物の給價正副使以下の正賞等の事が布達される。此の際は鄧庠が其使であつた。正副使の正賞は銅錢一萬文を恆例とし、以下官員に差等がある。特賜の銅錢五萬文も當然南京にて支給されたと思はれる。妙茂等が受領せる銅錢一千六百五萬六千三百九十文の內には正副使以下官員の正賞・特賜錢も含まるゝ譯であるが、其大部は勿論官收買物の給價である。

桂悟の書狀では成化十四年進納七千餘把で每把三千文とあるが、然らば刀劍の給價は二千一百萬文餘となり、事實に合致せぬ。當時官貿易された附搭貨は刀劍は民間市易の法禁があつて絕體であるが、其外に硫黃があつた例が多い。假に硫黃の給價を無視するも、桂悟の書狀の事實は誤謬であつて、七千餘把の收買を事實とすれば單價三千文ではなく其以下なる事は明白である。

子璞周瑋を正使とする幕府船二雙・內裏船一雙は文明十五年暮に堺を出帆し土

佐の中村港で越年したかと思はれるが、成化二十年十一月には入京してをり、皇明實錄に周瑋等來使し表を奉じ馬及び方物を獻じて賜宴賜衣の儀あり、仍つて勅を齎らさしめ白金等を國王・妃（將軍夫妻）に賜ふ事が記されてゐる。 續善隣國寶記收載の勅書は成化二十一年二月十五日及び同年三月十九日の日付となつてをり、周瑋は七月一日寧波に客死してゐて、三月末か四月初めには北京を辭したのであらう。

日本一鑑窮河話海卷之七貢物の條に、成化乙巳（二十一年）の禮部尙書周洪謨の奏を引き次の如く記してゐる。

禮部尙書周洪謨奏、日本王貢刀三千六百一十把、各夷附搭貢刀三萬五千餘把、比之宣德年間進刀三千餘把、不啻十倍、舊例、貢夷自附貢刀、每一把、酬價銅錢一千八百文、共該銅錢七千萬有餘、洪謨言、若不裁抑、以後益增定、以每刀一把、止酬銅錢六百文、比舊價、只該三分之一、通減去銅錢四千四百四十萬文、該銀五萬九千二百兩

日本王貢刀三千六百一十把とは勿論恆例の進獻の刀劍にあらざるは明かで、國王附搭品として舶載したものであらう。 之に各夷附搭貢刀卽ち客商附搭のもの等を加へると合計三萬八千六百一十餘把で、桂悟の書狀に十九年進納三萬七千把とあるも大體之に近い。 每把銅錢一千八百文として七千萬文餘となる。 宣德

年間に比し十倍餘の數に達し、以後も益〻增加する虞あるを以て、給價を每把銅錢六百文とし、舊價に比し三分の一に減じて、銅錢四千四百四十萬文銀にして五萬九千二百兩を節減する事になるといふのが、周洪謨の奏である。されば尠くとも前回成化十四年の給價が每把一千八百文なりしは明かであり、かくて前掲の南京の給錢額がよく理會し得るのである。周洪謨の奏は單價を低減し、將來の附搭數をも併せ制限せんと意圖したのであつたが、更に彼の議に據り、勅して以後宣德年間の事例に照して附搭の刀劍三千把を超えざるを命じたが、每一把に金五分卽ち金一千九百餘兩を請へるに委せて之を給する事にした。每一把金五分が一把の單價とすれば、大體當時の金銀比價一對七と見て、銀一兩銅錢七百五十文であるから約銅錢二百十五文である。(4) 一鑑に「其後因レ不レ得レ照二舊例一、各夷皆取レ金回、至レ將レ辭レ朝之日、方知二此弊一、以後遵二照舊例一、止許二貢刀三千把一、永爲二定例一」とあるが、今後三千把の舊例に從つて銅錢の給價を收むるか、然らずして金を受くるかといふにあつたらしく、結局使人等後者を撰んだが、更に辭闕の日其弊を知り舊例に遵照して三千把の附搭を定例となす事としたらしい。一鑑に「此一次省二府庫銀五萬九千二百兩一」とあつて、單價六百文にて全部收買されたものと見えるが、之を前回に比し其減價甚しく周瑋等と禮部間に、景泰年間の允澎等の爲せると同樣の折衝が行はれたものと想像される。 成化二十一年二月十五日日付の明帝の勅書に「今後王差使臣通事等、須擇知大體守禮法者、量帶夷伴、嚴加戒飭、俾其沿途往還、小心安分、毋作非爲、以盡奉使之禮、以申納款之忱、其進貢幷附搭物件、禮部奏請、以後不許過多、只照宣德年間事例、各樣刀劍、總不過三千把」云々とあり、之を景泰五年二月の別幅に「進貢方物、毋得濫將硫黃壹槩報作附把之數、其正貢硫黃、亦不得過三萬斤、及差來人員、務要擇其端謹識達大體、執守禮法者前來」 とあると對照される。 東歸光松の渡航したるは此際であつて、其談話に「今則太刀惡、而其數太多、故五百三百之代(刀代)唐辨之、不然則不受焉」といへるはかくしてよく理會し得よう。 されば桂悟が此際も每把三千文の給價なりしを述べたるは到底信じ難い。

明應二年遣明船の刀劍貿易は永正八年遣明船のそれと共に合敍したい。

永正八年渡航せる大內船二隻、細川船一隻の正使了菴桂悟等五十人は、翌明の正德七年四月下旬頃に南京に入つて、禮部より先に渡航せる宋素卿の船の例に據り附搭三千把を收買し每把三百文を給する旨を達せられた。 此際三隻の齎らせる附把刀劍は七千把で、使臣私進が九百八十把であつたが、附搭三千把のみ收買せんとしたのである。（壬申入明記第三號第十四號文書）桂悟等は刀劍の收買、赴京五十人の制限、賜衣裳等すべて舊例を喪失せるを訴へたが、刀劍收買に就いては禮部より官を派し浙江布政司等に諮るべきを告げられた。同年閏五月中には杭州に歸り、六月中には寧波に赴いたものと思はれるが、此間布政司等に對し、弘治八年刀劍收買の例に準ぜん事を強硬に折衝してゐる。第廿七號文書に、前來引用したる如き成化五年以來の刀劍收買の例を援き進京三百餘人といひ、

弘治八年收刀七千、每把賜舊錢一千八百者、此是當時、使臣壽蓂等、犯罪科於濟寧也、悟等今領國王附進太刀七千來者、遵弘治八年例、事載別幅、不知何由、進京五十人、其餘不遂赴京之望、收刀三千、每把賜新舊錢三百、使臣等衣裳、皆單薄無裏、與前例減剋變異之極、悟等所不審迷惑甚矣、又使臣自正副使、至從僧通事、自進刀劍告(共カ)九百八十把、亦古來使臣籍手(于カ)朝皇之禮、不可廢也、況亦未曾進納、以上條々之事、因今不得赴京、向闕奏陳、故在南京、已於禮部再三呈短疏、不敢收賜物、必欲請明降、然後敢領、禮部面命曰、爾可往浙江告之、豈誆言也、如今雖蒙　布政司累下嚴命督責、決不敢收、苟不愁訴決斷明白、收領歸國、必各被國王斬首可知矣、豈可不憐憫乎、或者　上國嫌厭往來之繁、一旦棄小國積世禁賊之功、欲顯拒絕之意、變例如此、則恐先我國主之心、廢職貢之事、他日海寇聞風

復集、其罪惟當、伏願奏達　神聖皇帝、垂堯舜之仁、宥萬死之罪、賜復舊規、一則可釋使臣之死、二則可使國王世々稱臣奉貢不絶、如或舊例不復、是決欲絶貢事也、三千刀價、則一文不敢收、洋々而去

といつてゐる。刀劍收買に關する奏達が行はれて、國王附搭・自進刀劍すべて官收し今後は之を例とせず、給價は弘治年間の例に據るべしとする詔勅はやがて寧波にも下達せられ、桂悟等其寫本を見て大に喜び、未進分刀劍中より寧波府知府・提擧司檢視の下に柄鞘破損のもの三百把を除き、餘を納むる事として桂悟等再び杭州に赴いた。　桂悟等より布政司等に宛てた第十四號文書に「幸逢聖恩寬祐、已施行弘治年間例、我國之榮幸、何加之、偏是列位大夫奏達之故也、實堪感荷、後年進貢、欲進附搭三千把、照依舊例、毎把賜一千八百文、則不亦悅乎云々」といへるは、杭州に到つて奏達の謝意を表し、今後の使來には成化以來の附搭三千把の制を守るべき誠意をすら示したものである。　然るに布政司よりの達示に據ると、弘治年間の給價に從ふとは弘治九年毎把三百文の給價によるといふのであつた。　桂悟等の布政司に宛てた第三號文書に

今承　布政司文書、捨弘治八季一千八百文例、止用弘治九年三百文、我輩於　南京

與所闕四號船例何甚異哉、聖旨亦宜用弘治年間例、未嘗捨八年例而取九年、何故布政司獨錯會　聖旨、專用九年例、欲行之乎

といひ「明詔降而已、然萬一新例不改、賞賜不復舊、則敝邦貢事、一切絶于此時也」と陳べて强訴した。　布政司が當初から態々弘治八年の例を捨てゝ弘治九年の給價による旨を明示する筈はないから弘治九年毎把三百文の例によるべきを達し、桂悟等より弘治八年の給價を無視する事を指摘したのであらう。　同じ頃の居座光悦等の書狀に布政司から今通事を召喚して刀價の事を諭して「弘治九年賜三百文、已着爲令矣、聖旨亦用其例、誰敢私可改哉」と告げたとある。　之によると弘治九年毎把三百文の給價が定制となつてをり、既に規定されたる以上は詔書の弘治年間の例に據れといふも、當然之に遵ふべきであるといふのである。　されど光悦等は「今承弘治九年事、着爲令矣、弘治八年入貢、九年歸國、其時入貢者、副使光堯、沈・吳二通事、其外猶有之、未曾聞上國以三百文着爲令也、又不蒙告報、國王何以可信乎哉」と述べて、毎把三百文の規定は前回にも入貢せる副使光堯等も知らざる所であり、又別に幕府に宛て告報あつた事もなく日本にては一切之を知らず、將軍も亦之を信ぜずといふのである。

第十二號文書は正德八年の初の頃のものかと思はれるが、通事より杭州官司に弘治年間收買の事實を說明した事を記し「弘治八年收國王附搭刀劍五千把、使臣自進腰刀、俱是每一把賜同分一千八百文、弘治九年正使壽蓂愁訴、進收二千把、每一把賜三百文」とある。當時布政司使が新に赴任したらしく、彼も亦「備所云雖似有理、然弘治九年刀價賜三百文、已著爲令矣、勅曰、依弘治年間例、蓋用前所定之令也」といひ、更に使人等請訴する所あつたので、先例に悔しとて鎭守太監劉璟に諮るべきを告げた事が正德八年二月の土官勝康の書狀に見えるが、右の第十二號文書では伴送官盧氏が寧波に到り提擧司より弘治年間給價の實際を糺して杭州に歸つて劉太監に告げた事を記し、通事の告稟せる所と提擧司報ずる所と異事なかるべしといひ、速かに給價あらん事を請ふてゐる。

弘治九年の每把三百文の給價が既に規定なりとする以上、明側の容易に讓歩せざるも當然であつたが、刀劍の收買は官貿易の主體であつて損益重大であるから桂悟以下の必死の抗爭も亦然るべきであつて、其結末は現存の史料では明白でない。(5) 唯壬申入明記に之に關する其後の文書を收載せず、或は我が使臣側に有利に結着したのではあるまいかと想像される。

刀劍收買に關し桂悟・光堯・土官勝康等の文書に據つて、弘治八年壽蓂を正使とする三艘の遣明船の附搭刀劍五千把が每千把八百文にて收買され、翌九年殘り二千把を每把三百文にて納むる事となつた事は疑ひない。　弘治九年の減價の理由に就いて、第十二號文書に

抑弘治九年收二千把、每把賜三百文、或正副使袈裟變金鐶作鍍金、又今度上京人員減至五十人、此依弘治年日人於濟寧生事之罪矣、今次使臣有何罪、欲擬弘治年罪犯之輩也歟

と記す所を見ると、使臣等は赴京の沿途濟寧にて殺傷事件を惹起せる事が、賜衣・上京人數或は刀價の舊例變改に關係ある如く考へたものと思はれる。(6)　壽蓂等は弘治九年閏三月には入京して賜宴賜衣等の事があり、間もなく辭京したらしい。　幻雲詩稿に「弘治丙辰六月望後靑霞和什、聞遣唐使歸」と題する一詩あり、恐らく佐々木永春の携へたる島隱集に洪子經の序せるは「弘治九年歲在丙辰、七月既望」とあつて、七月中には寧波を出帆歸國の途に就いたものらしいが、皇明實錄弘治九年八月（六日）庚辰の條に、禮部奏して日本の遣使濟寧州に到つた際に明人を殺し正副使等も處斷を約する事が出來ないからとて上裁を請ひ、世宗命じて今後日本國進貢使は起送

五十人とし餘は浙江館に殘留せしむる事にしたとある。されば壽蓂等の出發後に、濟寧事件を契機として赴京人員を五十人に制限したるは事實である。刀劍給價の低減の如きも亦該事件を機として定めたかも知れぬが、此問題はしかく簡單には解決されぬ。夙に宣宗朝より明國の對外政策が一般に消極化し、日本に對して景泰以後十年一貢・人三百・船三隻の制限を頒つたる如きも其一の具現であり、かかる傾向は明の財政緊縮の問題に基く事情は嘗つて詳論したる如くである。成化以後遣明船附搭貨の官收買は大體刀劍に限られたのであるが、其折價は次第に低減されたのである。之は獨り刀劍の裝備が粗惡となつた故のみでない。成化廿一年の刀劍給價は前回の三分の一卽ち毎把六百文と差定されたのでそれは此際の附搭數三萬八千餘把といふ巨數に達したからでもある。次の弘治八年の給價が毎把千八百文であつたとすれば成化十四年の給價と同樣であるが、然も附搭數も亦同じく七千把であつて其內五千把のみ收買されたのである。弘治九年更に壽蓂が殘部二千把の收買を請ふたが、此二千把は收買に非んば市易も不可能であるから結局持歸る以外に方途なく三百文の給價にも甘んぜざるを得なかつた事情もあらう。

大明會典に收むる弘治年間規定の番貨價値の條に據ると「凡番國進貢內國王王妃及使臣人等附至貨物以十分爲率、五分抽分入官、五分給還價値必以錢鈔相兼、國王王妃、錢六分鈔四分、使臣人等、錢四分鈔六分、又以物折還、如鈔一百貫、銅錢五串、九十五貫折物、以次加增、皆如其數、如奉旨特免抽分者、不爲例」とある。此一般規定によると附搭貨の半ばは抽分して入官し、殘を給價して而も大體錢鈔各半給するといふ。折鈔物は鈔一百貫の內、五貫だけ銅錢を給し、殘りは折物で、其折鈔價が頗る不當至極であつたから頗る明側に得手勝手な規定である。尤も事實上、國によつて收買法を異にしたから、一々の場合に當らねば其程度は分明でないが、此一般規定は殆ど是非の論の外である。日本の如きは抽分特免の部に屬するが、錢鈔兼給の規定は摘用される。尤も錢鈔兼給の法は從前にもあつたが、實際には斟酌加給されて、景泰年間に到り貿易の破綻を來して、以後は實施されなかつたが、今や新規定を見たのである。折鈔物價の規定は同じく會典に弘治年間の新制として收めるが之には內府估驗定價として卽ち番貨收買の價直規定と、折還物價として支拂の方明の官物の價直規定とがあり、共に鈔にて示されてゐる。前者は卽ち附搭貨收買の給價の憑據であり、後者は錢鈔兼給に當り鈔に對して物貨を以て折還する場合の定價である。然るに兩者間に鈔の價直に非常な懸隔があつて此事は別に要述したから省略するが、(7)前者は洪武初制の錢一貫・銀一兩・鈔一貫の法定に比すれば鈔價を多少低くしてゐるが、後者に至つては宣德年間と同樣に洪武の初別に比し鈔價約二百分の一の程度として評價されてゐる。勿論當時鈔價は殆んど零に等しい程度であつたから鈔の時直といふのではない。日本國附搭刀劍の給價が內府估驗定價の中に含まれてゐる事が注意される。即ち「日本國附進刀劍、每把鈔三貫內一分與レ錢、九分支レ絹、每ニ鈔一百貫一、每絹一疋」とある。即ち刀劍每把鈔三貫とし、內一分三百文を銅錢にて殘部を折鈔絹にて支拂ひ、折鈔價は絹一疋鈔百貫の比率とするので、此比率は宣德景泰間と同樣である。楠葉西忍は「スワウ《蘇枋》日本一斤五十文或百文、唐土一貫五百文分にて七百五十文ニ成、七百五十文の紙錢サウ《(鈔)》也、一枚五文計者也」といひ、之は恐らく彼の渡航せる永享四年遣明船の收買につきいへるもので當時錢鈔各半給の法が行はれて、蘇枋一斤一貫五百文分と差定されたが、事實は七百五十文となる。即ち殘七百五十文は鈔給であり、之は一貫の鈔一枚約五文(即ち洪武初制に比し鈔價二百分の一)にて折鈔物は殆んど無價値に等しきをいへるものである。之と同じく弘治年間の刀劍給價規定は每把鈔三貫とするも事實は銅錢三百文の給價としても大差はない。光堯等の書狀に布政司等は弘治九年每把三百文の給價が既に規定されたる事を述べてをるが、然らば之は正しく右の內府估驗定價を指せるものと考へる。以上を以て見るも刀劍の減價が單に濟寧の事件等によつて說明し盡されざる所以は明白であらう。

成化以來明政府の給價に關する文獻が專ら刀劍に限らるゝ事は、官貿易は刀劍收買を主とせるものなる事を明示してゐるが、刀劍類は民間私易の禁止品で而も遣明船舶貨の大宗であつたから、官貿易が極度に退嬰的となつた事を又意味するものといへる。刀劍收買の外には硫黃があり、是又火藥等に用ふる官用品であつて、景泰以來附搭三萬斤迄に制限された。壬申入明記收載の第十三號文書は附搭硫黃既に收買して給價なきを訴へたものである。

天文八年遣明船の附搭刀劍數は、一號船一萬二千九百五十四把、二號船五千八百七十五把、三號船五千三百二十三把、都合二萬四千百五十二把で、別に自進都合七百十把である事が、既揭續史籍集覽所收の記錄に見える。大明譜に「太刀一ふり百疋被ㇾ下ㇾ之」とあり、此文は五島より渡航して四月十二日赤間關水夫源三郎明地を發見し、同十三日に臺州府に一號船の到着せるを記す中間に記載されてゐて、通說には明の刀劍給價と解されてゐるが之は疑はしい。之は恆例により明地最初の發見者たる源三郞に太刀一振・錢百疋を賞與したる記事と解すべきである。(8)初渡集に嘉靖二十八年五月九日正使以下北京を辭するに當り、舊例の如く詔を齎らし、正賞及び給價を南京に報示せる事を記し「有レ詔、差二一大人一、先俾レ到二南京一、蓋爲下硫黃代幷賜二使臣等一銅匁上也」とある。銅匁は銅錢をいふが、硫黃收買の給價及び使臣等の正賞のみを述べて、最多額なるべき刀劍の給價を逸するは不可解である。之を以て前述の使臣私進の刀劍禁止の新法に比照し、三萬餘把の附搭刀劍收買の事實は暫く他日の精覈を俟つべきものと思はれる。

官收買物の給價は辭京の途、南京の天財庫・廣惠庫等より支給される。此銅錢を以て更に歸途蘇州・寧波等に於いて物貨を購入する。正德七年五・六月頃の土官勝康の書に、杭州の官司嘗つて告げて此地に在つて刀劍收買給價の聖旨降下を待ち銀を借りて貨物を辨ずべきを告げたれども遂に銀子の貸與なく、又出發の風汛期は迫り縱令舊例に依り刀價を賜ふとも賣買する暇なしと述べてゐる。又嘉靖十八年九月赴京の直前に、正使碩鼎等寧波府知府に短疏を呈して舊例に依り進貢使臣及商從等多く杭府に到るを許されん事を請ひ、宗設宋素卿等の船の貨の沒收さ

れたるものゝ給價を請ふて

伏、希、准前規、憫遠來、俾吾商從各人到杭州、幷公庫留存銅匁等發而還與於是平生等快早出令、欲俾國王所要物預營辨焉、生等如至自北京下之頃、發還銅匁、則彼此遲緩、明年必失順風云々

とある。銅匁は既述の如く銅錢をいふ用語で、北京よりの歸途に給價さるゝのでは貨物購入に暇なきをいつたものである。かくの如く單に銅錢を舶載するのでなく、物貨輸入の傾向が盛んとなれば、官貿易を以てしては歸航の風汛期が一定してをる事ではあり、給價は歸途南京で給與される例であつて、購入のための餘日が尠ない。寧波府志の寧波府通判沈希達の傳に

弘治十一年通判寧波事、倭使入貢道由寧郡、郡人利與交易、得券、卽以貨物與之、已而貢還、僞卷紛然、莫辯、鎭巡皆難之、希達名倭諭以報應、大書人心天理萬里海面八字懸之、倭氣懾、吐實、盡償其價去、當道賢之（知府曹秉仁纂修寧波府志卷之廿八）

とある。右が果して事實とすれば、之は私貿易にて普通行はれた牙行商人に豫め舶貨を委託販賣せしめ所要の貨物を購入手渡せしむるとは相違して、豫め手形樣のものを發行して貨物を受領し、他日の金錢の支拂を保證する事が行はれたもの

と見える。かゝる慣行は特に官收買物の給價による輸入貨購入の便法として發達したものであらう。

ロ　私　貿　易

寧波に於ける私貿易は官設の牙行を介して行はれる。寧波府知府たりし張時徹の議に

凡外夷貢者、我朝皆設市舶司以領之、在廣東者專爲占城暹羅諸番而設、在福建者、專爲琉球而設、在浙江者專爲日本而設、其來也、許帶方物、官設牙行、與民貿易、謂之互市、是有貢舶、卽有互市、非入貢、卽不許其互市明矣

とある。（籌海圖編卷十二開互市）日本一鑑に又

備考、始設於永樂之初、四夷來朝、上許順帶土產互市、而恐奸民欺騙有失遠人向化之心、遵照國初事例、於浙江福建廣東、各設市舶提擧司、以隸各布政使司、隨設正副提擧吏目之員、部頒行人專主貢夷交易

とあつて、行人は官設の牙行をいふ。福建市舶提擧司では牙行は原二十四名を設け、各年に不定の員數を指定し、後に十九名と改め嘉靖末には五名であつたといふ

高岐、福建市舶提擧司志　浙江の牙行の員數に就いては明かでない　牙行を介する私貿易は遣明船の寧波に到るや、蘇州・杭州或は寧波等の官許の牙行が來寧して、彼我寶價を協定して之を委託販賣せしめ、之を以て他日所要の商貨を又委託購入せしむるのである。

宋素卿の素性につき實錄に本名朱縞・鄞縣人で、弘治年間日本使臣湯四五郎に隨つて逃去したと記すが、殊域周咨錄には縞及び其叔父で牙人たる朱澄は湯四五郎の刀扇を賒買し其負債方に縞を塡還したとある。遮般の經緯に就いて日本一鑑の記事が最も要を得たものと思はれる。之に據ると某行人が鄞の朱漆匠と共に湯四五郎より漆器の代物を受領し、其價錢を入手するや之を花費して、歸國の際にも漆器を渡付せず、仍つて湯四五郎は官に告發せんとしたので、行人は其責を慮り朱漆匠に督促するも償還の途なく其子朱縞を以て債務方に塡し去つたといふ。之を殊域周咨錄の記事に對照すると湯四五郎は刀扇を行人・朱漆匠に託賣して、漆器の購入を依賴したが、彼等は刀扇代價を費消してしまつたのであらう。

牙行等の不倫なる行爲を訴へた書狀が壬申入明記に十一通收載せられ、皆同一事項に係るものである。それによると正德六年六月頃遣明船三隻が寧波に到着するや杭州から高・孫瓚・潘五の三人が來寧して、其内の孫瓚及び孫二・汪良佐三人が船載の貨物を賒買して、白粉・藥材等の購入を託された。　正德八年夏五月の土官勝康の呈疏文に「三船到レ津之日高老官・孫瓚・潘五、欽レ承レ命、爲二貿買一、到二寧波一、副二別人私易一」とあり、（第七號文書）他の文書に商事を約せる者として孫瓚・孫二・汪良佐三人を擧げ（第十六號第廿二號文書）又孫瓚は「本府（杭州）孫瓚老官」とも記しておつて、（第廿一號文書）高・孫瓚・潘五が官命の牙行である事は殆んど明かである。　日本人と商事を行へる内で孫瓚が最も巨額であり、日本人側では總船頭重秋の商品が最多であつた。（第廿一號・第廿三號文書）　卽ち黃金・銅錢・紅銅等を彼三人に託買し、白粉・藥材等を索めたのである。　正使桂悟等が正德七年閏五月或は六月頃に南京より杭州に來て更に寧波に歸らんとしたる際、孫瓚は約契の商貨を寧波に持參して渡交すべきを約したが、之を履行せず、同年十二月限り決濟を彼より申送せるも亦實行しなかつた。　翌年二月土官勝康・總船頭重秋等再び杭州に赴き、之を督促せる所南京に赴き貨物を持來るべし等陳辯糊塗する狀態で、重秋より官司に對し彼を拘禁して算了の日に放免せん事等を請うてゐる。（第十九號文書）　正德八年四月の土官勝康の書狀に、孫瓚等三人總船頭重秋・從人淸水大甫等と白粉・藥材等の商約を成し、商品未還了の分五百餘兩にて、其叔幷に兄弟が日本人の財卽ち黃金・銅錢・紅銅等を持つて廣東南京に往販し歸回せず等と告げ、到底歸國迄に還了の見込なく房屋を百兩に賣却せんとするも猶四百餘兩の缺銀あり、總船頭重秋明日先づ寧波に下向するを以て、先かの三人を捉へ其親族共償還せばよく、若し然らずは三人を寧波に帶同し、償還の日に放歸せしめん事を述べてゐる。（第十六號文書）同じ頃の重秋の書狀に廿一日に杭州を起身すべく、孫老官還了せずば寧波に拏去し還了の日を待ち放歸せしむる故に、嚴命を降して其逃亡せざらしめん事を請ひ、（第十八號文書）或は又同人の書狀かと思はるものに、孫瓚等三人向に十七日に還了すべしとの嚴命を降下されたれども猶果さず逃亡せんとし、弘治九年未決濟の商家あつた際、官は其親族を責めて償了せし例あるも今日官の嚴責は不充分なりとし、かの三人の妻拏を拏去し寧波府に到り還了の日放回せん事を告稟してゐる。（第廿二號文書）

天文八年の遣明船の寧波に到り、正副使以下嘉賓堂に館するや、間もなく六月廿四日に前回大永三年にも渡航した居座釣雲の舊知なりといふ蕭一官が、通事を介して雲鞋一雙・手陌一方・息香二袋を副使周良に贈つてゐるが、彼は恐らく牙行であつた。翌七月七日周良は釣雲に代つて蕭一官に左の書狀を送つた。

貨物數目、開二書干別楮一、以供二貴覽一、蓋以二所レ擇之吉辰一也、一〻査審、而係二價於其下一、示二吾商從等、則可也、竊聞、傍有別個人、要議交易密啓意旨、白絲紅線等物其價太賤、足下公道爲本、不嗜其利、不高其價、則人〻個〻懷德義、以吾日衆交易、必當出足下一手、豈有他求乎、且夫諸船價直過度貴於他、則誰又信親、余於足下、有十余年前之舊好、先利后義、何敢飾言、拘價之貴賤、若違前諾、足下與余、恐取虛名於衆人、悔將無及、足下如信余言、中心分曉以宜方便汲引、所希、足下不歸杭已前、對榻細陳、不宣

雪窓再拜

九日更に釣雲に代り認めた書狀に

諸般貨物數目、前日既開張、呈示、不知足下查得否、早遂一定價塞衆請則可也、且又計開內、足下所不曉者、要面議之、玆聞、明日鄞縣老爹來馭、查審支給、然則生難得官暇、老爹若須叟畢事回歸、則專人必當報足下、少待之、日云夕矣　不一〻〻

とあり、翌十日蕭一官嘉賓堂に來訪し釣雲と交易等の事を議し、周良前日の回禮に兩金扇一柄・山口紙一束を贈つた。同月晦日更に釣雲に代つて蕭一官に與へた書狀に次の如くある。

暫別既過旬餘、操履何如、今領懇書、恰如對顏、欣僞〻〻、特賜諸色樣子、吾商徒群議而查得、白絲・紅線・北絹・摺絹・段子・藥品等所要者留之、不要者還之、猶且別開數目付與來使、區〻宜分曉焉、滙地金摠復回、蓋以不好也、公到蘇州之日、將其好者來、俾各人看可也、凡

諸般價直、公之所レ定、與二他人一平均、則當レ如二前諾一、倘與レ他異而貴了、衆議難レ服、公能方便調辨、何幸加レ焉、件ゝ價卽待二公來二本府一、逐一可二討議一、非レ面難レ罄二底蘊一、乞問レ之、不宜

雪窓

蕭大人

以上によつて牙行による商品購入の次第が分明である。幾人かの牙行ありて商品賣價を比較して高下を折衝し、蕭一官は杭州に歸つて商品見本と價格を送付し、從商等群議して白絲・紅綃等の所要物見本を留めて他を返還し、猶注文品を付して、更に蘇州に到つて其見本を持來し、諸般の價格は寧波府に來つた際討議するといふのである。蕭一官は杭州に歸へるとあつて、杭州に住したへと思はれるが、正使碩鼎等五十人が起京の途蘇州に到るや、十一月十四日蕭氏周良の許に來訪して白糖を贈つてゐる。兩渡集には周良の個人的の買物が各沿途にても明細に記してゐるが、就中蘇州は最も各種の商品に富んでゐたやうであつて、蕭一官も此處に取引に赴いた次第であらう。

日本一鑑にも「市舶行人、但知レ覓レ利、不レ識二國體一」とて朱縞の件以下の牙行の非違を擧げてゐるが、其不信行爲が日明兩國人間の事端を釀し易く、特に寧波の亂以後は明

にても嚴に之を警戒した。嘉靖十八年（天文八年）五月碩鼎等の遣明船の定海港に到泊するや、浙江提刑按察司副使盧蕙は把總梁劉等を遣つて入貢・勘合・表文等の諸項を糺すと共に「該府（寧波）安挿差來正使副使土官、務要謹守國法約束、商從水夫等安心守法、就館住歇、盤收方物、准令開市買賣、兩平交易、嚴禁嗜利無藉牙行人等騙伊財物」と達示してゐるし、其寧波岸に到着するや又「仍嚴禁本境奸貪之徒、不許勾引誆賺、外務要約束從商事等」と牌示してゐる。

寧波に於ける商品の購入は勿論、日用品迄自由に館外と往來交市するを許さゞる有様で、所要の品あれば數目價銀を注して府に送達すべきを達したので、正副使等九月杭州より來寧せる巡按御史に訴へて「今後使人等但有合用、俱開數目價銀送府、生等謹奉命矣、雖然日用細故之事、豈堪逐一稟白乎、幸有館夫、不如令渠買辨、大率賣買交易、與守門軍民、靡有私交通、且又日衆出外等荐禁個焉、甚無謂也」といつてゐる。（初渡集嘉靖十八年十月二日）かくの如くして事端の防止に努めたのであるが、猶寧波の民應姓なるもの攙置の罪を犯してゐる。（日本一鑑窮河話海卷之七市舶）天文十六年遣明船の際は、浙閩海商喇噠の徒我が商舶を誘引して私市し、海邊漸く多事の折柄、明の牙行・商人の姦僞を更に留意したのであつて、嘉靖二十七年三月使人等嘉賓館に入り翌四月知府紙牌を館の守衞に致して「所爲愼門禁者非他、防境內奸細包攬詐耳、除違禁貨物照例禁約外、其一應服食器之類、俱許兩平交易、敢有妄持異見過爲阻抑者、定究不恕」とある。　日本一鑑に收むる巡撫朱紈の奏議略は牙行・商人の姦僞非違の對策として興味深い　卽ち

　臣體得地方積弊、常年入貢夷人隨帶貨物、有等姦民、指以交易爲由、誆騙、推延往々貢畢、京回守候物價、累年不得歸國、官司苟且避事、佯爲不知、其寔不能禁遏、奸人因此肆志、夷人無處申鳴、內傷國體、外起侮心、非一朝一夕之故、乃於貢船閣岸之初、貨物報官、給領巡海道司信票、許其明白互市、以慰遠人之望、以絕奸人私通誆騙之弊、無票者以通番論罪、隨諭貢夷若有買賣交易、許爾明白報官、給領信票、塡寫合同照出照入、官免抽稅、以此示諭、使勿聽人哄弄、俱各感激、一遵約束、其朝貢者並無往年沿途驚擾、存留夷伴安心在館、並無往年出外交通此類

　之に據ると信票を牙行商人に給して、無票の者にて交市したる者は通番の罪に論じ交易の際は使人より官に申報せしめて信票を檢點して之を許可し、抽稅を免ずるといふのである。　嘉靖二十七年四月周良等が寧波に上岸して月餘、提擧司より倭貨照票簿を周良の許に屆け翌月之を周良の手より海道に屆けた事が見えるが、再渡集四月十九日・五月廿一日　此照票簿は右の制に關聯するもので、信票の塡寫と比對するもので

なからうか　従來遣明船貿易は私貿易に於いても抽税は特免されてゐた。有等の奸民は遣明船の到着するや、通事行人に託して、恐らく使人から資本を得て、景德鎭定に赴き陶磁器の底に日本の年號を書せしめて大利を得たといふ。寧波の官吏が牙行商人と私通の機會を與へ、又通事牙行等居民と結託して利を謀るを默認するが如き事も多かつた。鄭舜功も「大抵在京在外安待夷使、必須提督提擧得人、然則館伴畏法、行人不能與之私通、閑人不得與之交接、雖有夾帶違禁之姦、賒騙爭擾之弊亦黜化而潛消也」といつてゐる。

寧波商人よりの商品の購入は多種巨額であつて、初渡集・再渡集には周良個人の購入物件を詳記してゐるが、此點よりも想察される。嘉靖十八年八月二十日從商人等の鐵器購入に關し知府に呈した書に「日衆所要鐵器、粗做樣子以與工相謀、雖然如直視不驗其樣之好惡、必有不愜衆心者、不如致鐵工於館內査詳焉、蓋依舊例也」云々とある如き其一例である。

寧波に於ける周良の主なる購入物は左の如くである。

嘉靖十八年

八月十一日　砕器香爐　一箇 代銀五分　鎖子　一箇 二分五厘　小瓶　一對 三匁六分

十一日　小食籠　一箇　四匁
十四日　食籠　一箇　六匁八分
九月二日　鍮銅小食籠　一箇　二匁七分
四日　小食籠　一箇　八分　班竹箱子　一匁七分
同　十九年
十一月九日　芙蓉盃　三箇　筒　一箇　角　五箇　鐵瓶　一雙　三匁
十一日　定器大　四箇　小　八箇
十二月二日　四角碎器皿　四箇　二匁五分
三日　土物水續　一箇　二分
六日　碎器芙蓉盃　一箇　三分
十四日　坐氈　二枚　一匁
十六日　小食籠　一箇　七分五厘　黄銅灯臺附盞　二匁
十九日　墨　一〇丁　八匁二分
同　二十年
正月廿四日　唐紙　一〇〇枚　六分　唐鋏火筋　一雙　一分三厘
廿五日　黄紙　一〇枚　一分
二月十七日　白鐵　一二斤

四月十四日　酢醞皿　三〇〇箇 二匁五厘　　香白芷　七十三斤　一匁
十五日　砂糖　四〇斤　一両一匁
廿六日　白菊皿　二〇枚
廿七日　ろがんせき六〇斤　代段匹唐衣裳

會同館の市易は北京に於ける私貿易として、又遣明船貿易の主要なる目的の一である。大明會典に

各處夷人朝貢領賞之後、許於會同館開市三日或五日、惟朝鮮琉球不拘期限、俱主客司出給告示於館門首張掛、禁戢收買史書及玄黃・紫皂・大花・西番蓮段疋幷一應違禁器物、各舖行人等將物入館、兩平交易、染作布絹等項、立限交還、如賒買及故意拖延騙勒、夷人久候不得起程、幷私相交易者問罪、仍於館前枷號一箇月、若各夷故違潛入人家交易者、私貨入官、未給賞者量爲遞減、通行守邊官員、不許將曾經違犯夷人起送赴京

凡會同館內外四鄰軍民人等、代替夷人收買違禁貨物者問罪、枷號一箇月發邊衞充軍

とある。嘉靖廿八年七月朝見、領賞等の事已に終つて、廿四日に禮部主客司主事來館し、三千戸をして易買を證明せしめた事見え、次いで廿五日・廿六日三千戸をして

同様に易買に立會はしめ、周良自身も人參・北絹等を購入した事が見える。之恐らく會同館の開市であらう

沿途の各都市でも亦多額の貨物を購入した。周良は又個人の購入物を綿密に記載してゐる。

蘇州に於ける周良の購入物は左の如くである。

嘉靖十八年十一月

十一日　起京の途姑蘇驛着

十二日　蘇針　三六〇本　二六〇本換鵝 一〇〇本換兎

十三日　閶門着

十五日　紅線　一斤　方盆　一箇　昆布食籠　四箇　小方盆　四箇

十六日　紅綠　一斤　蘇針　一三五〇本　羊代　同　一五〇本　換麞兎等

十七日　大方盆　一箇　銀九分　小方盆　一箇　硯箱　二箇　上代一匁四分 下代一匁二分

十八日　果合　二箇　鑰鎖子　三箇　一匁　獅子　一箇　鑰袋　一箇　二分

蘇針　五、〇〇〇本　五匁二分

（鵝兎羊等は沿途の賜給物である）

嘉靖十九年八月

十六日　歸途姑蘇驛着

十七日　文献通考　一部　銀九匁　箱子　一箇　二匁　象牙小香合　一箇　四分
碁子箱　一隻　八分　墨　六丁
十八日　鑰鎖　一分五厘　印肉　三分　唐鐵鈑　一匁七分
唐金小鈑　八分　食籠　四箇　一匁三分　酢鹽小皿　廿箇　八分
食籠　二箇　七分
十九日　書擔子　一箇　六匁二分　楊子筒　二箇　六分　青茶碗盃　一箇　五厘
廿　日　小食籠　五箇　九分
廿一日　瓶　一箇　二匁一分　鐵鎖子　三箇　九分六厘
廿二日　席　二枚　六分
廿四日　皮箱　一箇　四匁三分　紅氈　二枚　七匁二分

嘉靖廿七年十一月
廿八日　起京の途姑蘇驛着、子胥門遞運所に進む。
十二月
朔　水滴　一箇　二匁　人を鍼工の家に遣り針賣買の事を議せしむ。
二　日　閶門近邊に進む。
十一日　來年(卽ち歸途)白絲賣買を約する商家に人を遣り一貫二百目(一斤七匁の算用)を渡す。

臨清州水源驛も亦諸貨の賣買地で、周良は初渡の際は歸路鉦一箇代一匁二分を求め、(嘉靖十九年六月十日)再渡の際は同じく歸路に都羅綿三端・藥材・紅紫都羅綿等を求め又銀を銅錢に兩替へしてゐる。(嘉靖十八年九月十三日乃至十六日)揚州では初渡の際赴京の途纖縄代一匁・燭台代二匁（嘉靖十八年十二月八日）歸途には香爐一箇代一分二厘・硯一面代二分等を求めてゐる。（嘉靖十九年七月廿二日）

沿途蘇州・臨清等に於いて從商人が輸入貨の交易を行ふた事は又當然である。嘉靖十九年八月南歸の途蘇州に留る事九ケ日にして廿四日に船を進めんとしたが、猶遲れたるは「蓋以㆓二號船賣買未了㆒也」のためであつた。又同廿八年九月同じく歸途臨清水源驛に泊して三ケ日、十四日に「日衆易買之事亦未㆓辨治㆒、彼此未㆓開船㆒」とあり、翌日も伴送官蔣文粹、序を以て鄕里に赴き「且衆人賣買亦未了」のため滯在し、十六日周良は從者を遣つて商事を調治せしめて翌十七日出船するを得た。

杭州は天文兩度の上下の際周良は何等彼自身の購入貨の事を記さず、滯在日時比較的短く、且つ都察院・布政司・按察司等諸官司を歷訪し、搬船人夫等の交渉等に時を移して一般の交易にも餘裕なかつたであらう。然し嘉靖十八年九月の正副使等の寧波府知府への呈書に據ると、規定の赴京人員五十人の他に從商人等杭州に到る事は舊例なる事を述べてをり、之は主として交易のためである事は明白である。

南京は北京よりの歸途に赴くを恆例とするが文明十五年遣明船の頃より金陵

城中に入る事を禁じたので、爾來河岸に艙して正賞、物價を受與する例となり、到底ソ賣買等は不可能であつた。　此船で居座として渡航した東歸光松の談に張家灣は鹽の產地で、我が使人の中に此處で多量に鹽を仕入れ、南京に到つて沽却する者ある事が見えてゐる。陰涼軒日錄長享二年九月十三日　此際は明帝の勅書に使臣通事等大體を知り、禮法を守る者を擇び、沿途往還に非爲を作す事なからん事を諭し「曩歲暹羅等國、差㆓使臣㆒進貢回還、其通事夷人、多不㆑守㆓禮法㆒、沿途夾㆓帶船隻㆒、裝㆓載私鹽㆒、收㆓買人口㆒、姦淫汙辱、又爭搶浩鬧、事發、守臣具奏、欲㆓擒挐問挐問㆒罪、朕念㆑係㆓遠人㆒、姑從㆓寬貸㆒、但勅㆓彼國王㆒懲治」といひ、暹羅國使臣に事を託して諷してゐる。　鹽の賣買は鹽法が布かれて制禁嚴重であつてかゝる事は南京入城禁止の主なる原因であつたと思はれる。

沿途の交易は廩給・搬夫等の折衝と共に寧波より同行する伴送官(或は押官といふ)及び北京より伴隨する官人の責任に係る所である。　然るに彼等の怠慢或は私爲のために往々彼・我の間に禍端を生じた。　文明十五年遣明船に居座として渡航した金溪梵釋の談に、堺商人藥屋某が北京にて錢を南邊の商人に與へ、南邊に往きたる際之を求めたるに身を匿したので、藥屋某は其家に入つて之を縛したる所、彼は袖中より竊に銀を出して伴送官の朱なる者に示し　目くばせしたので、朱氏を毆打して傷けたる故、明人數萬人須臾の間に日本人の驛舍を圍み、金溪は事の急なるを見て明人に對し百方救解し、遂に朱氏を日本人の房屋に於いて醫療を加へ、若し死せば藥屋某も免されざるべきを約したが、瘡は幸に治療して免れて歸つた事が見えてゐる。（鹿苑日錄明應八年八月六日）弘治八年壽蓂等の赴京の途にて、濟寧にて日本人貨物を强買し明人との間に彼此殺傷して、府照磨童釗・指揮魏政・提擧王瑠は倶に罰せられ、通事林春は罪を得て軍に充てられたといふ。（籌海圖編卷之二）照磨童釗等三人は伴送官であつた事は、嘉靖十八年の伴送官に提擧魏璜があり、廿七年のものは寧波副千戸周世賢・照磨蔣文粹・知事李寔であつた事を對照するも明かである。鄭舜功も「押使之官、必須廉能方可取用、否則通事伴送人役玩法、撥置擾害沿途地方、既不得於遠夷而概坐罪於押官者不亦謬乎」といつてゐる。

以上の如くして官貿易は應仁以後の遣明船に於いては、大體刀劍類を主とし硫黄が之に加はるのみとなつた。其主要なる理由の一は宣宗朝以來財政的事情に即して明の對外通交政策が頓に消極化し、給價を甚だ縮減したるにある。遣明船貿易上の從商の勢力は堺商人の參加と共に著しく增大して官貿易の縮減と共に私貿易の興盛を來たし、從來銅錢の舶載も僅少でなかつたが、之を盡く商品に代へるに至つたと見て大過ない。永正八年遣明船の寧波に到着するや、牙行孫璜等の總船頭等より賒得せる財貨は黄金・紅銅と共に銅錢があつた。此銅錢は却つて日本より舶載したものと見られる。天文十六年二月正使周良等の山口出發に當つて大内氏の與へた渡唐船法度條々の中に銅錢至㆓大唐㆒不㆑可㆑隨㆓身㆒事の一條がある。私貿易の盛行が彼我爭端の機會を多からしめた事は容易に察せられる。明の諸官人の私爲怠慢が一層之を誘發して、直接・間接に遣明船に對する諸種の制限・禁止等の加はる動機を爲した。

輸入貨の主なるものとしては、生絲・絹類・絲綿・布・緞子・陶磁器・藥品・紅線等であつて日本圖纂等に倭好として列擧し、日本一鑑窮河話海卷之二に器用として列記したる諸品の内「入朝市去」と註する諸品は、大體足利末の彼我商舶に依る舶載品であるが、後期の遣明船貿易に於いても略ぼ同樣と見て差支なからう。輸出品は刀劍類・銅・硫黄・扇子等が多かつた。足利末の商舶によつては專ら銀が輸出されたので、遣明船に於いても天文十六年渡航のものゝ如きは蓋し銀の舶載が尠くなかつたと推せられる。定海幷寧山下行價銀帳に記す支拂銀は勿論貢期に滿たざる期間の際であつて下付された廩給銀では無く、日本より將來したものである。

書籍も輸入品の一種であつたが、周良の購入又は惠贈されて齎らせるものは左の如くである。

嘉靖十八年			
七月四日	聽雨紀談	一册	謝國經所贈
	鹽林集	十册	
八日	續杜愚得	八册	代粗扇二柄小刀三ケ
九日	鶴林玉露	四册	銀二匁
十八日	白沙先生詩敍	三册	釣雲所贈
廿七日	李白集	四册	張古岩所贈
	文錦	二册	張古岩の兄所贈
閏七月一日	古文大全	二册	柯雨所贈
廿五日	九華山志	二册	錢龍泉所贈
八月十三日	升菴詩藁	一册	周蓮湖所贈
八月十六日	三場文選	三册	范蔡園所贈
廿二日	文章軌範	二册	金南石所贈
十二月十日	張文潛集	四册	劉宗仁所贈
同　十九年			
四月十八日	註道德經	一册	鄧通事所贈
八月十六日	文獻通考	一部	銀九匁

十月十五日　　剪灯新餘話　　二册
同　廿七年
八月五日　　本草　　十册　　銀十兩七分
同　廿八年
八月六日　　奇效良方　　一部　　銀七匁

成簣堂文庫所藏聽雨紀談の扉に周良自ら「嘉靖年中南遊初得二此一册於寧波書肆中一、載二于歸船之一帶來」と記してゐる。彼が七月四日初渡の最初に贈られたもので謝國經は書肆であらうか。

註

1 臺北帝大史學科年研究第二輯　足利時代明錢輸入と國內銅錢流通事情　二三一頁以下

2 前論第二章第一節　神戸市史附錄　第二章第五節

3 研究年報第二輯　二五九―二六二頁

4 明代を通じて金銀比價は相當の變動がある。成化二十一年に近き例を見ると皇明實錄成化十七年九月己卯の條に「戸部奏內庫銀數少而成二造各王府寶册及粧奩之類一用金尤多、請移二文各布政使司幷直隷有司一、先以二在庫之金一起解、及査二各庫所一積銀數量一、取二其半一、毎二金一兩一、以二銀七兩一易レ之、幷行浙江福建雲南三布政司開辦銀課、亦各以二其半一易レ金」とある。

5 辻博士は明史藁に附進の方物皆全直を與へて、遠人化に向ふの心を阻むなかれとあるから、桂悟の威嚇效を奏して、單價千八百文を給したと說かれたが、明史藁の文はいふまでもなく皇明實錄正德七年二月癸卯の條に據つたもので、此條の事實は既に解說した如くである。

6 濟寧事件の時期は自分は前に赴京の途か南歸の際か曖昧な敍述をしたが、之は實錄の文を正解すれば上途の際と見るべきである。「禮部奏、日本國遣使入貢至二濟寧州一、夷衆有二持レ刃殺一レ人者一、其正副使壽蓂等不レ能二約束一、乞賜二裁抑一」とあるが、不レ能二約束一」とは壽蓂等入京後禮部の詰問に對して適當な處置を採らなかつた事を意味するのであらう。籌海圖編の記事は該事件に關し特に詳細なるは、恐らく憑據あるもので「五月差二使壽蓂一、入二貢方物一、赴京沿途生レ事、至二濟寧一強二買貨物一、彼此殺傷云々」とあるは事實に協へるものらしい。

7　神戸市史附錄　第二章第五節

8　「太刀一ふり百疋被レ下レ之」以下「ぞくせんの用心無二油斷一云々」の條に至る迄は、「同十二日卯の刻に大唐の山を赤間關水夫源三郎見二立之一」の次に挿入さるべきものである事は前に述べた。即ち源三郎明地を發見せる事を記し、太刀一振百疋を給與せりとし、翌十三日に蘄州に一號船のみ着したとある。妙智院所藏の謙齊南游集に「洋中始見二大唐之山一」と題する詩序に「出二五島一後、船中之衆卒、毎日上二檣頭一、着二眼於杳靄一、窺二見大唐之一峰一、指示、其實者、即與二孔方十緡太刀一腰一以爲二褒美一也、舊例如レ此矣」とあるは、正に此際に當る。最初の唐土發見者に錢疋太刀を賞與する例となつてゐたものである。「太刀一ふり百疋被レ下レ之」は源三郎に賞與せる事實の記事なること明かである。從來之を附搭刀劍の給價等と解したるは、寧ろ滑稽であつて、刀劍の給價の記事とすれば全然其場所を得ず奇怪至極であるのみならず、當時の文例よりいつて百疋が一振の代價ならば「毎太刀一ふり百疋」或は「太刀一ふり代百疋」と記すが普通であらう。南游集は周良兩度の南遊の詩を雜然と蒐めたもので、妙智院所藏のものは後の寫本である。孔方十緡は一緡の誤寫であらう。

八　遣明船の終末と日明交渉の推移

イ　私舶の通交

此處で假に私船と呼ぶは、多くは西國の諸侯が派遣したと認めらるゝ使船を指すのである。最初多くは明の海商喇噠に勾引されて頻繁に出向くやうになつた我が商舶と倶にかやうな私舶が遣明船貿易の終末期に幾度か行はれた事は、遣明船の形態整はざる以前の同じく西國中心の明初の彼我交渉に對照して興味ある問題である。かゝる意味の私舶の往來は入貢船たる遣明船より純然たる貿易船たる商舶への中間形態を示してゐる。足利後期の遣明船は大體細川氏、大内氏の經營する所となり、其計劃なり準備なりが其手で行はれてをり、堺・博多其他の商人が兩氏の名を負うて之に參與してゐる。特に最後の遣明船の段階では幕府は唯國書を附與し勘合符を査覽して明帝よりの頒賜物を納受するのみで、かゝる關係に於いてのみ明にての所謂國王入貢船の實質的の所與を保持したのである、私舶は幕府と關係なき使船である事は明に於ても之を認知したので、それは表文・勘合等の形式を整へざるが故であつた。

嘉靖廿三年に僧壽光等が使として入明したが、十年の貢期にあらず又表文なしとて阻回せられた事が見える。種子島家譜に十四代時尭の時に「天文十二年四月十四日二合船解纜渡唐、同十四年六月十四日渡唐船歸朝」とあるが、壽光等の貢船がそれであるとは栢原氏等の考である。(1) 籌海圖編卷之二に嘉靖二十三年六月使僧什壽光等一百五十八人到り、貢と稱するも表箋なく且期にあらざるを以て却けたとある。壽光等到るとの報は八月北京に達して禮部より具奏する所あり、詔して阻回せしめた。壽光等は海商の取引地で貨物の集まれる雙嶼で貿易に從事し、沿海巡視備倭等の諸官も徒らに拱手看過したる如き態であつたらしい。實錄に「各夷嗜中國財物、相貿易、延歲餘、不肯去」とあり、巡按浙江都御史高節より諸官故に之を放縱する罪を治めん事を請ふてゐる。皇明實錄嘉靖二十三年八月戊辰・嘉靖二十四年四月辛酉 籌海圖編に「自甲申歲凶、雙嶼貨壅、而日本貢使適至、海商遂販貨以隨售、倩倭以自防、官司禁之弗得、西洋船原回私澳、東洋船遍布海洋、而向之商船悉變而爲寇船矣」とある甲申歲は甲辰の廿三年なるべき事、後藤肅堂氏の指摘されたる如くである。釋壽光は明側の記載から見ると日本國王の貢使と稱したものらしい。(3)

嘉靖二十四年に肥後國刺史が僧御俫を遣し來到せしめたが、期に及ばずとて退けた。翌二十五年豐後國刺史源義鑑が僧清梁等を遣したが、之亦期に違ふを以て却けた。清梁は豐後の松月庵主であつた。之は何れも日本一鑑窮河話海卷之七本貢の條に記す所であるが、後者は朱紈の哨報夷船事の疏にも「嘉靖二十三年夷使釋壽光、二十五年夷使清梁等、前後稱貢、彼時審無表文、又與貢期遠、照例阻回訖」とある。日本一鑑に肥後國刺史も源義鑑も勘合を夷王宮卽ち幕府より請ひ得て來貢したと記してゐる。鄭舜功が勘合を幕府より得たと考へたるは、勘合符は幕府に後まで儲有されたと信じたためである。

日本圖纂・籌海圖編に「山城君金印勘合、久爲二山口所有一、向來入貢、俱山口自主、山城惟出レ名而已、陶殿之亂、宮殿勘合俱焚、金印亦損二一角一、不レ知レ所レ歸、貢自レ此絕」とあるは、いふまでもなく嘉靖三十四年來朝し三十六年に歸國した寧波府生員蔣州の具報に據つたものである。(後段參照)鄭舜功は此說を駁して「此言者、蓋昔任レ事臣懷レ謀、始終甘自欺、殊不レ知下我　皇祖宗給與勘合悉貯二日本國王之宮房一至レ今無上レ失、嘉靖己亥・戊申歲而山城國都天龍寺僧周良(一名策元)先後奉二充正副使一入朝、勘合果在二山口一、山口豈不二自專一、曷以二山城之僧一奉レ使乎」といつてゐる。

鄭舜功が勘合符を幕府より得たとなす說の當否は暫く措き、卿俅・清梁共に之を齎らした事は事實と認めたい。卽ち明の記錄にも貢期に違ひ、表文なきを以て阻回せるを記し、一も勘合印信の缺帶に言及してゐない。薛應旂の浙江通志(嘉靖四十年)張時徹の寧波府志(嘉靖三十九年)は、日本圖纂(嘉靖四十年)籌海圖編(嘉靖四十一年)或は日本一鑑(嘉靖四十三年)より大體同時又は以前に纂修されたが、勘合を一は肥後に他は周防に貯へる事を記してゐる。かやうな考は恐らく卿俅・清梁が各勘合符を持したるより想像せるものといふ他に適當な解釋が下されぬ。肥後國刺史は相良氏かと思はれるが、大友氏と俱に大內氏より贈與されたものであらう。

嘉靖三十五年前年來朝した鄭舜功の歸國に際し大友義鎭が僧清授を遣つて報使せしめた。嘉靖三十年頃から浙閩粤沿海一帶は大倭寇の跳梁を蒙る事となつたが、之が對策が種々論議せられ、其一として開市舶說と其反對說があつた。開市舶說にしても日本の事情を究めなければ、果して之により寇を無くし得るかは分明しないのであるから、倭情哨探の遣使が行はれる事になつた。浙江總督揚宣の計劃で詔命を奉じて鄭舜功が來朝する事になつた。彼の自ら記す所によれば嘉靖三十四年夏四月廣東を出發し大小琉球を經て豐後に到り海藏寺の搭頭龍寶庵に館した。（中山大學本日本一鑑 窮島新編卷三）海藏寺は臼杵莊「前村に在り、明應三年大友政親の東震を延いて建立せる寺で、現在は廢寺となつた。彼は豐後より從事官沈孟綱・胡福寧を幕府に遣つて禁賊を議せしめたが、日本側の史料に據ると翌年（弘治二年 嘉靖三十五年）七月の事である。（將軍家譜、高代寺日記）同年の恐らくは秋小汎に義鑑は龍護寺住の清授を正使とし、到明寺住の清超を副使として、舜功と同行せしめ、明の國典を奉じて遵照施行する意を告げしめた。翌三十六年に浙直總督胡宗憲が蔣州の歸國報告せるに基き具奏したる事實を記して實錄に「前總督揚宜所レ遣鄭舜功、出海、哨探夷情者、亦行至二豐後一、豐後島遣二僧清授一、附レ舟前來謝罪言、前後侵犯、皆中國奸商潛引二小島夷衆一、義鎭等初不レ知也」とあるは、蔣州歸報の序を以て記したる迄で、清授等の渡船が此歳であつたのではない。清授は嘗つて大德寺に參學し、義鑑の香火院たる華岳院に主たりしも龍護寺(佐伯莊龍護寺村)に入つて正使を託されたのである。

既にして清授等潮州海上に到り巡檢司照驗に續いて武力を被り、義鎭の附與した批文を毀滅して獄に下つた。舜功人を廣東に遣り救解を求めしも、其間危く殺害されんとして幽禁せられ、清授は四川茂州の治平寺に謫された。當時揚宜既に退きて胡宗憲總督となり、舜功を被護する者もなく、不利な立場に置かれたのであらう。彼は「罹二娟嫉一繫二身縲絏獄一」と陳べ、心中の鬱懷を吐露して薛俊の日本考略・浙江通志・寧波府志・日本圖纂籌海圖編に至る迄の諸書及び日本滯在中蒐集せる諸資料見聞等を加へて、日本の歷史・地理其他萬般の諸事情を闡明し、以て倭寇の對策に資せんとしたのが日本一鑑で、他書の匹儔し得ざる斬新の記事に富んでゐる。

翌嘉靖三十六年鄭舜功と同樣の目的で來朝した寧波府生員蔣州と倶に義鎭は僧德陽を往使せしめ、次いで王直と同道して妙善等を遣り通市を求めた。

浙江巡撫胡宗憲は嘉靖三十四年九月使を遣し日本國王(幕府)を諭し、島倭を禁戢し、通番の商賈を招還せん事を請ひ、寧波府生員陳可願・蔣州をして其の行に當らしめた。十月定海より開洋し十一月五島に飄泊したが、可願のみは翌年二月に歸國した。其陳ぶる所に據れば、彼等が五島に到るや、王直・毛海峰に遇ひ、其言ふ所は、日本國王・相と倶に死し諸島統攝せざるを以て各之を曉諭して入犯を杜ぐべしとなし、薩摩の賊舟諭を奉ぜずして先に入寇せるあり、我等は前に通番の禁に坐して窮迫されて中國と絶つは本意にあらず、若し前罪を許し、通貢互市するを得れば、自ら賊を誅討せんといふのであつた。宗憲は彼等が故土を懷戀する所であり、此機會に功を立て歸國せんとするを以て、其個駁宜しき所を議せしめ、之を奉じて以て事に從はん事を請ふたのである。可願の疏に對する部議は王直等のいふ所は必しも保證し難く、宗憲をして威武を振揚し隄備を加へ文を王直等に移して舟山等の賊巢を剷除して誠信を示し、海壖清蕩たらば、朝廷も非常の恩あり互市通貢も容れん事を曉諭するといふにあり、蔣州同國を俟ち更に議せん事を申請し聽許された。蔣州は博多を經て豐後に到り三十六年歸國したが、八月浙直總督宗憲は其報告に據り疏陳する所があつた。蔣州の報ずる所は明の勘合は倶に火焚を被り、金印一顆は山口太守源義長收管し、義鎭は六州を管し、義長は十二州を管し　兄弟の關係に在り、兵亂のため山城に竈するを得ず、義鎭の下に館し、浙江布政司宣諭の明文を以て諸島に轉行せしめたので、各島では過海の盜倭を禁緝したので本年入寇の賊數少きは其驗であるといふにあつた。總兵管俞大猷等は其報に基き、總督宗憲に揭を呈した。即ち豐後は日本の一島守にて、德陽を派し中國の年號を以て進奏の表を用ふるは不恭の罪明かにて、印信勘合あれば舊例を査照し年限に滿たざるを以て駁し得るも、之も無く、求むる所は貢に假つて貿貨を目的とするもので當然却回すべきものであり、殊に金印勘合の請求は越禮犯分も甚しとなし、唯義鎭は使を館する禮を盡し、又衆夷の侵を禁じて、之を前歲江北江南共に數萬の賊ありしに比すれば、今歲楊州の賊數千あり、又直浙沈家門等の處小醜ありと雖も亦稍〻緩なるに似たるを以て、其功勞は掩ふべからずとし、德陽等四十三人を暫く石牛港に泊住せしめ薪米魚菜を給與し、買賣交通を嚴禁し、軍門（宗憲）奏請して命下るの日を以て、金帛類を義鎭に賞給し、花紅米酒を徳陽等に賜與して、將來天朝の威令を傳布して、禁寇よく今歳楊州入犯の倭を捕治し倭寇根絶するに至つて、其國王の印信勘合を請ふを許し、期を限り入貢せしめん事を奏請し、之を以て邊方久安の計なるべしとした。宗憲の疏は大體兪大猷の揭と同旨であり實錄に「宗憲疏陳二其事一言、洲奉使宣二諭日本一、已歷二二年一、乃所二宣諭一止及二豐後山口一、豐後雖レ有二進貢使物一、而實無二印信勘合一、山口雖下有二金印一回文上、而又非二國王名稱一、是洲不レ暗二國體一、罪無レ所レ逭、但義長等既以二進貢一爲レ名、又送二还被擄人口一、眞有レ畏レ罪、乞レ恩之意、宜レ量犒二其使一以レ禮遣回、令下傳二諭義鎭義長一、轉二諭日本國王一、將二倡亂各倭一、立レ法鈴制、勾引内寇一併縛獻上、始見二忠欵一、方許レ請レ貢」とある。禮部は來使の賞給等の事は宗憲の議を是とするも、宣諭の一節は國體に關し輕卒に詔下あるべからずとし、世宗依つて部臣に詳議具奏せしめ、浙江布政司をして有司の意として移咨して義鎭等に諷示して國王に轉諭せしむる事とした。（皇明實錄嘉靖三十五年三月辛巳・三十六年八月甲辰）（正氣堂集卷之九議處日本貢夷）大内義長は被虜人口等を送回し、咨文に國王印を用ひたのであるが、彼は別に使船を派した事は見えぬから、之は徳陽の一行に附託したものである。義鎭は印信勘合なきも表を齎らしめたに對し、義長の咨文は多分浙江布政司に宛てたものであらう。即ち蔣州は浙江布政司の宣諭を以て轉諭したと稱してをり、又續善隣國寶記收載の明副蔣洲咨二對州一の咨文にも「奉レ旨議二行浙江等處承宣布政使司一、轉二行本職一、親詣二貴國一面議」とある。蔣州は博多から豐後に到つて此處に留り遂に山口へは赴かなかつたので、宗憲の疏等に基き實錄に記して「洲留、偏諭二各島一、至二豐後一阻留、轉令二使僧前一往二山口等島一宣諭云々」とある。蔣州が歸國の途に就いたるは弘治二年即ち嘉靖三十五年らしく其報告に「別立之主僭改二年號一爲二弘治一、今方二載而下才、爭擾、向無二寧日一」とあり、前掲の對馬宛の嘉靖三十五年の咨文に據ると義鎭が徳陽首座を遣りて既に船を撥するに際し吳四郎を派して禁賊の事を議するとある。吳四郎は廣東海陽縣の彩塘の人で流寓歸化せる者で、通事として徳陽と行を俱にした。

毛利家に傳ふといふ文書に（史學雜誌三一ノ七五七・七五八頁參照）日本國昔年欽奉大明國賜御印壹顆として、弘治二年十一月日の日付の上に日本國王の印を捺印し、次行に左京大夫兼周防介多々良朝臣花押と記し、其上に又捺印してをり、別に裏あつて嘉靖參拾伍年拾貳月拾壹日と記し、他面二行にて左一行の文に蔣關防の篆文ある印を捺せりといふ。栢原氏は此文書は蔣州と義長との默契に依り成立せるものにて、蔣州は倭寇防遏の使命と義鎭義長の勘合貿易船復興の希望とを併せ成立せしめて自家の功を成さんとし、大内船の表文を些しにても有效ならしめんため、之に捺印せる日本國王印を明國贈遣の金印と僞稱せしものとし、弘治二年十一月は蔣州が大友氏の府內より來りて山口を訪へる時にて、義長と商議和融して山口船（大友船の意か）と大内船と共に寧波に發航せんとせる時の作成であるといはれる。栢原氏の右の考說には幾多の事實の誤謬があるが、此文書の實態は自分には未だ不明瞭なるを以て是非の論は避けたい。されど、(一)該文書は日本年號を書して當時の慣用の例より見て、明に宛てたるものでない、(二)布政司宛の咨文に捺印された日本國王印は之と同印であり、(三)蔣州は山口に赴かず、使僧をして轉行宣諭したのであり、(四)右の日付の年月は蔣州の既に豐後より出發の際であり、(五)義長は咨文を蔣州・德陽等の船に附託せし事は略〻明確であつて、右の國王捺印の文書は蔣州に呈示されたものかと思はれ、嘉靖年號の裏といふは蔣州の之に對し與へたものではあるまいか。此國王印は毛利家に傳へらるゝ木印であらうといはるゝのであるが、其形態は日本海上史論渡邊博士の日明交通史論所收の寫眞に見える。日本圖纂・籌海圖編に「陶殿之亂宮殿勘合俱焚、金印亦損二一角一」とあるは、蔣州の報告に依つたものと見られよう。大永八年八月の義晴の國書に初めて兵亂のため金印の喪はれた事を述べ、天文兩度の遣明國書に捺印された印は山口に存した事は事實であり、之又恐らく前述の木印だと考へられてゐる。されど此等に就いては猶疑團の解けざるものありと考へる。天文末年弘治の勘合符が山口に殘存したるは事實であるが、之は陶氏の亂に燒失せるものと見て差支無からう。

日本一鑑に徳陽等舟山の馬墓港に泊し道隆館に館した事を記してゐる。然るに同年十月初に義鎭は妙善等四十餘人を派し王直と共に行かしめ、彼等は舟山の岑港に泊した。兪大猷の議處日本貢夷の揭にも王直等船五隻到る日の事を述べてゐるのであり、王直來航の消息は蔣州の齎らしたものであらう　初め宗憲の蔣州を來朝せしむるや、宗憲直と同郷にて其母子を迎へて犒撫し、母子の書翰を持たしめて直に往諭し、直等歸國せば前罪を釋し海禁を寬うし貢市を許す事を以てしたといふ。之先に宗憲の疏に、可願等に傳へた直の所懷となせるもので、其歸心動く機を掴んで適宜の處置に出ずるを許さん事を述べしに比して彼我の差あるが、此は王直懷柔の機を促へて、平倭の賞を擧げんとし、彼は平倭の賞を擧げんたら、直懷柔の策に出でた事を示す。彼は政府に對する疏であり、之は直等に與ふる策であるから、自ら表現の差もあり得るであらう。唯其懷柔策が結果より見て直等を捕擒せるための術數となつてゐるが、宗憲の意は果して當初よりかくの如きものであつたかは疑問がないでない。徐學聚の如き宗憲が直との盟約を守らんとする本意なりしを考へてゐるが、事件の經過に照して必しも否定出來ぬ。王直等の岑港に泊するや、浙東其報に動搖し、巡按王本固の直等の意不測にて之を納むれば悔を招かんとの奏あり、朝議閧然として宗憲東南大禍を釀すをいふものあり、浙中の文武將吏亦意見區區であつた。直之を見て、養子滶を遣り宗憲の意を糺し宗憲他心なきを誓つたが、副總兵盧鏜の如き善妙等を誘ひ直等を縛せしめんとし、直の疑惑解けず、宗憲、指揮夏正を遣つて質たらしめ、直・葉宗滿等來見し好言之を慰め、やがて按察司獄に繫せしめたといふ。初め直、岑港に泊するや攻戰利なきを慮り、宗憲、直と盟をなし、宗憲其海上互市を許し、直は海上を肅淸するをいひ、直・葉と共に來るや賓禮を以て遇せられて質を交換して信保とした。宗憲奏して、直等を戮して國法を正すか、或は其死を許して沿海の戍卒に充て番夷の心を繫ぎ經營自ら贖しむるかの裁斷を請ひ、本固の反對や江南一帶の風評に逢ふて、右の奏を追還せしめて詞言を易へたといふ。かくて直の命を救ふべからずとの詔あつて、宗憲密に按察司に檄して直を繫がしめ、而も其拘禁の實施を緩うせしめて逸脫の機を與へんとしたといふ。時に滶・謝和等は海上にあつて、速に擒捕すべき旨あり、宗憲兵艦を集めて日本船を圍んだ。妙善等其不信を責め、宗憲、中國人を盡く縛送すれば來市を許すとて彼我對峙したといふ。嘉靖東南平倭通錄、皇明實錄嘉靖三十九年二月甲辰日本一鑑に妙善等の來航するや、形勢異るを見て道隆觀に到り移居するを求め德陽自ら賂を求むるに等しとて、通事吳四郎を遣り通判吳成器に館を易へん事を請ひしも聽かず、更に都司張四維に告げしも、四維指揮袁璉の轍を蹈むを恐れて吳四郎を殺したので、遂に妙善に從ひ貨を焚き其巢卽ち岑港に移り、宗憲人をして之を招かしめたが、疑懼して聽かず、遂に妙善と共に亡去したとある。兪大猷の宗憲に上りし揭に、賊岑港に據り、大兵を以て分布して臨み、一面攻擊、一面言誘又一面に德陽等をして各倭に諭さしめ、明兵は只王直を得んとする意を示すべき事を述べてゐるのがある。議計縛王直

鄭舜功が德陽と妙善とを遣使せるを許して「按義鎭兩遣二使臣一蓋有二兩觀之意一」といゐるは當を得てゐる。義鎭が使船と商船、表裏二面より貿易の途を開かんとしたが却つて其失敗を促したのである。

翌嘉靖三十七年周防より僧龍喜來使した。彼も亦前年王直が周防に傳諭した結果らしい。之も明兵のため擊たれて、殘者日本に逃歸したといふ。日本一鑑卷之七窮河話海本貢唐順之も亦開市舶論者であるが、其書に「或以爲二十年一貢一、自二是祖宗一故事、貢路若通、國王

或有禁戰厲夷之理、今三十八年、恰是日本十年貢期、去年山口・豐後不宜貢而求貢、既已阻回、而日本國王該依期入貢者、却又不見求貢、此其故皆不可曉、故冒昧開此一款以備明公之裁云々とある。荊川文集卷九 與吳筠泉宗伯 去年山口・豐後貢を求むといふは龍喜の他に豐後の遣使あつたかは明かでないが、或は徳陽のそれを指したものであらう。

以上私船として述べたものは貢使を名として渡航せるもので、唯通市を求めた商船ではない。明では貢期に相違し或は其印信勘合を有せず、更に國王の名に依る遣使にあらざるを以て、之を容るゝは原制に反すとして阻回したのであるが、一方我が國の實情と將軍の實勢力が漸く判明し來り、平倭の對策として開市舶論者にあつては、或は之を以て貢舶に准ずる待遇を與へ、或は他日通貢交市を復する希望を附與する等の議を陳したのである。 正德以來遣明船の計劃は細川・大內氏等が專斷し、唯幕府の發遣の形式を負ふに過ぎざる實狀は明に於いても察知したが、唯金印・勘合は幕府にあり、其使行せる事は略ゝ疑はず、蔣州等によつて始めて異聞が傳へられたのである。 國內にて幕府が國書・勘合符等を遣明船に給付する形式は最後まで行はれたのであるが、使行し得た國王印や勘合符は實際に大內氏の手にあつた。 幕府の保持した右の手續きも將軍家の實情から行はれ難き時代となり國王印・勘合符も或は損傷し、大内氏の沒落あつて、遣明船の廢絶となつた。かゝる際私船の渡航あり、初めは勘合符等形式の一半を具備したが、後に大友氏等は金印・勘合を自ら明に求めてをり、大内氏等の遣明船專斷の勢に馴れた結果は從前の幕府との關係等は殆んど無視したのである。されど明にては海邊騷擾の折から、遣明船の貢期・人船等も嚴に戒め、況んや表文・勘合符等所持ざせる者は當然阻回すべきものとしたのである。

註

1　日明勘合貿易に於ける細川大内兩氏の攻爭　史學雜誌　自廿五ノ九　至廿六ノ三

2　西力東漸と倭寇　歷史地理二九ノ一・二・三・三〇ノ三

3　鐵砲記に「我嘗聞二之於故老一」とて、天文十一、二年の交、新貢の三大船明國に渡航せんとし、「於レ是畿内以西富家子弟、進爲二商客一者殆千人、梶師舵師之操レ舟如レ神者數百人、艤二船於我小島一」とあり、一貢船は途中にて難破し、二貢船は漸く寧波府に達し、三貢船が半途にて種子島に歸り、翌年（卽ち天文十三年）再び渡航して「飽二載海貨蠻珍一、將レ歸二我朝一、大洋之中、黑風忽起、不レ知二西東一、船遂漂蕩、達二東海道伊豆州一云々」とあるは前にも引用した。天文十三年再渡の三貢船が種子島家譜の天文十二年四月十四日解纜の二合船の記載に相當するものらしい。

鐵炮記では三艘の遣明船が種子島で艤裝されて、畿内以西の從商人が乘坐したるもので、種子島氏の發遣船とは勿論見る事は出來ぬ。既述の如く堺商人の細川船が種子島で艤裝された事もあり、天文八年の第三號船には堺衆が多く坐乘し、薩摩の船頭船方が操舟してをり、種子島で艤裝されたものなる事は疑ないのであつて、鐵炮記の三艘の艤裝と殊に三貢船の渡航に特別の記憶の存する所から見て、之は天文八年遣明船に關係ある記憶ではあるまいか。家譜の天文十二年發十四年歸着の一隻の船は壽光の使船と事實の一半が相當るものであるが、二合船の稱は一號船を前提とするものであるから、此點よりも鐵炮記の船と通ずるものがある。之を要するに天文八年の第三號船と天文十三年發十四年歸航の壽光の船との混同傳聞したものが、兩書の記載でないかと想像される。鐵炮記の有名な葡萄牙人坐乘の天文十二年來航の明船に關する記載に王直の同船せる事が見える。王直は明の記錄では嘉靖二十三年來使の壽光の船で來朝したものと認められるから、壽光が種子島に歸航したものとせば、翌十四年彼も來着した筈である。王直に就いての鐵炮記の記事も恐らく混同があら

ロ　日明商船の通市

天文の中頃以後日明兩國の商船の往來貿易熾んとなり、其末年より弘治・永祿年間に亙る所謂大倭寇時代には彼我商船の通市は一時杜絶えたが、倭寇の勢陵夷すると同時に復通商が勃興した。此間の兩國關係は別に遣明船通交に對比すべき問題であつて、他日其硏究を果したいと考へるが此處では遣明船終末期の事情を概觀するに留める。(1)

我が商舶が明の海商喇噠に誘引されて浙江雙嶼に往市したるは、大體嘉靖廿四年（天文十四年）に始まる。日本一鑑に浙海の私商鄧獠が嘉靖五年越獄して下海し番夷を誘引して雙嶼港に私市した事、同十九年に許一・許二・許三・許四等が大宜(Patani)・滿剌加等より佛郎機を誘引して雙嶼・大茅に泊した事を記してゐる。鄧獠の誘引せる

番夷は南海のものであらう。　同書に又二十二年鄧獠が閩海地方、許一・許二等が浙海地方を寇掠したので、海道副使張一厚討つて敗れ、許一・許二は番船を引き雙嶼に泊したとある。　此番船も佛郎機であらう。窮河話海卷之六流逋　籌海圖編卷之五浙江倭變紀に「嘉靖十九年賊首李光頭・許棟、引レ倭聚二雙嶼港一爲レ巢」とあつて、此歲李光頭が許棟卽ち許二と共に、日本人を雙嶼に誘引した如くであるが、同書卷之八寇踪分合始末圖譜には、金子老が嘉靖十八年西番人を雙嶼に勾引して交易し、翌年四月に李光頭と合綜し、許棟が李光頭と合綜せるを二十二年の事とし、許棟を敍して「此浙直倡禍之始、王直之故主也、初亦止勾二引西番人一、交易、二十三年始通二日本一而開二夷夏之釁門一矣」とある。日本一鑑の記事に對照すると李光頭や許棟が十九年に雙嶼に勾引したといふは西番人卽ち佛郎機と爲すを妥當とする。　「二十三年始通二日本一」といふ記事の詳細は同書の王直の條に「二十三年入二許棟踪一、爲レ司二出納一、爲二許棟一領二哨馬船一、隨二貢使一至二日本一交易」とあり、又「先レ是日本非二入貢一不レ來二互市一、私市自二二十三年一始、許棟時亦止載レ貨、往二日本一、未下嘗引二其人一來上也」とある。　二十三年の貢使とは壽光等を指すものと思はれ、壽光等は翌廿四年に歸朝したから、王直が許棟の命を受けて日本に往市したるも同年の事となる。　日本一鑑に「嘉靖乙巳許一夥二伴・王直等一、往二市日本一、始誘二博多津倭助・才門二人一、來二市雙嶼港、直浙倭患始生矣」とあり、同書の海市の條には許二も同行した事を記すは即ち之に當るやうでる。籌海圖編に「未嘗引其人來也」とあるは次の「許棟敗沒、直始用倭人云々」とあるに對するから、許棟は生前 彼は二十七年六月朱紈の掃蕩の際擒に就いた に日本人を勾引しなかつた事になる。孰れにしても「私市自二十三年始」の辭句は此際許棟や王直が倭商を誘引し互市した事を指す事とはならず、日本に往市した事を意味してゐる。

日本一鑑に二十五年に許二・許四が、許一・許三の事故にて番人貨物を償却するを得ず、直隷蘇松等地方の姦人と共謀し、良民を誘騙して貨財を收買する事とし、雙嶼港に到り、陰に番人を使嗾して之を搶奪せしめ、陽に被害人を慰撫し、自ら資財を出したものは番人を怨みながらも捨去つたが、他より借用したるものは抵償無くして歸去する能はず、許四に隨つて日本に行き、薩摩京泊津にて右の番人に遭遇したので、之を島主に告げ、島主は番人を殺し、薪粒等を許四に給して彼等を送らしめたる事を記す。許四は番夷を謀つた結果となつて雙嶼に向はず、沈門・林剪・許獠等と合綜し海隅を劫掠し、許二は許一・許三を亡ひ、許四亦在らざるを以て、番人の貨財を抵償する能はず、朱獠・李光頭等と番人を誘引し閩浙地方を寇劫したといふ。番人は佛郎機である。二十六年胡霖等倭を誘引して雙嶼に市し、又林剪は彭享(Pahang)

に往き賊首を誘引し來り、許二・許四と合綜し閩浙を劫掠するに及んで、巡按御史楊九澤の奏あり、都御史朱紈は同年七月巡撫浙江兼管福建福興建寧漳泉等處海道となり、翌年都司盧堂をして雙嶼を攻めしめた。許二は捕獲せられ、許四は西洋に逃去し、雙嶼は木石を以て港口を塞がれた。一鑑に「時林珣誘二倭夷稽天一、私二市浙海一、官兵獲レ之」とあるが、稽天往市の事に就いては朱紈の嘉靖二十七年五月二十六日付の議處夷賊以明典刑以消禍患事の疏に詳細で、其文は先年も援引して置いた。即ち浙江按察司帯官巡視海道副使魏一恭の報に據れば、二十五年福建福清縣等の通番喇噠の捕へられた際、林爛四等は日本に逃れ國王に明貿易の利を説けるを以て、國王稽天等に銀子五貫を貸與し、船一雙を造り、武器等を與へて三月二十七年か出帆浙江九山海島に到り雙嶼港に入らんとしたが、徽州賊の許二等は官兵の來攻を受け、稽天等大船一雙及び林爛四等五十三人も捕へられたといふ。又紹興府知府沈啓申の報告では稽天の手書を見るに詐僞に係ると思はるるを以て、嘉靖二十六年六月雙嶼港に在つて稽天を識認するといふ日本語に通達せる周富一なるものをして打話せしめ、審抄せる口詞を以て開陳してゐるが、それに據ると稽天新四郎は薩摩人、林陸觀舊年日本に到り、大風で船破損し三年居住したが、其旦暮悲嘆するを見て稽天の主君は哀れみ米錢の他に銀子五貫目を貸用し船を造り回還せしめた。　又稽天は五子と同道し其貨物、銀子六貫二百六十目を償還せしめんとしたので、三月二十日京泊港を出船し、惡風のため四月二日船破損し、官兵に遭遇して三子は殺死し船主陸觀も殺死したといつてゐる。　其所謂口詞中に「今歲(去カ)天文二十六年丁未六月（天文十六年の誤、二十六なれば天文は嘉靖の誤）內有下倭船一雙到二雙嶼港一往來上」の句があるが、周富一が此時稽天に會つたといふから、稽天は其船に乘坐往返したのであらう。（新四郎に就ては後藤肅堂氏倭寇王王直歷史地理五〇ノ一、二、四に詳記す）

一五四二年頃（嘉靖二十一年）には喇噠に誘導されて葡萄牙人は、略ゝ雙嶼に當るといふリアンポー・福建漳州に植民地を開き、浙閩の市人と取引したといふが、嘉靖廿七・八年の朱紈の雙嶼並に漳州月港掃蕩となつて驅逐された。　此頃迄に支那の海商が官憲と衝突し、或は海邊を劫掠し、葡萄牙人が此に黨するものがあつても、倭寇としては積極的に作動してをらぬ。　稽天の如き朱紈の雙嶼の掃蕩中に偶〻出會して禍亂に捲き込まれた觀がある。　俞大猷も徽州浙江等の徒西南諸夷を雙嶼等に勾引し、廣東市舶の稅を逃免し貨寶終りて去る時に每々肆行劫掠する事を述べ、「故軍門朱慮二其日久患深一、禁而捕レ之、自レ是西南諸番船雙復歸二廣東市舶一、不レ爲二浙患一、當時倭寇未レ侵二東南一無事云々」といつてゐる。（正氣堂集卷之七）

尤も之は張時徹が「商船乃西洋原貢諸夷載レ貨舶ニ廣東之私澳一、官稅而貿ニ易之一、既而欲レ避ニ抽稅一、省ニ陸運一、福人導レ之、致ニ泊海倉月港一、浙人又導之、改ニ泊雙嶼一」といへると同樣で、西南番夷或は西洋原貢諸夷とは、滿剌加・安南等の諸國を指す事明かで、朱紈が雙嶼に兵を用ひたるは支那海商と佛郎機等が主で、滿剌加人や安南人は佛郎機等に役使されたのみで當時自ら雙嶼に私市したとは見られぬから、其處に混亂があるらしい。恐らく嘉靖初年西洋の商船が漳州に廻航市易して、林富の奏に據り漳州より驅逐し、廣東にて互市せしめた事と混同したらしい。然し朱紈の用兵の當時倭寇未だ東南を侵さなかつた事は事實である。

二十七年、王直・徐銓（惟學又碧溪といふ）倭を誘ふて私市し、又陳思泮（籌海圖編に陳思盼に作る）倭を引いて定海縣大衢山に泊し商を稱して揚子江船を掠め、翌年王直等は又倭を同縣長塗港に誘ふて市易した。二十九年巡按監察廣東御史王紹元は、海利獨り官豪に歸する狀を告げ市舶を開かん事を奏請し、之に對する朝議は、琉球・爪哇等諸族は土地隔てゝ古來邊寇の事なく、惟日本一國は祖訓に遵ひ之と同じくする能はず、王紹元の要請に基き、直隸・浙江・福建・廣東の巡按三司等の官と會議し、地方に於いて國課に損なく利益行るやを査覆奏上せしむるといふにあつた。當時周良等は明地に使して在り、王紹元の市舶を開き海利を官府に歸する議は恐らく勿論單に從來の如く貢舶を通ずる義でなく、廣東に於ける如く商舶を許可して抽分錢を徵收する意味であら當時又徐銓等の倭を勾引し長塗に市する事等もあつたが、閩浙小康を保つた。浙江海道副使丁湛は福建兵船の歸去に當り備倭各總官をして糧食を支給せしめなかつたので、歸去の途掠奪を行ひ、福建海道副使馮璋は到着せる福兵を獄に投じた。未到の者之を聞き日本に逃亡し、他日賊寇を増す原因となつたといふ。翌二十九年賊首盧七・沈九は倭を誘ひ、錢塘に突入して寇したので、丁湛は當時倭を誘つて長塗に市した王直等に檄を移し、王直之を拏へて獻じ、又翌三十年陳思泮等を捕へて進め、此間官憲の默認を得て市易した。三十一年王直七倭賊を捕へて獻じたが、時に徐海倭を引いて列港に泊して陰に寇し、王直別の倭船と市し、遂に之と日本に同行した。日本一鑑に「自是浙海倭寇漸衆」とある。巡按浙江監察御史林應箕は海上多事を以て奏聞し、都御史王忬に勅して浙福地方を經略せしめたので、三十二年倭を勾引して浙海に來市せんとした葉宗滿碧川、名五龍は明の舟師を懼れて廣東の南澳に往市した。日本一鑑に「閩廣倭患始生矣」とある。以上は主として一鑑により所謂嘉靖大倭寇に及ぶ序幕を簡敍したのである。

足利末期の日明貿易には明の商船の來往が遙かに大きな役割を占める。前記の日本商人の渡船も彼の海商喇噠の誘引によるのである。所謂下海通番の徒は浙江に於いては寧波を中心とし、雙嶼が門口となつたが、福建にては泉漳を主とし漳州月港を出入港とした。泉漳の商賈は正德頃より月港にて巨舶を私造して、南海貿易に從事し、又嘉靖初年に廣東の佛郎機の貢市を禁ずるや、安南・滿剌加等の貢舶伴隨の商船之に觸れて漳州に廻航して私易に從事したといふので、八年十月提督兩廣侍郎林富の議に據りて漳州より番舶を驅逐し、廣東にて互市せしめた事が見える。十六世紀初期葡萄牙人の記錄に滿剌加等に通商せる支那船は漳州より來れるを記してゐるが、爾來南海に最も活躍したるは泉漳、特に漳州月港の巨室が中心であつた。嘉靖四十四年月港及び近邊を併せて海澄縣を設け、海澄が東西兩洋貿易の出入港となり、十七世紀に入つて厦門が其門口として發展したのである。

閩人の日本に往市せる始めとして、日本一鑑には嘉靖十三年陳侃が册封使として琉球に渡航せる時、從役人が日本倭の言を聞き、貨財を以て日本に往き大利を獲たるを擧げ、以來閩人は屢〻往市したとある。册封使の從人が交易のため皆貨財を携帶したる事は事實である。同書に又廣東の楊陽縣大家井の民郭朝鄕なるもの稻を漳泉に販賣せんとし、漂流して日本に到り、歸來して復往市したるを粵人往易の始めとしてゐる。嘉靖二十六年、先に日本に往市せんとして漂流せし福建下海の奸民三百四十一人を朝鮮より解送し、今又馮淑等千人以上皆軍器を挾帶し貨物を舶するものを獲たる事を遼東都司より具報する所があつた。（皇明實錄、嘉靖二十六年三月壬子）朱紈の嘉靖二十七年六月の增設縣治以安地方事の奏に、福建按察司巡視柯喬の議に據り「漳州府龍溪縣月港地方距二府城一四十里、負レ山枕レ海、民居數萬家、方物之珍、家貯戸峙、而東連二日本一、西接二暹球一、南通二佛郎・彭亨諸國一、其民無下不二曳レ繡躡一レ珠者上、蓋閩南一大都會也」とある。福建海商の下海は月港を中心としたのである。（嘉靖平倭通錄）

天文の後期日薩隅豐後の諸港及び平戸等は明船の往來貿易で頗る殷賑であつた。一五四六年（天文十五年）メンデス、ピントが來朝せる時、薩摩を始め南九州では三十・四十、處によつて百艘以上の支那船が日本に渡り、同年末の大暴風雨のため戎克船千九百七十二艘が失はれたといへるは、誇張に過ぎるとしても、此時ピントの便乘せるカピタン、ジョルジ、アルワーレスの報告に據れば、この大暴風雨による支那船の沈沒は七十二艘であつたと記してゐる。嚴島大願寺文書や柵守文書に據つて明かなる如く、當時京・堺其の他の商人は薩摩・日向に集まる唐物を東方に轉賣してゐた。(2)

中には漂到したものもあつたらうが、明船の渡來が更に中國より東國に及んだ事が注意される。天文十八年七月唐船の初穂として北條氏康より江島社へ生絲二十斤を寄進した事がある。此唐船は渡來せる明船と見る方が穩當であらう。(3)同年七月明船伊勢の五ケ所に着き明人は太神宮に參拜したといふ。（久志本年代記）天文廿年七月には越前三國港に明船渡り船頭は南山といひ、乘員百二十人、小谷六郞左衞門の宅に宿した。（朝倉始末記卷二）稍〻遲れるが、永祿四年十月及び同六年五月尼子氏が出雲の日御崎神社に出した條令の中に、宇龍浦に唐船著岸の時は、奉行衆の出張によつて其の課役を定めると云ふ事が見える。(4)此地方に明船の來航する事は猶以前より行はれた事と思はれる。石山本願寺日記天文十六年九月三日の條に「爲唐船見物越行之、（カ）上市堂之下河ニ鉤其次天滿社へ各行也、女房衆同時也」とあるが、此唐船は明船である。之より先八月十三日唐人より廿種を證如の許に送り、廿七日證如より返禮として、先の進物千五百疋計に相當する米十石・薪五千把・味噌三桶を贈つてゐるが、唐人の廿種は唐船大坂寺內乘入に對する禮物である。十月一日に唐船より寺內乘入につき斡旋されたる勞を謝し、左馬頭・松井十兵衞・小河左橋兵衞・水尾源介・並河四郎左衞等五人に三種宛禮物を送つてゐる。松井・水尾・小河は中島の代官であつた。

明船の來航が所謂大倭寇時代に於いて暫く杜絕した事は、ルイス、フロイスの書輸にも見える。 明代にては貢船以外の通商を日本に對しても禁止したのであるが、明初以來、支那沿海を屢〻劫掠してゐる倭寇に就いては密貿易船であり、時に海寇であると簡單に說かれてゐる。 然し嘉靖三十年代に始まる大倭寇は時代的の特殊な意義を持つ事は確しかである。

鄭曉は此大亂の來由を說いていふ。 市舶は華夷の情を通じ、有無の貨を遷し、徵稅の利を收めて戍守の費を減じ、海賈を禁じ、奸商を抑ふる者である。 嘉靖二年市舶を罷めて制權下に移り、海上寧日無きに至つた。 即ち奸商・貴官番貨到れば賒買して償還しない。 番人近島に泊して償還を索めて、久しくして食に缺乏し海上に出沒し盜を爲すのである。 貴官速に之を去らしめんと欲し、官府に出兵せざるを撼み告げ、備倭司等出兵する。 かくの如くして番人大に恨み「我貨本倭王物、爾價不我償」「我何以復倭王」「不掠爾金寶、殺爾」「倭王必殺我」とて盤據して去らぬ。 次に又近年官邪にて政亂れ、小民貪酷に窮し、傜賦に苦しむもの相率ひ之に加はり、兇徒・逸囚・罷吏・黠僧等志を得ざる不逞者が嚮導を爲し、王五峯・徐必溪・毛海峯の徒皆之で、攻城略邑、庫を劫し、囚を縱ち、公然富厚を致して誰何する者なしといふのである。吾學之編 を以て觀れば所謂倭寇の猖獗を生起せしめた二の主なる源流がある。 即ち一は市舶禁止の結果、海賈の活動となり、奸商の跳梁となり、奸商・貴官等の姦僞が倭商を困窮せしめ、嗔怨を激成せしめて盜に化せしめたといふ。　鄭曉が嘉靖二年市舶を禁止したとし、其結果として日本の貿易が如何なる形態にて成されたか明の海賈奸商の活動とは何を對象として行はれたかといふ點に於いて尠くとも以上の如き記述の示す所には混亂がある如く見える。　然し市舶禁止の後に現はれた從來と違つた形式の日本の貿易の遂行が倭寇を導く一の母體であつたと解し得る。二は支那内部の政治の腐敗・官紀の紊亂であり、小民の窮迫より胚胎したるもので、窮民が倭寇に投じ、且つ志を得ざる不逞の徒が倭寇を嚮道したといふのである。即ち一は外國たる日本の作用せる國際貿易關係と、二は支那内部に釀生せる窮迫・不平・忿恨等とが結合し激發して遂に海邊の大亂を來したといふのである

鄭曉は嘉靖二年市舶を禁止した結果、利權下に移り、徴税の利を失つたといふ。　彼は嘉靖二年以後の二度の遣明船貿易の事は無視してゐるし、　嘉靖二年以前の市舶が徴税を爲した如く誤解してゐるやうである。　嘉靖二年を境界とする遣明船貿易が海賈・奸商を跳梁せしむる如く形式を變へた譯ではない。　右の如き奸商・貴官の姦僞は勿論遣明船貿易に於いても夙に見える所であるし、「倭王云々」とて怨恨を述ぶると記す條は寧ろ遣明船貿易の場合に協ふ如く思はれる。　通商上の詐謀から倭人の劫掠を招けるは、私商の貿易に關聯した事實であるが、

往々之を直に嘉靖二年の亂に結合せんとする說を見るのである。然し開市舶論者たる鄭曉が、嘉靖二年市舶禁止と商賈奸商へ利權の移動を指示して、此處に倭寇招來の重點を置くは、彼の開市舶論に據つても察知さるゝのであり、卽ち廣東市舶に於ける西洋商船に抽稅して市易を公許する制を開き以て倭寇の對策とせんとするのである。然らば嘉靖二年の市舶禁止は商舶の禁止であり、市舶禁止後、上の利權下に移り日本商船との交易を海賈奸商が占めたものと考へた如く解される。然らば此處に誤解があり、混亂がある。

嘉靖大倭寇の特質として、海寇の大部は支那沿海の民であり、之に多少の日本人の參加せるものなる事は、動かすべからざる事實であると共に、彼の海商喇噠の商舶誘引が後の倭寇に或る聯關を持つ事は疑ふべくもない。されば一は日本との對外關係、他は支那內部の事態に倭寇の來由を索むべきは看易き理であらう。嘉靖の末期此の災厄を防壓し、根絕すべき諸策が熟論された。禦海・散賊黨・嚴城守・築城堡等の軍事的諸策は、防壓乃至討滅の法であつても、所謂拔本塞源の法とはいひ難い。通貢道・開互市の議は、此點に於いて本質的のものに觸るゝものがある。

開市舶說は通番禁止を緩和し、通市を許容して倭寇の因を除くをいふのであるから、倭寇の根本的原因として通市の禁止に重點を置くものである。開市舶論者といはるゝ鄭曉の如きも、かゝる通商關係の他に內在的の原因を認むるのであるから、倭寇の拔本塞源の方途は獨り開市舶論に限るとする理はない。　故に例せば彼は嘉靖三十三年六月の奏にて、中國人の膂力・膽氣・謀略あり、任用に堪ゆべき者、往往賊に投ずるものあり、彼等は致身の階なく、資身の策に乏しく恆心なきを告げ「今之議者、一則曰復市舶便、一則曰嚴誅勦便、夫各路之軍威未振、羣賊之懲創未深、而卽復市舶、恐非國家御夷之體、倭奴所殘、旣皆我之良善、官兵所殺、又多我之逋逃、而必嚴誅勦亦非所以以仰承朝好生之德とて、かゝる有用の徒を任用せん事を請うてゐる。端備鄭公議叙卷之三乞收武勇亟議招撫以消賊黨疏　然も彼が遂に開市舶論者たる所以は、倭寇の本源として市舶禁止に最後の重點を置くからである。　彼はいふ「不復市舶、夷人必欲售貨、奸民必欲牟利、爲盜必不已、重臣無可召還之期、蓋非設重臣無以戢目前之棘禍、非復市舶無以塞日後之亂源といひ「予按倭國服飾器用多資于中國、有不容一日缺者、安能待十年一貢之期而限以三船所載之數哉、若禁其貿易、則入寇劫奪一定之勢也」と述べ「但朝廷無命、孰敢私許互市以干國典哉、此只消一、海道有機敏有力量者、活動行之、不失於縱、不失於激、如某海嶼某老、歷年商船之頭也、欲律以通番死罪、罪未必及而亂先激矣、必申明朝廷之法寬處、而羈縻之、且　其責成曰、商販貿易姑聽其便、但一方之責、皆係於汝、一方有倭變、卽汝一人之咎也、彼以利爲命者、利旣不失、而又不峻繩以法、則感恩畏威、必不僨事矣、一面脩吾海防、不容夷船近岸、販貨出海者、關口盤詰、勿容夾帶焰硝之類、截貨入港者、官爲抽税、以充軍需、豈不華夷兩利而海烽晏如也哉、此之謂以不治治之也、見今廣東市舶司處西洋人、用此法、若許東洋島夷、亦至廣東互市、恐無不可。 是に至つて鄭曉が嘉靖二年禁止の市舶とは何をいひ、倭寇絶滅のための開市舶とは何を指すかゞ明瞭となる。嘉靖二十年一貢・船三隻の朝貢船の附帶貿易の舊制の如きは、既に倭人の要請する貿易には堪えぬ。 縱令日本に對する祖宗の制に反するとも、暫く商船の通市を許容すべきであつて、唯釁隙を生じ、寇奪の端ともなるべき事を種々の手段を盡し、排除するのである。 卽ち廣東市舶司の西洋商船私易の制に准據すべしとする。 兩國商賈の私市上に、姦僞の行れたる事、明官憲の壓迫が反抗を招きし事等が、倭寇の發生に一聯の關係を持てるは眼前の事實であつて、此點に於いて鄭曉の議も一面の眞實に觸るゝは認められる。

開市舶說に又例せば唐順之の奏がある。 彼は總兵官盧鏜の議に據り、嘉靖二年絶貢せりとなし、嘉靖二十六年周良等が貢期に違へりとて阻回せる結果「我中國之貨、既不與貢、則無復望矣、因此遂被姦徒勾引、同利爲寇、不止、則以偶蹉一年貢期、阻回之故也」とて、今後眞正の表印勘合あれば、貢期を限らず、起送して京に赴かしめ、來寇の端を譯審して、國王幕府をして惡逆を査治し、屬夷を斂戢せしむるを述べてゐる。之に據れば周良等の阻回の結果が倭寇を生成せしめたるものとし、此處に決定的の來由を求むるのである。周良が一年遲れて目的を達したる事實、姦徒の勾引が周良渡航の以前に始まりたる事實等を誤れる點は措くとするも、此意見は義滿時代の政策を復せんとする類であり、義持の絶貢時代の倭寇を比較し、今時の倭寇が其規模に於いて其性質に於いて有つ所の相違に想到せざる極めて皮想な議論と認められる。彼が又國初三省に市舶を設くる主旨を陳し、今海賊、峿嶼・南嶼諸島に據り番船の利を得て、中土の民が交通接濟するを述べて「宜下備中査國初設二立市舶一之意上、毋三洩二利孔一使二奸人得一レ乘二其便一」といつてゐるが、通貢道説は又市舶を開くの意である。

開市舶説に反對する論者は、倭寇は市舶による市易と無關係とし或は關係薄きものとし、倭寇とは何であるかを指摘し、又更に深く國內事情の反省に重點を置く。例せば黄元恭の如く、唯倭人の歴史的狡猾・兇暴性等を强調する如きは、何等今次の騷亂の具體性に卽するものでないから、開市舶論者にとつて有力なる論難たり得ざるのみならず、一般識者を納得せしむるに足らぬ。此陣營にあつて其代表的なる一人は張時徹であらう。

彼は先づ當時の禦寇論者が開市舶と其反對を云々するが、彼等が市舶の義に就き之を現在の通商事實と對象せしめて明白な理解を有せざる點を指摘してゐる。卽ち貢舶は市舶であり、市舶と商舶は二事であり、之を混同するは不可であるとする。貢舶は王法の許す所、市舶の掌理する所は貿易の公なるものであり、海商は王法の許さゞる所、市舶を經ざるものであつて貿易の私なるものであり、西洋の諸夷に商舶あつて抽税するが、日本に元來商舶はない。故に「不知者謂、倭寇之患、起於市舶、不開市舶、由於入貢不許、通其市舶、中外得利、寇志泯矣、其知者哂之、以爲不然、夫貢夷王之所遣有定期、有金葉勘合表文爲驗、使其來也以時、其驗也無僞、我國家未嘗不許也、貢未嘗不許、則市舶未嘗不通、何開之」と說いてゐる。以上彼の見解は當時の論者の混亂し勝な開市舶の意を闡明して頗る鋭利である。彼は次に定海沿邊に番舶を通じ閩廣事例に准じ、開市抽税せば外患弭むべしとなす說を批判する。卽ち商舶通市の許可は倭寇の防滅に效なきものとする。彼は商舶と倭寇は同一者にあらざるを論じ「挾貲求利者、卽非肺肝飲皿之徒、而捐性命犯鋒鏑者、必其素無賴籍者也、豈以我之市不市、爲彼之寇不寇哉」といひ「海商常恐遇寇、海寇唯恐其不遇商（中略）商者爲嘗有爲寇之念哉」といひ、又「然又有貧、有富、有淑、有慝、富者與福人潛通、改聚南澳、至今不已日本夾商惟以銀置貨、非若西番之載貨交易也、福人利其値、希其抽税、買尖底船、至外海貼造而往渡之雖驅之寇不欲也、此固無待於市舶之開、而其互市未嘗不行者也、貧者剽掠肆志、每歳犯邊、雖令其互市、彼固無貲也」と論じてゐる。商舶と寇舶の全然別個なる事は籌海圖編の編者鄭若曾も「富而淑者、或登貢舶而來、或登商舶而來、凡在寇舶、皆貧與爲惡者也」と斷じ、張時徹の正面の論敵たる鄭曉すらも亦商舶は本來何等寇掠を意圖するものにあらざるを明かにしてゐる。此論は大體に於いて正論であらう。倭寇の最盛時に、統制ある武力の團體が劫掠を爲したとしても、かゝる所謂海賊大將に據つて率ひらるゝ寇舶を、足利末期勃興せる沿岸都市の貿易業者の商舶と如何なる意味に於いても同一視する事は不當である。當時の商舶を本來的に半商半盜となす如き見解は、一般的には殆んど採るに足らぬ。然し又簡明なる張時徹の議論も事實に就いて見る時は、猶考ふべきものがある。鄭曉が指摘せる如く商舶が明の貴官・奸商等の姦僞に據り遂に寇盜に墮するものあるは事實であり、元來海寇の側面を持つ喇噠の行動に捲込まれて盜掠に加はり、或は又商舶中には邊海無頼の徒の存せし事實も想像されよう。張時徹は右の議に於いて、日本關係に鋭利な觀察を爲してゐるが、倭寇の他の源流たる內部事情に就きては默してゐるといつてよい。唐樞は禦海策要の「今之海寇動計數萬、皆托言倭奴、而其實出於日本者、不下數千、其餘則皆中國之赤子無賴者入而附之耳」といふを引いてゐるが、海寇の實體が大部の支那人に在るとすれば、其根源は其國內事情を除外して理解し能はぬ。卽ち彼は防倭の法の根本として百姓の重撫安生を論じてゐる。胡世寧も亦盜賊は民の窮迫より起り、賦役の繁重官吏の貪酷より民窮る事を述べてゐる。馬坤等が朝鮮・琉球をして日本國王將軍に轉諭して寇を禁ぜしめんとするは、唐順之の議に類するものであり、譚綸が「通番接濟、乃吾中國沿海之人也、中國之官不能自禁、欲夷王禁其所屬、不爲所笑乎」といへるは、內省的立場を、より重視する觀察である。

唐樞は禦海策要を引き海寇の大部分は中國の無賴の徒であり、而して「大略福之漳郡居其大半、而寧紹往往亦間有之」といふ。唐順之も「倭患始於福建、福建者亂之根也」といふ。而して又下海通番の徒も福建を以て最とし、世宗の詔にも「頃年沿海奸民犯禁福建尤甚、往々爲外國所獲」といふ。皇明實錄嘉靖二十六年三月壬子 福建漳泉地方が、海寇の淵叢であり、下海通商の本據である事は衆目の一致する所であらう。此等の海邊地方が耕作地乏しく生業に缺如し、此點に彼等の海外通商乃至は海寇に墮する素地の存する事も諸議に疊見してゐる。

隆萬年間に至り、さしもの大倭寇も鎭靜の途に就いたるは、用兵の進渉奏效にも據らう。されど一方福建海澄にあつて隆慶六年東洋二洋の商稅を徵して、下海通商を公許し、泉漳の商舶は此地を基點として東西二洋に往來通市したのであり、之を十六世紀末より次世紀初期に亙る比律賓貿易に徵するに驚くべき貿易の發展と植民居留者の增加とを見たのであつて、かゝる結果が海寇の鎭靜に意外な效果を齎らしてゐるのではないかと思はれる。

以上の如く觀來れば、遣明船貿易の廢絕が、日明商舶の通商發展乃至更に倭寇の勃發事情の內に占むる役割は比較的僅小である。我が商舶の活躍が足利末の社會的經濟的發展を條件とせると同樣、明にあつてもかゝる國內事情の闡明が海商の活躍を理會する所以であらうし、他面に於いて國際貿易の情勢の一變せるを背景とし、商舶の發達の新時代は開けたものといふべきである。

（昭和十二年五月十三日稿了）

附記　昨昭和十一年七月、洛西嵯峨妙智院に詣り、同院所藏の文書記錄を閱覽する事を得、本年七月再び同院を訪ねて、本論に補正加筆する所があつた。貴重なる資料の自由なる披見を許されし同院主西山原道師に對し深甚なる謝意を表する次第である。

註

1、前論　足利時代明錢の輸入と國內銅錢流通事情　第二章第二節を殆んど再述する程度以上に、今餘裕なきを遺憾とする。

2、堺市史　第三編第十四章第二節、相田二郎氏　北條氏分國に唐船着岸の新史料　歷史地理　五二ノ一

3、辻博士　增訂海外交通史話　三五三―四頁　北條五代記に天正四年の頃三官といへる支那人が北條氏政の虎の朱印狀を受けて支那へ渡り、天正六年二月に黑船にて相州三崎に着し、氏政から檢使を派して兩方より通譯を以て貿易したといふ。

4、辻博士　同書、永祿十二年頃唐船が石州濱田に著いた事、吉田物語・陰德太平記に見える。

南洋日本町の盛衰（三完）

――呂宋日本町の盛衰――結論――

岩生成

目次

第四章　呂宋(Luzon)日本町の盛衰

一　呂宋日本町の發生

南洋各地に於て、日本人移住の起原最も古く、彼等の人口も壓倒的に多く、彼等の活動も目覺しかつたのは、日本を距ること最も近く、臺灣とは僅に一衣帶水の呂宋島であつた。卽ち日本人の呂宋島方面への活動の進展は、其の後澎湃として勃興した日本人南洋發展の實に先驅を爲す可きものであつた。

此より先、永年支那沿海に出沒し、私販劫掠を事として、絶えず明の上下を脅威した所謂『倭寇』も、同地に於ける對倭寇戰法と警備の完成するに連れ、其の威力を減じ、終に嘉靖末年兪大猷・戚繼光の掃蕩成功以後は、漸次支那の海面より彼等の姿を消して行つた。しかし南支那に隣接せる臺灣、安南、呂宋方面に在つては、却つて其の後に至つて時折日本船が渡航侵寇したことが諸文獻に散見して來る。卽ち臺灣にては、嘉靖末年の掃蕩直後より萬曆三十年頃までに、數次日本船の侵寇を傳へ(註一)、安南にても既に萬曆五年三月(天正五年、一五七日本船が順化廣南の近海に現はれて漳州船を刼掠したことがある(註二)。七年)に、記錄に現はれる所では、一五六七呂宋島方面に日本船が渡航し出したのも、我が永祿十年まで溯ることが出來る。實に嘉靖の掃蕩後幾許もなき隆慶元年、一五六七年のことである　卽ちイスパニヤ人が未だ呂宋島に到達せざる以前、年七月二十三日にミゲル・ロペス・デ・レガスピ(Miguel Lopez de Legazpi)が、セブー島から國王フェリペ二世に呈した報告中に、

我が殖民地より更に北方、卽ち當地より東北餘り遠からざる所に、ルソン及びビンドロ(Vindoro)と稱する島々あり、同地には支那人及び日本人が年々交易に來る。彼等は生絲、羊毛、鐘、陶磁器、香料、錫、色木綿布、及び他の小雜貨を齎らし、歸航には彼等は金と蠟を搬出す。此等二島の住民はモロー人(Moro)にして、支那人や日本人の齎らすものを購入して、之を群島中に賣り廻る。(註三)

と記してゐる。此はレガスピが土人から傳聞した所で、當時早くも日本人が單

獨か、或は支那人と同航して、年々呂宋島や、其の南のミンドロ島(Mindoro)方面にも進出交易したのである。

幾許もなくして、一五七〇年(元龜元年)には、マルチン・デ・ゴイチ(Martin de Goiti)の率ゆるイスパニヤ船隊は呂宋島に達し、六月六日にはマニラの町に於いて呂宋島の占領を宣言したが(註四)、當時同地には既に日本人二十名及び支那人四十名先住してゐた。卽ち同年六月に綴つた遠征經過報告によれば、

町には既婚支那人四十名及び日本人二十名在住してゐた。其の中數名は、敵對行動が勃發する前に來船して、司令官に面會したが、テアチン(Theatin)の僧帽をかぶつてゐる一日本人が居たので、我等は彼を基督教徒と思つた。我等が敎徒なりやと尋ねると、彼は之を肯定して、自分の名をパブロ(Pablo)であると答へた。彼は聖像を首に懸けてゐて、珠數を求めたが、土人は彼がモロー人砲手中にゐたと報告した(註五)。

とある。蓋し日本人呂宋島移住の先驅なる可く、パブロは既に母國の何處かに於いて、切支丹宗に接した者である。

次いで、其の翌々一五七三年にディエゴ・デ・アルチエダ(Diego de Artieda)が國王に

致したフィリッピン諸島の報告に依れば、

前述の島々より遙か北方に當りて、呂宋に最も近き島をシポン《(日本)》(Xipon)と云ふ。臣等は未だ此の島を見ざれども、臣が以下記すは、此の島人と交易せるモロー人の語りし所である。其の島には銀鑛あり、支那から舶載する生絲や其の他の必需品を銀で購入するが、全住民は男女共に、適當に衣服を着け履物を穿つてゐる由である。而して支那に極めて隣接してゐるので、彼等は同國の文化を攝取してゐる。住民はレクェス(Leques)と稱する極めて優良な短劍を製作するが、此には一重又は二重の欄があり、尖つてゐて、トルコ劍の樣に反つてゐる。刄なき側は指の半位の厚さにして、刄は非常に鋭利である。又同地には傳道僧がポルトガルから入り込んだ由であるが、臣は未だ彼等の布教の結果を承知しない。又ポルトガル人は、其の國の住民が非常に好戰的に思はれると語つた。〔當地方に於いては甚だ稀なことであるが〕婦人は淑德、溫順にして、夫に忠實である。男子は頭上を剃る、即ち毛髮を拔き取つてゐる(註六)。

とあり、モロー人の日本人と其の國情に對する認識は、簡單ながら頗る正鵠を得て、恐らく當時既に呂宋島方面に於ける日本人との接觸交易の相當に行はれたことを示すものにして、又一五七五年(天正三年)頃フワン・パチェコ・マルドナード(Juan Pacheco Maldonado)が國王フェリペ二世に奉つた書翰中にも、

又富致なる日本國は呂宋島より三百リーグ内外の距離にあり、同地より非常に多量の銀が齎らされる。毎年日本船は商品を積んで來るが、其の主要なる交易は銀を金と交換することで、金一マルコに對し銀二乃至二・五マルコの割合である(註七)。

とあり、日本船が毎年銀を積込んで、呂宋島の金と交易する目的を抱いて來航したことを傳へてゐる。斯くして、此の頃より日本船は漸次フィリッピンの海面に進出したが、彼等の常に出入したのは、北部のカガヤン地方(Cagayan)と、中部リンガエン灣(Lingayen)を圍むパンガシナン地方(Pangasinan)と、西南部のマニラ灣とであつた。

カガヤン地方は呂宋島の最北端に位し、臺灣とは僅にバシイ海峽(Bashi)を隔てて一衣帶水の間に在り當時同地方は支那に最も接近し、ガレイ船や帆船に適した河川多くして、支那との貿易に最も適し、支那まで二日半の航程にして、

支那本土には更に其の夜に達すと云はれ(註八)、日本船が漸次南進するや、同地は先づ彼等の着目寄泊すべき地點であつた。一五八二年六月十六日(天正十年)フィン總督ゴンサロ・ロンクィロ・デ・ペニャローザ(Gonzalo Ronquillo de Peñalosa)から國王フェリッピリペ二世に奉つた書翰中に、北方カガヤンの警備に司令官フワン・パブロス・デ・カリョン(Juan Pablos de Carrion)の統率せる一艦隊を派遣せしことに關して、

八〇年と八一年に、當地から約四百リーグ隔つてゐる日本から、海賊船數隻當群島に來航して、彼等は土民に危害を加へた。本年も十隻當群島に渡航準備中との警報に接して、臣は、彼等が日頃來航する地點に艦隊を派遣した。此の艦隊は六隻より成り、其の中十分に大砲を裝備せし船一隻とガレイ一隻とある。臣は追つて後報を致すべし。日本人は此の地方にて最も好戰的にして、大砲や手銃や槍を持つてゐる。彼等は護身用に鐵製の甲冑を用ゐてゐるが、此はポルトガル人の狡智に負ふ所にして、彼等は此の特技を傳へて却つて自身の危害を招いてゐる(註九)。

と記して、此の頃には日本船が殆んど連年南下して、カガヤン方面に侵寇せしことを報じてゐる。

此の北遣艦隊は三月中旬征途に上つたが(註一〇)、更に總督ペニャローザが七月日附國王に致した戰況後報には、

一船が出帆せんとせし時、嚮に臣が、カガヤンに殖民地を建設して本年來航の報ある日本人海賊を、懲罰防禦すべく派遣した艦隊から報告に接した。前記の臣が派遣艦隊は、カガヤン附近にて二隻の敵船に遭遇したが、一隻は日本人船にして、他は支那人の船であつた。引續いて開戰し、激戰の後此の二船を降服せしめ、日本人二百人を殺したが、其の中には船隊長親子ありしも、我が損害は僅に兵卒三名のみ。

臣が此の艦隊を統卒する爲め派遣せし司令官フワン・パブロ・デ・カリョンは尙續航して、殖民地を建設すべきカガヤン河に入航したが、河口に於いて、降服した船隊に屬せる他の日本船尙六隻ありて、同地には可なり多勢屯ろして築塞せることを發見した。遠征に伴ひし旗艦は暴風雨の爲め沖に掛り兵力も寡ければ、敢て攻擊せずして專ら河を溯航することに努め、上流六リーグの地に殖民地を設定し、同地に防敵の爲め一城堡を建設することが出來た。是昨日の來報にして、臣は出來る丈早く、援兵、船、彈藥及び必需品を送らん

とす(註一一)。

とあり　又同年六月二十五日附フワン・バプチスタ・ロマン(Juan Baptista Roman)の戰況報告中の一節にも、

次いでキャプテン・フワン・パブロはカガヤン河を溯航したが、河口に於いて一城塞と日本船十二隻を發見した(註一二)。

と記してある。當時カガヤン地方に日本海賊が連年來航し、遂に彼等はカガヤン河口に占據築塞するに至つたが、彼等の來航占據の起原は、此の時より可なり以前であつたに違ひない。此の日本人築塞の位置は、如上の記事より外に明かでないが、恐らく河口東岸のアパリ港(Apari)か、或は對岸のリナオ(Linao)附近の何れかに在つたであらう。

而して彼等が支那人と聯合せるは、恰も支那沿岸を劫掠せし末期倭寇の類型に入る可きものにして、恐らく强化せし海禁を避けて南下せしものと思はれる。然も、日本船カガヤン侵寇の對象も、亦豫て初期日比交易の主要なる目的物なりし黃金であつた。カガヤンの日本人の首領が、カリヨンから撤退を迫られ、代償として要求せし多量の金を拒絕され、更に土人から掠取せし金も、イスパニャ人が奪回せんとする意圖明かになるや、日本人約六百人は俄かに起つてイスパニャ人の城堡に迫つたが、却つて多大なる損害を蒙り、終に同地を引上げて仕舞つた(註一三)。

斯くて日本船のカガヤン侵寇は漸く跡を絶ち、其の後一五八六年には長崎を出た大村氏の商船が同地に渡航したが(註一四)、呂宋當局は常に日本人の來襲を警戒し、一五八六年七月二十六日附總督サンチャゴ・デ・ベラ(Santiago de Vera)の覺書には、特に日支人海賊防禦の爲めカガヤンに築城するの必要を力說し(註一五)、又一五八九年八月九日國王フェリペ二世がドン・ゴメス・ペレス・ダスマリーニャス(Don Gomes Perez Dasmarinas)に宛てた指令にも、

特に此の五件は警戒すべし。………其の第三は、常に同地に來る日本人である。彼等の侵寇を喰止め、彼等に對して優勢なる軍勢と防備を示す爲め、イロコ(Yllocos)或はカガヤンに、他の城塞を築いて、日支人海賊に對抗すべし。………

此等の城塞と城堡の外に、土民を護る爲め沿海を掃海し、特にカガヤンとイロコ地方に於いて、日本人が犯す危害と竊盜を阻止する爲め、ガレイ船又はフレガト船數隻より成る適宜の規模の艦隊が必要ならんと豫想される。彼

等日本人は、其の群島に糧食と商貨を齎らす支那船を掠奪して、多大なる損害を蒙らせ貿易は大いに阻害される(註一六)。

と記されてゐる。其の後日本船は殆んど此の地方を遠かり、江戸時代に入りて、僅に支那船が、時々同地と日本の間を往來貿易する位であつた(註一七)。

斯く呂宋島の北端カガヤン河口には、日本船が早くより入航して、一時同地には渡航日本人が移住した程であるが、更に同島西岸中部のパンガシナン(Pangasinan)地方にも日本船が出入した様である。同地方はリンガエン灣(Lingayen)を擁する海舶の要衝にして、土民も早くより開け、既に永樂四年(一四〇六年)以來其の土酋が屢ゝ明に入貢した馮嘉施蘭とは(註一八)、此のパンガシナンに外ならざることは、既にジョージ・フィリップス氏(George Philipps)、和田清教授等先人の説く所である(註一九)。

一五八二年六月ミゲル・デ・ロアルカ(Miguel de Loarca)がパネイ島のアレバロ(Arevalo)から國王フェリペ二世に呈したフィリッピン諸島報告によれば、

パンガシナン灣。更に約五リーグにしてパンガシナン州がある。その灣は周圍約六リーグあり、山地の鑛山區域から流れ出る三大河が此の灣に注いでゐる。州内に平和の民四千人あり、……彼等は頗る開化して居るが、その彼等が支那人、日本人、ボルネオ人及び當群島の諸民族と通商するからである。州内には米、野羊、及び豚等食料品の供給豐富にして、又水牛も非常に澤山獲れる(註二〇)。

とある。こゝにパンガシナン灣と稱するは、固よりリンガエン灣のことにして、日支人が同地方の土人と交易してゐることを傳へてゐる。ロアルカは最初に此の群島に渡つたイスパニヤ人の一人にして、群島の事情に精通し、此の報告は特に總督の命により、群島の實情を詳細に起草したのであるが、尚同書には更に、

日本の港(Puerto del Japon)。更に四リーグにして「日本の港」と稱する港がある。同地にはイスパニヤ人□及びパンガシナン人と同人種なる土人が住んでゐる(註二一)。

とあり、日本人が土人と交易に來ると共に、同地方の一港に「日本の港」と云ふ名稱まで出來た樣である。

其の後一六一八年(元和四年)に總督に提出したフィリッピン群島報告中にも、

パンガシナン州にては野獵豐富にして、僅か二十リーグの範圍内にても、年々鹿が六萬匹、或時は八萬匹も多數捕殺される。土人は鹿皮を貢税とする。然るに日本人が種々の目的の爲めに此れから良質の鞣を作るので、鹿皮貿易は日本に取つて多額の利益の源泉である。………

州内には良港がある。一はアゴー港(Agoo)にして、俗に「日本の港」と稱してゐる。そは日本人が當群島にて占據した最初の港で、我が國民は同地で初めて彼等を見たのである。他の港はボリナオ(Bolinao)にして、他の諸港に比して優良である(註二三)。

と記してある。卽ち日本の港は當時ボリナオと併稱されし良港にして、實はアゴーと云ひ、同地に於いてイスパニヤ人が初めて日本人に會つたとあるから、日本人の同地來航の起原も餘程古く、遂に彼等は此の港に占據在住して、日本の港の俗稱も生れたのであらう。而して州内に多產する鹿皮も、彼等日本人貿易の主要なる目的物であつたに違ひない。殊にアントニオ・デ・モルガ(Antonio de Morga)は一五九八年六月八日附(慶長三年)のフィリッピン諸島現狀報告第五十五條

附圖第十五

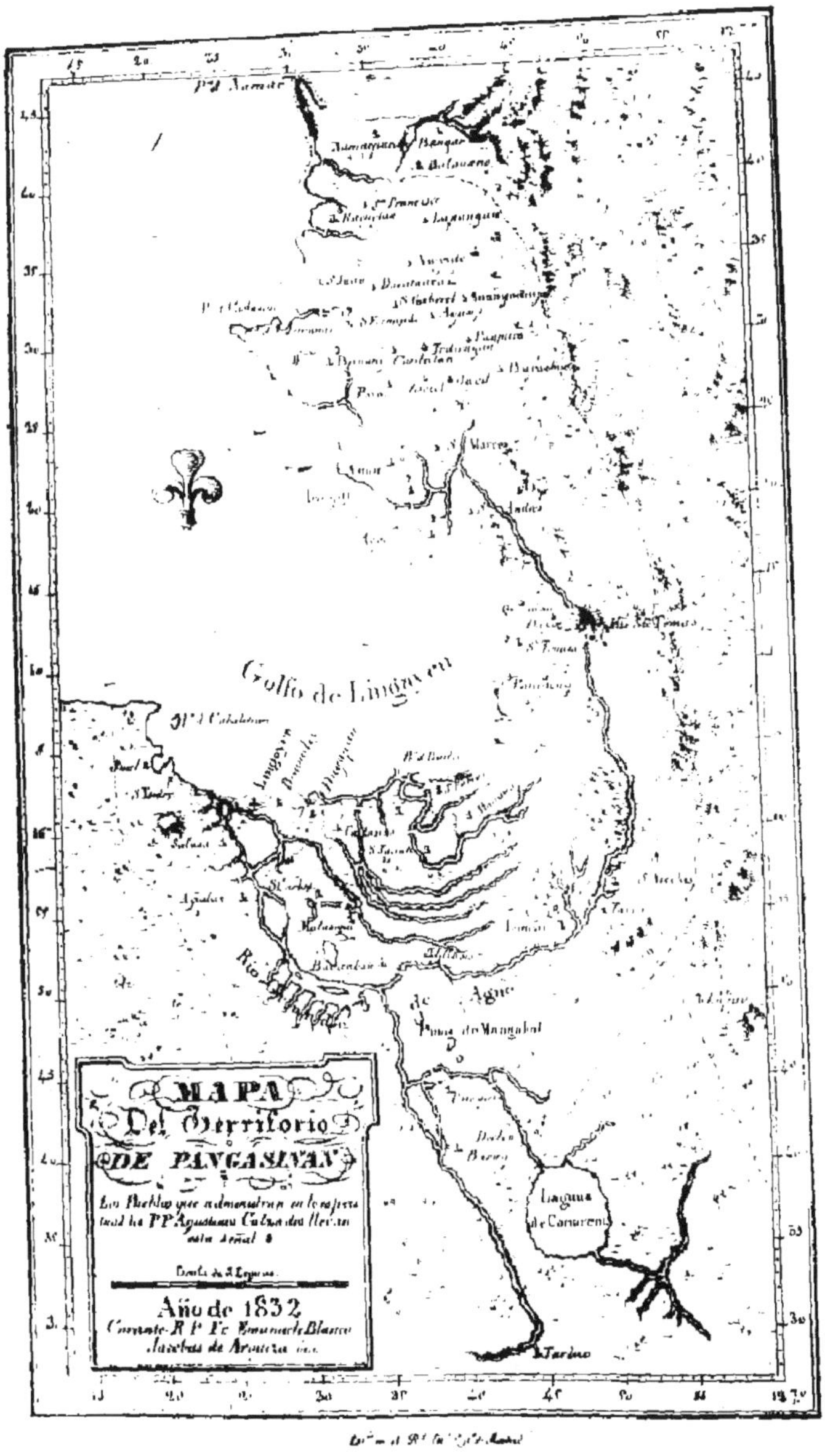

パンガシナン州地方圖

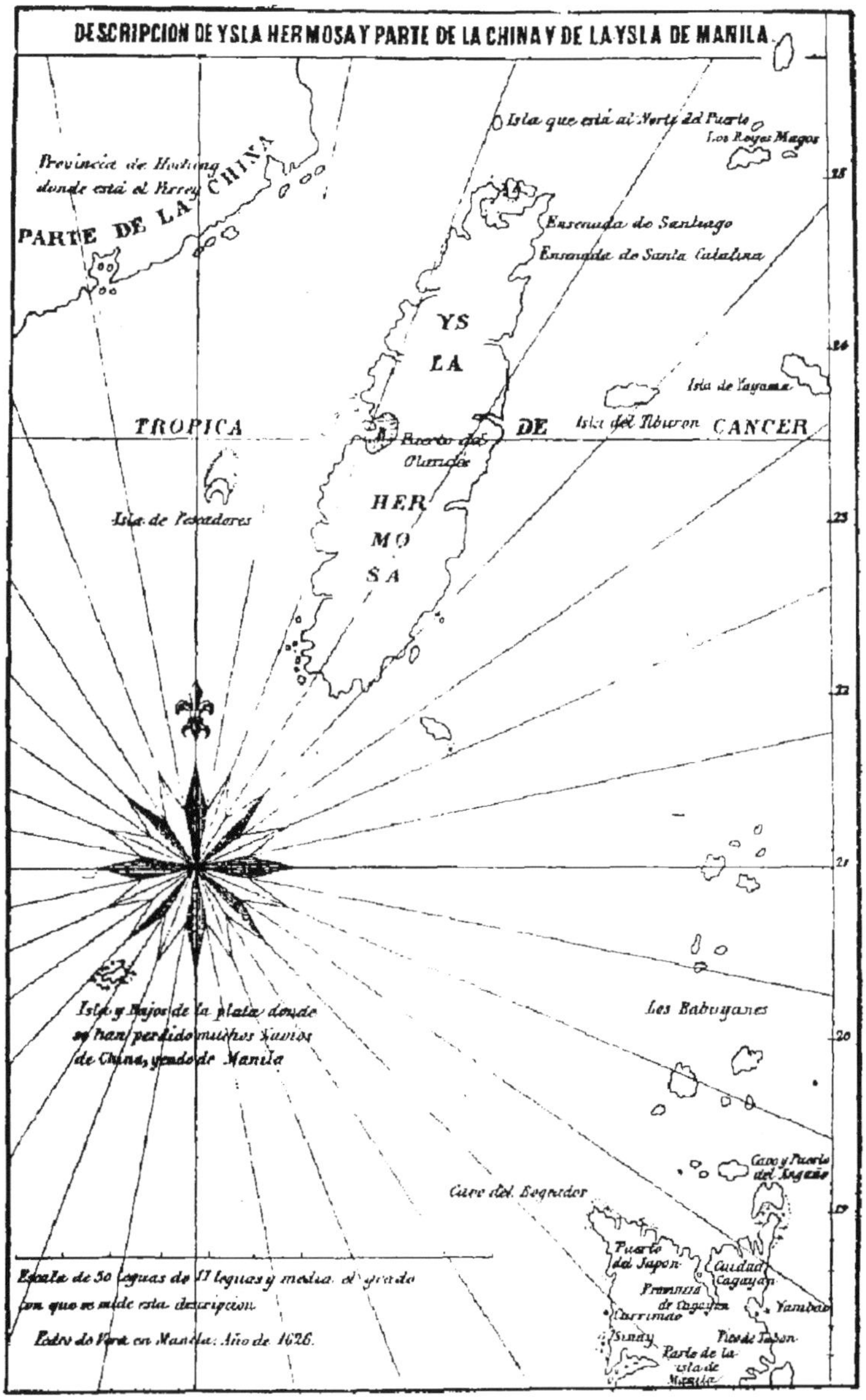

Escala $\frac{1}{3000000}$ - la del original es de $\frac{1}{1292000}$

『日本の港』を記入せるデ・ベラの呂宋臺灣圖（一六二六年）

に於いて、日本商人が鹿皮を盛に日本に輸出して、土人は固より僧侶までも之が賣買に手を染め、鹿は年々濫獲されて終に絶滅すべきを以て、此の貿易を禁止すべしと提言した程であつた(註二三)。

パンガシナン州内日本の港の位置に就いては、先に引用した記事の外には、明瞭に之を記したものが無いが、唯一六二六年ペドロ・デ・ベラ(Pedro de Vera)がマニラにて描いた『臺灣島、支那及びマニラ島の一部』なる圖には、呂宋島の西北角ボゲアドール岬(Cavo del Bogeador)と其の南方クリマオ(Currimao)の中間の灣入に日本の港が記入してあるから(註二四)、今日の北イロコ州廳所在地ラワグ(Lawag)に比定すべき位置とも思はれる。併し前掲二報告によれば、日本の港は明かにパンガシナン灣岸に在りてアゴーと稱する地であらねばならぬ。而して現今此の灣の東側ウニオン州の南部、海岸より三粁の地に同名の一邑があつて、同邑は既に十六世紀末より存在し、今は北アリンガイ(Aringay)まで約八粁、南は此の地方沿岸航路の寄港地サント・トマス(Sto. Tomás)まで五粁半にして、殊にウニオン州は一八〇五年の分離開設に係り、以前同地は明かにパンガシナン州に屬してゐたから(註二五)、或は當時のアゴーは、今の位置より幾分西か南かの海岸に偏つてゐて、一應此の地が所謂日本の港に比定し得べき地點に非ざるかとも思はれる。

然るに前記ロアルカの報告によれば、古のアゴーより北方アリンガイ、カンドン(Candon)ビガン(Vigan)諸地間の距離は夫々六、九、五リーグにして、アゴーより灣岸を西北に廻つてボリナオ(Bolinao)に至る距離は九リーグなれば(註二六)、此のアゴーは今の位置よりも遙かに南西四十餘粁の地に位して、州廳所在地リンガエン(Lingayen)附近に當る樣である。若し果して然らば、當時アリンガイ直南のアゴーと、更に南西の他のアゴーとが同時に在つたことになるが、一五七二年末呂宋島に於いて皇帝に納貢せし部落名中には、パンガシナン州内にアゴーなる部落名二地あり、一はパラングィアン河口(estero de Palanguian)に在り、他はマダダン河口(estero de Madadan)に位すと記してある(註二七)。手近なフィリッピン關係諸書や諸地圖中に、此の兩河名を見出すことが出來なかつたが、何れにしても、此の記事により、嘗て州内には、同時にアゴーと稱する二地の存在せしことは最早疑ふ餘地もなく、一を今日のアゴーとすれば、他は正しく古の日本の港の地であらねばならぬ。然るに教父パステルのフィリッピン諸島史には、略〻同性質の一五七二年末呂宋島に於いて皇帝に納貢せし村邑表が揭載してあり、アゴーも二地擧げてあるが、此れにはパラングィアン河口の代りに、パンガシナン河口と記してある(註二八)。故に若し兩者が同一河の異名とすれば、リンガエン附近の日本の港に比定すべきアゴー港の位置は、今日のアグノ河の河口なるべく、曾て海賊林鳳(Limahon)も、此の河口より上流一リーグの地に城塞を築き、麾下の日支人を多勢率ゐて籠城し、暫らくイスパニヤ人を防戰したことがある(註二九)。

斯くしてイスパニヤ人の呂宋島占據の初期に當り、暫時日本船はリンガエン灣奥のアゴー港に出入して、一時渡航日本人中には同地に滯留する者もあつたが、恰もマニラ市の急速なる發展に伴ひ、日本船も轉じて專ら同市に出入して北部のカガヤンや、此のアゴーとの交通も忽ち疎になり、遂に日本人の町として發達するに至らなかつた。併し尚未だ一六一八年の報告書には、日本の港アゴーはボリナオと並稱すべき良港として擧げられ、一六二七年九月末日、總督ドン・フワン・ニーニョ・デ・タボーラ(Don Juan Niño de Tabora)の率ゐた臺灣遠征艦隊の一船が、暴風雨に遭ひて避難した日本人の港も(註三〇)、此のアゴーに比定せらる可きも、當時漸く世人の記憶より薄らぎ、前述デ・ベラの地圖では、是を北方ラワグ附近に記入し、後年フワン・デ・ラ・コンセプション(Juan de la Concepcion)の如きは、全く誤つて呂宋島北端ボゲアドール岬とエンガニョ岬(Engano)の間に位すと記してゐる(註三一)。寛永の鎖國頃までに書かれた日本異國通寶書等に呂宋に於ける日本人との交通貿易上の要地として、特にマンエイラク、ハカシナ、カヽヤンの三地のみ掲げたのは(註三二)、夫々マニラ、パンガシナン、カガヤンに於ける日本人との關係を仄に傳へたものである。

轉じて、マニラに於ける日本人渡航移住の狀態を見るに、既にイスパニヤ人占據に先立つて少數の移住者もあつたが、軈て同市がフィリッピン諸島統治の中心となつて急速に發展し、來航支那船の隻數に正比例して移住華僑數も激增し、同市を中心とする貿易は大いに躍進せしも(註三三)、日本船渡航の彼我の記錄に上るもの無く、天正の中年に至つて漸く始まり、同時に同胞の移住を見るに至つた樣である。

一五八六年七月二十六日(天正十四年)にマニラの市民會議より總督デ・ベラの最高政務員會に上申した建議書には、マニラ市が城壁を缺いで、叛亂に對して無防禦に曝される危險數箇條を列擧して、第三は(風聞によれば)、呂宋島に移住する目的を抱いて、殆ど連年來襲する日本人に對する懸念である(註三四)。

とあり、侵寇的な日本船の來航と、移住の目的を有せる日本人便乘の風聞を傳へてゐる。

然るに、此より先一五八四年六月イスパニャ船が始めて呂宋より平戸に入港し、引續いて松浦氏が呂宋の總督に書翰と贈物を託して彼我の貿易を望み(註三五)、兩地官憲の交驩あつたことを契機として、爾後日本船は連年マニラに入港した。即ち一五八六年六月二十六日附總督サンチヤゴ・デ・ベラから國王フェリペ二世に致した書翰には、松浦氏の來翰の本書、譯文幷に贈物を獻ずることを述べ、更に、

其の後當市に、切支丹ドン・バルトローメ《大村純忠》王(don Bartolomé)の家臣にして、ポルトガル人が交易する主要な港長崎の住民なる日本人切支丹十一名來着した。……

……彼等は平和に來航した最初の日本人である(註三六)。

とあり、翌年にも、前年渡航せし大村船の乘組員と平戸からの四十人乘組の一船が商品及び武器を搭載して入港し、船長は松浦氏と其の弟ドン・ガスパル(Don Gaspar)の書翰を總督に呈し(註三七)、又教父ペドロ・チリーノ(Pedro Chirino)は、マニラ

に僑寓せる支那人と教會の關係を敍し、更に筆を進めて、

日本人等も亦我等の教會の庇護の下に身を置いたが、彼等は其の隣國人なる支那人の爲す所を羨望し、カスチリヤ人のレアル貨の好餌に惹かれて、俄かに當地に來始めた。而して、彼等は我が教父等の世話で渡來したので、當地に於いても教父等に相似た我等を見出して、我等に身を寄せる樣になつた。…

一五八七年には、ガブリエル(Gabriel)といふ京《ミヤコ》(Miaco)生れの彼等の一人は、同地から當地に向ふ途中同僚八人を改宗せしめて、軈て到着するや、彼等は我が教會堂に於いて、非常に壯嚴に洗禮を受け、司教も彼等に入信告解の聖事を司つた。

又ゼスス會が、此の人民等に、イスパニヤ人同樣に、更に告白を聞き聖體を授けることを拒んだので、サン・フランシスコ洗足派の教父が、マニラの城壁外に、特に彼等の爲めに建てた教會堂で、彼等の世話をした(註三八)。

と記して、此の頃年々平和的な日本船の來航あり、渡航日本人中には、既に若干引續いて同地に滯留する者もあつた樣である。

其の後も日本商船は相次いでマニラに入港した。即ち同年日本人ホアン・ガヨ

(Joan Gayo)の船が商品を積んで入港し、當時偶〻進捗せし土人叛亂の陰謀に參劃せし嫌疑を懸けられ、通譯日本人ディオニジオ・フェルナンデス(Dionisio Fernandez)は、翌々一五八九年六月十三日審理の上絞刑に處せられた(註三九)。同年七月十五日附ガスパル・デ・アヤラ(Gaspar de Ayala)が國王に呈した報告に依れば、暹羅に向ひし一日本船が武器と糧食を多量に積み風便を失つて入港し、時恰も土人の陰謀發覺直後にして大いに警戒され、結局搭載品を賣却して出帆し(註四〇)、又一五九二年五月三十一日附總督ゴメス・ペレス・ダスマリーニャス(Gomez Perez Dasmariñas)が國王に呈した書翰によれば、三年前、即ち一五八九年に、三四十人の日本人が切支丹の巡禮服を身に纏ひ、表に當地の教會を訪れると稱し、實はマニラ附近の地勢港灣を踏査したことが報じてあるが(註四一)、此等の日本人は前述の暹羅を目的とせし船とは異る他の船便によつて、同年マニラに渡航した者に違ひない。

　次いで一五九一年(天正十九年)には、原田孫七郎が渡航して豫めマニラの軍備地勢を探査したと云はれ(註四二)、翌年四月十八日には、平戸から長崎のドン・ペドロ丁陳(Don Pedro Riochin)の小船に日本人二十二人支那人八人乘組み、鮪、豚肉、鹽漬、麥粉三百ピコ、銅二〇ピコ、厚地木綿布千六百反、刀三函、別に刀百五十振を積んで入港賣却した(註四三)。同年日本船がイロコ地方に侵寇し、日本人三十人は土人に殺害され、捕へられた日支人二十人はマニラに送致後ガレイ船の漕手に驅使された(註四四)。イギリスの世界週航船隊司令官トーマス・キャベンディッシュ(Thomas Cavendish)が、此より先一五八七年十一月十七日にマニラ近海から拉致した日本人青年クリストファー(Christopher 二十歳)、及びコスムス(Cosumus 十七歳)の兩人は(註四五)、當時マニラに滯留せし者に相違ない。

日本商船が、連年マニラに入港するや、斯樣にして、或は貿易用務上、或は切支丹信仰の爲め、將又被擄に依つて同地に滯留する者も增加して來た樣である。殊に、一五九三年六月一日(文祿二年)豐臣秀吉の遣使に關して開催されたマニラ政廳最高政務委員會の査問會議事錄中には、

當地には、三百人或は更に多數の日本人が居るが、又使節の船で百五十名渡來した。……當地には七年前カガヤンに來てゐた日本人が多數ゐる。

とあり、更に同記錄の他の條にも、

他に二隻當地に向つて來航中なるが、本年日本人が渡來する以前、當地には四百人の日本人が居た。此等二船にて殆ど三百人近く來航したが、引續いて

來航する船にて更に三百人來るであらう(註四六)。

と記されて、マニラ滯留日本人數は、日本船の出入に依つて、時に移動増減ありて、必ずしも徐々に增加したのでもあるまいが、兎に角、大村・松浦船の渡航後十年足らずして、三四百人の多きを算して、當時更に尚激增の傾向あり、然も先にカガヤン河口に占據せし者が、多數轉住するに至りしは、特に注意すべき現象である。果して其の後二年ならずして、一五九五年五月三十一日(文祿四年)附フランシスコ・デ・ラス・ミッサス(Francisco de las Missas)が國王に呈した書翰中には、日本人は(現在)當地に來らず、當地には支那人程多數居住せざるも、少くとも、異教徒の間に、最も多き時は一千人の日本人が在住してゐる。而して漸次多數ならんとす(註四七)。

と記され、其の增加の急速にして多大なるは、實に驚く可きものである。

然るに此より先、天正十九年より文祿三年(一五九一―九四年)にかけて、秀吉が、原田孫七郎、同喜右衞門、長谷川宗仁等を三度呂宋に遣してイスパニヤ人の入貢を威赫强要したので(註四八)、日比關係は俄かに緊張惡化して、マニラ移住日本人に對する當局の態度も、亦隨つて硬化して來た。

總督ダスマリーニャスは、既に此の來使に先立つて、屢〻日本人來襲の警報に接して、一五九二年の初頃軍務當局と市會に宛て指令を下し、急遽此れが對策を講ぜしめた。即ち、

日本から來航した船舶は、彼等が表面申告せし以外に、陰に積載せる他の貨物の有無を、注意深く檢査すべし。………

日本人敵兵來襲の懸念は各方面に於いて確認され、且つゲルマン人海賊は現に當地に在つて、日々沿岸を劫掠しつゝあれば、市内に在住せる多數の日本人商人に對する不安を除去する爲め、彼等の武器を悉皆沒收して後、彼等に市外の居留地即ち一定地區を指定して、同地に居住して商貨を販賣せしむべし。同時に、日本人下僕に對し取るべき手段も考慮せざるべからず、蓋し、當地には彼等は非常に多數にして、我等の住宅にも、市内にも自由に出入することを許されたれば、此の危局に直面して彼等は放火或は類似の災害を釀すやも計られず(註四九)。

とあるが、此の指令は、マニラ移住日本人に關して、特に重視すべき事項を含むものと云はねばならぬ。即ち、從來日本人商人はマニラ市内に多數在住し、

イスパニヤ人家庭の從僕たる者亦多くして、此の指令に依つて、今後彼等は悉く市外の一定地區に定住することを命ぜられた。此に於いて愈々日本人が、マニラ市外の一地に、彼等獨自の集團部落を建設すべき端緒が開かれた。換言すれば、マニラ市外日本町發生の起原は、正に此の際に求むべきである。

さて秀吉の遣使に依つて、呂宋當局も一時は極度に驚愕狼狽したが、其の後一向日本船の來寇も無く、文祿二年(一五九三年)の第三回の使者長谷川宗仁の齎らした書翰には、兩地間に貿易船の往來も絕えざれば、軍兵派遣を見合はす可き旨が記され(註五〇)、且つ此の年には薩摩を出帆して呂宋に向つた日本商船が三隻もあつた(註五一)。されば最早當面の危機去れりと見て、總督フランシスコ・テリョ・デ・グスマン(Francisco Tello de Guzman)は、一五九六年七月十七日(慶長元年)附の書翰にて、國王に、

只今の處、此の領國は、最早日本人來襲の懸念からは全く安全になつたと認められる(註五二)。

と上申した程である。現に此より先同年一月十八日に、フワン・フワレス・ガリナート(Juan Juarez Gallinato)が、日本人兵員も乘組める東埔寨救援船隊三隻を率ゐて

出征し(註五三)、自然幾分にても同地の日本人に對する警備を割き緩めたのは、恐らく一面には總督の如上の見地に基くものと解せざるを得ぬ。

然るに此の年七月十二日マニラを出帆してメキシコに向つたイスパニヤ船サン・フェリペ(San Felipe)が、航海中屢〻風波の難に遭ひて大いに船體を損じ、遂に針路を轉じて十一月十八日に土佐の浦戸に避難するや、秀吉は增田長盛に命じて船體船荷共に沒收せしめた。偶〻船員の失言に端を發して、終に秀吉は翌一五九七年一月三日(慶長元年十一月十五日)內外人切支丹敎父信徒等二十六人を長崎に於いて刑戮に處し、サン・フェリペの乘組員を同地より數船に分載マニラに送還せしめた(註五四)。右の情報と船員等が同年五月マニラに到着するや、呂宋當局は大いに激昂して、直に同月二十七日に詰問の書狀を認め、ルイス・ナバルレテ・ファハルド(Luis Navarrete Fajardo)を特使として秀吉の許に派遣した(註五五)。

斯く呂宋當局の硬化したる對日態度は、必然的にマニラ移住日本人の上にも轉嫁せられざるを得なかつた。卽ち此の遣使の後、翌六月二十七日にエルナンド・デ・ロス・リオス(Hernando de los Rios)が國王に呈した覺書には、

若し當群島の總督ドン・フランシスコ・テリョが、臣を多數の支那人并に日本人商

人放逐に干與せしめざりしならば、臣は此れと共に諸般の事件に關する詳細な報告を呈し得たる可く、彼等は商人の假面の下に、此の國に滯留することを望みて、彼等から安全なる方途なかるべし。然も彼等は狡猾にも市民の歡心を迎へる方法を諒知せるを以て、陛下が此の善後策を勅命し給はずば、臣が如何に全力を傾けるとも、當地にては情況を改善するは殆ど不可能の如く思惟す(註五六)。

と上申したが、當時高等法院の判官たりしアントニオ・デ・モルガも亦翌一五九八年六月八日附(慶長三年)のフィリッピン諸島現狀報告中に於いて、

第五十二條。日本船にて當地に渡來する日本人は、悉く日本に送還したる方宜しかる可く、一人も此の國に移住せしむ可からず。

第五十三條。既に當地に在住せる者は彼等の本國に放逐すべし。蓋し彼等は少しも有用有役ならずして、却つて甚だ有害なればなり(註五七)。

と報じた。彼は又、自著フィリッピン諸島誌中に於いても、此の問題に關して、

此れが救濟の時あるべきことを信じて、彼等は先づ今後の危難を防護出來る様に、市内の事務を處理した。彼等は、マニラに在住せる日本人を(少なから

ざる數に上つたが)日本に送還した。又商船にて來航する者は歸帆まで、彼等の武器を抑留し、出來る丈早く歸帆せしめた。併し其の他の點に於いては、萬事彼等を丁重に待遇した(註五八)。

と在住日本人の放逐を明記してゐるから、此の事件に關聯して、其の時送還されたマニラ在住日本人も、相當多數に上つたに違ひない。

併し幾許もなくして當面の責任者なる秀吉と原田喜右衛門は相次いで世を去り(註五九)、此より先加藤清正は一五九六年十二月四日(慶長元年十月十五日)に呂宋に赴く領內の商船に託して一書を總督に送り、渡航先に於ける通商上の便宜を乞ひ、今後の親交を望み(註六〇)、又一五九九年七月十日附(慶長四年)總督テリョが國王に呈した軍務報告には、

……日本人がマニラの視界內に來始めたが、以前は常々二三隻來航するに過ぎなかつたのに、本年は海寇船七隻も現はれて可なり災害を加へた。且つ商船は四箇月以內に九隻もマニラに入港した(註六一)。

と記して、一時兩三年中絶してゐた日本船の呂宋貿易は、此の頃再び勃興の機運に向つた。即ち翌一六〇〇年十二月(慶長五年)にも、山下七左衛門等の日本商

附圖第十七

一六〇〇年マニラ渡航船長山下七左衛門(A)及び配下

附圖第十九

マニラ市街現狀圖

船二隻マニラに入港し、他に同航せし三隻は途中暴風雨に遭ひて離散したことを報じ(註六一)、其の翌年にも、薩摩のフワン三大夫(Juan Sandaya)レオン喜左衛門(Leon Kizayemon)等の商船數隻マニラに入港したが、喜左衛門は歸朝後、再び島津氏の部將チンチョーゲン(新將監?)(Tintionguen)の慶長六年九月二十二日附の書翰を携へて渡航してゐる(註六二)。然も前掲總督テリョの軍務報告によれば、

全日本の主大閤様の死後、國情幾分變化有る可きも、政府は然らず――蓋し統制宜しき由である。臣は執政者に敵對を宣言せざれども、日本の此の國情に就いて多く期待する能はず。蓋し征韓役に從軍せし日本兵約十萬人は今や無爲にして貧困である。中には黄金に對する慾望の爲め、豫々彼等が垂涎してゐる本島に侵入せんと企てゐる者もある(註六四)。

とあり、日鮮平和克復後、過剩して來た戰時要員が、今や身の振方に窮して、呂宋の如き海外の國土に向つて進出せんとせることを傳へてゐる。彼等は必ずや、此の頃年々マニラに向つた日本船等に便乘して、相次いで同地に渡つたに相違なく、實に當時同胞南洋發展の一傾向を適切に叙述した文言である。

軈て徳川家康が關ケ原の役後、政治の實權を掌握するや、慶長六年十月(一六

〇一年)フィリッピン總督に返書を送り、早くも、

> 他日本邦之船到其地、則以此書所押之印、可表信、印之外者不可許焉(註六五)。

と認めて、異國渡海御朱印狀の創設を報じ、長崎奉行寺澤廣高亦此の時總督に宛た添書中にも、

> 閣下若し其地に赴くべき船を指定せば、之に限り皇帝の免許狀を交付して渡航せしむべし。免許狀を有せざる船は、之を入港せしむべからず(註六六)。

と記して、御朱印船の保護を求めた。此等の書翰に接した新任の總督ドン・ペドロ・デ・アクーニァ(Don Pedro de Acuña)は、夫々家康及び廣高に宛て再び返書を認め、略〻兩書とも同じ趣旨にて

> 船は當分一期毎に三隻、毎年合計六隻宛、當港に來ることを得べし。而して皇帝の免許狀を携へて來るときは、之を歡迎し、之に害を加へ、又其の財產を奪ふことなかるべく、免許狀を帶びざるものは、閣下の言に從ひて之を拒絕すべし(註六七)。

なる由を通じた。此に於いて御朱印船貿易に關して、彼我政府間の諒解成立し爾後呂宋渡海御朱印狀の下附を受けたるもの、前揭二表によつても元和末年ま

で四十通にも上り、渡航船主は、兩御朱印帳によつても、島津忠恆、松浦鎭信、長谷川藤正等の大名幕吏や、末吉孫左衞門、伊丹宗味 木屋彌三右衞門、村山市藏、西類子(宗貞)、木津船右衞門、小西長左衞門、浦井宗普等より林三官、シニョロ・マルト・メティナ(Señõr Bartolome Medina)、安當仁カラセス等の在住外人に及んでゐる。斯くて此等の御朱印船に便乘せし同胞の彼地に踏留まる者も少なからずして、マニラの日本町は、俄かに發達膨脹し、當時南洋に於いて最大多數の同胞を包容する程になつた。

註一 明史。巻三百二十三、外國、四、雞籠。　何喬遠、閩書。巻百四十六、島夷志。

註二 侯繼高、全浙兵制考。二、附錄、近報倭警。

註三 Pastells, P. Pablo. Historia General de Filipinas. Barcelona. 1925. Tomo I. p 294.
Blair, Emma & Robertson, James Alexander. The Philippine Islands. 1493—1803. Cleveland. 1903-1909 Vol. II. p. 283 には前述パステルス氏著に引用せる原文の英譯があるが、日支人交易品名に互に異同がある。

註四 Phil. Isls. Vol. III. Goiti, Martin de. Act of Taking Possession of Luzon. Manila. 6. June 1570. pp. 105—6.

註五 *ibid.* Relation of the Voyage to Luzon. pp. 101—2.

註六 *ibid.* Relation of the Western Islands, Called Filipinas. Diego de Artieda, 1573. p. 204.

註七 *ibid.* Letter from Juan Pacheco Maldonado to Felipe II.; (1575 ?) p. 298.

註八 Phil. Isls. Vol. XXXIV. Relation of the Philippinas Islands. (1586 ?) p. 384.

註　九　Phil. Isl. Vol. V. Letter from Gonzalo Ronquillo de Peñalosa to Felipe II.; 16. June 1582. p. 27.
Labor Evangélica de los Obreros de la Compañia de Jesus en las Islas Filipinas por el P. Francisco Colin. Nueva Edicion por el P. Pablo Pastells. Barcelona. 1904. Tomo. I. p. 156[3].
Pastells. Hist. Tomo II. p. CCXXII.

註一〇　Phil. Isls. Vol XXXIV. Relation. *op. cit.* p. 384.

註一一　Colin-Pastells. Tomo I. p. 156[2].
Pastells. Hist. Tomo II. p. CCXXII—XXIII.　此の報告は Phil. Isl. Vol. V. pp 196—8. に譯載されてゐるが、原文の意味通らざる所は之に從つて意譯した。

註一二　Phil. Isls. Vol. V. Letter from Juan Baptista Roman to the Viceroy. 25. June. 1582. p. 193.

註一三　Phil. Isls. Vol XXXIV. Relation. *op. cit.* pp. 384—385.
モンテロ・イ・ビダルのフィリッピン島史等には、カガヤン占據の日本人の首領をタイフサ（Tayfusa）、又はタイズファ（Tayzufa）と云ふと記してあるが、如何なる日本名の人か比定することが出來ない。（José Montero y Vidal, Historia General de Filipinas. Madrid. 1887—95. Tomo I. p. 84.）

註一四　Colin-Pastells. Tomo I. p. 358[2].
Pastells. Hist. Tomo II. p. CXCIX.
Phil. Isls. Vol. VI. Letter from Santiago de Vera to Felipe II.; 26. June 1987. pp. 304—5.

註一五　*ibid.* Memorial of Santiago de Vera. 26. July 1586. p. 183.

註一六　Phil. Isls. Vol VII. Instructions of Felipe II. to Gomez Perez Dasmariñas. 9. August 1589. pp. 164—5.
Vol. IX. Instruction for Governor Don Francisco Tello de Guzuman. Felipe II. 25. May 1596. pp. 243, 245.

註一七　Diary of Richard Cocks. Vol I. pp. 21, 159, 247.

註一八 明史、卷三百二十三。外國 四、馮嘉施蘭。

註一九 和田清氏、明代以前の支那人に知られたるフィリッピン諸島（東洋學報。二二ノ三。三九六頁）

註二〇 Phil. Isls. Vol. V. Relacion de las Yslas Filipinas por Miguel de Loarca. pp. 104, 105.

註二一 *ibid.* pp. 106, 107.

註二二 Phil. Isls. Vol. XVIII. Description of the Philippinas Islands. Manila. 1618. pp. 98—99.

註二三 Morga, Antonio de. Sucesos de las Islas Filipinas, Nueva Edición por W. E. Retana, Madrid. 1910. Apéndice. Escritos Indéditos del Doctor Morga. Núm. 6. p. 252.
Phil. Isls. Vol X. Report of Conditions in the Philippines. by Antonio Morga. Manila. June 8. 1598. p. 84.

註二四 Alvarez, P. Fr. José Ma. Formosa Geográfica e Historicamente Considerada. Barcelona. 1930. Tom II. p. 418.

註二五 Retana, W. E. Estadismo de las Islas Filipinas ó Mis Viajes por esta Pais, por. El Padre Fr. Joaquin Martinéz de Zuñiga. Madrid 1893. Tomo II. p. 380.
Buzeta, Fr. Manuel. Diccionario Geografico, Estadistico, Historico de las Islas Filipinas. Madrid. 1850. Tomo I. pp. 275—6.

註二六 Relacion por Loarca. *op. cit.* pp. 104—109. 此のリーグは現今各地間の距離より逆算すれば、八・三三五粁一リーグを採用した様である。

註二七 Colin-Pastells. *op. cit.* Tomo I. p. 135.

註二八 Pastells. Hist. Tomo II. pp. XVIII—XIX.

註二九 Phil. Isls. Vol. IV. Relation of the Filipinas Islands. Francisco de Sande; 7. June 1576. pp' 24, 36—38. Vol. VI. Mendoza, Juan Gonzalez de. History of the Great Kingdom of China. pp. 103—4. Pastells. Hist. Tomo II. pp. XXV—XXXI.

註三〇　Phil. Isls. Vol. XXII. Events in the Filipinas Islands from August, 1627. until June 1628. pp. 212—14.

註三一　Concepcion, Juan de la. Historia General de Philipinas. Manila & Sampaloc 1788—1792. Tomo V. p. 134.

註三二　日本異國通寶書

拙稿、日本呂宋交通史上に於ける二三の地名に就いて。（歴史地理。五一ノ四。三—四頁）。

拙稿、石橋博士所藏世界圖年代考。（歴史地理。六一ノ六。六—八頁）。

註三三　Phil. Isls. Vol. III. Relation of the conquest of the Island of Luzon. 20. April. 1572. pp. 167—8. *ibid.* Affairs in the Philippines, after the death of Legazpi. Guido de Lavezaris; 29. June 1573. pp. 181—2.

註三四　Phil. Isls. Vol. VI. Memorial to the Councils by citizens of the Filipinas Islands. Santiago de Vera, and others; [26 July 1586] p. 183.

註三五　Copia de una carta de Pablo Rodoriguez al Gobernador de Filipinas,—Firando, 7. de Octuber 1584 [A. de. I. 67—6—34.]

Copia de una carta del Rey de Firando al Gobernador de Filipinas,—Firando, 17 de Septiembre 1584 [A. de. 67—6—34.]

Colin-Pastells. Tomo I. pp. 357—8. note(2)

Pastells. Hist. Tomo II. pp. CXCVIII—CXIX.

Phil. Isls. Vol. VI. Letter from Santiago de Vera to Felipe II. 26. June 1587. pp. 304—5. 308—10.

村上直次郎博士、貿易史上の平戸。一八—二一頁。附錄、三—六頁。

註三六　Colin-Pastells. Tomo I. p. 358. note

Pastells. Hist. Tomo II. pp. CXCVIII—CXCIX.

註三七　Colin Pastells. *loc cit.*　Pastells. Hist. Tomo II. pp. CXCIX—CC. Phil. Isls. Vol. VI Letter from de Vera. 26.

June 1587. *op. cit.* pp. 304—5.

註三八 Pastells. Hist. Tomo II. pp. CCXXXII—XXXIII. ガフリエルの出身をメヒコ (Mexico) と記してあるが、同書、p. CCI 及び Colin-Pastells. Tomo I. pp. 357—59 にある同文によりて京と訂正すべきである。

註三九 Colin-Pastells. Tomo I. pp. 173—174.

Phil. Isls. Vol. VII. Conspiracy against the Spaniards. Santiago de Vera and Others. 12 May—13 July 1589 pp. 99—101. 105.

ibid. Letter from Gaspar de Aysla to Felipe II. 15. July 1589. pp. 123—4.

註四〇 *ibid.* Letter from Gaspar de Ayala to Felipe II. 15. July 1589. p. 126.

註四一 Pastells. Hist. Tomo III. pp. CCXXXII—CCXXXIII.

註四二 Concepcion. Tomo II. pp. 224—225.

Pastells. Hist. Tomo III. p. CCXXX.

註四三 *ibid.* p. CCXXXIV. Phil. Isl. Vol VIII. Precaution submitted to the Cabildo of the city. p. 286.

註四四 Morga-Retana. Apéndice. Notas. p. 419. (62).

註四五 Purchas. Samuel, Hakluytus Postumus or Purchas His Pilgrimes, contayning a History of the World in Sea Voyages and Lande Travells by Englishmen and others. Glasgow. 1904—1907. Vol. II. p. 172. 此は恐らく最初の日英人接觸の記錄であらう。

註四六 Phil. Isls. Vol. IX. The second embassy to Iapan. G. P. Dasmarinas, and others; April—May, 1593. pp. 40, 50.

註四七 Carta de Francisco de las Missas al Rey de España, Manila, 31. de Mayo 1595. [A. de. I. 67—6—29]

註四八 村上直次郎博士、異國往復書翰集。二九—六八頁。

Colin-Pastells. Tomo II. pp. 55—70. note.

Pastells. Hist. Tomo III. pp. CCXXXVII—CCXLVI, CCLXXXVI—CCLXXXVII, CCCXXIV.—CCCXXV.

註四九　Phil. Isls. Vol. VIII. Precautions submitted to the war-officials and certain of the cabildo of the city. Gomez Perez Dasmarinas. 1592. pp. 284, 285.

.Pastells. Hist. Tomo III. pp. CCXXXVI.

註五〇　*ibid.* p. CCCXXIV.

異國往復書翰集、五九—六〇頁。

註五一　許孚遠、敬和堂集。卷之五、請計處倭酋疏。

大閤記に記された菜屋助右衛門呂宋歸朝と壺賣却のこと（改定史籍集覽。第十六、三九五頁）、之に照應すべき當代記の文祿三年にるすん渡商人壺多持來の記事（史籍雜纂、第二、六〇頁）或は組屋文書に、文祿三年呂宋壺賣却の覺書とるそんより歸朝薩摩船のことを記したのは（牧野信之助氏編、越前若狹古文書撰。揭載圖版）、何れも此等呂宋渡航船の歸朝に關する記事であらう。

註五二　Phil. Isls. Vol. IX. Letter from Governor Don Francisco Tello de Guzman to Fellipe II. 17. July 1596. p. 275.

註五三　Phil. Isls. Vol. XV. Morga, Antonio de. Sucesos de las Islas Filipinas. pp. 81—89.

Aduarte, Fray Diego. Tomo Primero de la Historia de la Provincia del Santo Rosario de Filipinas, Iapon y China de la Sagrada Orden de Predicadores. Zaragoça. 1693. pp. 189—196.

Cabaton. Relation. *op. cit.* pp. 115—18, 114—117.

註五四　Pastells. Hist. Tomo IV. pp. XXXVIII—XLIII. Morga. *op. cit.* I. pp. 116—126. 辻善之助博士、增訂海外交通史話。四四六—四四九頁。大閤記。卷十六、〇土佐國寄船之事（改定史籍集覽、第六、四七—九頁）小杉溫邨博士編、徵古雜抄。三九八頁。

此の秀吉の派遣船の一隻か、又は後述する清正の派遣船かが、多數の呂宋壺を積んで、一五九七年五月マニラを出帆して六月長崎に歸着した。(Carletti, Francesco. Ragionamenti di Francesco Carletti Fiorention sopra le cose de lui vedute ne' suoi viaggi si dell' Indie Occidentali e Orientali. Toscana. 1701. pp. 9, 11—15.)

註五五　Morga. *op. cit.* I. pp. 126—129.
Pastells. Hist. Tomo IV. p. LXXXVIII
異國往復書翰集。七〇—七八頁。

註五六　Phil. Isls. Vol. IX. Memorial on Navigation and Conquest by Hernando de los Ríos to Felipe II. 27. June 1597. p. 301.

註五七　Morga-Retana. Escritos Ineditos. *op. cit.* Num. 6. 252.
Report of Cóndítions. 8. June 1598. *op. cit.* p. 84.

註五八　Morga. *op. cit.* I. pp. 129—130.

註五九　*ibid.* p. 129.

註六〇　異國往復書翰集。八二—八四頁。

註六一　Phil. Isls. Vol. X. Military Affairs in the islands. Francisco Tello and others, 12. July 1599. p. 211.

註六二　Noort, Oliver van. De Reis om de Wereld. 1598—1601. 's-Gravenhage. 1926. I Deel. pp. 106, 112—4.

註六三　Aduarte. pp. 250—253. Pagés. Tome I. pp. 50, 53.

註六四　Military Affairs. 1599. *op. cit.* p. 212.

註六五　異國所々御書之草案。呂宋國之分(史苑、附錄、下。五〇—五一頁)通航一覽。卷一七九(刊本、四ノ五七〇頁)異國往復書翰。三三九頁。

註六六　Colin-Pastells. Tomo II. p. 339.

Pastells. Hist. Tomo V. p. XVII.
異國往復書翰集。八四—八五頁。

註六七　Colin-Pastells. Tomo II. p. 340.
Pastells. Hist. Tomo V. pp. XV–XVI.
異國往復書翰集。八六—八七頁。增訂異國日記抄。二四八—二四九頁。
此の書翰を往復せる間に、家康が別に派遣した親善使節七郎(Chiquiro)船は、翌一六〇二年五月マニラに着し、總督と諸般の折衝を重ねて後歸航の途中難破した。(Morga. *op. cit.* pp. 204—205, 251—253. 256—258. Argensola. Leonardo de. Conqvista de las Islas Mollucas. Madrid. 1609. pp. 271—273) 而して此の使節七郎に比定すべき人物は我が記錄には見當らぬ樣である。

二　呂宋日本町の位置、戸口及び居住形態

秀吉の呂宋島征服計畫に怖えて、一五九二年(文祿元年)に、呂宋政廳はマニラ市内在住日支人を市外に移し、夫々一定地區を指定して之に轉住せしめたが

(註一)、當時在住日本人數は既に三四百人にも上り、更に激增の傾向があつて(註二)、其の後僅か兩三年にして一千名に達したから、曩に市外の指定區域內に始めて建設された日本人の聚落は、斯様に多數の同胞が移住せしめられたとすれば、可なりの規模の町になつたと思はれる。

其の後暫くして支那人(Sangleys)は相次いで市內に歸住したので(註三)、一五九五年六月モルガの着任後、再び彼等を市外に移して、市壁東方外側のサン・カブリエル(San Gabriel)に新に彼等の專住市場町なるパリヤン(Parian)を建設せしめた(註四)。併し此の新パリヤンも、一五九七年二月頃に悉く燒失して、此度は前位置より少し離れて、市壁外百步隔つた場所に再建された(註五)。

斯様にしてマニラ市外の支那人區が、文祿元年の創建後、廢絶、燒燼、再建など頻々として變轉せる間に、同時に開設された日本人町に就いては、其の間何等移動を傳へる記事もなく、恐らく最初からの位置に引續いて存續したのではないかと思はれる。而して同年六月二十七日にリオス・コロネルが國王に呈した書翰には、當時多數の日支人が商人を裝つてマニラに在り、市外に居を構へて住する者二千人に及べることを報じてゐるから(註六)、少くとも、此の時には日本人が支那人同様に、市外の一地に在住してゐたことは疑ふ可くも無い。偶〻サン・フェリペ事件突發して、茲に日比關係は更に再び緊張惡化して、前述の如く、同年から在住日本人の大多數追放された樣であるから、市外の日本町も自然凋落したに違ひない。併し斯く彼我當局の感情が極度に硬化したに係らず、日比貿易は既に欝然として勃興し、日本商船は年々マニラに入港したので、移住日本人の戸口數も軈て回復したのであらう。

一六〇一年一月二十二日（慶長五年十二月）同地のフランシスコ派の教父等が、總督テリョから、特にディラオ（Dilao）に在住せる日本人等教化の爲めに許可を得て、椰子や檳榔の葉で葺いた小教會堂を建立してゐるから（註七）、此の頃同地には少なからざる日本人が在住してゐたと思はれる。殊に翌年七月三日にマニラの宗務會は國王に書信を呈して、各派の布教範圍を限定し、紊りに教會堂を建立せしめざらんことを請願して、

若し是に反する場合は、災害が頻發するであらう。蓋し勅令は既に可なり敷衍擴張されて、フランシスコ派の教僧すら、外見謙讓な言葉を使つてゐるけれども、僧正の管轄權を否認して、日本人を教化する爲めには、毫も他の兇

許承認も得ずに、彼等自身の權限を以て、當市の城壁外のディラオ(Dilao)邑に他の教會堂を建立した(註八)。

と上奏してゐるから、同地の日本人教會堂は既に建設を終つて、茲に日本人に對する布教權を續つて、他宗派の嫉視攻撃を受けてゐる樣である。此は一面、彼等の布教の好對象にして、今や特別なる教會堂を必要とする程になつて來たディラオ在住日本人數が、さまで僅少ならざることを語つてゐるのではあるまいか。

次いで其の翌一六〇三年十月初旬(慶長八年)在住支那人の大暴動勃發して、マニラ市は未曾有の危機に直面し、總督ペドロ・ブラボ・デ・アクーニャ(Pedro Bravo de Acuña)は、事の意外に重大なるに驚慌して、直に援を在住日本人に求めたが、此の事件後三年に出版されたレオナルド・デ・アルヘンソーラ(Bartolomé Leonardo de Argensola)のモルッカ諸島遠征誌の中に、

パリヤンの近くには、支那人の敵にして、其の國にて絶えず彼等と交戰してゐる日本人等の在住する他の村落(Otro barrio habitado de Iapones)がある。總督は彼等の頭領を召喚して、親切な態度で彼等に對し、如何なる場合にも彼等に

信賴し、若し戰亂勃發せば、彼等は支那人に對抗して援助するや否やを知らんとする旨を述べた（註九）。

と記してある。卽ち移住日本人は當時旣に、市壁外百歩の所に建設されたパリヤンの近くに一部落を成す程に增加してゐる。而して在住日本人の爲めに特に新教會堂が建設されたディラオも、亦市壁の東南方外側にあつて支那人パリヤンに南接してゐるから、此の日本人部落とは、疑ひも無くディラオのことなる可く、文祿元年（一五九二年）に始めてマニラ市外の一地を指定して日本人を在住せしめた所も、亦此のディラオであつたに違ひない。

敎父コンセプションのフィリッピン諸島史には、此より先旣に一五九一年頃（天正十九年）日本人がディラオに隔離されてフランシスコ派の敎化を受けてゐた樣に記してあるが（註一〇）、此の文體は、明かに前に引用したチリーノの京のガブリエル一行受洗の記事に基くものにして、唯コンセプションが此の記事を勝手に一五九一年頃に挿入したに過ぎず、而も彼の著書は遙か後世の編纂にかかり、正確なる年代決定の根本史料とは爲し難い。又パスケ・スミス氏（Paske-Smith, M. T.）の「日本人のフィリッピン貿易と移住」なる論文中には、ディラオの日本人區の記事の初見は、フランシスコ派の年代記によれば、一五八五年であるが、恐らく其は一兩年以前に建設されたに違ひない。蓋し同派の歷史で、其は旣に建設されて彼等の敎化を受けてゐることを敎父が指摘してゐるからである。日本から來航する商船は、幾回となく、可なり多數の日本人を同地に殘して行つたに違ひない(註一一)。

と記して、ディラオの日本人部落の起原を、天正十三年以前としてゐる。氏の據つたフランシスコ派の年代記とは、同派の敎父フランシスコ・ロドリゲス(Francisco Rodoriguez)の手に成つたもの丶樣で(註一二)、今遺憾ながら之を閱讀する便宜を有せず、其の史料的價値を明かにすることが出來ないが、前述の如くマニラ市外のディラオに日本人在住地を指定建設したのは、明かに文祿元年にして、其れ以前彼等は支那人等と共に市內に在住し、且つ日本船のマニラ入港も、天正十四年の長崎船を以て嚆矢とするから、此れに先立つディラオの日本人部落の存在は頗る疑はしい。

さて支那人の暴動鎭定に當つて、ディラオ在住日本人の動員された者は、其の頃の記錄でも大小一定せざるも、最小三〇〇名(註一三)、最大八〇〇人を算してゐるが(註一四)、此の事件を詳述した最も信ずべきミゲル・ロドリゲス・マルドナード(Miguel Rodoriguez Maldonado)の記す所によれば、十月六日の攻防戰には、日本人五〇〇名參加し、十八日よりの追擊戰には四〇〇名從軍してゐる(註一五)。然らば、同地の日本人部落も、既に斯樣に多數の同胞が在住したとすれば、其の規模も相當大にして、云はば、町としての形態も既に整つたであらう。文祿元年日本人區創設當時の三四百人より、間も無く一千人まで急增した人口は、サン・フェリペ事件後、一時激減したとしても、軈て日比貿易の躍進に伴ひ、餘年ならずして斯く急速に回復膨脹したのである。

ディラオの日本町の位置と、在住民の生活狀態に就いて、當時モルガは最も精細な筆を以て、

パリヤンは、多數の町通りより成つてゐる一大區劃內の市場町にして、市の城壁から若干離れてゐる。川に近くして、其の地域をサン・ガブリエル(San Gabriel)と云ふ。………

マニラには日本人の基督敎徒幷びに異敎徒あり、日本よりの船に便乘して渡來して其の儘在住せるものにして、其の數は支那人程多くない。彼等の在

住地は、市外に特別なる一廓(poblazon y sitio paticular)をなし、支那人のパリヤンとラグィオ(Laguio)區との間に在つて、ラ・カンデラリヤ(La Candelaria)僧院に接してゐる。同地で彼等は、フランシスコ洗足派の教父が特に傭入れた通譯を介して、教父等の教化を受けてゐる。

日本人は氣概ある人民にして、性質佳良にして勇敢である。自國固有の服裝を着く、これは着色せる絹布及び綿布の着物(kimono)にして、長さ脛の半に達し前面は開いてゐる。別に寛くして短い股引を着け、鞣製の足袋を穿ち、履物はサンダルに似て底は藁で巧みに編んである。彼等は頭には帽無く、其の頂上まで剃り、後側の毛は長くして、頭上で優美なる髷を結んでゐる。腰には大小の刀を佩び、鬚髯は少く、風采擧動高尚なる國民である。又彼等は儀式と禮節を尊び、名譽と秩序を重んじ、困苦缺乏に臨みて果敢である。……

日本人のマニラに在留するものは、多くとも五百人を超えざるべく、蓋し此れ彼等は群島中の他の地方に赴くことなく、且つ彼等の特性として、久しく群島に滯留することなく歸國するからである。彼等は厚遇すべき人民なる故に、萬事に就いて款待されるが、是れ群島と日本との親交を保つ手段である(註一六)。

と記してゐる。即ち彼の觀察に依れば、ディラオの日本町の住民は、當時人口五百人内外なりしこと、全く母國の風俗習慣を墨守せること、勇敢にして禮節名譽を重んずる我が國民性の長所を發揮せること、兩刀を佩びる武士階級出身者も少なからざること、及び彼等に永住的傾向が乏しかつたことが指摘される。此は疑ひも無くモルガのマニラ滞留中の見聞にして、ディラオの日本人の口數を五百人内外に記したのは、恐らく彼の最後の同地在任の年一六〇三年頃の計算なるべく、丁度前掲マルドナードが、同年の日本人の人口に就いて四五百人の數字を擧げてゐるのにも一致する。

ディラオの日本町の位置に就いては、支那人區パリヤンとラグィオ區との間に在つて、ラ・カンデラリヤ僧院に接してゐることは判明する。パリヤンは、市の東側城壁外に在つて、城壁とパシグ河(Pasig)とにて三方圍繞された矩形地帯サン・ガブリヱルに建設されてゐるが、ラグィオ區と僧院の位置に就いて、モルガは更に、

マニラには郊外散歩道が二路ある。………一は城門を出で土人部落ラグィオに通ずる路にして、先づサン・アントン(San Anton)の僧庵に到り、次いでフランシス

コ洗足派の僧院と教會にして「市のラ・カンデラリヤ」と稱する大なる信仰の場所に達す(註一七)。

と記してゐるが、ホセ・リザール(José Rizal)は、色々考證の結果、此のラグィオ區はパコ(Paco)に在りてパシグ河に近き所と認め、ラ・カンデラリヤも亦現時のパコ村に在ると述べてゐるから(註一八)、ディラオの日本町の位置も略、推定出來る。

然るに、一六〇五年二月五日附(慶長十年)マニラの司教ミゲル・デ・ベナビデス(Miguel de Benavides)の書翰によれば、日本町の位置は一層明かに、

去る一六〇三年十月四日に勃發した支那人の叛亂後、其の支那人の建てた專住區とパリヤンは燒失したから、――其は當市の城壁外に在つて、火繩銃の射程距離の所から其の最初の家が始まつてゐる――支那人の在住せし土地は從つて悉く放棄された。斯くして其の地には住人も絶えたので、當地の土人や軍司令クリストファル・デ・アスケッタ(Christoval de Asqueta)の從僕等が、前記のパリヤンに極く接近した數戸に轉住したが、其の間僅に木橋を架した(干潮の際には乾上る)濠割があるに過ぎない。而して其處から一投石内外にして支那人商人等のパリヤンの跡があるが、同所が現在日本人の在住する所である(註一九)。

と記してある。此に於いてディラオの日本町の位置は、愈明確に決定出來る。卽ち市の東側城壁外の支那人パリヤンと、パコの土人區ラグィオとの間に在りて、其の間僅に一濠を以て支那人パリヤンに接する數戸の土人住宅より、更に一投石內外の地に位して、更にパコのラ・カンデラリヤ僧院に接する舊支那人パリヤンの跡に日本町が建設されたのである。

マニラ市及び近郊を描いた古圖類に就いて見るに、管見の限りではディラオの日本町を記入したものは一も見當らぬが、例へば一六七一年(寛文十一年)にイニャシオ・ムニョス(Ignacio Munoz)の描いたマニラ市並びに近郊地圖によれば、市の城壁外東方に I に矩形のパリヤン邑あり、其の南に二道の濠割を隔てゝ d サン・アントン邑あり、更に其の東南に當りて市の城壁外に、e としてディラオ邑が描かれてゐる(註〇二)。此の地圖と前記の考證の結果と對照すれば、最早ディラオの日本町の位置は一目瞭然たる可きである。現今マニラ市は大いに膨脹發展して、往時の俤を留めぬ迄に變化したが、幸にして舊城壁の跡を存して、此れを規準として前掲の古圖や上述の記事より推せば、ディラオの日本町は、現今の議事堂(Legistrative Building)師範學校(Normal School)及び女子寄宿寮(Girls Dormitory)を中心

附圖第十八

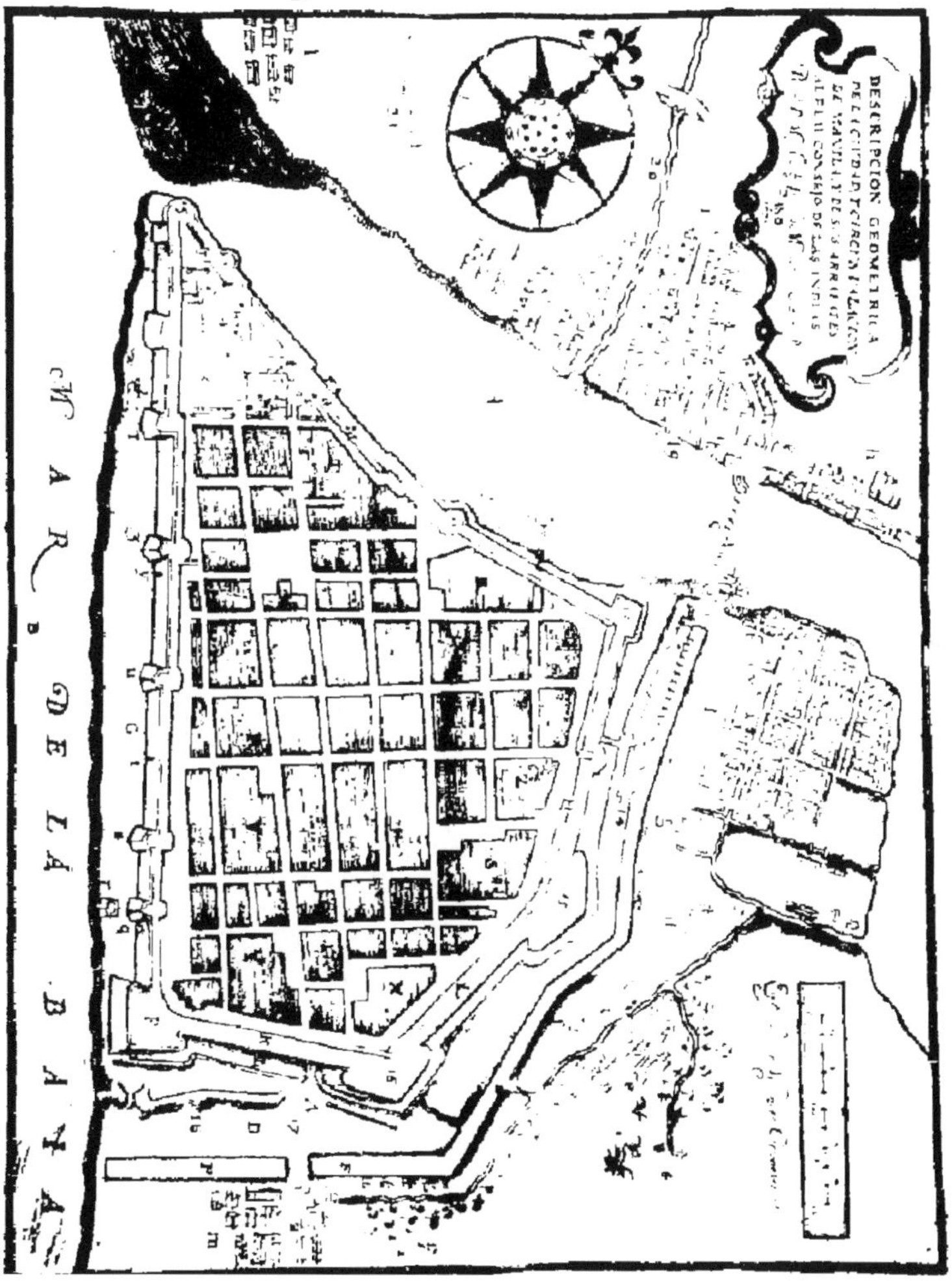

一六七一年ムニョスのマニラ市及び近郊圖(eディラオ邑)

とする地域にして、更に幾分東方に延びてゐたに相違ない。
幾許もなくして支那人パリヤンは復興されたが、一六〇六年五月二十九日に高等法院検察官ロドリゲス・ディアス・グィラール(Rodoriguez Diaz Guiral)と同伴視察せし書記の報告によれば、支那人店舗數は五百軒に近く(註二一)、翌六月十七日の書記の日本町訪問の覺書に依れば、

日本人のパリヤンは支那人のパリヤンの河岸の反對側に在り、同所に在る日本人の店舗を數へると、住家と長屋の外に、九十一軒の店舗がある様だ(註二二)。

と記してあるから、日本町の全戸數は、右の店舗以外に住宅長屋を加算すれば、九十一軒を遙かに超過してゐたであらう。

然るに同年偶〻イスパニヤ人が一日本人を殺害したことが動機となつて、在住日本人は激昂し一齊に武器を採つて暴動を起さんとした。此の時起つた日本人の總數は千五百人と言はれてゐるが(註二三)、此れを一六〇三年の五百人に比すれば、僅に三年にして一躍三倍に達してゐる。或は偶〻來航せし御朱印船の船員等も加擔したのかとも思はれるが、何れにしても、當時ディラオの日本町には、長期並に一時的滯留同胞が斯く一千五百人の多きに達したのである

さて此の年の日本人の暴動計畫は、幸にして未然に慰撫阻止されたが、其の後彼等は決して其の儘に平穩にしては居なかつた。翌一六〇七年(慶長十二年)にも暴動を起して軍司令クリストファル・デ・アスケッタに鎭定され(註二四)、更に其の翌年にも蹶起し(註二五)、翌一六〇九年末頃(慶長十四年)には、支那人と結んで起ち、キャプテン・カルドーソ(Capt. Cardoso)等多數のイスパニヤ人を殺傷したことが傳へられてゐる(註二六)。尤も慶長十二年の暴動は、翌年のと全然別個の事件で無かつた樣にも思はれるが、何れにしても、在住日本人は此頃殆ど連年不穩の行動を繰返へしてゐる。

マニラの政廳も斯かる在留日本人の制御に手を燒き、此より先一六〇八年同地の高等法院は、終に彼等を島外に放逐せしものゝ如く、總督アクーニャの死後同年六月中旬新に着任した假攝總督ドン・ロドリゴ・デ・ビベーロ (Don Rodorigo de Vivero y Velasco)は、翌七月八日國王に一書を呈して、

日本人の暴動は曩に高等法院適當に處罰し、之を陛下に申報す。而して同院判官ドクトル・デ・ラ・ベガ(Doctor de la Vega)に彼等を乘船せしめて當市より出すことを委任せしが、既に之に着手し居り、又此事に好く通じたるが故に、予は

委任を更改することなく、之を繼續せんことを命じたれば、彼等は既に當地を去りたり。又而して日本皇帝には書を贈り、彼等の行ひたる事を報し、之を罰せんことを求めたり。又自今暴民の諸島に來ることを禁じ、渡航者は商人と、其の航海に必要なる海員とに限らんことを請ふべし(註二七)。

と報じた。卽ち彼は翌九日(慶長十三年五月廿七日)直に前將軍家康に宛て一書を認め、

當所數年逗留之日本人徒《ナル》者共候而、所々騷に罷成候之間、當年者壹人も不二相殘一、歸國之義申付候。雖レ然每年渡海之商客、何も無二疎意一人等候之間、致二馳走一候。向後別儀有間敷候(註二八)。

なる旨を通じ、同日別に將軍秀忠に宛てた書信にて、自今貿易船を年四隻に制限せんことを乞うたが(註二九)、先に總督アクーニャが年六隻に制限し、今更に二隻を減じたのも、全く渡航日本人の不穩を警戒した爲に違ひない。仍つて家康は同年八月六日(九月十五日)返書を認め、『本邦者、於二其地一致二無道一者、悉可レ被二誅戮一也』(註三〇)と答へ、別に總督に宛てゝ左の制札を與へた。文に曰く、

近年、到二其國一日本人、作二惡逆一輩者、如二呂宋法度一、可レ致レ被二成敗一也。於二日本一無レ

隔レ心、任二此印札一、可レ被二申付一也。仍状如レ件。

慶長十三年、戊申、八月六日（註三一）。

と。當時幕府は專ら平和の通商貿易を奬勵したが、外國と事端を惹すことを極力避けて、日本人の處罰も、總督の申出に應じ、易々として先方に一任したのである。

イスパニヤ人は其の後も尚日本人に對する警戒を緩めず、國王フェリペ三世は一六一一年十一月十二日（慶長十六年）總督ドン・ファン・デ・シルバ（Don Juan de Silva）に勅書を送つて、

卿の上申に依るに、日本人が此の群島に在留するを禁ずる爲め、特に注意を拂ひて禁令を發したるは、極めて適宜のことである。依つて事宜に應じて今後も注意して此の處置を繼續すべし（註三二）。

と傳へて、更に在留日本人の追放を命じた程であつた。

然るに此の頃日本に於いては、幕府の切支丹彈壓は漸次重加して、終に慶長十九年九月（一六一四年）には山口直友を長崎に遣はして禁壓を決行せしめると共に、豫て同地に送致せし高山右近、内藤德庵等の信徒、各派の教父、修道士等

總計三百餘名を三船に分乘せしめて、之を媽港と呂宋に追放した(註三三)。二船は媽港に向けて出帆し、呂宋に向つたエステバン・デ・アコスタ(Esteban de Acosta)の船には、即ち右近と德庵の兩家族、ゼスス會を始め其の他の諸會派の敎父說敎士等三十三名、及び京坂よりの追放者、同信の婦人等百餘人が乘込み、十一月八日(舊曆十月七日)出帆し、途中難航月餘の後、船中に病歿者を出して翌十二月二十一日マニラに上陸し、大いに上下の歡迎厚遇を受けた(註三四)。

右近は幾許もなくして、翌年二月三日同地に客死したが(註三五)、德庵等一行の多數の日本人男女は、其の後軈て相率ゐて市外のサン・ミゲル邑(San Miguel)に轉住し(註三六)、特に婦人等の爲めには同地に修道院も建設された(註三七)。玆に同地にも日本人の一小部落も出來たのである。而してサン・ミゲル邑とは、現今マニラ市のサン・ミゲル區の西南にして、サン・ミゲル敎會堂より以西、パシグ河と其の支流サン・ミゲル川(Estero de San Miguel)の川下とにて圍まれた地帶であらう。同地は、ディラオの日本町とは、パシグ河を隔てゝ略ゝ南北に相對してゐる。殊に彼等の中心をなすべき同地の敎會堂も、曾ては、今の位置より西方に在りて、アヤラ橋(Ayala)の北東の袂に建つてゐた樣である(註三八)。

斯くてマニラ市外には、ディラオの日本町の外に、新にサン・ミゲルの日本人部落も出來て、其の人口は一層增大したであらうが、翌年暮總督シルバは大小十五隻の艦船を率ゐてモルッカ諸島征討を企てた時には、同地より日本人兵五百人を傭入れて征途に上り、翌一六一六年二月(元和二年)更に轉戰してマラッカ近海に到りオランダ艦隊と砲火を交へた(註三九)。アントニオ・ボカルロ(Antonio Bocarro)は此の遠征艦隊に關し、一六一六年三月の記事に續いて、

又日本人五百人を一人に付き三クワルテの俸給で傭入れ、其の訓練と指揮を擔當する爲め、一イスパニヤ人を司令官としたが、其の後彼等を不信の故を以て、シンガポール海峽にて陸に追放したので、彼等は同處より暹羅や其の他の國々に渡り、次いで日本に歸つた(註四〇)。

と記してゐる。シルバは豫て其の制御に手を燒いた日本人を、斯樣にして巧妙に放逐し得たが、マニラ在留日本人數は隨つて其丈け激減した筈である。

併し其の頃移住日本人增加の趨勢は、依然として只管上向の一路を辿りしものの如く、一六一九年(元和五年)フェルナンド・デ・ロス・リオス・コロネルが國王に上申した群島の諸政改革意見によれば、

通常當市には日本人約二千人在住し、且つ貿易船は年々來航して尚多數の日本人が殘留する。併し彼等は社會に無益なるのみならず、非常に危險である。蓋し彼等は從來三四回も當市を破滅の危機に陷れた。先頃オランダ人との會戰に當り、日本人は彼等の許に赴いて情報を供給して、戰の當日には、一隊の日本人がマニラから逃亡して敵の救援に赴いた。願くば陛下は此の國に恩寵を垂れて、今後日本人の在留を禁じ、每年渡來する者も其の母國に歸らしむ可き嚴命を下し給へ(註四一)。

とあつて、當時既に在留日本人が二千名內外の多きに達し、而も年々渡來增大の傾向あり、彼等の不穩を慮つて其の在住を禁ぜんことを請願してゐるが、翌一六二〇年五月二十九日(元和六年)發布の法令第一條には、

マニラ市、呂宋島并びに其の他の政府の諸島防衞の爲め、支那人數を適宜に調節して五千人を超過せしめざることは得策なり。蓋し國用には此の數にて十分なればなり。……

同樣に餘り多數の日本人を同市に在留せしめざることも得策なり。蓋し不注意にも彼等を同地より放逐することを怠つて、既に其の數三千名を超過せ

り。………

貿易と交誼は存續すべきも、日支人の數の餘り增大せざる樣萬全の注意と警戒を拂ふ可く、在住する者は靜肅、畏敬、從順ならざる可からず。併し又事を構へて彼等を冷遇すること有る可からず(註四二)。

とありて、在留日本人數は、更に一千人增加して三千名を超過した。其の翌一六二一年七月三十日(元和七年)マニラの司教フライ・ミゲル・ガルシヤ・セリャーノ(Fray Miguel Garcia Serrano) が國王に呈した書翰中にも、

目下當マニラ市には、在留許可證を有する支那人一萬六千人以上在住す。而も尙平生其の三分一以上許可證無くして在留せるを以て、支那人數を概算すれば、十六年半以前彼等が叛起して我等と戰ひし時以上なるべし。――夥しき日本人數に關して、臣は之を確むるに由なしと雖も、聞く所によれば、既に三千人を超過せりと。………惟ふに日本人を追放せざるには、不注意と怠慢ありし爲めならん(註四三)。

とあり、當時在留日本人數は依然として三千名の多きを算し、更に其の追放が問題となつてゐるが、翌年十二月三十一日にも、三千人を超過する日本人の處

分に關して、前々年五月二十九日發布の法令第一條と同文の法令が發布されてゐるから(註四四)、彼等の追放は未だ實行されずして、玆に重ねて發令されたのであらうが、翌一六二三年(元和九年)マニラからバタビヤに轉住した日本人の報道によれば、在留同胞數は尙も三千人を算してゐた(註四五)。

マニラに於ける日本人追放問題は、呂宋渡航船の歸朝によつて日本にも報道された。此より先平戶のイギリス商館長コックスの日記一六二一年八月二十三日(元和七年)の條には、

右衞門殿(Wyamon Dono)のマニラのジャンク船が長崎に到着して、報ずる所によれば、全日本人はマニラより追放さる可く、今後同地の貿易も停止さるべし(註四六)。

とあり、イスパニヤ人の處置は聊か誇大に報道されて、全日本人追放と貿易停止が傳へられてゐるが、イスパニヤ人は寧ろ日比貿易の振興を希望し、幕府が却つて、切支丹問題の進展によつて終に斷然之を犧牲に供して仕舞つた。卽ち元和九年(一六二三年)フィリッピン政廳の使節として、司令官ドン・フェルナンド・デ・アヤラ(Don Fernando de Ayala)一行が薩摩に來着し、フェリペ四世の卽位を報じ、新に

貿易に關する協定をなさんと欲せしが、幕府は、貿易に名を借り布教するの故を以て、翌寛永元年三月其の聘禮を拒絶し、爾後彼我の交通貿易は殆ど杜絶した(註四七)。加之、同年(一六二四年)、及び五年(一六二八年)の兩度に亙り、暹羅のメナム河に於いて、日本人とイスパニヤ人と衝突殺傷し、終に寛永七年の暮(一六三〇年)幕府は肥前島原の城主松倉重政に命じて呂宋島遠征を計畫させ、呂宋當局も此の報に接して極度に狼狽警戒して、兩地間の空氣は頓に緊張惡化して、殆んど其の破局に直面したが、幕府は其の後も相次いで遠征を計畫した(註四八)。隨つて同胞の渡航杜絶は固より、在留同胞數も、其の間激減して行つたに相違ない。然らば、元和六年より九年まで、在留同胞數三千人を維持せし四年間は、マニラに於ける日本人發展の頂點であつたのである。

其の後一六三二年五月(寛永九年)に、幕府の追放せし切支丹癩患者百餘名を乘せた日本船がマニラに到着したが、翌年ドミニコ派の教父フワン・ガルシヤ (Fr. Iuan Garcia) がセビヤの教會に宛てた布教報告によれば、

昨一六三二年の五月にマニラ市に、日本人百餘人幷びに其の妻子を乘せた一日本船が到着した。彼等は追放切支丹信徒にして、郷國にて、若し信仰を捨

てるならば、啻に追放されざるのみならず、皇帝が出費して彼等の世話をなす可きことを諭されたが、唯天帝の加護を信じて、エス・クリストの信仰を固持するため、父子、夫妻、親子互に離別しても追放を望んだのである。彼等は冷遇と病魔に苦んで、此のマニラ市に到着した(註四九)。

とあつて、未だ彼等が癩患者なることは明記してないが、前年七月二日其の來着直後に認めたフィリッピン事情報告には、

彼等は、此等の船にて切支丹信徒癩患者百餘人を送致したが、如何なる處分を受けても其の信仰を捨てぬ人々である。又聞く所によれば、彼等は斯様な人で刀を汚さぬ様に、之を殺さずにフィリッピンに追放したのである(註五〇)。

とて之を明記してゐる。其の員數に就いて前揭二報告は何れも百餘名となし、一六四九年(慶安二年)のフランシスコ派の布教報告には切支丹癩患者百五十名と記すも(註五一)、當時總督なりしフワン・ニーニョ・デ・タボラ(Juan Nino de Tavora)が、事件直後七月八日附國王に呈した書翰中には、二ケ所に亙つて、

彼等は、此等の船にて百三十名の癩患者を送致したが、何れも信仰の爲めに追放された者である(註五二)。

と書添へてゐるから、輸送患者の實數は百三十名なる可く、送致船は二隻ではなかつたかと思はれる。

而して此より先同年三月二十二日に教父クリストファル・フェレイラ(Christoval Ferreyra)は、長崎からマニラの司教に書を送り、此の事に關して、

斯くして戰慄すべき迫害は、啻に奥州のみならず、亦他の國內各地、及び京、伏見、大阪と堺など上方の都市に起つた。暴君は殘酷の極、終に本年前記の上方の都市の虛弱なる癩病切支丹信徒をマニラに追放せんとし、旣に九十餘名長崎にて季節風を待ち、他にも出發すべき者もある(註五三)。

と特に京坂の追放を報じてゐるが、此は長崎志などの我が記錄に、

寛永七庚午年大坂ヨリ邪宗門ノ乞食七十人差送ラル。………則呂宋ニ流罪仰付ラル(註五四)。

とあるに照應すべき事件なる可く、若し此の年次に誤りなくば、幕府は此の七年頃京坂の乞食癩患者七十名を長崎に送り、次いで更に漸次四五十人を追加して、結局總數百三十名が二船に分乘して、一六三二年四月頃の順風に乘じて同地を出帆し、五月中にマニラに到着したのである。

既に寛永元年幕府の呂宋貿易拒絶以後、恐らく急速に減退したマニラの日本町在住同胞數は、此の新來者を得て幾分か回復したが、軈て幕府の鎖國令は相次いで發布され、禁令は其の度毎に嚴重となり、寛永十年二月廿八日(一六三三年)の令には、未だ海外在留民の歸國に五箇年の猶豫期限ありしを、十三年五月十九日(一六三六年)の令では、全く撤去して、「異國に渡航住宅仕日本人來候はゞ、死罪可被申付事」と嚴命され(註五五)、茲に在住民との音信交通も完全に遮斷されて仕舞ひ、日本町の衰運に一層拍車を加へたであらう。

然も尚一六三七年三月十五日(寛永十四年)にマニラから柬埔寨に渡航した日本人の語る所に依れば、

マニラ在住イスパニヤ人は二千人以上にして餘り有勢ならず、支那人を恐れてゐるが、其の數二十萬人にして、約八百人の日本人も在住し、何れも互に雜居することを許されず、夫々相離れたる場所に隔離されてゐる(註五六)。

とて、未だ多數の日本人が、其の特別なる場所に在留し、日本町の存續を傳へてゐるが、同年度の呂宋島に於ける徵税表によれば、マニラ近郊の日本人の納貢(tributo)總計二一八擧げてある(註五七)。元來フィリッピン諸島に於いては、土人こ對する租税は、普通毎年一回一家族の家長に課せられて、此を納貢と稱し、其の額は時によつて多寡一定せず、古く或は金錢と共に、土地の產物を加へて納入したこともある(註五八)。從つて一六三七年度に於けるマニラ近郊在住日本人の納貢數二一八に達したことを以て、直に二一八家族あつたと見得べく、一家族の平均構成員數を四人とすれば、總數八七二人となり、前述日本人の報告八百人は、蓋し當時の在住日本人の實數に近いものと思はれる。

今上來縷述せし所に依つて、マニラに移住せし日本人の人口の移動增減を表示すれば、次の如くなる。

マニラ移住日本人數移動表

年次		移民數	備考
元龜元年	一五七〇年五月	二〇	
文祿二年	一五九三年六月	三〇〇	
同年	同年月	四〇〇	
同四年	一五九五年五月	一、〇〇〇	
慶長二年	一五九七年六月	—	移民の大多數追放

同　八年	一六〇三年一〇月	五〇〇	
同　一一年	一六〇六年五月	一、五〇〇	日本人店舗九一軒
同　一三年	一六〇八年六月	—	移民の多數追放
元和二年	一六一六年三月	—	移民五〇〇人追放
同　五年	一六一九年　月	二、〇〇〇	
同　六年	一六二〇年五月	三、〇〇〇	
同　七年	一六二一年七月	三、〇〇〇	
同　八年	一六二二年一二月	三、〇〇〇	
同　九年	一六二五年　月	三、〇〇〇	
寛永七年	一六三二年五月	—	一三〇人渡來
同　一四年	一六三七年三月	八〇〇	

即ちマニラ移住日本人數は、既に江戸時代以前に一千名の多きに達したが、サン・フェリペ事件に依り、一時其の大多數を追放され、其の後日本町の再建後、早くも慶長八年には五百名となり、年々激増の傾向ありて、同十一年には一躍三倍の一千五百名に上つた。次いで元和二年五百名の大量追放を受けても、尚同

五年には二千名、翌年には終に三千名を超過し、同九年まで此の數字を保つて呂宋日本町の隆盛を誇つたが、其の後激減して十四年後の寛永十四年には八百名に低減した。此は固より、前述の如く、幕府が切支丹彈壓の爲め、寛永元年に同地との交通貿易を犧牲とし、次いで彼我の間に相次ぐ衝突勃發し、更に鎖國の嚴命が發布された爲めであるが、又同地より他に轉住する者、或は疾病に依る自然減少も尠くなかつたとも思はれる。

既に一六一九年（元和五年）には、一隊の日本人がマニラを脱出してオランダ艦隊に投じ（註五九）、一六二三年（元和九年）には一日本人がマニラよりマカッサルを經てバダビヤに轉住し（註六〇）、翌年の暮にも、マニラからオランダ船に投じた者もあつた（註六一）。其の他鎖國後日本人敎父や説敎師のマニラより母國に潛入する者もあつた。而して日本町の初代移住民は、年の經過と共に漸次死亡し、町も從つて衰微したであらう。併し尚在住日本人の消息は其の後屢〻傳へられ、一六四九年（慶安二年）に綴られた初期フランシスコ派の布敎報告によれば、ディラオの修道院に屬せる日本人信徒が、日本人敎父の監督を受けてゐることが記されてゐるが（註六二）、敎父コリンが一六五六年（明暦二年）頃のゼスス會の布敎狀態を述べて、

サン・ミゲルの傳道區、

此はマニラ市の城壁外に位して、其の修學院《(サン・ホセフ)》の院長に屬してゐる。信仰の爲めに母國より追放された有力なる男女より成る多數の日本人が、一六一五年以來此の邑に聚住した。就中著名なドン・ジュスト右近殿、ドン・ジュワン德庵并に有力な婦人連は、時が經つ中に死亡した。ゼスス會は當市が隆盛なる時には、教會の施物、及び寛大にも之を助けんとする人々の寄附した施物等を以て、此等の日本人を悉く扶養して來たが、今や彼等は貧窮して暮してゐる(註六三)。

と傳へて、同地の日本人部落が漸次凋落せることが指摘される。翌々一六五八年(萬治元年)イニャシオ・デ・パス(Ygnacio de Paz)のフィリッピン諸島情況報告中に、

マニラ市の近郊所在村落。

他の甚だ近接したディラオの邑には、日本人基督教徒が土人とは離れて住んでゐるが、彼等の管理は、土人の場合と等しく、サン・フランシスコ派の僧が受持つてゐる。

ディラオに隣接してサン・ミゲルと云ふ他の一小邑があり、日本人婦人を收容

する家があるが、彼等は我が聖教を奉ずる爲めに故國を追はれた者である。彼等并びに同邑の土人は何れもゼスス會の敎僧の監督を受けてゐる(註六四)。とあつて、ディラオにては、日本人が未だ土人とは隔離されて、彼等の部落を作り、日本町も僅に命脈を保ち、サン・ミゲルにても多少の日本婦人の殘住せることが推知出來るが、後者にては恐らく其の數は僅少であつたであらう。

其の後一六六〇年末(萬治三年)より翌年春に亙つた土人の叛亂鎭定には、ディラオの殘住日本人が活動し(註六五)、一六六六年(寛文六年)の司教の視察報告には、尚日本人がマニラ市の近郊に在住せることを記してゐるが(註六六)、既に寛永元年の交通貿易禁止を去ること、四十年餘、鎖國を去ることも亦三十年にして、殘住者數は大いに減少し、日本町も餘程衰微したに違ひない。唯僅に同地に於ける初代移住日本人の子孫、土人との混血兒や時々母國から漂着する難船の乘組同胞に依つて、細々ながら其の後暫く日本町の命脈を保ち得た。

註一　Phil. Isls. Vol VIII. Precautions. *op. cit.* pp. 284, 285, 290.

註二　Phil. Isls. Vol. IX. The second Embassy. *op. cit.* pp. 40, 50.

註三　*ibid.* Instruction for Governor Tello. Felipe II. 25. May 1596. p. 231.

註　四　*ibid.* Letter from Doctor Antonio de Morga to Felipe II. 6. July 1596. pp. 268—269.
Mroga-Retana. Escritos Inéditos. *op. cit.* pp. 238—239.

註　五　Phil. Isls. Vol. X. Letter from Governor Tello to Felipe II. 29. April 1597. p. 43.

註　六　Pastells. Hist. Tomo IV. pp. LXXXII—LXXXIII

註　七　Pérez, Lorenzo Apostolado y Martirio del Beato Luis Sotelo en el Japón. Madrid. 1924. p. 16. 尚マニラ市外ディラオのフランシスコ派の初期日本人教會堂に關しては、同じ著者の'Fundacion de una iglesia o parroquia para la asistencia de los Japoneses en Dilao, arribal de Manila. (Archivo Ibero-Americano. No. I. pp. 566—569) に述べられてゐる様であるが、今回論文を手近に有せざれば、他日閲讀の上參照し度い

註　八　Phil. Isls. Vol XXXIV. Letter from the ecclesiatical cabildo to Felipe III. Juan de Bivero, and others; 3. July 1602 No. p. 436.

註　九　Argensola, Bartolomé Lenardo de. Conqvista de las Islas Molvcas. Madrid. 1609. p. 316. C.

註一〇　Concepcion. Tomo II. p. 217.

註一一　Paske-Smith, M. T. The Japanese Trade and Residence in the Philippines (Transactions of the Asiatic Society of Japan. Vol. XLII—Part II.) p. 692.

註一二　*ibid.* p. 691.

註一三　Morga. Sucesos. *op. cit.* p. 41.
Pastells. Hist. Tomo V. p. LXXXV.

註一四　Phil. Isls. Vol. XIII. Letter from Antonio de Ribera Maldonado to Felipe III; 28. June 1605.

註一五　Phil. Isls. Vol. XIV. True relations of the Sangley's insurrections in the Filipinas, etc Miguel Rodoriguez Maldonado. 9. may 1606. pp. 124—5, 131.

註一六 Morga *op. cit.* II. pp. 198—199.

註一七 *ibid.* p. 144.

註一八 Rizal, José. Sucesos de las Islas Filipinas por el Doctor Antonio de Morga. Paris. 1890. p. 324. note. (2), (3).

註一九 Phil. Isls. Vol. XIII. Complaints against the Chinese. Miguel de Benavides, and others; 5. Feb. 1605. p. 277.

註二〇 Munoz, F. Ignacio. Descripcion geometrica de la Ciudad y Circvnvalcion de Manila y de sus Arrabales, Año 1671. [A. de I. 68—1—44]
Colin-Pastells. Tomo III. pp. 824—5

註二一 Pastells. Hist. Tomo V. p. CII.

註二二 Pastells. *loc. cit.*

註二三 Colin-Pastells. Tomo III. pp. 24—5.　Morga. *op. cit.* II. pp. 61—62.　Concepcion. Tomo IV. pp. 103—104.
Pastells. Hist. Tomo V. pp. CXZII—CXXIII.

註二四 Colin-Pastells. Tomo I. p. 211.
Phil. Isls. Vol XVII. Chronological List of the Governors of the Philippines. 1565—1899. p. 289.

註二五 Phil. Isls. VolXXII. Reports of appointments made by the Governor Juan Niño de Tavora; 2. Aug 1628, p. 224.

註二六 Phil. Isls. Vol XVII. Lopez, Gregoris. Extract from the Relations of Events in the Filipinas the years 1609 and 1610. pp. 108—111.

註二七 增訂異國日記抄。五—六頁。

註二八 異國日記。上卷、(史苑、附錄三頁)。通航一覽。卷百七十九(刊本。四、五七五頁)。增訂異國日記抄。九頁

註二九 異國日記。同上、二頁。通航一覽。同書、五七四頁。增訂異國日記抄。二頁。

註三〇 異國日記。同上、四頁。通航一覽。同書、五七六頁。

註三一　異國日記。同上、八頁。通航一覽。同上。

註三二　Phil. Isls. Vol. XVII. Letter from Felipe III. to Juan de Silva. 12. Nov. 1611. pp. 176—177.

註三三　大日本史料。第十二編之十四。九〇一—一一〇〇頁。但し全員三百餘名位でなかつたかと思はれる。R. P. Crasset, Histoire de l' Eglise du Japon. Tome II. Liv. XIV. pp. 277—278.

註三四　Pagés, Tome I. pp. 278—281, Colin-Pastells. Tomo III. pp. 486—489, 502. 全乘組追放者數に關しては、兩書共に名記してないが、六本長崎記(通航一覽、刊本、第五、三六頁)、長崎港草に從ふ。又マニラ到着の日をパゼスは十一月二十八日とすれども、コリンに記す十二月二十一日の方宜しからん。(*op. cit.* p. 502)

註三五　Colin-Pastells. Tomo III. pp. 490—491. Pagés. Tome I. pp. 302—303.

註三六　Colin-Pastells. pp. 499. 782—783.

註三七　*ibid.* p. 502.

註三八　Phil. Isls. Vol. L. Plan of the city of Manila, and its environs and suburbs on the other side of the river, by the pilot Francisco Xavier Estorgo y Gallegos, 1770. pp. 34—35.　*ibid.* Plan of the present condition of Manila and its environs, drawn by the engineer Feliciano Márquez, 1767. pp. 82—86. 後圖及び其の解説によれば、現今のサン・ミゲル教會堂に當る地點は却つて、E、殿堂廢墟となつてゐる。尤もサン・ミゲル教會堂並に墓地は一六三六年頃にも改築移轉したこともあつて(Colin-Pastells. Tomo III. p. 492.)當時のサン・ミゲルの部落と會堂の位置の決定には今後尚研究を要す樣である。

註三九　Phil. Isls. Vol. XVII. Portuguese and Spanish expedition against the Dutch. 1615. Juan de Rivera and Valeris de Ledesma, S. J.(1616). pp. 256—261, 272—79.

Colenbrander, Coen, Besheiden. Vol. I. p. 180.

註四〇　Bocarro, Antonio. Decada 13. de Historia de India. Lisboa. 1886. Parte II. pp. 426, 427.

註四一　Phil. Isls. Vol. XVIII. Rios Coronel, Fernando de los. Reforms needed in Filipinas; Madrid. 1619—1620. pp. 308—309, 313.

註四二　Phil. Isls. Vol. XXII. Recopilación de leyes de las Indias. Madrid. 1841. pp. 157—8.

註四三　Phil. Isls. Vol. XX. Letter from Archibishop Miguel Garcia Serano to the King. Manila, 30. July 1621. p. 96—97.

註四四　Recopilación. *loc. cit.* 此の法令は此より先一六〇六年十一月四日にも發布された樣にも思はれるが、果して然らば、當時も或は此の頃と同じ事情に在つたかも知れない。併し同年在住日本人數は既に千五百人を數へてゐるから、三千人以上は過大に見える。

註四五　Groeneveld, W. P. De Nederlanders in China. (Bijdragen tot de Taal, Land, en Volkenkunde van Nederlandsche-Indie. Deel 48) Bijlage. Memorie ende Instructie voor Martinus Sonck. 11. Junij 1624. pp. 564—565.

註四六　Cocks. Diary. Vol II. p. 188.

註四七　異國日記、前揭書。

增訂異國日記抄。二一八—二三三頁。

Originele Missive van Cornelis van Neyenroode uijt Firando. 20. Dec. 1623. [Kol. Archief. 995.]

Phil. Isls. Vol. XXII. Letter from Governor Fernando de Silva to Felipe IV. 4. Aug. 1635. p. 68.

註四八　拙稿。松倉重政の呂宋島遠征計畫。(史學雜誌。四五ノ九)。

註四九　Garcia, P. Fr. Juan. Aviso qve se ha embiado de la Civdad de Manila, del estado qve tiene la Religion Catolica en las Philippinas, Iapon, y la gran China; Seuilla. 1633. fol. 2.

Phil. Isls. Vol. XXIV. pp. 275—276.

註五〇　*ibid.* Relation of what has occurred in the Filipinas Islands and other regions adjacent, from July, 1630. to July, 1632. 230.

Copie Missive van Jan J. Bors & Joost Schouten uijt Firando. 12, Dec. 1632. [Kol. Archief 1021.]

註五一 Retana, W. E. Archivo del bibliófilo filipino. Madrid. 1895. Tomo I. Entrada de la Seráphica Religión de Nuestro P. S. Francisco en las Isls Philipinas. 1649. p. 49.

Phil. Isls. Vol. XXXV. Early Franciscan Missions. 1649. p. 310.

註五二 Colin-Pastells. Tomo I. q. 242. nata (1).

Phil. Isls. Vol. XXIV. Letters from Governor Juan Niño de Tavora to Felipe IV; Manila, 8. July 1632. pp. 206, 214.

註五三 *ibid.* Letter from Father Christoval Ferreyra to the father provincial of Manila. Nangasaqui 22. March 1632. pp. 241—242.

註五四 長崎志、正編、刊本、二五七頁。尚本問題に付いては、曾て西村眞次博士の「サン・ラザロ病院の來歴に就いて」(史學雜誌。二六ノ一二)なる論文もあるが、憑據の史料は殆ど後世のものにして、未だ決定的な斷案が下してないが、上揭の考證によつても、癩患者百三十名が一六三二年五月にマニラに着いたことは明かである。

註五五 通航一覽。卷百七十、(刊本、第四。四六九—四七〇頁)。

註五六 Journael van Jan Dircz. Gaelen in Cambodia. 15. Martij 1637. [Kol. Archief 1035.]

註五七 Phil. Isls. Vol. XXVII. Juan Grau y Monfalcón, Memorial Informatorio al Rey. Madrid. 1637. p. 87

註五八 Barrows, David P. History of the Phillippines. New York. 1926. p. 138.

註五九 Phil. Isls. Vo. XVIII. Riòs Cornel, Reforms. *loc. cit.*

註六〇 Groeneveld. Memorie. *loc. cit.*

註六一 Copie van Resolutien bij Martinus Sonck ende de Witte. 4. Aug 1624. tot 18. Nov. 162. 7. 30. Dec. 1624. [Kol. Archief 1005.]

註六二　Retana, Bibliofilo Filipino. Tomo I. Franciscanos en Philipinas. *op. cit.* p. 4.

註六三　Colin-Pastells. Tomo III. p. 782—783.

註六四　Phil. Isls. Vol. XXXVI. Ygnacio de Paz; Description of the Philipinas Islands. Mexico. *ca* 1658. pp. 91—92.

註六五　Phil. Isls. Vol. XXXVIII. pp. 167—168.

註六六　Phil. Isls. Vol. XXXVI. Why the Friars are not subjected to Episcopal Visitation. 1666. p. 274.

三　呂宋日本町の行政

マニラに移住した日本人は、前述の如く、市の城壁外東方のディラオ邑と、其の東北パシッグ河を隔てゝ相對するサン・ミゲルの地に、彼等獨自の部落、卽ち所謂日本町を建設し、長く自國の風俗習慣を墨守して生活したが、此の日本町も、交趾や東埔寨、暹羅等南洋各地に建設された他の日本町の如く、同地の政府から或る程度の自治を認容されてゐた樣である。

扱て當時フィリッピン諸島に於けるイスパニヤ人の地方行政制度を概觀するに、固より樞要なる機關は彼等の手中に掌握してゐたが、大體舊來の土人の社會制度を尊長して、或る程度の自治を許容してゐた。先づ最高地方行政長官として、イスパニヤ人の州知事(alcalde mayor)があつて、州(Provincia)の司法、行政並びに稅務を總轄してゐたが、其の下に州を構成する若干數の邑(Pueblo)があり、此は普通土人の自治に委せられて、邑の長(Gobernadocillo)は土人の間から互選された(註一)。フォアマン(John Forman)、バーン(Edward Gaylord Bourne)やバロウス(David P. Barrows)等は皆此の邑の長を俗にカピタン(Capitan)と呼んだと言つてゐる(註二)。邑は若干の小部落(barrio)より成り、其の頭(Cabeza de barrangaya)も亦固より土人であつた(註三)

斯樣にイスパニヤ人は土人の自治を認容すると同時に、外來の支那人の集團部落にも亦自治を許した樣である。例へば當時モルガの記す所によれば、

パリヤンは市の城壁から幾分離れてゐて、多くの通から出來てゐる構內の一大市場町である。河の近くに在つて、同地をサン・ガブリエル(San Gabriel)と言ふ。同所で支那人等は彼等獨自の支配者を戴いてゐるが、其の男は自身の裁判所と牢獄及び屬吏を持つてゐて、彼等が支那人に關する裁判を執行し、之

を日夜見張つてゐるので、支那人等は安全に暮し不秩序に陥らない。………彼等の支配者は自國人出身の基督教徒にして、官吏と屬吏を持つてゐる。彼は支那人等の裁判事件、家事や商事に關する訴訟をも受理する。彼の上訴は、トンド(Tondo)卽ちパリヤンの知事に屆けられ、更に高等法院に通ぜられると、同院も亦此の國民及び此に關するあらゆる事項に特別の注意を拂つてゐる(註四)。

とあつて、支那人部落は自國民出身の長が、彼等の裁判、家事及び商事に關する諸事項を處理し、更に彼が上訴する特別事項は、管轄長官なるトンド州知事や、更に又總督府が處理したのであつた。彼等も亦土人の場合と殆んど異る所無く、行政上或る程度の自治を許されると共に司法上或る幾分治外法權を認められたのではないかと思はれる。而してバタビヤ城日誌一六四〇年十二月六日の條には、

去る八月十五日、呂宋島から二十一人乘せて逃げて來たジャンク船が、ワンカン(魍港)に到着したが、男十六人、婦人二人、小兒三人にして、其の頭はガウツポウ(Gautpo)と云ふ支那人にして、其の島では支那人の甲必丹卽ち頭であつたが、………既に三十八年以上も呂宋島に在住してゐたのであつた(註五)。

と記してあつて、フィリッピン諸島に於ける支那人部落の自治の程度が、啻に土人の場合と何等の相違點無きのみならず、彼等の頭長の呼稱さえも、亦土人同樣に甲必丹の俗稱を有してゐた樣である。

翻つてマニラの日本町の行政樣式に關する史料は、管見の限りでは極めて寥々として、果して如何なる狀態なりしか、今之を究明するも困難であるが、上述の如く、當時土人は固より外來支那人在住者に對しても、彼等同族出身の甲必丹の下に、自治を許したイスパニャ人の、殖民地の地方行政に對する一般的態度方針より推せば、誰しも、一時は二三千人の多數を包容したマニラ市外の日本町も、必ずや彼等と同程度の自治が許されたに非ずやと推察するであらう。

一六〇三年十月(慶長八年)にマニラ在住支那人の大暴動勃發の時、總督ペドロ・デ・アクーニャは、日本人の援助を乞ふたが、事變後幾許もなくして綴られたマルヘンソーラのモルッカ諸島遠征誌には、此の事に關して、

パリヤンの近くには、支那人の敵にして、其の國にて絶へず彼等と交戰してゐる日本人等の在住する他の村落《バリオ》(otro barrio)がある。總督は彼等の頭領(cabecas dellos)を召喚して、親切なる態度で彼等に對し、如何なる場合にも彼等に信賴

し、若し戰亂勃發せば、彼等は支那人に對抗して援助するや否やを知らんとする旨を述べた（註六）。

と記してゐるが、此の頭領が果して日本町の行政司法に干與せし頭長であつたか、或は單に漠然と其の有力主要なる人物を指したのか記事簡單にして明かでないが、土人の場合は、前述の如く一般に彼等の部落をバリオと云ひ、其の自治の頭領をカベサと呼んでゐる。

其の後又一六一七年七月八日（元和三年）に、總督ファン・デ・シルバから約一〇・五〇〇ペソの大金の支拂を受けた日本人甲必丹ルイス・メロー（Capitan Luio Melo）なる人物があるが（註七）、彼も亦日本町の長であつたか否か判明しないが、玆にパスケ・スミス氏の記す所に依れば、

他に一六二七年（寬永四年）に、日本人の長なる甲必丹ファン・スイオン（Capt. Juan Suion）のことが擧げられてゐる。此れに依つて見れば、日本人も支那人同樣に、彼等及び彼等の行爲に責任を持つ彼等自身の特別なる司長があつた（註八）。

とあり、同氏は當時在住日本人が支那人部落の樣に、彼等自身の自治の長を有せしことを推測してゐる樣である。今氏の擧げた史料の出典を知ることが出來

ず、從つて甲必丹フアン・スイオンの活動も、日本町の自治に關する彼の權能をも詳にすることが出來ないが、前述の如き外來人に對するイスパニヤ人行政の方針より推すも同氏が此の一句によつて日本町の自治の施行されたことを主張するは、蓋し當時の實情に卽した見解であらう。

然るに、一六四九年(慶安二年)に綴られた初期フランシスコ派の布教報告によれば、當時一教父が自費でディラオに建立した修道院の信徒數と院の收入の事を記し、更に

日本人切支丹等も此の修道院に屬してゐるが、彼等自國民出身の日本人牧師がゐて、其の世話監督を司る(註九)。

とあるから、當時ディラオの日本町の在住日本人基督教徒が、自國人教父の監督下に生活して、宗教上に於いても稍〻自治的な境隅に在つたことを漏したもので、必しも直ちに一般地方行政上に於ける自治を享受してゐたことを指してはゐないが、更に一六五八年(萬治元年)イニャシオ・デ・パスは、フィリッピン諸島情況報告中に於いて、マニラ近郊の村落に關し、パリヤンの項に續いて、

他の甚だ近接したディラオの邑には、日本人基督教徒等が土人とは離れて住ん

であるが、彼等の管理は、土人の場合と等しく、サン・フランシスコ派の僧が受持つてゐる。

ディラオに隣接してサン・ミゲルと云ふ他の一小邑があり、日本人婦人を收容する家があるが、彼等は我が聖教を奉ずる爲めに、故國から追はれた者である。彼等並びに其の邑に住する土人等も、何れもゼスズ會の僧の監督を受けてゐる。

前記の邑々は、事俗務に關する限り、何れもトンド州知事の管轄下にある（註一〇）。

と記してあるから、日本町の行政司法等の世俗の事項は、專ら支那人町パリヤンの場合と同樣に、其の地方の管轄長官たるトンド州知事の司る所であつた。卽ち此等の記載より推せば、マニラ市外ディラオの日本町は、略〻支那人町と均しく、行政上、司法上、或る程度の自治が認められ、其の長は甲必丹なる俗稱を有し、町に關する重大事項は、監督地方長官なるトンド州知事が管掌した樣である。但し今迄の所、關係史料甚だ少くして、遺憾ながら、日本町自治の形式、内容も、其の實情も、又其の人物に就いても、此れ以上明かにすることが出來ない。

註一　Mallat, J. Les Philippines. Histoire, Geographie, Moeurs, Agriculture, Industrie et Commerce des Colonies Espagnoles dans l' Océanie. Paris. 1846. Tomo I. pp. 349—350.

註二　Forman, John. The Philippine Islands. Shanghai. 1899. pp. 244—246.
Phil. Isls. Vol. I. Bourne, Edward Gaylord. Historical Introduction. pp. 54—56.
Barrows, History of the Philippines. *op. cit.* p. 141.

註三　Barrows. *loc. cit.*
Forman. *loc. cit.*

註四　Morga. *op. cit.* II. pp. 196, 197.　Morga-Rizal. pp. 365, 366—367.

註五　Dagh-Register gehouden in 't Casteel Batavia. Anno 1640. p. 117.

註六　Argensola. *op. cit.* p. 316.

註七　Colin-Pastells. Tomo III. p. 665.

註八　Paske-Smith. *op. cit.* pp. 708—709.

註九　Retana. Bibliofilo Filipinos, Tomo I. Franciscanos en Philipinas. 1649. *op. cit.* p.4.

註一〇　Phil. Isls. Vol. XXXVI. Paz. Description. *loc. cit.*

四　呂宋日本町在住民活動の消長

一軍事的活動。　南洋各地に進出した日本人は、　軍事的方面に活躍する機會多くして、常に勇猛果敢の名聲を克ち得たが、　呂宋方面に於いても、夙にイスパニヤ人の注目する所となつた。　既にイスパニヤ人は殆ど未だ日本人と接觸せざる以前に、　モロー人から其の勇敢好戰的な噂を傳聞したが(註一)、　天正十年北呂宋カガヤンに於いて日本人と戰鬪を交へて、　眞價を認知するや、　總督ペニャローザは、　一六八二年六月十六日附國王に呈した戰況報告中に於いて

日本人は、　此の地方の國々に於いて、　最も好戰的な人民である(註二)。

と記し、　次いで同年七月一日附再び國王に呈した戰況報告にも、

支那人と日本人とは、　土民とは違つて野蠻地の多數の土人の様に勇敢なる人

民である。否彼等以上に遙かに勇敢である(註三)。

と記して、日本人と支那人と相並べて、呂宋島の住民に比しては固より、他の曚昧な野蠻人に比較しても、更に一層勇敢なることを報じてゐる。

其の後マニラの司敎ベナビテスは、一六〇五年二月五日(慶長十年)の書信にて、土人が支那人パリヤンに接近して居住し、其の惡感化を受けて不信不德化することを述べ、更に、

此の事は、前述の如く、土人の住屋と部落が、日本人パリヤンに極く接近してゐる爲めにも判る。彼等は支那人と同樣に有害なる國民にして、不面目な罪を犯して多大なる害毒を流す。而も彼等は前記の支那人よりも、更に不穩にして好戰的である。彼等は屢々戰を以て此の國を脅威し、既に掠奪の爲めに來た彼等の船で、既に此國と海岸を荒し廻つた。而して支那人を其の按針士と水夫に傭つてゐる(註四)。

と記して、移住日本人が更に支那人に比して一層不羈好戰的なることを訴へてゐるが、其の後段にて、呂宋近海に出沒する日本人海賊船に支那人按針や水夫を便乗せしめてゐるのは、曾て支那沿岸を脅した末期倭寇の類型に屬すべきも

のである。又一六一七年(元和三年)のメキシコ極東間貿易報告には、日本人は傲慢にして自尊心強く且つ好戰的にして、何物も一切彼等に屬すと考へて自他の差別を顧慮しない。彼等が切望せるフィリッピン諸島より、日本に赴いた多くの人々の判斷に依れば、彼等は自ら本島を征服する爲めに未だ本島と開戰し樣と考へてゐる(註五)。

と報ぜられてゐるが、多年此の方面の傳道に從事して日本人の性情を熟知せる教父ディエゴ・アドワルテ(Diego Aduarte)の一六一九年(元和五年)の通信には、

本諸島に於いては、日本人は、附近の他の諸國民以上に、最も恐れられてゐる國民であるが、彼等が非常に勇敢にして傲慢なる爲めである(註六)。

とありて、日本人が支那人に比して勇敢好戰的なるのみならず、他の東方諸國民に勝つて最も勇猛なることが認められてゐる。此等の反日的な見解に對して、モルガは、日本人の國民性を賞揚して、

日本人は氣慨ある人民にして、性質佳良にして勇敢である。………腰には大小の刀を佩び、鬚髯は少く、風采擧動高尚なる國民である。又彼等は儀式と禮節を尊び、名譽と秩序を重んじ、困苦缺乏に臨みても果敢である(註七)。

と記し、當時呂宋島のイスパニヤ人は齊しく日本人の勇敢なる國民性を認知してゐた。

既にイスパニヤ人の呂宋島占領の當初より、半ば倭冦的な日本人商人は、屢ゞ扁舟を操つて同島の沿海に進出し、大いに彼等を脅威したが、秀吉の呂宋遠征計劃以來、再三同種の計劃あることが傳はつて、彼等は日本人を極度に恐怖警戒し、サン・フェリペ事件後、終に前述の如くマニラ在住日本人の大多數を追放せしも、幾許もなくしてディラオの日本町の人口が回復して、一六〇六年(慶長十一年)には、彼等の大暴動が勃發せんとした。

一日イスパニヤ人が一日本人と喧嘩して之を殺傷したことが動機となり、ディラオ日本町の在住民一千五百人は大いに激昂し、一齊に武器を採つて暴動を起さんとした。當時總督アクーニャはモルッカ諸島遠征中にて、マニラ市は武備薄弱にして多大なる危險に曝されたが、ペドロ・デ・モンテス(Pedro de Montes)がディラオのフランシスコ派の教父の協力を得て、彼等を慰撫説得し、武器を提出せしめて翌日に至つて辛うじて事無きを得た(註八)。モルガは、此の事件を以て、曾てマニラを脅かした危險中の最大なるものであるとさえ記してゐる(註九)。

併し日本町の在住民は依然として不穩の行動を繰返し、終に一六〇八年五月頃(慶長十三年)再び追放されたが(註一〇)、其の後に於いても日本人の移住は少しも止まず日本町の人口は年々膨脹し、呂宋政廳は彼等の不羈好戰的な態度を嫌忌して、常に其の居住停止を考慮し、再三追放令を發布したが、仲々實行されなかつた樣である。例へば一六一九年(元和五年)のリオス・コロネルの諸政改革意見にも、

多大な紛擾の原因となる日本人を當市に在住せしめざるは最も得策である。蓋し一方に於いて、彼等は好戰的な國民にして、冷遇されることを好まずして、容易にイスパニヤ人と抗爭する。從つて彼等は時々武器を取つて、我等に叛す。曾て此の事が勃發したのも、兵士數人が彼等に危害を加へ樣としたので、彼等は其の復讐を爲さんとして佩びる刀を取つて集合し始めたが、我等を多大な危期に陷れるやも計られず。他方に於いて、我等が不注意にも其の在住を認めると、多數の日本人が渡來するであらう。加之、仲には追剝を爲す懸念もあつて、我等は多大な危險を感ずる。蓋し日本國より當地に渡來する者の中には、罪を犯して逃亡し自國に歸る權利を有せざる者多し(註一一)。

と記して、イスパニヤ人は常に斯かる不羈好戦的な日本町在住民の制壓統御に悩んでゐるが、他面此等の勇敢なる在住民はイスパニヤ人の外征や内亂鎭定に當つては、却つて之を援助して、同地の軍事上に常に重要なる役割を果した。

一五九六年一月十八日(文祿四年十二月)司令官ガリナートの統率する三隻の柬埔寨救援隊はマニラより出征したが、乘組の日本人兵員は柬埔寨に於いて武勳を建て(註一二)、翌々一五九八年九月十七日(慶長三年)ルイス・ダスマリーニャスが再び柬埔寨遠征を企てし際にも、其の艦隊には在住日本人中より雇傭された者もあつた(註一三)。又一六一五年末(元和元年)總督シルバが大小十五隻より成る遠征隊を率ゐて、オランダ艦隊と對抗して、モルッカ諸島よりマラッカ近海に亙つて轉戰した時の如きは、マニラ在住日本人中より五百名の多數從軍し(註一四)、又此の頃オランダ艦隊のマニラ灣封鎖を防禦する爲めに編成された艦隊には、日本兵並びにパンパンゴ土人兵(Pampango)七百名、及びイスパニヤ兵五百名、合計一千二百名乘組んだ(註一五)。

斯様にして日本町の住民は數次の外征に從軍したが其の内亂鎭定に際しては特に偉功を建てた。一六〇三年十月四日(慶長八年)に至り、豫て不穩の計劃ありしパリヤンの支那人の暴動勃發したが、イスパニヤ人は容易に之を鎭定する能はずして、同六日に日本人四百人の援助を得て、支那人千五百名と糧食を燒いて先づ其の氣勢を殺ぎ、翌日軍司令官ガリナート指揮の下に、イスパニヤ人狙擊兵百五十名と日本人五百名出動して支那人千人を斃しパリヤンを燒き拂つたので、彼等も終に退却してサン・パブロ邑(San Pablo)に遁入した。次いで同月十八日より軍司令官クリストファル・デ・アスクェッタの率ゆるイスパニヤ狙擊兵二百二十名、日本人四百名、其の他パンパンゴ人、モロー人、黑奴等二千五百名は、連日暴徒を追擊して數千人を殲滅して、十一月十二日に全く平定してマニラの危期を救つた(註一六)。

其の後一六三九年十一月(寛永十六年)に更に大規模なる支那人の叛亂が勃發したが、當時彼等のパリヤンに在住する者三萬五千人、地方に在る者一萬餘人に上り、マニラの守備隊は僅に步兵三十名、騎兵三十名、日本兵五十名、及び土人兵七十名にして、叛亂は益〻擴大して、終に翌年三月半に到つて辛うじて鎭定することが出來た。此の暴徒討伐に當つても、在住日本人の從軍する者少なからず、同年十二月二日の戰鬪には、日本人百名はイスパニヤ軍を援けて奮鬪し、或はマニラの外港カビテ（Cavite）の城塞を防戰して屢〻武力を建て若干名の戰死者をも出したが、結局支那人の殺戮される者二萬三四千人の多きに及びて叛亂は全く平定された（註一七）。

一六六〇年十二月（萬治三年）より翌春に亙るパンガシナン地方の土人の叛亂にも、ディラオの日本人は出征し（註一八）、翌々年六月臺灣鄭氏の來襲に備へて、同地の軍備を强化した時には、イスパニヤ人、パンパンゴ人、解放奴隷、及び日本人を以て强力なる一軍を編成した（註一九）。當時既に鎖國を距ること約三十年にも及んでゐるが、日本町の住民は、斯樣にしてイスパニヤ人治世の初年より終始群島の軍事的方面に多大なる貢獻を爲してゐる。

二　經濟的活動。 既に屢〻述べ來つた樣に、日本人の呂宋島進出は、其の初期に於いては、支那沿海を劫掠した倭寇と稍〻同型に入る可き半ば侵寇的な貿易船にして、中には支那人と協力せる者もあり、渡航先も未だ殆んど北方のカガヤンイロコや、パンガシナン方面に限られ、土民との接觸を主として、其の掠奪取引の對象も黃金や鹿皮や其の他の土產品であつた。從つてイスパニヤ人の日本船貿易に關する情報も殆ど間接的に過ぎなかつたが、天正十二年の呂宋船平戶入港によつてマニラの繁榮を知つた日本人は、今や全く北呂宋を見捨てて、年年マニラに入港し、終に同地には同胞の滯住する者も增加して日本町が發達した。

日本船の呂宋貿易に就いては、既に岡本良知氏の詳細なる研究もあるが(註二〇)、呂宋船の平戸入港の翌々一五八六年(天正十四年)に始めて長崎船がマニラに入港した時を以て、一轉期とすべきものゝ樣である。卽ち一五八六年六月(天正十四年)總督サンチヤゴ・デ・ベラが國王に呈した書翰中に、

　切支丹ドン・バルトローメ王の家臣にして、ポルトガル人が交易する主要な港長崎の住民なる日本人切支丹十一名來着した。………彼等は平和に來航した最初の日本人である(註二一)。

とあり、殊に翌々年六月二十五日附の司教ドミンゴ・デ・サラサール(Obispo Domingo de Salazar)の書信には、

　又二年以來、日本やマカオや、其の他の地方から、商品を積んだ私人の船が、マニラに於いて交易する爲めに來航する(註二二)。

とあつて、日本船のマニラ入港は明かに二年以前の一五八六年、卽ち天正十四

年の長崎船の入港以來始まることが判明する。又諸記錄文書に依るも、管見の限りでは天正十四年以前の商船入港全く無く、却つて其の後頻出して來る。今迄述べた所より事例を拾つて之を左に列擧すれば、

日本船マニラ入港年次		隻數	備考
天正十四年	一五八六年	一	長崎の大村船。
同　十五年	一五八七年	三	平戸の松浦船。ホアン・ガヨ船。京のガブリエル便乘船。
同　十七年	一五八九年	二	暹羅渡航船。切支丹三四十人便乘船。
同　十九年	一五九一年	一	原田孫七郎船。
文祿元年	一五九二年	二	長崎了陳船。原田孫七郎船。
同　二年	一五九三年	三（四？）	原田喜右衛門船外二隻。
同　三年	一五九四年	四	長谷川宗仁船。薩摩船三隻（納屋助左衛門等便乘船ならん）。
慶長二年	一五九七年	六？	加藤清正船外數隻（カルレッチ便乘船六月長崎に歸着す）
同　四年	一五九九年	九	（他に使僞船七隻合計十六隻呂宋に渡航す）
同　五年	一六〇〇年	二（五？）	山下七左衛門船外一隻。（途中二隻離散）
同　六年	一六〇一年	五？	薩摩の喜左衛門船等數隻。
同　七年	一六〇二年	二	喜左衛門船。家康使節七郎船。

此の期間は、丁度秀吉の呂宋島遠征計畫、サン・フェリペ事件、日本人追放など相次ぎ、彼我當局の關係は極度に緊張惡化したに係らず、日本船は殆ど連年マニラに入港して、移住日本人も逐年增大した。卽ち斯かる上層の惡氣流にも係らず、日本船の渡航貿易は、天正十四年より、德川幕府の御朱印船創設に至るまで完全に連接してゐる。此の現象は固より日本人南洋發展の一般的動向と、土人とイスパニヤ人とを對象とする日呂貿易の發展にも依るが、其の主因は寧ろ他にも在た樣である。

當時の日呂貿易の一般的な狀態は、モルガの著書に詳述されてゐる。卽ち若干の日本人及びポルトガル人商人も、亦每年北風に乘じて十月末と五月末に日本の長崎港から來航し、何れも同樣にマニラに入港碇泊する。其の船荷は、マニラに供給する良質小麥粉と非常に珍重される鹽漬の肉である。彼等は又色織を混じた美事な絹織物、美麗に裝飾した屛風、あらゆる種類の刄物類、幾組かの甲冑、槍、刀、其の他精巧なる武器類、硯箱、模樣入り漆塗の木の小函、綺麗な玩具、特に新鮮な梨、樽や箱詰の良き鹽漬の鮪、フィンバロ《ヒバリ》(Fimbaro)と云ふ美聲の雲雀を入れた鳥籠、其の他の雜貨を齎す。此等の交易に當つて、或る賣買は、其等の船から課税を徴收せずして行はれる。船荷の商品は此の地方にて需要あるが、中にはヌエバ・エスパニヤに輸出される貨物もある。代價は一般にレアル貨で支拂はれるが、日本に銀があるから、彼等は支那人の如く銀貨に執着しない。彼等は日頃多量の銀を延板の形で商品として持つて來て適當の値で賣拂ふ。

彼等の商船は六七月の貿易風の候に日本に歸航する。彼等はマニラから、支那の生絲、金、鹿皮、蘇木等より成る商貨を搬出する。又蜜、蠟、棕櫚、カスチリヤ葡萄酒、麝香猫、茶を入れる壺(tibor)、鏡、反物、其の他イスパニヤの珍貨等を持去る(註一三)。

とあるが、又日呂貿易の隆盛期に於ける同地の交易狀態を記した日本異國通寶書や日本長崎より異國に渡海の湊口迄船路積などの記事によつても、

呂宋國内　九百七十里

一　まんえいら

此所南蠻人城を取居申候。大明人も城下に商賣の爲に居申候。大明の代物、絲、卷物。南蠻の物には、らしや(羅紗)、しやう／＼ひ(猩々緋)は(等?)、あの地に有之物は、

鹿皮、せうりうきうと申すわう《(蘇枋)》、砂糖、水牛の角等、他國の物ふどう酒、
珊瑚珠色々參候。
日本より持渡候物は、小麥粉、銅、鐵、所帶の道具、蒔繪の類、扇子　紙、
帷子、やくわん《(藥罐)》、水風呂、小刀、はさみ《(鋏)》、食物の類也(註二四)。

と記してあつて、其の交易商品の種類はモルガの記載と殆ど一致してゐる。

此等の貿易品中、日本から輸出される貨物は、食料品、武器類及び雑貨類であつたが、日本船の歸航に買入れた商品は、支那品、土産品、及び歐洲品に大別出來る。其の中歐洲製品は、固より當時の貿易中の一少部分を占めたに過ぎまいと思はれるが、土産品は初期呂宋渡航日本船の主要なる對象なりし如く、既に鹿皮に就いては之を記し、金に就いては小葉田淳學士の研究あり(註二五)、壺に就いても他の機會に述べた事もある(註二六)。而して此等の貿易品の劈頭に掲げられた支那産の生絲や絹織物に關しては、一五九五年(文祿四年)に敎父ヘロニモ・デ・ヘズス(Gerónimo de Jesús)が總督ダスマリーニャスに送つた書信中に、

マカオの人々は、日本船が屢〻マニラに赴き、其の地から生絲及び其の他の商品を持歸らんと欲して、其の結果彼等の舶載する品々の値が下落するを見て、

之を妨害せんと大いに努め、陛下に對して、其の事が正當なりや、將又日本人に對する當然の權利を妨ぐるものなりや否やを訴願せんとした。日本人は直ちに殺されるので支那に行く能はずして、マニラに赴くが、同地では結ばれた平和に基いて閣下の言の如く甚だ好遇される(註二七)。

と報じて、支那の嚴重なる海禁を避け、轉じてマニラに渡航する日本船が、同地より支那船の舶載する生絲等の商品を積み歸り、ポルトガル人の日本貿易を壓迫して、彼等の利益が漸次低下減少することを傳へてゐる。又一五九八年六月八日(慶長三年)モルガの認めたフィリピン現情報告第五十四條には、

日本人は、歸帆に當つて、日本に輸送す可き商品なる生絲と黄金の積荷を手に入れ樣と欲する。併し生絲の値段が騰貴するから、イスパニヤ人の買入れが濟むまで、之を許可すべからず(註二八)。

と述べて、終に日本船のマニラ港に於ける生絲大量買付けの結果、同地の生絲相場が騰貴することを訴へてゐるが、一六〇四年七月十五日附(慶長九年)總督アクーニャが國王フェリペ三世に呈した書翰にも、

臣等は、日本皇帝並に其の家臣等と友交を保つてゐるが、彼等は貿易に來航

して、麥粉、鹽漬の肉、鮪、釘、鐵、武器、及び他の商品を持來つて賣却して利益を擧げてゐるが、彼等の歸航には、從來常に行つてゐる樣に鹿皮と支那商品を積込んで歸る（註二九）。

と記して、當時日本船マニラ貿易商品が、主として生絲、絹織物等の支那產品と、黃金、鹿皮等の土產であつたことは明かである。

此の頃支那船のマニラ貿易は愈〻隆盛にして、漳泉の商船は年々少くとも、三四十隻、殆ど日本商船の碇泊と期を同じくして來着し、各種の生絲や絹織物等の夥しき支那品を齎らした（註三〇）。日本船マニラ貿易躍進の一因も、亦主として斯かる支那人、支那船、支那品を對象とする取引の發展に基く所であつた。明末外交事務を執掌せし茅瑞徵や史官陳仁錫も齊しく、此の變態的な日支貿易の發展に就いて、

呂宋國在東洋中、國甚小。………其地去漳近、故多賈泊。今附香山濠鏡澳貿易。而中國通倭者、率闌入呂宋以爲常（註三一）。

と記してゐる。語句簡單なれども、蓋し當時の實情を直截明快に說き得て餘り無く、交趾に於ける日支貿易の發展を記した何喬遠の語と共に、我が南洋貿易

進展の本質を穿つた至言であらう。かの日本町人口の急激なる膨脹も、亦正に斯かる貿易の動向に追随したものに外ならぬ。モルガも亦、

此の島の多數の居留民は商人及び事務員から成つてゐるが、是は夥しき商品が、土産以外にも、支那、日本、モルッカ、マラッカ、暹羅、柬埔寨、ボルネオ、及び他の地方からも同地に齎らされるからである。彼等は此の商品に投資して、毎年之をヌネバ・エスパニャに航する船にて輸出し、又時には日本にも差向けるが、同地にては生絲から多額の利益が擧げられる(註三二)。

と記して、マニラ居留外人數の増大を以て、全く同地を中心とする對外貿易の殷賑に基くと爲し、且つ同地より日本へ輸出する生絲貿易の特に有利なることを指摘してゐる。卽ち日本町の居留民も、亦固より斯くの如く主として生絲等の取引に從事する商人及び事務員が、其の主要構成員なりしことは否めまい。敎父コリンも、

當時此の國民の總ては、マニラ市壁外ディラオの邑に住み、店舗を構えてゐた(註三三)。

と述べ、又前に引用した檢察官グィラールの書記の一六〇六年六月十七日(慶長十一年)日本町訪問覺書には、

日本人のパリヤンは支那人のパリヤンの河岸の反對側に在り、同所に在る日本人の店舗を數へると、住家と長屋の外に、九十一軒の店舗がある樣だ(註三四)。

とあつて、ディラオの日本町には多數の在住商人の店舗が開かれてゐる。

日本船や支那船は、殆んど時を同じくしてマニラに入港碇泊し、マニラ市外サン・ガブリエルの支那人市場町パリヤンとディラオの日本町とは僅に一投石の間隔を以て相隣してゐたから、貿易期に於いては、兩國民の間に、支那産の生絲絹織物を中心として、或は港中に於いて、或は兩居留地間に於いて、必ずや活潑なる取引があつたことは想像に難くない。再びモルガの記す所を引けば、

多數の商船が、支那や日本、モルッカ、ボルネオ、暹羅、マラッカ及び印度等から、彼等の商貨と貿易品を積載してマニラの港と河に集る。彼等は當市に於いて之を賣却し、全群島及び彼等の居留地を相手に取引する(註三五)。

とあるも、此の間の消息を傳へたものである。其の後一六〇七年(慶長十二年)の日本人の叛亂の時には、軍司令クリストファル・デ・アスケッタに、其のパリヤンを燒

拂らはれ、爾後の營業を一時禁ぜられたこともあつた(註三六)。
斯くの如きマニラを中心とする日支貿易の發展は、必然的に同一貿易品たる支那の產物を取扱ふ同地に於けるイスパニヤ人の貿易、殊に彼等の生絲の重要取引先なるヌエバ・エスパニヤ貿易を壓迫して、政廳は其の對策に腐心し、既にモルガは一五九八年六月(慶長三年)に、日本船の歸航に當りマニラで多量の生絲を買付け、自然生絲相場が騰貴する爲め、先づイスパニヤ人の買入れが濟むまで、之を許可すべからざることを上申したが(註三七)、其の後一六〇二年(慶長七年)に、日本船の來航を每年六隻に制限し、一六〇八年(慶長十三年)には更に四隻に制限したのも、一には來航日本人の不穩を未然に防止すると共に、一には彼等の貿易の發展に制壓を加へたに他ならぬ。而して更に翌一六〇九年七月二十五日(慶長十四年)には、
フィリッピン諸島より日本への貿易、通商及び航海は、當諸島の市民によりて經營さるべく、日本人の當諸島に來航することを許可すべからず(註三八)。
なる嚴令が發布されたが、其の實施の有無は頗る疑はしく、當時マニラに麥粉等の食糧品を主として供給したのは日本人にして、御朱印船は依然として年々

同地に入港した

日本船のマニラに舶載する商品に對しては、支那船と等しく、前述の如く輸入税が課せられたが、教父ペドロ・チリーノも、セブー島に設立されたゼスス會の修道院の維持費に之を充當せんことを請願して、一六〇七年五月（慶長十二年）に許可されてゐる（註三九）。又彼等の舶載品の一部は、日支人間や、或は彼等の居留地にても取引きされ、又一部は同市の官設販賣所或は官設倉庫(Reales Almacenes)とも稱すべき所にて、イスパニヤ人等に賣渡された。例へば一例を、ドン・ヘロニモ・デ・シルバ(Don Geronimo de Silva)の要請に基いて、一六一八年八月二日（元和四年）會計官フランシスコ・ロペス・タマヨ(Francisco Lopez Tamayo)の作成した日本人に對する賣却商品代價支拂證書に取れば、

第十三號文書ルイス・メロ(Luis Melo)、及び其の他の日本人に支拂を爲せる際の、會計官の他の證明書。

當群島の國庫會計官フランシスコ・ロペス・タマヨ(Francisco Lopez Tamayo)は、上司の命令履行に當り、次の如く證明す。――一六一六年七月三日より同年十二月末日までの國庫支拂中、第二期計算書中に於いて、雜書類の第三九六葉に、諸項目の日附の間に、次の如き内容の計算事項見えたり、

一六一七年七月六日。日本人ミゲル・イロヤ《(絲屋カ)》(Miguel Iloya)に對し、本年種々の異なれる値段で、當市の官設販賣所に納入せし鐵、及び硝石の代價として普通の黄金にて支拂ひ一千し一百九十四ペソ二トミン四グラノ……………………………………一、一九四ペソ　二トミン　四グラノ

日本人セバスチヤン・ショウモン《(庄右衛門カ)》(Sebastian Ciomon)に對して、本年此のマニラ市の官設販賣所に納入せし小麥粉百五十袋、及び日本製ビスケット二十五チニャハ(tinaja)の代價、一チニャハに付き三ペソ、一袋に付三ペソの割にて、普通の黄金にて支拂ひし五百二十五ペソ……………………………………………五二五ペソ　〇　〇

日本人レオン孫兵衛(Leon Mangobeo)に對して、當市の前記の販賣所に納入せし銅の値段、一ピコルに付二ペソ二トミンの割にて前記の黄金で支拂ひし六百七十ペソ二トミン六十九グラノ……………六七〇ペソ　二トミン　六九グラノ

一六一七年七月六日。日本人甲必丹ルイス・メロ(Capitan Luis Melo)に對して、一六一六年日本帝國に於いて遭難した水夫六人の救濟に給與して、其の請取書も覺書に記帳されてゐる棒銀百七十三本の代價を、一本に付き十レアルの割にて、普通の黄金にて支拂ひし二百十二ペソ四トミン……………………………………二一二ペソ　四トミン　〇

甲必丹ルイス・メロに對して、當市の官設販賣所に納入し

た商品の代價より、一六一六年に船の裝備の爲めカビテにて彼に交付せし物品の代價七十ペソを差引いて、普通の黃金にて支拂ひし六百二ペソ四トミン九グラノ ……………………… 六〇二ペソ 四トミン 九グラノ

日本人甲必丹ルイス・メロに對して、彼が自費で日本にて購入し、前地より陛下の勘定として齎らして、當地の國庫より種々の値段で支拂ふ可き各種商品の代價一萬六千六百四十三ペソ六トミンに對し、普通の黃金で支拂ひし九千六百八十五ペソ ………… 九、六八五ペソ ○ ○

此の證明書に含まれたる六項目は、普通の黃金にて總計一萬二千七百八十九ペソ五トミン十一グラノに達す。――此の請願書及び命令の不變なることを、一六一八年八月二日フィリッピン諸島マニラ市にて、證明書に於いて斷言す――此の證書の記す所に依つて、原請願書並に令狀は、會計官たる予の保管にあり――前記フランシスコ・ロペス・タマヨ作成す(署名)

……………總計 一二、七八九ペソ 五トミン 一一グラノ (註四〇)

とあつて、日本人がマニラに舶載せし小麥粉等の食料品や、銅、鐵、其の他硝石等の軍需品や他の諸商品を、同地の公設販賣所に於いて賣却した數量價額と、其の代價として特に支拂ひを受けた金の量は、年々相當多大なものでは無かつ

たかと思はれる。右の勘定は主として一六一六年度の取引に關してゐるが、翌一六一七年八月十日(元和三年)附、アンドレス・デ・アルカラース(Andrés de Alcaraz)がマニラより國王に呈した書信中には、同年呂宋に國庫よりの支給なく、政費涸渇して、甲必丹や日本人、及び支那人商人の納入せし布地や、其の他の軍需品に對して支拂ふ可き二萬三千ペソを、未だ決濟し能はざることを報じてゐるが(註四一)、右の甲必丹とは前述のルイス・メロなる可く、同年も亦彼等日本人商人が多數の商品をイスパニヤ人に販賣したのであらう。又元和七年酉年二月六日(一六二一年)呂宋船積帳を點檢しても、總額銀子三十二貫三百五十六匁の積荷中に

一　麥粉　九四七俵　一〇貫七〇五匁

一　ひすから(ビスケット)と壺　四九、九〇〇斤　一二、五五八

の外、しび樽、味噌樽、大豆、油壺、ぶたの足等の食料品が其の大部を占め、他に鐵、ゐんせう桶、木綿、かたびら櫃、かけ硯などの諸商品あり、麥粉の如きは、全積込量の約七割に當る六百三十三俵が、日本商人の計算による積荷であつた(註四二)。

マニラを中心とする通商貿易關係の斯かる日本人商人等は、既に縷述せし如

く、主としてディラオの日本町に在住し、後に渡來した右近一行の專ら信仰生活を求めた一部の人々は、サン・ミゲル邑に入つて一小部落を作つたが、其の他同市の近郊に散住する者もあつた。一六二一年八月(元年七年)教父セリャーノが國王に呈した宗務報告に、

日本人傳道と其の敎化人員數。サンチャゴ(Santiago)の教區教會、及びマニラの郊外に在るディラオとサン・ミゲル邑、並びにカビテ(Cavite)の一部に於いて、當群島に留住せる多數の日本人が監督を受けてゐる。中には結婚せし者もあるが、彼等は自國との間を來往して、其の數に定り無いけれども、目下基督教信徒は一千五百名以上ゐる(註四三)。

とあつて、日本町二ヶ所の外に、マニラの外港カビテにも在住する者があつた。而して曾てモルガも言へる樣に、彼等は一般に永住的傾向少く、其の數も浮動して定り無きことを指摘してゐる。カビテ在住日本人に就いては、其の後一六二五年(寛永二年)に、其の知事アンドレ・ペレス・フランコ(Andre Perez Franco)が、同地の日本人店舗から毎月一レアルを强制徴收して訴へられたが(註四四)、彼等も商業關係の移住民に違ひない。

曾て同地に渡航した川淵久左衛門の呂宋覺書によれば

一　カベイタと申所有之候。城あり、侍分の者居申候。……………………

一　此邊に町屋あり、所の者、日本、唐人打まじり、みせを出し居申候。……

一　マネイラ城外の町やは、大形かや屋かやかべ也。カチヤンと申かや也。…

一　町は城の出口に番所コイイと申町有、又其次にかや家作りの町屋御座候日本人、唐人打まじり商賣仕居候。大なる石の家二三間も有之候。

一　又城の出口に二三町のき唐人町有、ハリヤンと申所なり、商賣仕唐人ト二三萬有之由承候。此邊に大なる寺あり。

一　城外に引のきデウと申町有、長屋作に致し借屋あり、日本人、モウル人打まじり見せ出し居申候。二三間作りのかや屋、方々あまた御座候。町はづれに大なる石の寺あり。

一　……マネイラの内、サミゲルと申所に高山右近殿子息居被申候。年二十四五計の能き若き人にて有之候。衣裳はマネイラ人の衣裳也。………

一　マネイラ城内に居申候者は皆侍也……あきなひ物持行ば城の内へも心安く行、但し手形なければ出入ならず、ハンコイに出る口に改番所あり、唐人の居申候ハリヤンと云所にも改番所あり、商物持行けば、侍共の女房など出て見る也。時により奥までも呼也。但右の二所の番所は則城より出門なり(註四五)。

とあつて、彼はマニラ市外に日本人の在住地四ヶ所を擧げてゐるが、何れも町並の家屋は殆ど茅葺茅壁の粗造なる建築にして、彼等の多くは商業を營んでゐた様である。カベイタとあるは、先に二例を擧げた港町カビテにして、同地の日本人は支那人と雜居して店舗を開き、「唐人町ハリヤン」とは、サン・ガブリエルの支那人パリヤンにして、「城外に引のきデウと申町」は、云ふまでもなくディラオの訛誤にして、彼の見聞によれば、日本町にモロー人の商店も雜居してゐた。サミゲルはサン・ミゲルにして、彼の渡航した寛永七八年頃には高山右近の子が生存してゐる。

以上三地の日本人在住地の外に、「町の出口に番所コイと申町有」ることを記してゐるが、又彼は之と同一地點と思はれる所を「ハンコイに出る口に改番所あり」、支那人區パリヤンに出る改番所と共に「右の二所の番所は則城より出る門なり」と記してゐる。當時マニラ市の城壁より外部に通ずる陸路の二道なりしことは、モルガも之を述べてゐる。即ち一は城壁の東方の出口よりパリヤンに隣接するサン・アントン(San Anton)を經て東南ラグィオに通ずる一路にて、他は南方の門より土人部落バグンバヤン(Bagunbayan)を經て海岸に沿ひ南方マーラット(Mahalat,Malate)に通ずる路にして(註四六)、其の後約七十年を經過したイニャシオ・ムニョスのマニラ市並びに近郊地圖によるも、市の城門は矢張東に **31** パリヤンに至る門と、南に **17** バグンバヤンに至る二門ありて、南門外には **n** サンフランシスコ派の修道院あり、引續いて **m** バグンバヤンの邑が描いてある(註四七)。然らば呂宋覺書にて、唐人パリヤンの改番所と併記された「ハンコイに出る口」の改番所、又は「城の出口に番所コイと申町有」と云ふは、南方城門のことなるべく、門外に在るハンコイ又は番所コイの町は、正しくバグンバヤンの土人部落であらねばならぬ。即ち現今のルネータ(Luneta)及びウオーレス・フィールド(Wallace Field)の地域に當り、同地にも日本人は支那人等と共に雜居して店舖を構へてゐたのである。

即ち日本人移民は、マニラ市の近郊に在つてはディラオとサン・ミゲルに多數在住聚落を作り、特にディラオの日本町には彼等の商店相並び、他にバグンバヤンとカビテにも、土人や支那人の中に雜居して店舖を開く者ありて商業方面に活躍したが、彼等の中には勞働に從事する者もあつた。既に一五九二年(文祿元年)に總督ダスマリーニャスがマニラ在住日本人を市外の指定地に移住せしめると同時に、

日本人召使に對して取るべき手段も考慮せざるべからず、蓋し、當地には彼等は非常に多數にして、我等の住宅にも、市内にも自由に出入することを許されたれば、此の危局に直面して、彼等は放火或は類似の災害を釀すやも計られず(註四八)。

なる指令を市會に下して、當時イスパニヤ人の家庭の雜用に使傭された日本人の多數ありしことを指摘してゐるが、又教父チリーノの手記によれば、其の頃マニラ市内在住支那人の召使となりし日本人の有つたことも記してある(註四九)。其の後一六〇九年五月二十六日(慶長十四年)に發布されたフィリッピン人の課役に關する法令には、

フィリッピン諸島に於いては、土人は幾人たりとも決して公私の用務の爲め、徭役を課すべからず。國庫に關する森林伐採、小舟の操漕や其の他此の種の公事及び公衆の利益の爲めには、當マニラ市にて隨時必要な丈の支那人及び

日本人を從來同樣に雇傭すべく、彼等の勞働に對して適當な賃銀を支拂へば、此等の公事に從事せんと欲する者は、彼等の中に十分人數あり。マニラに於いて土人の群集することを避ける爲めに、被傭を望む者の中から選傭し得べし。徭役が避け難く、且つ支那人と日本人が、此等公事に實際必要な丈を十分充すことを好まざるか、又は充す能はざる時には、總督は、土人が自由自發的に公事を助力し得る程度を考慮して、彼に好都合なる手段を採用すべし。併し自發的勞働者無き場合には始めて唯」次の條件によつてのみ、土人を此等の公事に强制することを許可すべく決して他の場合には有る可からず(註五〇)。

とあつて、在留日本人中には支那人と共に、「從來同樣に」屢」イスパニヤ人から公私の工事に當つて徭役を課せられて、若干の賃銀を取得する者もあつた。

斯くてマニラ在住日本人は、同地の商業方面と勞働方面に活動したが、元寬の交、彼我の交通貿易が杜絕して、日本人は多數歸國し日本町が寂びれるに連れ、彼等の活動も急激に萎微したことは想像に難くない。然も尙此の方面に於ける殘留日本人活動の管見に上りしものを拾へば、一六三二年十月十四日附(寬永九年)臺灣長官ハンス・プットマンス(Hans Putmans)から東印度總督ヤックス・スペックス

(Jacques Specx) に致した報告によれば、暹羅より同地に入港した一蘭船の情報を錄して、

前記の蘭船の按針士の語る所によれば、彼等が同地を出帆せし時、一日本船がマニラから蘇木其他の雜貨を積んで來舶したが、日本に到る航海を續けることが出來ないので、同地に滯留して北風を俟つてゐた(註五一)。

とあるが、臺灣オランダ商館日記同月十六日の條には、日本人及び其の混血兒六人支那人三十人乘組める一ジャンク船が、蘇木三萬斤、砂糖四千斤、其他に鹿皮を積んで呂宋のパナシラン《(パンガシナン?)》(Panasilang)から同地に入港したことが記してあり(註五二)、東埔寨オランダ商館日記一六三七年三月十五日(寛永十四年)の條には、マニラから約百噸のジャンク船が同地に入港し、支那人二十人、日本人八人の商人船客、及びイスパニヤ人按針士二人乘組み、鹿皮三千枚と現金を齎らして象牙、安息香、漆等を購入したことが見え(註五三)、移住日本人はマニラより近隣の暹羅、東埔寨、臺灣に貿易の爲め時々渡航してゐる。又東京の事情を詳報したオランダ商館員ヤコブ・カイゼル(Jacob Keyser)の一六五三年十月二十四日附(承應二年)の書信によれば、此より先同年三月二十二日に、ペドロ・デベルガス(Pedro de Vergas)

のジャンク船がマニラより同地に來航したが、船中には貧窮せし日本人五人、黑人七八人、及びパンパンゴ人等乘組めることを記し(註五四)、又翌年十一月十八日附ルイス・イザーク・バファールト(Lovys Isaack Baffaert)の書信によれば、東京在住日本人の有力者和田理左衛門が、呂宋の新總督から東京マニラ間の航海貿易協定の締契を乞はれて、理左衛門は此の爲めに新造船をマニラに派遣せんとすることが報ぜられ(註五五)、翌々一六五六年二月一日附(明曆二年)東印度總督府一般行政報告によれば、マニラより東京に入港したジャンク船の船長按針士共に同地に客死し、理左衛門が代つて同船に商品を積み込みマニラに派遣して、東京に於けるオランダ人貿易の著しく不利なるべきことが報じてあつて(註五六)、マニラを中心とする日本人の經濟的活動は、鎖國後に於いても種々なる形式と經路によつて相當に存續した。

三 宗教的活動。 一五七〇年六月(元龜元年)イスパニヤ人が始めてマニラを占領した時、既に日本人二十名先住してゐたが、彼等の遠征報告に依れば、

其の中に、テアチン(Theatin)の僧帽をかぶつてゐる一日本人がゐたので、我等は彼を基督教徒と思つた。我等が教徒なりやと尋ねると、彼は之を肯定して、

自分の名をパブロであると答へた。彼は聖像を首に懸けてゐて、珠數を求めた(註五七)。

とあるから、彼は既に母國の何處かに於いて此より先二十年以前の天文十八年七月(一五四九年八月)に始めて鹿兒島の一角に傳來し、軈て各地に傳播した切支丹宗に接觸した者で、當時日本にて傳道せしは、固よりゼスス會一派のみにして、彼もテアチンの僧帽を戴けるより推せば、ゼスス會の一信徒なりしことは明かである。

其の後天正十四年以後日本とマニラ間の交通貿易が直接開拓され、漸次移民も渡航したが、既に其の最初の渡航者中に信徒がゐた。即ち前に引用した同年六月二十六日總督ベラが國王に呈した書翰の中に、

其の後當市に、切支丹ドン・バルトローメ王の家臣にして、ポルトガル人が交易する主要な港長崎の住民なる日本人切支丹十一名來着した。……彼等は平和に來航した最初の日本人である(註五八)。

と記してあるが、彼等は翌年松浦船のマニラ入航の際にも再び便乘して來た(註五九)。而して同地のゼスス會の教父チリーノは、マニラ渡航日本人と自派教會と

の關係に就いて、

日本人等も亦我等の教會の庇護の下に身を置いたが、彼等は其の隣國人なる支那人の爲す所を羨望し、カスチリヤ人のレアル貨の好餌に惹かれて、俄かに當地に來始めた。而して、彼等は我が教父等の世話で渡來したので、當地に於いても教父等に相似た我等を見出して、我等に身を寄せる樣になつた。それより以後今日に及ぶまで、彼等は必ず當地の人々に宛てた其の紹介狀を携へて、其の國を出て來る。………

一五八七年には、ガブリエルと云ふ京生れの彼等の一人は、同地から當地に向ふ途中同僚八名を改宗せしめて、聽て到着するや、彼等は我が教會堂に於いて、非常に壯嚴に洗禮を受け、司教も彼等に入信告解の聖事を司つた。

又ゼスス會が此の人民等に、イスパニヤ人同樣に、更に告白を聞き聖體を授けることを拒んだので、サン・フランシスコ洗足派の教父が、マニラ城壁外に、特に彼等の爲めに建てた教會堂で、彼等の世話をした(註六〇)。

と記してゐる。即ちマニラ渡航日本人信徒等は、當時日本に於いて全く獨占的に傳道して全盛を誇つたゼスス會との關係を、其の儘マニラにも延長して、渡航後同地に於いて、從來の教縁により、遲疑なくマニラのゼスス會教父等の庇護教化の下に服したのである。而して彼等が母國を立つ時、常に教父等の紹介狀を携行せるは、此の關係の存續を一層强固緊密ならしめたに違ひない。然るに教父チリーノは、後段に於いて、何等かの事情によつて、ゼスス會教父と渡航日本人との如上の關係が中絕して、新にフランシスコ派の教父が日本人の教化傳道を擔當する樣になつたことを傳へ、其の年代は、彼に依れば、一五八七年京のガブリエル一行受洗後、幾許もなき時の事件の樣にも解せらる。併しマニラ市を圍繞する城壁が略々完成したのは一五九一年六月下旬にして(註六一)、日本人が市壁外のディラオに轉住せしめられたのは、其の翌年のことなれば、「マニラの城壁外に、特に彼等の爲めに建てた教會堂で、彼等の世話をした」のは、更に其の以後のことになる。教父チリーノは、又、マニラ移住日本人の教化が、ゼスス會の手を離れて、フランシスコ派に移動した事情を明記してゐないが、元來ディラオ邑はフランシスコ派の傳道區內の地であつたらしく、一五九一年五月末日作成のフィリッピン諸島內の莊園地詳報によれば、

ディラオ。皇帝領。――ディラオ邑內にては陛下に屬ずる納貢總數二百にして、全

人口は八百名であるが、彼等の敎化は、マニラのサン・フランシスコの敎會が擔當してゐる。彼等は敎會が非常に近いので、其處のミサに通ふ(註六二)。

と記してある。從つて今日本人が同地に轉住して來た關係より、フランシスコ派が其の敎化傳道を擔當する樣になつたに違ひ無いが、チリーノより云へば、彼等が從來より敎化せし日本人移民信徒を、フランシスコ派の手に奪取され、偶〻日本傳道に就いても、互に競爭的立場に在る兩宗派が、ディラオの日本町の布敎を繞つて軋轢せる事情と彼の不滿を仄かに漏らしたのであらう。

然るに一六〇〇年(慶長五年)フランシスコ派のルイス・ソテロ(Luis Sotelo)がマニラに渡來するに及び、ディラオの日本町に對する同派の傳道は決定的となつた。彼は日本渡航を待つ暫しの年月、ディラオの日本町に敎を說き、日本語を學んで只管渡航準備を整へると共に、彼と同鄕にして親戚なる總督テリョに運動したるものゝ如く、翌一六〇一年一月二十二日(慶長五年十二月)には、總督から、特にディラオに在住せる日本人等敎化の爲めに許可を得て、椰子や檳榔の葉で葺いた小敎會堂を建設し、翌年三月二十二日には、彼の請願によつて、總督は、同地の日本人の敎化監督を永久に同派に委任した(註六三)。先にチリーノが、フランシスコ派の城壁外に於ける日本人の爲めの教會堂建設を記したのは、此の事を指した樣に思はれる。ゼスス會始め諸宗派は、固より斯かるフランシスコ派の暗躍を默視する能はざる所にして、同年七月三日にマニラに宗務會議を開催して、直接國王に書信を呈して、各派の布教範圍を限定し、紊りに教會堂を建立せしめざらんことを請願して、

若し是に反する場合は、災害が頻發するであらう。蓋し勅令は既に可なり敷衍擴張されて、フランシスコ派の教僧すら、外見謙讓な言葉を使用してゐるけれども、僧正の管轄權を否認して、日本人を教化する爲めには、毫も他の免許承認も得ずに、彼等自身の權限を以て、當市の城壁外のディラオ邑に他の教會堂を建立した(註六四)。

と訴へてゐるが、此の請願は奏功せざりしものか、翌一六〇三年九月九日(慶長八年)に至つて、マニラの大司教ミゲル・デ・ベナビデスが、此等の日本人の布教を全くフランシスコ派の管轄下に置くべきことを命令した(註六五)。此に於いてディラオ日本町の布教權は、名實共に完全に同派の手に歸した。

當時ディラオの日本町には、日本人の基督教徒及び異教徒の在住する者五百人

に及び、フランシスコ派の教父は、特に傭入れた通譯を介して、彼等の間に説教傳道したが、殆んど宗教的偏見に囚らはれなかつたモルガも、日本人教徒の篤信なることを、

基督教徒になつた者は、誠に善良にして、信仰に對して實に熱誠忠實である。蓋し彼等は唯救に對する熱望に驅られて入信したので、日本にも多數の教徒がゐる。從つて彼等は、自由に何等の障害も無く自國に歸る(註六六)。

と云つてゐる。されば、一六〇六年(慶長一一年)の日本町の叛亂の時にも、教父モンテスが同地のフランシスコ派の教父等の協力を得て、教縁を辿つて彼等を慰撫説得し、辛うじて未然に事無きを得た(註六七)。

一方日本に於いては、此の後幕府の切支丹に對する彈壓は漸く重加して、終に慶長十九年の季秋には、高山右近、内藤德庵一行百餘人追放されて、同年十二月二十一日マニラに上陸し、大いに上下の歡迎厚遇を受けたが、右近は幾許もなく翌年二月三日に六十三歳にて同地に客死した。其の後間も無く德庵等一行の多數の男女は相共にサン・ミゲル邑に轉住し、特に婦人等の爲めに修道院も建設され、德庵は其の隣家に住して、餘生を信仰と日本人並びに土人の診療に

盡した(註六八)。然もサン・ミゲル邑の土人の傳道は、元來ゼスス會の擔當する所なれば(註六九)、茲にフランシスコ派のディラオの日本町に對すると同様な關係が、ゼスス會と同地の日本人部落の間にも生じて、此等日本人の教化監督は、ゼスス會の司る所となつた様である。教父コリンの記す所を再びこゝに引用すれば、

サン・ミゲルの傳道區

此はマニラ市の城壁外に位して、其の修學院の院長に屬してゐる。信仰の爲めに母國より追放された有力なる男女より成る多數の日本人が、一六一五年以來此の邑に聚住した。就中著名なドン・ジュスト右近殿、ドン・ジュワン徳庵並に有力な婦人連は、時が經つ中に死亡した。ゼスス會は、當市が隆盛なる時には、教會の施物、及び寛大にも之を助けんとする人々の寄附した施物等を以て、此等の日本人を悉く扶養して來たが、今や彼等は貧窮して暮してゐる(註七〇)。

とあり、又一六五八年(萬治元年)のイニャシオ・デ・パスの報告をも再び引用すれば、

マニラ市の近郊所在村落。

他の甚だ近接したディラオの邑には、日本人基督教徒が土人とは離れて住ん

でゐるが、彼等の管理は、土人の場合と等しく、サン・フランシスコ派の僧が受持つてゐる。

ディラオに隣接してサン・ミゲルと云ふ他の一小邑があり、日本人婦人を收容する家があるが、彼等は我が聖教を奉ずる爲めに故國を逐はれた者である。彼等並びに同邑の土人は、何れもゼスス會の教僧の監督を受けてゐる(註七一)。

と記して、ディラオ日本町は一六〇三年以來引續いてフランシスコ派の管理下にあると共に、サン・ミゲルの日本人は一六一五年以來ゼスス會が監督してゐる。

ディラオの日本町在住民に對する說教傳道は、前述の樣に最初はフランシスコ派の外人教父が、通譯を介して行つたが、後には日本人教父が、專ら自國民の教化監督を擔當した。卽ち一六四九年(慶安二年)に綴られた初期フランシスコ派の布教報告によれば、

ディラオのヌエスツラ・セニョーラ・デ・ラ・カンデラリヤ(Nuestra Senora de la Candelaria)の修道院は、院長のドン・フランシスコ・デ・アレリャーノ(Don Francisco de Arellano)が、石造の教會堂と住屋を自費で建立した。マニラ市の城壁外に位して、老幼千二百人より成る納貢三百を持つてゐる。日本人基督教徒も同院に屬してゐる

が、彼等自國民出身の日本人牧師がゐて、其の世話監督を司る(註七二)。と記してゐるが、日本町の教會堂に就いては、川淵久左衞門も、「城外に引のきデゥと申町有、………町はづれに大なる石の寺あり」と傳へてゐる(註七三)。又一六七一年のイニャシオ・ムニョス(註七四)、一七七〇年のエストルゴ・ヰ・ガリエゴス(Francisco Xavier Estorgo y Gallegos)(註七五)、及び一七六七年のフェリシアノ・マルケス(Feliciano Márquez)等のマニラと其の近郊圖によれば(註七六)、何れも今日の師範學校の校庭邊りにディラオの修道院並びに教會堂が描いてあるが、此は疑ひも無く前記日本町の會堂に違ひ無い。

サン・ミゲル邑の日本人に對しては、一時ゼスス會の外人教父が日本語を以て說教傳道した樣であるが(註七七)、其の教會堂の外に、一六三六年頃(寛永十三年)新に一大教會堂が新築された(註七八)。其の位置は明瞭で無いが、前記一七六七年と一七七〇年のマニラ市並びに近郊圖に依れば、今日のアヤラ橋東北の袂に當る。又同地に建てられた日本人婦人の修道院には、最初德庵の妹ジュリヤ(Dona Julia)等十三名の婦女が入院したが(註七九)、彼等は教會から毎週二十五乃至三十ペソの扶助料を給與された樣である(註八〇)。

尙右近一行と相前後して、日本から西洋印刷機が輸入されて、同地在留日本人が宗教書を印刷刊行したことは、我が國では既に石田幹之助學士の紹介もあるが(註八一)、曾てメディナ(J. T. Medina)が書誌「マニラに於ける印刷」にて之を記し(註八二)、次いでレターナ(W. E. Retana)が「フィリッピン印刷源流考」にて、詳述してゐる(註八三)。言ふまでも無く西洋印刷機が我が國に傳來したのは、一五九〇年(天正十八年)に巡察師アレッサンドロ・ヴァリニャーニ(Alessandro Valignani)が大村有馬の遣使を送つて再び來朝せし時にして、爾後九州各地の學林に於いて宗教書や語學書を印刷して、大いに傳道事業に貢獻したが、其の後當局の切支丹宗取締は次第に嚴重となり、學林も相次いで閉鎖せしかば、最後に此等の學林にて使用した機械を同地に傳送したのに違ひない。

さて此の印刷機と其の轉送年代に就いては、パンパンガ州ルバオ邑(Lubao)の修道院にゐたアウグスチン派のガスパル・デ・サンアウグスチン(Fr. Gaspar de San Augustin) は其の著フィリッピン征服史中に、

同所では日本から將來した極く良好な印刷機一臺を手に入れたが、此れで多數の書籍、就中イスパニャ語、並びにパンパンガとタガラ(Tagala)語の書を印

刷した（註八四）。

と記し未だ其の年代には觸れてゐないが、同派のアウグスチン・マリヤ・デ・カストロ(Fr. Augustin Maria de Castro)の著はす神聖なる念珠祈禱書(Osario Venerable)には、

此の修道院では、日本から將來した良好な印刷機一臺手に入れて、此に依つて同所で書籍若干部印刷したが、其の後一六一四年にゼスス會の教父に賣却した。蓋し上申書にも記されたる如く、同機は我等に取つて結局維持費が嵩み利益が少いからである（註八五）。

と記してゐる。レターナは此の二史料に依り、印刷機轉送年代を一六一四年頃と推定してゐるが（註八六）、日本に於ける切支丹版歐文書印刷の最後の年は、實に慶長十五年（一六一〇年）のことにして（註八七）、其の間隔は僅に四年なれば、彼の推定も略ゝ正鵠を得たものと思はれる。其の後一六一八年（元和四年）に日本人ミゲル・?稅所(Miguel Saixo)とパンパンガ人アントニオ・ダンバ(Antonio Damba)が、協力してバコロール(Bacolor)のアウグスチン派の修道院内で、日本に於ける殉教譚を印刷出版したが（註八八）、前記ルバンとバコロールとは共にマニラを距る七八十粁のパンパンゴ州に在りて、其の間僅に十粁に足らず、當時極東呂宋に於いて未だ印刷

附圖第二十

RELACION DEEL MARTYRIO DE el S. F. Hernando de S. Ioseph.

EN IAPON, Y DEL SANTO F. NICOLAS Melo en Moscouia, de la Ordē nrōP. S. Augustin.

16  18.

CON Licencia de los Superiores
En Bacolor Por Antonio Damba.

Facsimile H.--*Bacolor* Imprenta agustiniana], *1618*. --[Colofón:]

CON LICENCIA.
IMpresso en el Convento de S. Guillermo de' Bacolor.
Por Antonio Damba Pampango y Miguel Saixo Iapon.
Año de 1618.

一六一八年バコロールの日本人ミゲル税所、土人ダンバ共刊
アウグスチン派殉教者傳

附圖第二十一

LIBRO A NAI

ſurátan ámin ti bagás ti

DOTRINA CRISTIANA

nga naisurat iti libro

TI CARDENAL A AGNA-

gan Belarmino, Ket inácen ti P. Fr. Fráciſco

Lopez padre à S. Aguſtin, iti Sasao Ilóco.

Ad dandam

scientiam salu-

tis plebi ejus

Cant. Zach.

Impreſſo en el Convéto de S. Pablo de Ma-

nila. Por Antonio Damba, i Miguel Saixo.

Año de 1621.

術も普及せざる際なれば、同書を印刷に附したのは、恐らく先にルバンの同宗派の修道院にて使用した日本傳來の印刷機なる可く、玆に奇しくも異域配流の一日本人切支丹が、曾て天草版ドチリナ・キリシタンや長崎版ロドリゲスの文典を印刷したと同じ機械を操つて、更に日本の殉教者譚を印刷したのであらう。兩人は更に一六二一年(元和七年)マニラに於いて、イロコ語(Iloco)のドチリナ・キリシタンを印刷刊行してゐる(註八九)。ミゲル税所の經歷は全く明かでないが、或は天草の學林邊で印刷術を修得した切支丹ではあるまいか。

　此の頃ソテロは伊達政宗の遣歐使節支倉六右衞門等と同行してマニラに歸航し、同地に日本人の爲め學林を設け、自ら多數の在學日本人に聖職を授け、物議を釀したが(註九〇)、彼は豫て日本に於けるフランシスコ派の教勢擴張の野心を有し、彼の活動の手先とすべき日本人教職を俄かに作成したのではないかと思はれる。又實際一六二四年(寛永元年)には日本人切支丹六十九名連署して歎願書を長崎よりマニラの司教セリャーノに呈して、日本人信徒を教化監督する爲めに、フィリッピンに滯留する日本人學生に聖職を授けて派遣せんことを乞ひ、政府の探索嚴重にして取締苛酷を極め、イスパニヤ人は言語の關係からも到底國內の傳道に従事する能はざることを通報した(註九一)。マニラに於いても同年七月二十三日當局關係者會合して、特に日本人宣教師を養成する學林の特別維持費扶與を議して、

當群島の前總督にして高等法院長なるドン・アロンゾ・ファハルド・デ・テンサ閣下(Don Alonso Foxardo de Tenca)は、日本人を教育し宗旨を教込みて訓練すべき修道院學林の建設を決行したが、彼等が聖職を授けられた院には、イギリスの學林がイスパニャ國や他のキリスト教國にて爲す所に倣ひて、日本國に歸國して、說教して同地に我が聖なる信仰を教込む可きである。——此目的を以て、彼は當市の城壁外未墾の土地に、教會堂、住屋と庭園に宛てる敷地區域を選定した。而して該修道院學林の收入と經費として、彼は、當市とカビテ港間の航路航海より上る收入、及び蒟醬及び煙草の專賣收入を選定充當したが、此は本年一月二十九日、此の目的を以て、皇帝の御名に依つて發布された勅令に基いて、彼が其の設定を命じた所である(註九二)。

なる旨を議決した。其の後日本に於いて彈壓に喘ぐ切支丹宗の再興宣布を計畫して、十數回に亙つて各派の教師がマニラより日本に潛入したが、姉崎正治博

士の研究に依れば、其の中日本人十二名を數へることが出來る(註九三)。而して其の中、

平戸のトマス六左衛門(Thomas de San Iacint.)……一六二九年十二月潛入(註九四)。
大村のヤコブ五郎兵衛(Iacob de Santa Maria)……一六三二年七月潛入(註九五)。
ビセンテ鹽塚(Vicente de la Cruz Xivozzuca)……一六三七年九月潛入(註九六)。
フランシスコ・マルケス(Francisco Marques)……一六四二年八月潛入(註九七)。

の五名は何れもマニラに於いて宗教教育を受けた者である。又教父アントニオ・デ・サンタ・マリヤ(Antonio de Santa Maria)がマカオより發した通信によれば、一六三二年九月三日(寛永九年)教父ガブリエル・デ・ラ・マダレーナ(Gabriel de la Madalena)と共に長崎にて火刑に處せられた一日本人教父を、

フライ・ゼロニモ・デ・ラ・クルス(Fray Geronimo de la Cruz)は日本人教父にして、予がイスパニヤより同地に渡來した時、(ディラオの戰鬪の際)側の、井戸の後方に在る日本人の教會に在住してゐた(註九八)。

と記してゐるから、彼は潛入以前ディラオの日本町で活動してゐたのであらう。

其の後もマニラの諸學林殊にゼスス會の學林に於いて、一方に於いては在住

日本人の教化監督を司り、他方に於いては日本の布教に潛入すべき教師養成方針を、依然として續行せしめる爲め、一六四〇年十二月三十一日(寛永十七年)にフェルナンド・ルイス・デ・コンツレラス(Fernando Ruiz de Contreras)は王命によつて、

日本との貿易鎖されたるに依り　日本人に對し聖教教育の爲めに、現在ゼスス會教師の管理下にあるサン・ホセフ學林(Colegio de San Joseph)に於いて、他の學林の學生の四の一を收容養成すべきことが目下適切である(註九九)。

なる旨を通達したが、寛永二十年五月(一六四三年)に、同地より日本潛入の目的を抱いて筑前に上陸して捕へられたゼスス會のジュセッペ・キャラ(Giuseppe Chiara 岡本三右衛門)等一行の、同年九月八日附の訊問答申書には、

一　呂宋には日本人の伴天連四人有之、一人は豐後國加賀山隼人親類也。隼人は先年火罪に逢候。右之親類の伴天連、日本へ渡し可申との議に候。一人は黑川壽菴と申候。來年日本へ渡し可申由、呂宋にて我等に物語申候。南蠻伴天連イランドと申者も、來年渡り可申由、我等共に物語り申候。其外日本人の子五六人、呂宋にて只今學問致させ申候。天川にても日本人の子十二人學問致させ、何れも伴天連に取立、日本へ渡し可申由

承候(註一〇〇)。

とありて、當時マニラには日本人教父が在職活動し、他に日本人子弟が宗教教育を受けてゐることを傳へてゐるが、彼等は同地の學林にて修學せる者に違ひない。而して一六四九年(慶安二年)の布教報告に記されたディラオの日本町の監督を司れる日本人出身の教父も、前記の伴天連なる可く、或は同地の學林にて修業した者かも知れない。

斯くてマニラ郊外日本町の在住民は、内外人教父等の熱意と努力によつて、能く異域炎熱の地に在つても其の信仰生活を維持して、日々の祈念勤行の外に、或は日本殉教者劇を演じ、時には祝祭日に聖歌を誦して舞ひ(註一〇一)、信者は一層信仰を深め、未信徒は新に入信して、信徒數は漸次增加したに違ひない。而して移住民激增に歩調を合はせて信者數も增大し、殊に後年日本に於ける切支丹取締の嚴加するに從ひ、右近一行の如き追放逃避の切支丹も新に來加して、全移住民數に對する信徒數の比は漸次接近したと思はれる。一六二一年八月(元和七年)の司教セリャーノの宗務報告によれば、當時マニラ在住日本人切支丹總數一千五百名以上なれば(註一〇二)、正に同年度の全移民數の過半數に達した。此の前後兩三年は、マニラ移住日本人發展の頂點にして、亦同地に日本人切支丹を最大多數包容した時である。

軈て寬永元年の彼我交通貿易の停止に始まり、十年より相次ぐ鎖國令の發布に遭ひて、移民數大いに減少するや、殘留する日本人の多數は、恐らく棄教を肯ぜずして殆ど歸國の望も無き信徒を以て占めしなるべく、殊に此より先寬永九年には京坂の切支丹癩患者百三十名追放せらるゝありて、同地移住日本人總數に對する信徒の割合は、却つて急速に相接近したであらう。而して此等の癩患者は、從來から在住日本人と緣故深きフランシスコ派が引取つた。一六四九年(慶安二年)の同派の布教報告によれば、

> ドン・フワン・ニイニョ・デ・タボラが當群島に總督たる時、日本皇帝は百五十名の切支丹癩患者を當地に送致した。噂に依れば、癩病は日本にて極めて一般的な病であるが、皇帝は之を本島の土人の間に傳染せしむる意向なる由である。併し皇帝の意志の眞否に係らず、彼等が切支丹なる爲めに追放せられたことは事實にして、彼等は寧ろ其の祖國と親族を棄てゝも、基督教と其の信仰を選んだ善良の基督教徒である。マニラ全市は之を一見して大いに感動した。

結局之を世話したのは我が宗派にして、曾て教師等が土人の爲めに建てた病院の庭園、卽ち地域内に彼等を引取つた。彼等は爾來今日まで其の病院内に在つて、教師等は施物を乞ふて彼等を扶養してゐるが、彼等は殆ど心配なく安靜にしてゐる。總督は陛下の御名に於いて、國庫より彼等に與へる施物を保證してゐるが、善良な教徒なる陛下も之を聞召されて、王室會計より年額二百ドカットを彼等に給することを勅命された(註一〇三)。

と記してあり、フランシスコ派が豫て土人の爲めに設立經營せし病院内に、新に日本人癩病患者を收容したが、同院の位置はイニヤシオ・ムニョスのマニラ近郊圖に、f と記して、城壁東側濠外に接しディラオの部落との間に在る土人病院なる可く(註一〇四)、今日の議事堂より稍〻北方に在つた樣である。而して此等の信徒も年の經過と共に、漸次死亡したことは想像に難くないが、今同地にて死亡した信徒の管見に上りし者を左に列擧すれば、

死歿年次		姓名	典據
元和元年	一六一五年 一月二十四日	マチヤス・サンガ	Pg. 302.
同　年	一六一五年 二月 三日	高山右近 (六三歲)	C-P.III. 491.

同　年	一六一五年二月二八日	豊後のアントニオ齋藤	Pg. 303.
同　年	一六一五年九月一七日	パウロ了因	Pg. 303.
同　八年	一六二二年五月五日	中島マダレナ	C-P. III. 502-3.
寛永三年	一六二六年一二月　日	内藤徳庵	C-P. III. 499.
同　四年	一六二七年三月二五日	内藤ジェリヤ（六二歳）	C-P. III. 502.
同　一一年	一六三四年	パウロ	Pg. 809.
同　一二年	一六三五年一〇月八日	伊賀のマリヤ	C-P. III. 503.
同　一三年	一六三六年五月二五日	鮮人マリヤ・パック（六二歳）	C-P. III. 503-4.
同　一七年	一六四〇年	マリヤ・ムニ	C-P. III. 504-5.
同　一八年	一六四一年	豊後のメンシヤ	C-P. III. 555-7.

（註一〇五）

此等の事例は極めて僅少にして、日本人信徒減少の推移を窺知する資料にも供し難いが、恐らく斯様にして日本町の初代移住民は、其の後可なり急速に死亡減少したであらう。唯此の間僅に時々母國から漂着する難破船乘組同胞が、同地の日本町に引取られて、其の新分子となつた様であるが、一六六〇年（萬治三年）より一七六七年（明和四年）頃まで、彼我の記録に上るものも數回ある。即ち

漂着年次		員數	引取地	備　考
萬治三年	一六六〇年	不明	サン・アントン	受洗

（註一〇六）

元祿六年	一六九三年	不明	ディラオ	扶助料給與、受洗	(註一〇七)
寶永三年	一七〇六年	一四	ディラオ	扶助料給與、受洗？	(註一〇八)
正德二年	一七一二年	七？	ディラオ	田中秀兼、岡野三右衛門一行、翌年出帆難船、	(註一〇九)
寶暦三年	一七五三年	一五	ディラオ	九郎右衛門一行、扶助料給與、受洗結婚、	(註一一〇)
同　一二年	一七六二年	一四	ディラオ	扶助料給與、受洗拒否？	(註一一一)
同　一三年	一七六三年	八	ソクボー	一七人歸國、	(註一一二)
明和二年	一七六五年	一九	ソクボー		(註一一三)

右八回の漂着中五回迄、漂民は何れも曾て日本町として繁榮したディラオ邑に引取られ、教會の世話を受け、或は政廳より扶助料を得てゐるが、萬治三年の漂着民の引取られたサン・アントン邑も、支那人パリヤンとディラオ邑の間に挾まれた狹少の地域にして、云はゞディラオの一部とも見るべき所である。恐らく未だ同所の日本町の命脈の存續せし緣故に依つて、彼等が同地に引取られたのであらう。かのイタリヤ人敎父シドッチ(Giovani Battista Sidotti)が、寶永五年(一七〇八年)に同地より渡來して、訊問された時に、

一　日本衣類并刀は、呂宋にて求め申候。月額は船中にてそり申候。但呂宋に日本人共居申候。尤日本衣類にて居申候。呂宋にては日本人居申候所、

岡の如くなる處に一所集り居申候(註二一四)。

と答申したが、日本人が岡の如くなる所に聚住せるは、ディラオの日本町の名殘なる可く、未だ日本の風俗を墨守して生活してゐるが、當時鎖國を距ること既に七十年後なれば、町の在住民數とて極めて僅少にして、而も初代移住民は全く死滅し、今や其の子孫や、前記の漂民殘留者が辛うじて町の命脈を維持したに違ひない。然るに翌年十一月朔日新井白石が安積淡泊に送った書信には、

此呂宋には日本町と申て、大山を隔候て打開る所に、此國の人大かた三千(十)人はかり住居し候。よき人は馬に乗り鐙をもたせ、日本の風俗のまゝに有之候。日本の詞風俗をもよくよく承合候き。殊更に十四年已前但逢候年方、十四年さきの事也、飄流の船にのり來候も有之候歟、御法度の國より來りては、一生獄中へ入られ候ゆへ、無是非かの島に上りて居住候。十六七人いまた生殘り候(註二一五)。

と記して、ディラオの日本町に、未だ三千人にも上る多數の同胞が、日本の風俗にて生活せることを報じてゐるが、先のシドッチ自身の答申には毫もかゝる多數の在住を傳へず、且つ一六三七年頃(寛永十四年)既に八百人に減少した人口が、鎖國後殆ど母國よりの人員補充なきに係らず、斯く多數に恢復することは到底

首肯し能はざる所にして、是は恐らく白石の誤傳誤聞か、或は極盛時代の人口との混線ではあるまいか。

斯様にしてマニラ移住日本人は長年月に亙つて同地に活動し、其の極盛期兩三年には總人口三千人以上に上り、其の中切支丹信徒一千五百名以上に達した時もあつた。從つて彼等が假令城外に日本町を作つて、全く土人から隔離して在住せしめられたとしても、元來婦人移民數少くして、且つ斯様に長年在住する間には、彼等の一部に土人と通婚する者もあつた様である。既に一六三二年十月(寛永九年)に、混血日本人が呂宋島より臺灣に渡航貿易したことがあり(註一一六)、教父ペドロ・サンフランシスコ・デ・アッシシ(Pedro San Francisco de Assis)や(註一一七)、教父ホアキン・マルチネス・デ・ズニンガ(Joaquin Martinez de Zuninga)(註一一八)、及び教父フワン・フランシスコ・デ・サン・アントニオ(Juan Francisco de San Antonio)等が、何れも其の教派の歷史中に於いて、十七世紀末より十八世紀の始め頃、呂宋島土人中に日本人の混血せる者若干あることを指摘し、殊にタガバロイ人(Tagabalooyes)中には日本人の子孫なることを誇る者ありと傳へてゐるが(註一一九)、其の眞否は暫く措くとしても、サン・アントニオのフランシスコ派の年代記には、亦他の混血種、即日本人がゐるが、彼等は先年當群島海岸に難破した日本人の子孫である。彼等は出身善良なる故に、其の擧止も他人種に比して端正である。彼等は當地にて大いに尊敬され、多大なる特典を有し、他人に比して半額の納貢を拂ふのみである(註一二〇)。

と記し、明かに混血日本人の在住を傳へ、而も前述の樣に、彼等は或る場合は政廳の扶助料を給與されると共に、斯樣に納税上の特典を許與されて、特に優遇されてゐた樣でもあるが、其の後佛人ル・ジェンチル(G. T. H. J. B. Le Gentil)の東印度航海記によれば、

マニラには尙日本人と土人婦との間に出來た他の階級の混血兒がゐる。此等日本人は、約八十年前、帆檣を失ひ糧食盡きた船で、此の呂宋島に漂着したが、一七六七年(明和四年)予の目擊する所では、其の數は多くても六七十名に過ぎず、何れも基督教徒であつた。併し政廳が彼等を好まざりしか、或は彼等が異端に戻つた爲めか、彼等は同一七六七年に歸國を命ぜられて、日本に歸つたが、彼等は恐らく祖先の信仰に立戻つたに違ひない(註一二一)。

と記してある。即ち此等日本人や其の親に、ル・ジェンチルの目擊した一七六七年

より約八十年前に漂着した者ありとすれば、恐らく一六九三年(元祿六年)の漂着船の乘組員なるべく、彼等は前述の樣にディラオに收容されて政廳より扶助料を受けた人々である。然らば、彼等は爾來引續いて同地に在住せしなる可く、其の數六七十人とは、恐らく當時殘住日本人の總數にして、ディラオ日本人部落に關する最後の記事であらう。殊に兩三年前、漂着した筑前伊豆の漂民も、此の年に送還され、今ル・ジェンチルも殘住日本人の歸國强要を記してゐる所を見ればマニラ政廳や教會にて、何等かの事情により、或は寶曆十二年度漂民の受洗拒否等の如き事に依つて、此の年日本人に對する從來の態度を全く變更して、斯かる措置に出たのではあるまいか。若し果して然らば、此はディラオ日本町の名實共に最後の記錄であらねばならぬ。元龜元年日本人マニラ在住の記事の初見より實に二百年、寬永の鎖國よりも約百三十餘年の長年月に亙り、日本人はマニラ市の內外に在住し、殊にディラオには可なりの規模の日本町を建設して、同地の軍事的方面、或は經濟的方面、將又宗教的方面に長く活動したのであつた。

註一　Phil. Isls. Vol. III. Artieda. Relation. *loc. cit.*

註二　Phil. Isls. Vol. V. Letter from Peñaloza. *op. cit.* p. 27.

註　三　*ibid*. p. 197.

註　四　Phil. Isls. Vol. XIII. Letter from Fray Mignel de Benavides. and others; Complaints against the Chinese. 5. Feb. 1605. p. 280.

註　五　*ibid*. Trade between Nueva España and the Far East. *ca*. 1617. p. 62.

註　六　*ibid*. Aduarte, Diego. Proposal to Destroy Macao. 1619. p. 195.

註　七　Morga. *op. cit*. pp. 198—199.

註　八　Colin-Pastells. Tomo III. pp. 24—25.
Concepión. Tomo IV. pp. 103—104.
Morga. *op. cit*. II. p. 61.

註　九　Morga. *loc. cit*.
此の事件の日時を明記した記錄は無いが、總督アクーニャのモルッカ諸島遠征中なれば、同年二月より五月末日までの間の事件であらねばならぬ。

註一〇　增訂異國日記抄。五—六、九頁。異國日記、前揭、三頁。通航一覽、（刊本。四ノ五七五頁）。

註一一　Phil. Isls. Vol. XVIII. Rios Coronel. Reforms. *op. cit*. p. 313.

註一二　Morga. *op. cit*. I. pp. 81—89. Aduarte, Historia. pp. 189—196. Cabaton, Relation. *op. cit*. pp. 15—18, 114—117.

註一三　Morga. *op. cit*. I pp. 164—165. Aduarte. Historia. pp. 211—213.　出征の日はモルガによれば六月十五日にして、アドワルテは九月十七日となつてゐるが、當時總督テリョの報告にも九月半頃とあるから(Phil. Isls. Vol. X. p. 229.)後者の方正しからん。

註一四　Phil. Isls. Vol. XVII. Expedition against the Dutch, *op. cit*. pp. 256—261. 272—279.　Colenbrander. Coen. Bescheiden. Vol. I. p. 180

註一五　Bocarro. Decada 13. *op. cit.* II. p. 663.

註一六　Phil. Isls. Vol. XIV. Maldonado, Miguel Rodriguez de. True relation of the Sangley insurrection in the Filipinas; Sevilla, 1606. pp. 123—132.　Morga. *op. cit.* II. pp. 30—42.
Argensola. Conqvista. pp. 316—334.

註一七　Retana, W, E. Aparato Bibliografico de la Historia General de Filipinas. Madrid. 1906. Tomo I. pp. 122-.
Phil. Isls. Vol. XXIX. Relation of the insurrection of the Chinese. March. 1640. pp. 216—249.

註一八　Phil. Isls. Vol. XXXVIII. Insurrection by Filipinas. p. 167.

註一九　Phil. Isls. Vol. XXXVI. Relation of the events in the city of Manila. 1662—11. July 1663. p. 237.

註二〇　岡本良知氏、一五九〇年以前に於ける日本フィリッピン間の交通と貿易（史學。一四ノ四）。

註二一　Colin-Pastells. Tomo I. p. 358. note.
Pastells. Hist. Tomo II. pp. CXCVIII—CXCIX.

註二二　*ibid.* p. CCCXVII.

註二三　Morga. *op. cit.* II. pp. 183—184.

註二四　日本異國通寶書。（外國異聞所收）。
總持寺別院、南瞻部世界圖詞書、日本長崎異國渡海之湊口　船路積。
藤田元春氏、黎明期の世界地圖（歷史と地理。三一ノ一。九二頁）。

註二五　小葉田淳氏。比律賓の金銀（南方土俗。二ノ二）。

註二六　拙稿、呂宋の壺に就いて（同誌。三ノ二）。

註二七　Colin-Pastells. Tomo II. p. 693.

註二八　Morga-Retana. Escritos Inéditos. *op. cit.* Núm. 6. p. 252.

Phil. Isls. Vol. X. Morga. Report. *op. cit.* p. 84.

註二九 Phil. Isls. Vol XIII. Letter from Governor Pedro de Acuña to Felipe III. 15. July 1604. p. 227.

註三〇 Morga. *op. cit.* II. pp. 117—118.

Phil. Isls. Vol. XVIII. Trade between Nueva España, and Filipinas with Maco and Japan. *ca* 1617. pp. 58—59.

本報告はフィリッピンを中心とする日支間の生絲貿易の動向を詳述してあるが、日本に於ける支那生絲の利益特に大にして、年々漳州商人がマニラに舶載する生絲が日本に向け轉賣されることが記しある。

註三一 茅瑞徵、皇明象胥錄。卷五、呂宋。

陳仁錫、皇明世法錄。卷八十二。呂宋。

註三二 Morga. *op. cit.* II. p. 176.

註三三 Colin-Pastells. Tomo III. p. 24.

註三四 Pastells. Hist. Tomo V. p. CII.

註三五 Morga. *op. cit.* II. p. 146.

註三六 Colin-Pastells. Tomo I. p. 211. Concepíon. Tomo IV. pp. 109—110.

註三七 Morga-Retana. Escritos Inéditos. *op. cit.* p. 252.

Phil. Isls. Vol. X. Morga. Report. *op. cit.* p. 84.

註三八 Phil. Isls. Vol. XVII. Recopilacion de leyes. *op. cit.* p. 50.

註三九 Phil. Isls. Vol. XIII. Grant to the Jesuit Seminary at Cebú. Pedro Chirino. pp. 251—255.

註四〇 Colin-Pastells. Tomo III. p. 665.

註四一 Phil. Isls. Vol. XVIII. Letter from Andrés de Alcaraz to Felipe III. Manila 10. Aug. 1617 p. 53

註四二 通航一覽（刊本、第四、五九一—五九二頁）此の積荷表は、一覽の編者も指摘せる如く、算數合はざる點がある。

註四三 Phil. Isls. Vol. XX. Letter from the Archibishop of Manila Fray Miguel Garcia Cerrano to Felipe III. Aug 1621. pp. 232—233.

註四四 Paske-Smith, Japanese in Philippines. p. 708.

註四五 呂宋覺書。(海表叢書。卷六、二一四、八一九頁)。

註四六 Morga. *op. cit.* II. p. 144.

註四七 Munoz, Descripcion geometrica. *op. cit.* [A. de. I. 68—1—44]

註四八 Phil. Isls. Vol. VIII. Precautions. 1592. *op. cit.* p. 285.

註四九 Phil. Isls. Vol. VIII. Chilino, Pedro. Relacion de las Islas Filipinas. Roma, 1604. p. 40. 此の一節はマニラ在住支那人のことを述べしものにして、「彼等(支那人)は、當市中に於いて我等の住居の近くに、彼等自身の居留區を建設したが、當時ゼスス會の監督下に在つて、我等の教父が、彼等と彼等の婦人並びに召使——支那人、日本人、モルッカ人及びビサヤ人(Bissayans)——を含む彼等の家族に祕蹟を授けた」と記して、日本人は此の譯によれば支那人の召使の樣に解せられるが、パスケ・スミス氏は同一文と思はれる點を英譯して、劈頭の彼等に當る所を、「支那人、日本人、モルッカ人並びにビサヤ人等は、當市中に於いて我等の住居の近くに、……」と記して、此等諸國人がゼスス會監督下に市内に各自の居留區を作つてゐた樣に解してゐる。今チリーノの原文を閲讀する便宜を有せざれば、其の何れを正譯とすべきか決し難いが、暫く前譯に從つて置く。

註五〇 Phil. Isls. Vol. XVII. Recopilacion de leyes. *op. cit.* Decree regulating Services of Filipinos. May 26, 1609. p. 79.

註五一 Copie Missive van Hans Putmans aen den G.r G.l Jacques Specx. uyt Chincheo. 14. Oct. 1632. [Kol. Archief 1017.]

註五二 Extryct uyt t' Daghregister vant Comptoir Tayouan. 16. Oct. 1632. [Kol. Archief. 1021.]

註五三 Journael van Jan Dircksz. Gaelen in Cambodia. *op. cit.* 15. Martij 1637. [Kol. Archief 1035.]

註五四 Copie Missive van Jacob Keyser uyt Tayouan den 24. October 1653. [Kol. Archief 1088.]

註五五　Copie Missive van Louys Jsaack Baffaert Int Casteel Zeelandia. 18. Nov. 1654. [Kol. Archief 1097.]

註五六　Originele Generale Missive uyt 't Casteel Batavia. in dato 1. Feb. 1656. [Kol. Archief 1102.]

註五七　Phil. Isls. Vol. III. Voyage to Luzon. *op. cit.* pp. 101—102.

註五八　Colin-Pastells. Tomo I. p. 258. note.
Pastells. Hist. Tomo II. pp. CXCVIII—CXCIX.

註五九　Colin-Pastells. *loc. cit.* Pastells. Tomo II. pp. CXCIX—CC. Phil. Isls. Vol. VI. Letter from Vera. 26. June 1587. pp. 304—305.

註六〇　Pastells. Hist. Tomo. II. pp. CCXXXII—XXXIII.

註六一　Phil. Isls. Vol. XXXIV. Letter from Governor Gomez Perez Dasmarinãs to Felipe II. 21. June 1591. p. 406.

註六二　Phil. Isls. Vol. VIII. Account of the encomiendas in the Philippinas Islands. G. P. Dasmarinãs; 31. May 1591. p. 100.

註六三　Pérez, Luis Sotelo. *op. cit.* pp. 16, 17.

註六四　Phil. Isls. Vol. XXXIV. Letter from ecclesiatical cabildo. 3. July 1602. *op. cit.* p. 436.

註六五　Pérez. *op. cit.* pp. 16—17.　Phil. Isls. Vol. LI. List of Archibishops of Manila. p. 300.

註六六　Morga. *op. cit.* II. pp. 198—199.

註六七　Morga. *loc. cit.*
Colin-Pastells. Tomo III. pp. 24—25.
Concepcion. Tomo IV. pp. 103—104.

註六八　Colin-Pastells. Tomo III. pp. 490—441. 499, 502, 782—783.

註六九　Phil. Isls. Vol. XVII. Status of Missions in the Philippines. Gregorio Lopez, S. J. and others.; Manila. *ca.* 1612.

pp. 200—201.

註七〇 Colin-Pastells. Tomo III. pp. 782—783.

註七一 Phil. Isls. Vol. XXXVI. Paz; Description. 1658. *op. cit.* pp. 91—92.

註七二 **Retana.** Bibliófilo Filipino. Tomo I. Franciscanos en Filipinas. *op. cit.* p. 4.

註七三 呂宋覺書。四頁。

註七四 Munoz, Descripcion geometrica. *op. cit.* [A. de. I. 68—1—44.]

註七五 Phil. Isls. Vol. L. Plan of the city of Manila. 1770. *op. cit.* pp. 34—36.

註七六 *ibid.* Plan of the present condition of Manila. 1617. *op. cit.* pp. 82—86.

註七七 Phil. Isls. Vol. XLIV. Velarde, Pedro Murillo. Jesuit Missions in the Seventeenth century; 1749. p. 28.

註七八 Colin-Pastells. Tomo III. p. 492.

註七九 *ibid.* p. 502.

註八〇 Phil. Isls. Vol. XLVII. Uriarte, Juan Bautista de. The Santa Misericordia of Manila, 1728. p. 65.

註八一 石田幹之助氏，南蠻雜抄。一，元和年間に呂宋で出版印刷を業としてゐた日本人ミゲル・サイショのこと。(新小說。南蠻紅毛號，大正十五年七月。九五—一〇〇頁)

註八二 Medina, J. T. La Imprenta en Manila desde sus Origines hasta 1810. Santiago. 1896. pp. XLIII—XLV, 16, 18—19.

註八三 Retana, W. E. Origenes de la Imprenta Filipina. Madrid. 1911. pp. 56—58, 148, 153.

註八四 Mendina. *op. cit.* p. XLV. Retana. p. 56.

註八五 Retana. *loc. cit.*

註八六 *ibid.* pp. 56—57.

註八七　橋本進吉博士、文禄元年天草版吉利支丹教義の研究。五一七頁。

註八八　Medina, *op. cit.* p. 16.　Retana. *op. cit.* pp. 94—95, 148.　Streit, Rob. Bibliotheca Missiconum. Achen. 1916—1934. Vol. V. p. 434.

註八九　Medina. *op. cit.* p. 18—19.　Retana. *op. cit.* pp. 98—102, 153.　Streit. *op. cit.* p. 347.

註九〇　大日本史料、十二ノ十二。五三二頁。
Phil. Isls. Vol. XVIII. Relation of the Events in the Filipinas Islands from July 1618. to the present Date in 1619, Manila. 12. July 1619. pp. 214—215.

註九一　Robertson, James A. Bibliograply of Early Spanish Japanese Relations. [T. A. Soc. Iap. Vol XLII. Part I. 1915.] p. 32. 1624. Aug. 5. Copia de una carta escrita por la xpiandad del Reyno de Japan desde la Ciudad de Nangasacqui para el Sẽnor arzbispo Fray Miguel Garcia Serrano.

註九二　Phil. Isls. Vol. XXI. Seminary for Japanese Missionaries. Alevaro de Messa y Lugo, and others; 23.July—5. August 1624. pp. 84—85.

註九三　姉崎正治博士、切支丹教師の日本潜入（史學雜誌、四〇ノ五、及び六）。

註九四　Aduarte. *op. cit.* pp. 683—684.　Pagés. p. 686

註九五　Aduarte. *op. cit.* pp. 651—652.　Pagés. pp. 761—62.

註九六　Aduarte *op. cit.* pp. 766—767.　Pagés pp. 821—826.

註九七　Pagés. p. 868.

註九八　Phil. Isls. Vol. XXXV. News from Filipinas June 1640.26 July 1641. Manila. 25. July 1642. p. 120.

註九九　Carta de Don Fernando Ruiz de Contreras. Madrid. Dec. 31 1640. [Archiv. Hist. Nacio. Madrid]

註一〇〇　通航一覽。刊本　第五。九六頁。

註一〇一 Phil. Isls. Vol. XIX. Relation of Events in the Philipinas Islands, from July 1619. to July 1620. Manila. 14. June 1620 [sic] pp. 63, 66.

註一〇二 Phil. Isls. Vol. XX. Letter from Serrano. 31. July 1622. *op. cit.* p. 233.

註一〇三 Retana. Bibliofilo Filipino. Tomo I. Franciscanos en Filipinas. *op. cit.* p. 40.

註一〇四 Colin-Pastell.s Tomo. III. p. 826. 敎父イニャシオ・バウチスタ・ムニョス (Ignacio Bautista Muñoz) の一六六二年の報告に、聖敎會堂のあるディラオ邑は、サンフランシスコ洗足派の敎父等の監督下にありて、サン・ラザロ(San Lazaro)敎會堂のある土人病院は、破壞以前は、前記洗足派敎父等の管理下にあつたと記してあるから、一六七一年のムニョスの圖の此の土人病院は、其の後更に再建されたものである。

註一〇五 Pg. は Pagés, Histoire の略、C-P. は Colin-Pastells, Labor の略。

註一〇六 Concepcion. Tomo VI. p. 71. Tomo VII. pp. 6—7

註一〇七 Concepcion. Tomo XIV. p. 343. 新安手簡 (白石全集。五ノ三〇〇頁。通航一覽、刊本、五ノ三八頁)、

註一〇八 Concepcion. Tomo XIV. p. 342.

註一〇九 Concepcion. Tomo VI. pp. 77.

Schilling, Dortheus. 比律賓に漂着せる日本人に關する二文書。(史學。一五ノ四。七七—八〇頁) 同氏は此の漂民と前回の漂民との事蹟を混同してゐる樣である。水兵と成つた者、及び最後迄生存して一七五二年に死んだビセンテ・ピメンテル(Uicente Pimentel)は、何れも前回の漂着民の殘留者である。

註一一〇 Concepcion. Tomo XIV. pp. 342—347. 長崎志、正編、四四七—四五〇頁。通航一覽。刊本、五。五九六—五九九。

註一一一 シリング氏、比律賓漂着日本人。八一—八三頁。

註一一二 通航一覽、刊本、五。六〇〇—六〇一頁、

註一一三 同書。五九九—六〇一頁。

註一一四　華夷變態。三十三之下。

註一一五　新安手簡、前掲。二九九—三〇〇頁。大日本史料。十二ノ十二、九二三頁に引用せる新安手簡には人口三十人と記してある。

註一一六　Daghregister van't Comptoir Tayouan. *op. cit.*

註一一七　Phil. Isls. Vol. XLI. General History of the Discalced Augustinian Fathers. Fray Pedo de San Francisco de Assis. Zaragoça. 1756. p. 139.

註一一八　Phil. Isls. Vol XLIII. History of the Philipinas Islands. Sampaloc. 1803. p. 117.

註一一九　Phil Isls. Vol. XL. San Antonio, Juan Francisco de. Chronicas de la Apostolica provincia de San Gregorio de Religiosos Descalzos de N. S. P. San Francisco En las Islas Philipas, China, Japon &c. Sampaloc. 1738. p. 299.

註一二〇　*ibid.* p. 302.

註一二一　Phil. Isls. Vol. LII. p. 109. note 46. Le Gentil, G. F. H. J. B. Voyage dans les mers de l' Inde. fait par ordre du roi, 6. juin 1761. et le 3. juin 1769.

結論

一 南洋日本町の特質

近世初期日本南洋交通の發展、就中江戸時代初期約三十年間に亙る御朱印船の南洋渡航貿易の發展に伴ひ、交趾に於いて二地、フェフォとツーラン、東埔寨に於いて二地、ピニャールーとプノン・ペン、暹羅に於いて一地、アユチヤ、呂宋に於いても二地、ディラオとサン・ミゲルの七ヶ所に、日本移民の集團部落が建設された。本論文にては專ら之を日本町と稱して來たが、當時の文獻を涉獵するに、

I 昔《ムカシ》日本人此《シン》ノ國ニ渡海《トカイ》ノ時留《トマ》ツテ居住《キヨシウ》セシ者《モノ》多シ、日本町《マチ》ト號シテ一町アリテ其ノ子孫《シソン》有《ル》レ之由《ヨシ》………西川如見、增補華夷通商考。巻之三、交趾

II 日本町 兩輪三丁餘………茶屋新六郎交趾貿易圖。

III 川下也 東 日本町………安南記、角屋七郎兵衞の寺額誌。

IV　暹邏國王も……地を借して日本町と號し、一曲輪海邊にして數百軒あり。……暹邏國山田氏興亡記。

V　暹羅國王も日本人を尊用し、一の屋敷を與へ日本町と名付て一郭を設け、……暹羅國風土軍記、卷之二。

VI　呂宋に日本町と申て、大山を隔候て打開き候所に、本邦の人大かた三千人計住居いたし候……新安手簡。通航一覽、卷百八十一。

VII　殺害された三人は發見されて、廣南の日本町《マチ》(Japanes Mach)に運ばれ彼等に鄭重に葬られた。……一六一七年ウィリアム・アダムス交趾航海記。

とあつて、日本町なる稱呼は、既に當時より南洋各地の日本移民の集團部落に對して慣用されてゐたことは明かである(註一)。

既に上來此等各地の日本町の發生過程、及び其の後の盛衰を述べるに當り、其の成立を可能ならしめた內外各種の事情にも觸れて來たが、今此を要約すれば、南洋に於ける日本町の成立、換言すれば、特に彼等の集團部落が建設されるに至りし直接主要なる一般的條件としては、凡そ次の三點を擧げることが出來るかと思ふ。卽ち

一　我が同胞の相互依存。
二　諸國民との商取引の利便。
三　當該國官憲の外來人取締の必要。

一　**我同胞の相互依存。**　遠く異域に出で、人情、言語、風俗、習慣を全く異にした異民族間に生活する場合、我が同胞が互に近隣に居住生活するは極めて自然的なことにして、彼等相互間の精神的慰安や依存、或は協同防衛、將又經濟的扶助や協力に必要であつたに相違ない。呂宋島に於ける日本町の場合は、更に彼等が夫々其の歸屬する宗派によつて聚落をなして、云はゞ同一信仰による集團部落であつた。即ちディラオの日本町は、主としてサン・フランシスコ派の信徒を中心とし、サン・ミゲルにはゼスス會の信徒が聚落を作つた。

二　**諸國民との商取引の利便。**　當時の我が南洋渡航船の主要なる目的は、固より通商貿易に在つて、渡航同胞中此が關係者は自ら取引に利便なる地に聚合したに相違なく、更に此の取引が一定の土地に於いて反復される場合には、彼等は漸次同地に定着する樣になつたであらう。特に當時帆船の渡航期は、專ら氣候風に支配されて、其の商取引期にも亦自ら一定の時期があつた。從つて此の時期に應ずる取引商品の大量的集散や、此の限られたる短期間に大量的取引を完了せしめる爲めには、一定地域に貿易關係人が聚住することが、一層利便にして寧ろ必須であつた。殊に當該國官憲も、例へば交趾の場合の如きは、夙に此の點に着目して、特に定期的に一定の土地に貿易市場を經營して市場税を徵收し、更に進んでは、其の地に日本人等諸外人の居留地を建設するやうに慫慂した程であつた。

三　當該國官憲の外來人取締の必要。言語、風俗、習慣を異にしたる多數の外來人を一定地域に聚合居住せしめることは、彼等の取締を容易に且つ徹底せしめるに最も適切な方法であつた。例へばマニラ市外の支那人區パリヤンや、此に隣接するディラオの日本町が、始めて建設された際には、イスパニヤ人の日支人取締に對する此の意向が、最も主要なる動機であつた。

此等日本町成立の三條件中、第一項は我が移住民の必要に基く自然的或は精神的經濟的條件にして、第三項は全く移住先の事情による人爲的或は政治的條件であるが、第二項は彼我の事情、或は政治的經濟的條件が相錯綜してゐる。卽ち各地の日本町は、固より斯くの如き南洋各地に於ける社會事情と、我が渡航者の要求の一致せし地點に於いて始めて發達したのであつた。

若し以上述べた所を以て、日本町成立の主要直接なる一般的條件と認めることが出來るならば、此等日本町の特質も、亦自ら略ゞ決定されて來るが、更に之を各日本町の實情に徵して分析吟味すれば、**甲**日本町の存續期、**乙**日本町の位置、**丙**日本町の行政、**丁**日本町の住民、の四方面に亙り、次の八點を列擧することが出來る。

甲　日本町の存續期……一　江戸時代初期

乙　日本町の位置……二　貿易港
　　　　　　　　　　三　中央政權所在地近郊

丙　日本町の行政……四　自治又は半自治

丁　日本町の住民……五　失意の武士階級
　　　　　　　　　　六　追放切支丹信徒
　　　　　　　　　　七　貿易關係者
　　　　　　　　　　八　在住地外人雇傭員

甲　日本町の存續期

一南洋各地の日本町は、近世初期漸次發達せし所にして、日本に最も接近し同胞移住の起原殊に早く、幾分特殊の事情に基いて建設された呂宋の日本町を除いては、何れも一定の明確なる時期に計劃的に建設されたものでは無い。今各地日本町の名稱の初見と思はれる記事を拾へば、

交趾	フェフォ	一六一七年（元和三年）	アダムス航海記
〃	ツーラン	一六二〇年（元和六年）？	茶屋新六郎交趾貿易圖
東埔寨	ピニャルー	一六一八年（元和四年）	ゼスス會教父マカオ通信
〃	プノン・ペン	一六四四年（正保元年）	プノン・ペン前面戰鬪圖
暹羅	アユチヤ	一六二二年（元和八年）	クーン一般行政報告
呂宋	ディラオ	一六〇三年（慶長八年）	アルヘンソーラ著モルッカ諸島征服誌
〃	サン・ミゲル	一六一五年（元和元年）	コリン比島布敎誌

卽ち先づ慶長八年に見えるディラオの日本町の記事を初見として、遲くとも元和八年頃までには、各地の日本町は略〻其の規模が完成した樣であるが、實際町としての集團的な形態を取り始めたのは、此等の諸記事に先立つて、慶長の中年頃迄か、遲くとも元和の初年なる可く、御朱印船貿易の躍進に伴ひて、可なり

短年月の間に急速に發達した樣である。

斯くして此等各地の日本町は、元和・寛永年間を發達の頂點として、鎖國後急激に衰微したが、然も尚少許の同胞が日本町に生殘れる事實の諸記錄中に散見する所を拾へば、

交趾　フェフォ　一六九六年（元祿九年）バウイーヤの報告。
柬埔寨　ピニャル　一六六七年（寛文七年）ワイケルスロートの報告。
暹羅　アユチヤ　一六九〇年（元祿三年）ケンペル日本誌。
呂宋　ディラオ　一七〇八年（寶永五年）華夷變態。

卽ち此等四ヶ所の日本町には、寛永の鎖國後尚も四五十年より七十年の長きに亙つて同胞の殘存生活する者あり、江戸時代初期町の發生後約百年の命脈を保つたが、集團的な日本町存續期間の下限も略ゞ此の頃なる可く、フェフォの日本町は一六七〇年の角屋七郎兵衛の書信に見え、ピニャルーとアユチヤの日本町は、夫夫前揭の一六六七年と一六九〇年の記錄に明記され、ディラオの日本町は一六五八年の調査以後明記なきも、恐らく其の後三四十年位は存續したに相違ない。

而して上記四ヶ所の主要なる日本町の外に、交趾のツーラン、柬埔寨のプノン・

ペン、呂宋のサン・ミゲルの三日本町に關する記事は、極めて寥々として、何れも短期間斷片的に現はれて來るが、是は此等の日本町が夫々其の近接日本町に從屬的に發生して、其の包容する戸口數も少く、其の規模も小さく、或は其の中には未だ完全なる町としての聚落形態を十分取るまでに發達せざるもあり、何れも比較的短期間存在したに過ぎなかつた樣である。

乙　日本町の位置

二　我が南洋渡航船の主要なる目的は、固より通商貿易にして、渡航日本人も主として貿易關係者や其の家族より成立つてゐたから、彼等を以て其の主要構成員とする日本町の位置も、亦自ら我が船舶の出入繁き貿易港に限られた。交趾のフェフォとツーラン、呂宋のディラオとサン・ミゲルの各日本町は、海岸又は海岸に接近した河口の貿易地に在り、柬埔寨のピニャールーとプノンペン、暹羅のアユチヤの各日本町は、大河上流の河岸貿易港に建設された。其の他南洋各地に分散せる日本人の居住地も、殆ど其の地方の貿易中心地であつた。

三　南洋各地に於ける日本町の位置が、特に其の國の中央政權所在地の隣接地に限られて稍ゝ我が城下町の觀があつたのは、凡そ次の事情に基くものと思はれる。

Ａ　當時開明の度低き南洋に於いては、中央政權の所在地が、主として其の國に於ける輸入品の主要なる消費都市にして、且つ又その中央都市或は此れに近接せる適地が、其の國に於ける國內物產の大量的な中央集散地であつた。從つて之を取引の主要なる對象とする我が商業移民の聚落も、亦自ら其の場所を制約されて來る。加之支那人も亦斯かる中央市場を中心として聚住來往したが、彼等との取引も、亦我が商船や移民渡航の目的の一半にして、茲に彼等の移住地の位置に就いて二重の制約を受けねばならなかつた。

Ｂ　當時南洋に於いては、支那人や日本人を除いては、大規模なる對外貿易等の企業は、主として中央政府の直營又は管理指導に依る場合多く、私人の經營に俟つ所が尠なかつた。又我が渡航商船や、貿易關係駐在員及び商業移民等が、各地に於いて交易に從事する時、先づ其の國の中央官憲と貿易事務に關して諒解聯絡を保つ必要上、彼等の主なる在住地も亦自ら此等中央政權に近接せる土地を選ぶ樣になつた。

Ｃ　多數の外來人を、中央政府所在地の都市內に居住せしめる時は、政府が此等の外來人に對して、直接曝露する危險を伴ふので、日本町等の外人居留地は、中央政權の所在地そのものに非して、常にその近郊適地又は隣接地に選定された。

呂宋の日本町ディラオと支那人町パリヤンの發生は其の適例にして、共に總督政廳の所在地マニラ市城壁外東郊にあり、サン・ミゲルも其の東北パシッグ河の北岸に、アユチヤの日本町は、暹羅の王都城廓外南郊河岸に在つた。東埔寨の王都は外敵侵入の爲一時奥地に遷都したこともあつたが、大體に於いてプノン・ペンの近隣を轉々し、殊に一六二〇年以後ウドンは永く王都と定まり、ピニャルーの日本町は、卽ちウドンの東南十粁餘にして、プノン・ペンの日本町は三十粁内外の地點に在つた。フェフォとツーランとは、廣南の外港とも稱すべく、フェフォは廣南の東九粁にして、ツーランはフェフォの北三十三粁の所である。阮氏は未だ黎王朝下の一地方政權ではあつたが、既に隱然獨立國の觀あり、又後年阮氏安南王國建設の基礎も略〻此の頃に成立してゐたから、所謂交趾國の准中央政權と見做さるべく、又當時外來人は一般に斯く諒解して、之と外交上通商上諸般の折衝を遂げた。

丙　日本町の行政

四　各日本町の行政が、自治又は半自治なりしことは、一般に當該國政府が、言語、習慣、法律を異にする外人取締の難と煩とを避けたに相違なく、殊に日本人の場合は、彼等が自發的に之を要求した形跡は毫も認められない。呂宋のイスパニヤ人の場合は、土人在來の社會制度を尊重して其の自治を許し、同時に此の方針を一般外來人にも推及ぼして、日本人も之に均霑した樣である。同樣な事情によつて、斯くの如き各地の自治的な日本町の頭長も、日本人中から選任された場合が多い。加之、自治日本町が一般に略〻治外法權をさへ許容されてゐたのは、外人の來つて貿易を營むことを熱望する政府の寛大と恩惠とからでもあるが、一面南洋諸國民には、當時毫も治外法權に對する明確なる觀念なく、不用意の間に易々として之を外人に許與した形跡がある。かの宋代廣東泉州に營まれたアラビヤ人の蕃坊、其の蕃制、蕃長も、略〻同じ事情に基く樣に思はれる。

丁　日本町の住民

五　日本町發生の時期は、恰も我が近世初期、戰國爭亂を經て江戸幕府の平和建設の時代に入らんとする頃であつた。從つて戰亂により大名の興亡頻りにして多數失意の浪人が發生すると共に、平和來の爲めにも大名の除封改易相次いで、過剩して來た武人は社會に溢れ、所謂浪人問題は當時の爲政者を惱したが、彼等の中には、身の振方を海外に求める者あり、日本町の一主要構成員となつた。

征韓の役後、多數の凱旋兵は、無爲にして貧窮し、身の振方を海外に求めんとしたことが傳へられ、モルガの記す所によれば、呂宋の日本町には、兩刀を佩びる武人多く、勇敢にして名譽禮節を重んじて外人に尊敬され、又暹羅にては、「關ヶ原、大坂落の諸浪人ども、渡天の商船に取乘て賣人となり……渡り逗留す」る者も少くなかつた樣である。而して斯かる實戰の經驗に富む軍事專門家にして、且つ、恐らく多數の知識分子を包含してゐた浪人は、日本町の指導者となつたと思はれる。他國移住民に對して比較的少數の日本町在住民が、斷然他を壓して活躍し、殊に軍事方面にて日本人の聲價を高からしめたのも、全く彼等の指導による點が多かつたと見ねばなるまい。

六　徳川幕府が、切支丹宗彈壓を重加するに伴ひ、追放又は逃避切支丹が日本町に走つて、在住民の主要なる分子となつた。

マニラ市外ディラオの日本町の信徒は、主としてフランシスコ派に歸屬し、サン・ミゲルの日本人部落はゼスス會の信徒が集つて、元和七年には在留信徒總數千五百人を算へ、當時の在留民の半數に達した。又東埔寨の日本町にも、元和初年に既に七十名餘の信徒が在住し、彼等の教會堂と教父を有し(註二)、其の後信徒は漸增して一時在住民の過半數に達し、暹羅の日本町にも、四百人以上の多數の切支丹が在住した。交趾の日本町は、同國禁教令の制肘を受けずして、多數の信徒が在住し、彼等の教會堂も建設され、マカオから絶えず宣教師が説教傳道に赴いた。

七　日本町成立の主なる事情が、既に通商貿易のためであつたとすれば、日本町の在住民が、自然直接又は間接に通商貿易に携はる者、及び其の家族なる謂はゞ商業移民より成り立つてゐたことは明かである。暹羅山田氏興亡記には、「諸牢人など、賣人と成て多く暹羅國に渡り逗留す」と記し、異國紀聞にも「暹羅、東埔寨、廣南、東京の諸國へ渡り商ひをし、其國々に止りしものは妻子を持ち、暹羅、廣南の地には、今に日本町とて本邦の人の子孫あるよし」(註三)を傳へ、又マニラの日本町には慶長十一年の調査によれば、住宅長屋の外に日本人商店が九十一軒あつた。

而して此等の商業移民も、獨自の資金を運轉する少數の自營的商人と、專ら移住先の土着民や外來西洋人の商業經營に關係する者とを除いては、多數は母國商人御朱印船の貿易機能の一員として、依存的生活を營む商人であつた。交趾の平野屋六兵衞、角屋七郎兵衞、暹羅の絲屋太右衞門の如き、夫々母國の大商人の取引先に於ける出張員の有力者であつた樣である。

八、日本町の住民は、在住地の軍事的並びに經濟的方面に於いて、土地の官憲や、外來西洋人に、一時的或は長期的に雇傭される者も尠くなかつた。

軍事的方面に在りては、日本人の勇猛果敢の國民性は、夙に南洋一般に認められて、彼等が傭兵として用ゐられた場合が特に多かつた。暹羅や呂宋では傭兵日本人は常に重要なる役割を果し、柬埔寨や安南にても、日本人は其の外征や内亂に參加活躍して、日本人の聲價を一層高からしめた。

經濟的方面に於いては、當時間隔大なる南洋諸國土着民と外來西洋人との間隙に在つて、中間的存在として大いに活躍し得た。殊に暹羅、柬埔寨、交趾等にては、シャバンダールや、通譯官其の他の貿易事務の處理に傭聘されて、專ら土地の官憲と外來西洋人貿易商との仲介斡旋を擔當し、他方外來西洋人に雇傭されては在住國の政府や人民に對する諸般の折衝に當ると共に、特に彼等の依囑に依つて、常に商品の取引配給に盡力し、就中彼等の輸出する土産品の買出し買占めには、一時殆ど獨占的な勢力を有して、其の助力無しには貿易を進捗るすことが出來なかつた。

　此の外移住日本人は外人に傭はれて、下級勞働に從事した者も尠くなかつた。呂宋に於いては、既に文祿頃から多數の日本人が、下僕として城內イスパニヤ人の家庭に自由に出入し、一時彼等をして此等日本人下僕を警戒せしめたことがあり、其の後も日本人は森林伐採等の政府の公事に當り屢〻徭役を課せられた。又暹羅に於いては、鎖國後に於いても、日本町の在住民は屢〻オランダ商館に傭はれて、特産の鹿皮や蘇木の手入れ、緊縛、荷造等の勞働に從事したが、時には華僑が代つて雇傭され、兩國民間に一再ならず紛擾を起したことも有る。

　此等南洋各地の日本町が、斯くの如く國策鎖國の犧牲になつて近世初期僅々七八十年の命脈を保つに過ぎなかつたこと、故國に於いて地位を失つた不遇の武士階級移住者を多數包容したこと、故國よりの追放又は逃避の切支丹が居留民の主要構成分子なりしこと、及び移民中多數が相率ゐて在住地の軍隊に參加したことの四點は、南洋各地の他の外人居留地に比較しても、特に顯著なる相違點として擧げねばならぬ。

註 一 **日本町なる稱呼。** 前に列擧せし七例の如く、日本町とは當時我國で一般に慣用された語であるが、此等の日本町を目擊した諸外國人も、夫々之に適合する樣な特稱を宛てゝ使用してゐた。

交趾

I Citta di Giapponesi ....1618—1621.
(Borri. Relatione p.155)

II Faifo, a Japanese city ....1618—1621.
(Borri-Pinkerton. p. 751)

III Ville de Japonais. 1645
(Rhodes. Voyage. p. 301)

IV Ruas dos Japoẽs. 1648
(Cardim. Batalhas. pp. 220, 221.)

柬埔寨

V 't Japanse quartier 1637

(Hendrick Haegenaer. Reyze. p. 110)

VI 't Kwartier van de Japanezen 1644
(Van Dijk. Neerland's Betrekkingen. p. 327)

暹羅

VII 't Japanse quartier 1622
(Colenbrander. Coen Bescheiden. I. p. 771)

VIII Colonies 1681
(Gervaise. Histoire. p. 69)

IX Camps des Japonois..........................1685
(Tachard. Voyage. p. 207)

X Quartier, Camp. Ban..........................1687
(Loubere. Royaume. p. 337)

XI Japanse Camp 1687
(Manuscript. 's Rijks Archief)

XII Campo de' Giapponesi..........................1688
(Le Blanc. Istoria. p. 193)

XIII The Camp of the Japanese 1690
(Kaempfer. History. I. pp. 36, 43.)

XIV 't Japanse quartier 1726
(Valentijn. Oud. III. p. 61)

呂宋

XV　poblazon y sitio particular 1603
(Morga-Rizal. Sucesos. p. 367)

XVI　their special settlement and location 1603
(Morga-Blair. II. p.. 198)

XVII　otro barrio habitado de Japones 1603
(Argensola. Conquista. p. 316)

XVIII　parian de Japones 1606
(Pastelis. Hist. V. p. 102)

卽ち之を分類すれば、

蘭　語　Quartier, Kwartier, Camp.
佛　語　Ville, Colonie, Quartier, Camps
伊　語　Citta. Campo.
西　語　Poblazon, sitio particular, Barrio, Parian.
英　語　City, Special Settlement, Location, Camp.
葡　語　Rua, Camp.
暹　語　Ban.

以上七ヶ國語にて種々なる語を適用してゐるが、蘭、佛、伊、英語にある Camp, Campo は、ケンペルやド・ラ・ルーベールの記す所によれば、葡語 Camp より來たものである。Parian は元來マニラの支那人專住市場町を指した語であるが、後同地の日本町にも適用され、當時支那の文獻に散見する澗に當る樣である。

註 二十　Eugenio, Francesco. Lettera annvale. *op. cit.* p. 403.

註 三　通航一覽、（刊本、第四。四七三頁）

二　南洋日本町の衰滅

元和・寛永年間を頂點として、一時南洋各地に榮えた日本町も、其の後僅々五六十年にして全く衰滅し、今日纔に殘存せる二、三の墓碑や、文獻に依つてのみ、辛うじて往時の盛況を追究することが出來るのみであるが、然らば日本町が如何にして斯くも慘に衰頽したのであらうか。此の原因については、既に各地の日本町の消長を述べる際にも觸れて來たが、今之を整理綜合すれば、凡そ次の諸方面に亙つて推論を下し得るかと思ふ。

一　鎖國後に於ける人員物資の補充杜絕。
二　婦人移民數の僅少。
三　移民の永住的傾向僅少。

四　政府の奬勵後援の缺除。
五　移民の在住地の紛爭加擔。
六　移民の在住地國内產業未參加。
七　移民に對する他の競爭勢力の增大。

一　鎖國後に於ける人員物資の補充杜絕。

寬永の鎖國に依つて、海外在住日本人と故國との聯絡が、完全に遮斷されたことは、彼等に多大なる衝動と打擊とを與へた。卽ち先づ精神的には、遠く異境に出て活動せる移住同胞の進取的な生活意識の中に、全く故鄕との交通音信を絕たれて、心細さや、不安、絕望など種々な暗影を投じたに相違ない。しかし更に鎖國に依つて、母國よりの人員物資の補充が完全に杜絕して、其の後に於ける移民の積極的な發展は固より、移民に對する他の不利なる條件を乘越える原動力を喪失せしめたことは、如何なる事情にも增して、南洋日本町衰滅の直接的な、そして決定的な一大原因であつたと見ねばならぬ。

二　婦人移民數の僅少。

當時南洋移住日本人中婦人の數が僅少なりしことは、彼等の發展に當り、一障害となつたが、同時に又其の衰滅を早めた原因でもあつた。

今此等南洋各地日本町移住同胞の男女性別員數、結婚、出生、死亡、移動增減などを窺知するに足る資料は、殆ど絶無と言つてよい。されば甚だ不完全にして、且つ調査地も必しも日本町に限つてゐず、然も後年の調査であるが、試みに參考のため、延寶長崎記に揭げられた海外殘住日本人名を點檢すれば、男二十三人、女七人にして、女の男に對する比率は三割二分弱、又比較的婦人移民數の多數なりしバタビヤ在住日本人切支丹の結婚登記によれば、元和四年(一六一八年)から明曆元年(一六五五年)に亙る結婚員數は、男五十八人、女二十九人にして女の男に對する比率は五割に當つてゐる。而も結婚當時者双方日本人なる場合は尠く、大多數の日本人は男女共に、移住地の土着民又は外來人と結婚して、彼等の子孫の混血、同化、又は絶滅を急速ならしめた(註一)。

三 移民の永住的傾向僅少。

南洋各地日本町の住民は、御朱印船貿易を背景とする商業移民多く、仲には御朱印船商人の取引先に於ける一時的駐在員或は手代も少くなかつた。其の他在住地の官憲や西洋人に雇傭される吏員、商務員、兵員、勞働者、及び德川幕府の切支丹宗彈壓の結果、本意ならずも海外に移住せし信徒等にして、彼等は多く一時的移住にして永住の傾向が少なかつた樣である。

一六二〇年(元和六年)安南にゐたゼスス會の敎父の報告に、フェフォやツーランにゐる日本人の或る者は、妻子と共に居住するが、他の者は每年彼等の船に乘つて來往する者であると見え(註二)、此より先モルガも、「日本人のマニラに在留する者は、多くとも五百人を超えざるべく、蓋し此れ彼等の特性として、久しく群島に留まること無く歸國するからである」と記し、又セリャーノは一六二一年の宗務報告中にて、マニラ在住日本人の「中には結婚せし者もあるが、彼等は常に自國との間を往來して、其の數に定りが無い」と報じてゐる。從つて此等の日本町の人口も、日本船來航の時に、一時的に膨脹しても、或る程度以上に、永續的に年々向上發展するには、更に他の特に有利なる條件に惠まれずんば、仲仲困難では無かつたかと思はれる。

四　政府の奬勵後援の缺除。

德川氏の對外政策の基調は、全く通商貿易の利益を獲得することに在つて、之が奬勵には種々なる對策を講じたが、海外移民の如きは、殆ど之を顧る所が無かつた。
例へば呂宋や太泥の官憲から移住日本人の暴行を訴へて來た時も、家康は彼等の處罰を易々として彼地の官憲の意の儘に任せて、毫も移住日本人の生命や權利の保證を主張する樣な措置を採らなかつた。又假令幕府に於いて、彼等を保護せんとする意志が若干動いたとしても、當時遠く異域各地の日本町にまで、積極的に手を差伸べる餘裕も實力も無かつたであらう。

其の後幕府が漸次切支丹宗に對する彈壓を重加して、信徒を海外に追放したが、固より彼等の生命、財產、渡航先に於ける生活等に就いて、毫も顧慮することは無かつた。加之、却つて元和七年には、『異國え男女を買取て、渡海之由、被聞召、堅可停止』なる禁令を出して、外人が日本人勞働者を海外に誘致することを阻止してゐる。

五 移民の在住地の紛爭加擔。

南洋日本町の住民は、其の勇猛果敢なる國民性の爲め、在住國の軍隊に傭聘されて、其の內亂外征に從軍した。

當時南洋諸國の國情安定せず、暹羅、東埔寨、安南など諸國に於いては、頻頻として隣邦との攻戰や、王位簒奪の內亂が繰返へされた。呂宋に於いても、未だイスパニヤ人統治の基礎確立せず、移住支那人や土人の叛亂があつた。日本人は屢〻此等の戰鬪に參加して勇名を轟かせたが、所詮參加日本人の死傷は免れ難く、殊に敗衂の場合には、彼等の多數が、虐殺や國外追放の厄に遭はねばならなかつた。又平和恢復の場合にも、移住日本人の不羈鬪爭的なことに對する國人危惧の念去らずして、日本人の立場を著しく不安定ならしめた。

逛羅に於ける山田長政一黨歿落の主因は、正に斯かる同胞敬遠に胚胎した。柬埔寨に於いては、曾て王位を覬覦せし王子が敗退して、一黨の日本人を從へて國外に亡命した。イスパニヤ人も、屢〻呂宋在住日本人の追放を計畫し、其の艦隊に傭入れた日本人の制御に手を燒き、遂にはマラッカ海峽に於いて多數解雇放逐した。又日本町ではないが、曾てマラッカに於いても、勅令を以て、今後の不安を除く爲めに、武勳多き傭兵日本人を解雇せしめた程であつた（註三）。

六 移民の在住地國內產業未參加。

日本町在住民の從事した業務は種々多樣であつたが、主要なるは、直接間接通商貿易に携はる商業移民と其の家族、及び在住地の官憲や外來西洋人に被傭依存する者とであつた。從つて其の職業の本質上、既に彼等の立場は在住地と遊離し勝であつた。

元來外人の下に居る雇傭人同胞の生活の根底は、決して安定したものとは言へなかつた。殊に傭兵日本人は、前述の如く平和來と共に、徒らに良弓走狗の憂目に遇はねばならなかつた。

又商業移民と云ふも、實は在住地に於いて、國內商業や其の對外貿易を獨立自營する者よりも、寧ろ大多數は、母國との取引を主とし、母國の市場と御朱印船商人の資金を背景として活動し、未だ、移住先の一般人民の生活に即して土地に密着した國內產業に携はる迄に到らずして其の生業の基礎が在住地に確立してゐなかつた。殊に鎖國によつて、彼等の依存する母國の市場と母國の資本との聯絡が完全に遮斷されたことは、彼等の生業に取つて、實に致命的な打擊であつたことは言ふまでも無い。

暹羅に於いては、已に鎖國を待たずして、寛永七年山田長政一黨歿落日本町燒討後、彼我の交通杜絕するや、早くも殘留日本商人は資金に窮して、書をオランダ船に託し母國の商人に呼び掛け苦境の打開を畫策し、鎖國後各地の商人中には、一時支那人やオランダ人に商品を委託して、母國との取引を繼續する者もあつたが、斯くの如きは固より彼等外人の企業に依存するのみで、僅に彼等の好意の範圍内に於いて其の餘喘を保ち得たに過ぎなかつた。

七　移民に對する他の競爭勢力の增大。

日本町の商業移民の活動は、主として前述の如く母國の市場を確保し、母國の御朱印船商人の資本を背景とせしこと、及び未開土着民と外來西洋人との中間的立場を獲得したことであつた。

然るに當時南洋に於ける大規模なる貿易は、外來西洋人は固より、土着南洋諸國民間に在つても、殆ど政府の直營又は半官的經營にして、我が商人の私的個別的通商貿易には、絕えず斯かる競爭的重壓が加はつたが、固より彼等の此の活動も鎖國と共に自滅せざるを得なかつた。

又未開發の南洋經濟界に於いて、先進日本人商人は、間隔大なる土着民と外來西洋人との中間的立場に立つて大いに活躍し得たが、此れに對しても彼等は既に他の强力なる競爭者華僑を持つてゐた。華僑の發展は、其の由來遙に古く、其の數も常に移住日本人に比して壓倒的に多く、而も各地の日本人町には、例外なく支那人町が近接して、彼等は絶えず其の脅威と壓迫とを感じたに相違ない。唯ゝ此の間彼等が能く同一立場にある華僑に拮抗し得たのは、一つに母國の市場と母國の資本とを、其の背景に有したに他ならなかつた。鎖國後此の有力なる背景を喪失するや、彼等の立場は、華僑の爲めに急速に蠶食された。況んや、我が鎖國と相前後する明清鼎革の戰禍を避けて移住する華僑激增し、其の勢力の擴大するに反比例して、日本人在住の意義は著しく弱められ、軈て其の頽勢は急速に下向せざるを得なかつた。

以上述べた諸原因の外に、南洋日本町の衰因として、尚他にも吟味を要す可き點も多少殘つてはゐるが、要するに茲に第一因として掲げた『鎖國』が、他の如何なる事情にも優つて、日本町の急速なる凋落を招いた最大にして、致命的且つ決定的な原因なりしことは明白である。併し又其他の諸因中の多くも、鎖國の有無に關せず存在せし所にして、亦決して輕視し難き原因であつたと思はれる。

近世初期、前後約百五十年間、南洋各地に亙り、我が國史上空前劃期的な進出を遂げた日本人の活動中、玆に最も典型的な事例として日本町を取り上げ、上來六章二十節に亙り、不十分ながら、其の發生過程、其の位置、戸口數、居住形態、自治的な日本町の行政樣式、軍事、經濟、宗教方面に於ける移住同胞活動の消長と彼等の生活狀態より、最後に日本町の特質と日本町凋落の諸原因を檢討して來た。併し、尙、日本町の發生に先行的に考究すべき日本人南洋發展の一般的情勢、日本町の發展を中心とする當該國官憲と我が政府當局との國交、御朱印船貿易の實情、或は外人外船による日本市場と日本町との聯絡、又は日本町在住民の活動と緊密なる關係にあつて、互に關聯して考察すべき南洋各地分散日本人活動の消長など、論究すべき問題も多々あり、本稿も最初の發表以後三年を閱みし、其の後追加すべき若干の新史料や、細部に亙り多少補訂すべき點を見出したが、此等は何れ他に機會を得て、稿を改め發表する積りである。

註一　拙稿、バタビヤ移住日本人の活動。（史學雜誌、四六ノ一二）。
註二　長沼賢海氏、倭寇と南蠻。（開國文化。一四八頁）。
註三　Raymunds Antonio de Bulhão Pato, Documentos Remittidos da India ou Livros das Monções Lisboa. 1880—1893.

Tomo IV. pp. 297—299. Documents 956. 1618—Fevereiro 1. Resposta á carta. 1919—Fevereiro 9.

Boxer, C. R. The Affair of the "Madre de Deus". London. 1929. pp. 82—86.

附記。 本稿に主として引用した史料の末に**植民地文書**〔Koloniaal Archief〕又は**植民地文書追加**〔Koloniaal Archief Aanwinsten〕と記したのは、オランダ國ハーグ國立文書館文書にして、**商館記錄**〔Factory Records〕と記したのは、イギリス國ロンドン印度省記錄課所藏文書である。又**アジヤ・ゼスス會文書**〔Jesuitas na Asia〕と記したのは、ポルトガル國リスボンのアジュダ文庫所藏文書で、**印度文書**〔Archivos de Indias (A. de. I.)〕と記したのは、イスパニヤ國セビヤ印度文書館所藏文書である。此の外、東京帝國大學史料編纂所、東洋文庫、内閣文庫、帝國學士院、臺灣總督府圖書館、佛領印度支那河内極東學院〔l'Ecole française d' Extrême-Orient, Hanoi〕及び蘭領爪哇バタビヤ地方文書館〔s Lands Archief〕等各地の文庫圖書館所藏の書籍や既刊未刊の文書を多く利用したが、曾て此等の文書書籍の閲讀、筆寫、撮影に際して、上記各所諸館の係員各位の與へられた多大なる好意を、玆に記して深謝し、又史料の檢索譯讀に當り本學の箭内健次學士に、挿圖の作成には中村孝志學士に負ふ所大なることを追記して謝意を表したい。

尙本稿は、筆者の豫定する近代日本人南洋發展史の一部を構成すべきものにして、此の種の問題に興味を有する方は、他の拙稿「日本人の南洋發展」(岩波日本歷史講座。近世初期の對外關係所收)、並に「バダビヤ移住日本人の活動」(史學雜誌。四六ノ一二)などを併讀して戴ければ幸甚である。

(昭和十二年六月十七日。臺灣始政記念日に稿了)

明實錄より見たる明初の南洋

桑田六郎

明實錄より見たる明初の南洋

桑田六郎

目次

一　闍婆

明史卷三二四に闍婆の記事があり、瓜哇と別項目になつて居る。　瓜哇の條には元・明とジャバとの交渉を記すのみであるが、闍婆の記事は次の如く

闍婆古曰闍婆達宋元嘉時始朝中國唐曰訶陵又曰社婆其王居闍婆城宋曰闍婆皆入貢洪武十一年其王摩那駝喃遣使奉表貢方物其後不復至或曰瓜哇卽闍婆然元史瓜哇傳不言且曰其風俗物産無所考太祖時兩國並時入貢其王之名不同或本爲二國其後爲瓜哇所滅然不可考

となつて居る。　此の記事の中に見える闍婆達、訶陵、社婆に就いては、宋書、南史、唐書等を參考すべく、今こゝには論及しないが、ジャバが古く闍婆と記されたことは明かで、瓜哇の字は元代に始まつた。　然も瓜哇が闍婆であることは汪大淵の島夷志略に瓜哇卽古闍婆國門遮把逸山とあるによつても了解される。　門遮把逸はスラバヤとケヂリの中間にあり、同名王朝の都 Majapahit の名を寫したものである。　瓜哇の瓜は元史明史の傳にはかく記して居るが、瓜は本來爪であることは、ジャバの對音として然るべきのみならず、元史本紀には爪哇と記して居る場合が普通で、瓜哇と

記すこと稀である。雪堂叢刻本島夷志略も瓜哇とあるが、國學文庫本の同書には爪哇に訂正してあるのは合理的である。然し瓜哇の字が慣用的となつて居ることも事實である。

さて明史闍婆傳の疑問とするのは瓜哇と闍婆の異同であるが、瓜哇と闍婆が並時入貢其王之名不同と云ふのが、兩國を別國と見る根據である。元・明以前の闍婆及元明の爪(或瓜)哇がジャバであることは前述の如くであれば、問題は洪武十一年入貢の闍婆王摩那駝喃が果してジャバ王であるか否かにある。是を實錄に徵するに洪武十一年四月己酉闍婆國王摩那陀喃遣其臣淡罔巴從等奉表貢苾布油紅布檀香豆蔻等物とある。此の時代のジャバ王はマジャパイト第四王ハヤム・ヴル一三五〇元至正十年—一三八九洪武二十二年であるが、明實錄では昔里八達剌八剌蒲が洪武三年九月、五年正月、八年正月に入貢し、八達那巴那務が十年十二月、十二年十月、十三年十月、十四年十月に入貢して居るが、最後の十三年十月と十四年十月は使臣の名が同一であり、十月己巳の同一日附であるので、重複らしい。十五年正月に王名はないが爪哇の入貢があるから、十四年十月の入貢の記事は十三年十月己巳入貢の記事と合同すべきものと思ふ。實錄にもかゝる誤りのあることは他にも例を知つて居る。西域僧班的達…等十二人自中印度來朝と云ふ記事が洪武二年十二月と三年十二月の兩方に出て居る。さて瓜哇王昔里八達剌八剌蒲と後の八達那巴那務は對音として同一名をうつしたことは論がない。明史では昔里八達剌蒲とあるが、是は八剌を脱し、明一統志は昔里八達剌とのみ記して居る。昔里八達剌(或那)八(或巴)剌(或那)蒲(或務)は梵語 Śrī Bhadrā Prabhu 或はそのジャバ形をうつしたのかと思ふ。

さて然らば闍婆王摩那陀喃は何者か。自分はこの闍婆は占婆（或占城）ではないかと考へることに由つて解決を得た様に思ふ。

卽ち大越史記全書卷八陳紀四に（光泰三年洪武二十三年）羅皚歸至占城據國自立蓬莪子制厖奴㐌難與弟制山拏恐見殺遂來奔封厖奴㐌難爲校正侯山拏爲亞侯とある記事に見える蓬莪の子厖奴㐌難が卽ち闍婆王摩那陀喃であらう。同書によると此の年正月占城王制蓬莪が安南と戰つて殺されて居る。M. G. Maspero 氏の Le Royaume de Champa によると制蓬莪 Chê Bông Nga は明史の阿答阿者で第十二王朝の最後の王である。而してその在位は一三六〇（元至正二十年）— 一三九〇（洪武二十三年）となつて居る。制蓬莪、制厖奴㐌難の制はチャム語 Cĕi-Prince, maître, appellatif des divinites interieures, des membres de la famille royale; monsieur で、要するに子厖奴㐌難の入貢を闍婆王摩那陁喃と記したものと思はれる。

然し占婆を闍婆とするのは例外で、闍婆は普通ジャバを指して云ふ。例へば明史卷三二五の浡泥の條に闍婆の名が見えて居るが、實錄には洪武三年八月戊寅の條に遣使持詔往諭三佛齊浡泥眞臘等國趙述等使三佛齊張敬之等使浡泥郭徵等使眞臘とあり、四年八月癸巳の條に浡泥國王馬合謨沙遣其臣亦思麻逸進表箋貢方物先是王命監察御史張敬之福建行省都事沈秩使其國至是其王遣使隨秩等入貢有鶴頂生玳瑁孔雀梅花龍腦米腦糠腦西洋白布及降香黄藹等物志用金箋用銀皆刻番書字體彷彿回鶻詔賜其國王金文綺紗羅及其使者綵帛有差浡泥在西南大海中所統一十四州闍婆屬國也去闍婆四十五日程産名香異物國王以金珮刀吉貝布遺敬之等悉辭不受とある。この中浡泥在西南大海中所統一十四州、去闍婆四十五日程の文句は宋史及諸蕃志の文句である。然らば此の闍婆は宋代の用法による闍婆で卽ちジャバを指す。又闍婆屬國也の文句は宋代には見えず、是は張敬之の使した時の形勢である。ジャバのマジャパイト王ハヤム・ヴルの世ボルネオの Brunei 卽ち浡泥がその勢力下にあつたことは、かの詩人プラパンチャの作つた頌德詩ナガラクルタガマ（一三六五 元至正二十五年作）に、王の領土を列擧した中に浡泥が入つて居ることによつても知られる。

明史に泉州航海閲半年抵闍婆又踰月至其國とあるのは、一旦ジャバに行き、それから浡泥に行つたものと解すべきである。

二　暹羅

暹羅はもと暹と羅斛の二國であつた。元史本紀を渉獵すると、至元十九年一二八二六月に何子志を暹國に遣はして是を招諭して後、兩國の入貢が屢〻見える。兩國と元との關係や暹をCham及Angkorvat刻文のSyam (Syam kut)に、羅斛を同刻文のLvo, Lavoに比定することはP. Pelliot氏のDeux Itinéraires, B. E. F. E. O, IVに詳しく説明されて居る。唯此の論文には同氏が重要な支那史料である島夷志略の全文を見て居ないのを缺點とする。勿論大明一統志に島夷志が引用してあるが、その引用以外に重要なものがある。例へば同書によると、暹が羅斛に降つた年月を分明に至正己丑夏五月降於羅斛と記して居る。是に就いては Ed. Huber 氏がMaspero氏將來の三島夷志略の文を指摘して居るが(B. E. F. E. O, IX, p. 586)月の字が缺けて居り、三島夷志略の三は不要である。至正己丑は至正九年一三四九で、その五月は陽曆五月―六月に當る。シャムの歷史によると、Coedès氏が飜譯し(B. E. F. E. O.

1914）卽ち Bose 氏がその The Indian Colony of Siam に利用した巴利文の史料には佛滅曆 (Sacred Era) 一八九二年を以てアユチヤ王國建設の年とする。是は換算すると西曆一三四九年になる。所が普通アユチヤの建國の年を西曆一三五〇年とするはシャム曆(Chula Era, Common Era)七一二年五月六日金曜日にアユチヤ都の建設が始められたと云ふに本づく。此のシャム曆の紀年法によるシャム史が多い。さて何故一年の相違が生ずるか分明せぬが、島夷志略所記の暹の降伏は直にアユチヤ王都の建設と一致するわけでもなからう。大體志略は巴利文史料と一致すると見て、それによつても暹國が Sukhothai (Sukhodaya) であることは明證され、從つて羅斛が Lopburi であることも當然である。志略は舊都 Suvaṇṇabhumi (Suphan) を蘇門傍とせること藤田博士所說であるが、暹の降服を降於蘇門邦とせず降於羅斛と記した所以は新都アユチヤは Lopburi の少し南にあるので、本來羅斛の名の下に呼ばれた地方であつたからであるか、或はアユチヤ第一代 Rāmādhipati(Chāo u Thong) 王が Suphan を捨てたのは疫病の爲めであつたとする說があるので王はアユチヤ建設前一時 Lopburi に來て居て、Sukhothai を降服せしめたのではないかとも考へられる。Suphan と Lopburi はアユチア王國の重要な都市で、王は妻の兄弟の Paramarājādhirāja を Suphanに、王子 Rāmesūra を Lopburi に夫れ夫れ知事に任命して居る。 暹を Sukhodaya と見ることに於いて志略の外山崎嶇内嶺深邃土瘠不宜耕種穀米歳仰羅斛の記事が解釋される。 藤田博士は志略の自新門臺入港の新門臺を今河仙 Hatien 港に注ぐ Sông Vinh-té(Vinh té 河)の對音とし、この地方の名 Sai-mat を暹に當てられたが(島夷志略校注)、是はシャムの歴史に合はず。 自分は新門臺は新 monton "Province" の意味でメナム河口附近か或はアユチャ地方を指すのではないかと思ふ。

さて Sukhothai (Sukhodaya) 王國はアユチャ王國に屈服したが、その王國は尚ほ續いて存在して居た關係からなのか、或は歴史的記憶からか、明はアユチャ王國の入貢は暹羅斛の入貢として居る。 明一統志は永樂初國止稱暹羅と云ひ、實錄もさうであるが、洪武年間にも稀に暹羅と記して居る。 元周達觀の眞臘風土記に西南距暹羅半月程とあるが、是は元貞元年—大德元年間の見聞記で、統一前の暹と羅斛である。 然し洪武十年九月に既に暹羅國王之印を賜はつて居る以上永樂以後暹羅に一定したのも當然である。 唯暹羅斛或は暹羅と云ふも必竟明の方で勝手に附けた國名にすぎない。

暹羅斛卽ちアユチャ王國と明初との關係は實錄に由ると、洪武三年八月に南洋諸國に詔諭した時に、呂宗俊等が暹羅に使して居る。そして翌四年十二月壬午になつて暹羅斛の入貢がある。

暹羅斛國王參烈昭毘牙遣其臣柰思俚濟剌識悉替等來朝進金葉表貢方物賀明年正旦使還賜其國王大統曆織金文綺及使者襲衣文綺布帛有差（實錄）

所が明史暹羅傳には四年其王參烈昭毘牙遣使奉表與宗俊等偕來貢馴象六足龜及方物詔賜其王錦綺及使者幣帛有差已復遣使賀明年正旦詔賜大統曆及五年貢黑熊白猿及方物とあり、是によると以上三回入貢したことになるが、實錄では四年十二月壬午と次ぎに述べる五年正月壬戌の入貢と二回しか記してない。然も明史の五年の入貢は實錄の正月壬戌の入貢と同一であることはその貢物の同じ點からわかる。問題は明史の賀正使にある。實錄の十二月壬午の記事と明史とを比較すると、明史は已復遣使の文句によつて實錄の十二月壬午の入貢記事を二回の入貢に分割して居る。此の分割は何か據る所があつて行はれたのか了解に困しむが、恐らく單なる誤解であらう。前年八月呂宗俊等と同時に浡泥、三佛齊に使した張敬之、趙述はそれぞれ四年八月、九月に歸國して居るので、暹羅に使した宗俊もその頃或はその以前に歸國することが考へられる。その時或はその後に暹羅の使が來たとすればその使が實錄十二月の使の樣に思はれ、明史の二回の入貢は怪しい。一統志も使奈思俚儕剌識悉替等の入貢のみ記して居る。

五年正月壬戌暹羅斛國遣其臣寶財賦等奉表貢黑熊白猴蘇木胡椒及丁香等物詔賜國王織金紗羅文綺使者及通事李淸以下各賜衣物有差（實錄）

右の記事には王名を記してない。次ぎに王姉參烈思獰の入貢がある。實錄に

六年八月辛巳暹羅斛王女兄參烈思獰明史等遣使進金葉表貢方物于宮中却之とあり、次いで六年十一月癸丑暹羅斛國女兄參烈思獰復使柰文隸羅進貢方物于中宮禮部尙書牛諒以聞詔仍却之使者賜文綺襲衣遣還とあるが、是と同時に

六年十月庚寅暹羅斛國遣昭委直等各進表貢方物命皆賜…（實錄）

同年十一月庚申暹羅斛國遣使者李（柰か）思俚濟剌識悉替進金葉表貢方物詔賜…時其國王參烈昭毘牙儒而不立國人推其伯父參烈寶毘牙嗯哩哆囉祿王國事故奉表來告（實錄）

右兩者を比較すると十月に來て、又十一月に再び來るに就いては何か理由があるかも知れぬがわからぬ。明史では時其王懦而不武國人推其伯父參烈寶毘邪嗯哩哆囉祿主國事遣使來告貢方物宴賚如制已而新王遣使來貢謝恩其使者亦有獻帝

不納已遣使賀明年正旦貢方物且獻本國地圖」とあり、始めに王名が記してない。明の史料のまゝ信ずれば、此の時暹羅國情に變化があつたと見えるが、シャムの歴史を見るとアユチヤ王國の二代目はBose氏によるとRamessura (Rāmesuén) 1369—1370で在位一年(巴利原文は三年)三代目はParamarājadhirāja(Borummaraxathirat, Banu Mahānāyaka, Khun Luang Phongua) 1370—1388, 洪武3—21で、兩王の關係に就いてはHe (Paramarājadhirāja) is said to have usurped the royal throne. According to the Siames text, he bore the title Khun Luang Phongua. Bradley calls him the brother of the wife of Chāo u Thong, the first King. He was, therefore, the maternal uncle of the second King as said in the Pāli text. He reigned for 13 or 18 years, may be for 18 years as suggested by the Pāli Annals. —Bose, The Indian colony of Siam. p. 58—59. 又 Wood, A History of Siam p. 70—71を見るとKing Rama Tibodi left the throne to his Son, Prince Ramesuen, the Governor of Lopburi. The new King was unpopalar, probably owing to the incompetence he had shown as a General in the Cambodian war. A year after his accession disturbances broke out which he was unable to quell, and he was urged by his Ministers to abdicate in favour of his uncle, Prince Boromaraja (Pángoa), the Governor of Sup'an. The matter was amicably arranged. Prince Boromaraja became King, and King Ramesuen reverted to his former position as Governor of Lobpuri (1370). King Boromaraja I. was the fifth son of the former Prince of Utóng(Sup'an) and was the brother-in-law of King Rama T'ibodi I. His name, Pángoa, is a corruption of the prefix P'o (father) and Ngoa, an old word for five. At that time it was common to call children by numbers, even in noble or princely families. 是を見ると明史料の懦而不武(或立)の王は Rāmesuén 王で、その伯父參烈寶毘牙嗯哩哆囉祿が Paramarājadhirāja (Boromaraja I.) に當る樣に思はれる。 所が實錄に懦而不立の王を參烈昭毘牙となし、洪武四年の王名と同じくし、又洪武六年に王位の變化があつた如く記して居る。 然し Bose 氏シャム史では Rāmesuén 退き Paramarājadhirāja 即位したのは洪武三年である。 Rāmesuén の在位は巴利原文では三年であるが一年説もあり Bose 氏は後説を採つて居る。 此の矛盾を如何に解するか。 自分は明史料の方に誤りがあると思ふ。 參烈昭毘牙の參烈は Śri ではなく Samtac "seigneur, roi" (J. Asiatique 1903. p. 224) Somdet (B. E. F. E. O. IV. p. 263) をうつすこと後述の三賴の如くかも知れぬ。 Śri は次ぎに出て來る如く嗯哩でうつされて居る。 昭毘牙は Chāo Phongua である。 是は Rāmesuén ではなく、Paramarājādhirāja (Khun Luang Phongua) でなければならぬ。 又實錄の伯父參烈寶毘牙嗯哩哆囉祿の名は他書に見えぬ名

であるが、前半參烈寶毘牙は是を參烈昭毘牙と比較すると昭と寶の相違である。寶はシャム語 Pho "father" (Bose, p. 41) をうつしたのかも知れぬ。後半の嗯哩哆囉祿は Paramarājadhirāja の別名 Mahā Dharmarājādhirāja (Bose, p. 59) に當る、卽ち Śrī Dharmarāja をうつして居る。かく見ると實錄の懦而不立の王を參烈昭毘牙としたこと及び王位の更迭を洪武六年としたことは共に誤りと斷ぜざるを得ない。按ずるに王位更迭の事情が洪武六年十一月に始めて明朝に傳はつたので、明ではそれを洪武六年のことを考へ、前王を洪武四年入貢の參烈昭毘牙と解したのであらう。かやうな誤りは後に述べる蘇門答剌の條にもその例がある。

洪武七年十一月丁丑暹羅斛國王世子蘇門邦王昭祿羣膺遣其臣昭悉里直上箋于皇太子獻方物…(實錄)

蘇門邦は Suvaṇṇabhumi 或 Suvaṇṇapuri の訛りで、Muāng Suphān (Sup'an) のこと。昭祿羣膺は Wood 氏は王の甥 Nak'on In' として居る。是は後にシャム王 Nagaraindra (Int'araja I.) となる人で、Sup'an の知事であつた。明史料では次ぎにも出て來る樣に世子或は王子と記して居る。Paramarajādhirāja の子 Thong Lan は後(洪武廿一年)に王位を嗣いだ時十五歲であつたと云ふから、甥の Nak'on In' が世子となつて居たのかと思はれる。　是はシャム史に見えないことである。

洪武八年十一月丁卯暹羅斛舊明臺王世子昭勃羅局遣使奈暴崙進金葉表…(實錄)

舊明臺は前に述べた島夷志略の新明臺と對照して居る様に思はれる。　新明臺はNew monton "province" ではないかと考へたが、その例から推すと舊明臺はOld monton "province" となる。　自分の考へでは舊明臺は蘇門邦と並稱されて居る點から見て、Lopburi (Skt. Navapura) ではあるまいか。　Lopburi は Rāmesuén が卽位前及退位後治めて居る所で、舊明臺王は卽ち Rāmesuén で、世子昭勃羅局はその子 Phrarj Chao (後の Rāmarāja 王)ではあるまいか。　さうすると前に志略の新門臺をAyuthia方面ではないかと推測したのと相照應される。

洪武十年九月乙酉暹羅斛國王遣其子昭祿羣膺奉金葉表貢象及象牙胡椒蘇木之屬…特賜暹羅國王之印…(實錄)

こゝには昭祿羣膺を其子として居るが、シャム史料と一致せぬ。　尙ほ暹羅斛は十一年三月癸酉朔、十二月辛亥、十二年十月乙酉、十三年六月甲申、十四年二月丙寅、十五年六月甲午、十六年正月己巳、十七年正月朔、十八年正月戊寅、十九年二月甲辰、九月甲寅、二十一年八月壬寅に入貢して居るが、概ね王名なく、十二年十月乙酉及十七年正月朔のみに國王參烈寶毘牙嗯哩哆囉祿の名で記してある。十二年十月の條には尙ほ賜其國王及王子蘇門那邦の誤り王昭祿羣膺織金文綺紗羅とあるが王子は世子のことであら　。二十二年には國王の入貢なく次の如く世子のみ入貢して居る。

洪武二十二年正月丙戌暹羅斛國王世子蘇門邦王昭祿羣膺遣使…(實錄)

Bose 氏は Paramarājādhirāja の在位を、巴利原文に本づいて十八年と見た(十三年說もある。それでこの前年洪武廿一年に Paramarājādhirāja (Boromarajal.)死に、その子 Thong Lan (=Suvaṇṇacanda) 嗣ぎしが、退位して Lopburi を治めて居た前王 Ramessura (Rāmesuén, Ramesuen) が幼き王を殺し復位した。幼き王 Thong Lan は在位七日にすぎなかつた。從つて洪武二十二年正月の蘇門邦王昭祿羣膺の遣使には政治的意味があつたかも知れぬが明史料には現はれて居ない。この政變が前年の何月に起つたのか分明せぬが、翌年正月には昭祿羣膺は世子ではなかつた筈である。實錄に洪武廿三年四月甲辰、廿四年四月戊午朔、廿六年十二月庚寅の入貢があるが王名は記してない。洪武二十八年の入貢は明史に昭祿羣膺遣使朝貢且告父喪命中官趙達等往祭勅世子嗣王位賜賚有加諭曰…とあるが、實錄には次ぎの如く記してある。

洪武二十八年十一月甲申暹羅斛國嗣王蘇門邦王昭祿羣膺遣其臣奈婆郞直(通の

誤りか)事劄等奉貢方物且告國王參烈寶毘牙㗌哩哆囉祿喪詔賜使者及通事奈詩俚曾等鈔有差

同年十二月戊午詔遣內使趙達朱福等使暹羅斛國祭故王參烈寶毘牙㗌哩哆囉祿賜嗣王蘇門邦王昭祿羣膺文綺四疋羅四疋㲲絲布四十疋王妃文綺四疋羅四疋㲲絲布十二疋勅諭之曰朕自卽位以來命使出疆周于四維歷諸邦國足履其境者三十六聲聞於耳者三十一風殊俗異大國十有八小國百四十九較之於今暹羅爲最近邇者使至知爾先王已逝王紹先王之緒有道於邦家臣民懽懌茲特遣人祭已故者慶王紹位有道勅至王其罔失法度罔淫於樂以光前烈其敬之哉

古今圖書集成邊裔典は廣東通志から十二月の記事を引用して居る。 右の記事によると昭祿羣膺が參烈寶毘牙㗌哩哆囉祿の死後王位についた樣に見えるが、シャム史料を見ると、參烈寶毘牙㗌哩哆囉祿卽ちParamarājadhirāja (Boromaraja I.)の死は一三八八年卽ち洪武廿一年である。 先きに洪武二十二年正月昭祿羣膺の遣使を述べたが、その時に父王の喪を告げなかつたのは、遣使の出發後卽ち廿一年の末にParamarājādhirāja が死んだのかも知れぬ。 又その後の廿三年・廿四年・廿六年の暹羅斛の入貢は昭祿羣膺に關係なかつたのであらう。 是は恐らく復位したRamesura (Rāmesuén）の入貢であつて、Paramarājādhirāja 死後昭祿羣膺の第一回の入貢が洪武廿八年であつたのであらう。そして其の時始めて Paramarājādhirāja の死を明に報告したのであると思はねばならぬ。Bowring 氏は the following year (1388), the Crown Prince gave notice of his father's death, and prayed to be invested as his successor. (V. I. p. 73) として居る。一三八八年は洪武廿一年で Paramarājādhirāja の死んだ年になるが、是は誤りで同氏は洪武二十一年の貢象三十を一三八七年卽ち洪武廿年と誤つて居るので、一三八八年の記事は明史の洪武廿二年（一三八九）の記事に相當する。然も二十三年及二十八年を飛んで告父喪の記事を二十二年のことにして居る。是は明かに Bowring 氏の誤謬であるが、Aymonier 氏も又是を踏襲して居る (Jour. Asiatique p. 222) のは怪しい。明では昭祿羣膺の報告により彼をして王位を嗣がしめて居るが、それは明だけの話でシャム史料から見ては問題にならぬ。昭祿羣膺の卽位はズット後になる。シャム史を見ると、Ramassura (Ramesuen) の在位は Bose 氏によると巴利原文と同じく六年 Wood 氏によると七年で、前者によるとその死は洪武廿七年、後者によると洪武廿八年となつて居る。次の王は王子 Rāmarāja (Phraj Chao) (Ram Raja) で、その在位は洪武卅年までとする Bose 氏の三年說は巴利原文と同じであるが、Wood

氏は永樂六年までとする十四年説を採つて居る。兩者の是非は後に述べる。

次ぎに實錄に洪武卅年八月辛丑、同年十月丁未、翌卅一年五月辛亥に暹羅の入貢があるが、何れも王名が記してない。卅一年には別に正月乙卯に昭祿羣膺の入貢がある。それには暹羅斛國蘇門邦王昭祿羣膺遣使貢方物と記してある。是を信用して昭祿羣膺は此の時未だ蘇門邦王であつて暹羅斛國王でないとすれば、その即位は洪武卅年末遣使の出發までは未だ蘇門邦王であつたことになる。此の點Bose 氏の洪武卅年 Rāmarāja 死 Nagaraindra 即位說と辛うじて一致する。所が永樂年間になると昭祿羣膺は暹羅國王として入貢することになる。

永樂元年正月甲寅遣使齎詔諭暹羅國王昭祿羣膺哆囉剌並賜之駝紐渡金銀印（實錄）

右の使者は同年八月癸丑給事中王哲行人成務使暹羅とある人達であらう。所が同年九月乙未賜暹羅國使李靄劑剌等鈔及金織文綺襲衣といふ記事がある。是が何時來たか分からぬが、正月の遣使の記事に新しい王名がある所から見ると、暹羅の使は正月には既に來て居たので、その使者から新王の名昭祿羣膺哆囉諦剌を聞いたのではあるまいか、暹羅の使者に對する賜與はその歸國する時のものであらう。實錄にはまた次の記事がある。

永樂元年九月己亥遣內官李興等賚勅勞暹羅國王昭祿羣膺哆囉諦剌並賜王文綺帛四十匹及銅錢麝香諸物與其貢使偕行

是を見ると李興等は前記の貢使の歸國を送つて同行したことがわかる。然るに明史暹羅傳には永樂元年賜其王昭祿羣膺哆囉諦剌駝紐鍍金銀印其王卽遣使謝恩六月以上高皇帝尊謚遣官頒詔有賜八日復命給事中王哲行人成務賜其王錦綺九月命中官李興等齎勅勞賜其王其文武諸臣並有賜とあり、古今圖書集成邊裔典は元年二月賜…駝紐鍍金銀印として居るは何に本づくか。明史によると駝紐鍍金銀印の賜與に對して直ちに謝恩の使が來て居る。若しさうとすればその謝恩の使は實錄の李露剤剌等と思はれるが、それでは往來が早すぎる。又然らば元年正月に誰れから暹羅の王名を聞いたかがわからなくなる。自分の見落しがなくば實錄に本づいて元年の明と暹羅との往來を始めの樣に解釋したい。

さて暹羅の王名昭祿群膺哆囉諦剌は Chao Nagaraindarājādhirāja と讀まれ、王は Bose 氏の Nagarainda, Wood 氏の Int'araja I. に相違ない。然らば永樂元年には Nagarainda (Int'araja I.) が王位にあつたことは明史料によつて確かであるから前王 Ram Raja

が一四〇八年卽永樂六年まで在位であつたとする Wood 氏のよる所の在位十四年說は怪しい。實錄によるとこの元年の遣使に對して、昭祿羣膺哆囉諦剌の謝恩と入貢を兼ねた使は翌二年九月辛亥に來て居る。尙ほ同王の使は三年九月丙午、四年三月壬辰、六年十二月庚辰、七年十月巳亥朔、八年十二月戊戌、十一年十二月甲子にも來て居る。

永樂十四年五月壬辰朔暹羅國王昭祿羣膺哆囉諦剌卒其子三賴波摩剌札的賴遣使…(實錄)

右によると昭祿羣膺哆囉諦剌卽ち Nagaraindа (Int'araja I.) の死は永樂十四年五月朔以前である。古今圖書集成は永樂十三年暹羅國王卒、按廣東通志永樂十三年五月昭祿羣膺哆囉諦剌卒として居るが、是は廣東通志が十四年を十三年と誤つたのである。然るに Rosny 氏が此の誤りを悟らず (Les Peuples, p. 218) Aymonier 氏も亦その誤りを襲うて居る (J. Asiatique p. 224)。明史にも十四年王子三賴波羅摩剌劄的賴遣使告文喪命中官郭文往祭別遣官齎詔封其子爲王とあり、父王の死を十三年とは記し居ない。要之前王 Nagaraindа (Int'araja I.) の死は永樂十四年五月以前であることは確かである。然るに Bose 氏は Nagaraindа の死を一四一七年卽ち永樂十五年として居るのは一年違つて居り、Wood がシャム暦七八六年説に從ひ一四二四年として居るのは問題にならぬ。實錄の紀年は信用すべきものであるから、Bose 氏の計算を一年早くする必要がある。新王三賴波摩剌札的賴は明史暹羅傳では札が剳になつてゐる。此の王は Aymonier 氏が Samtac "seigneur, roi" Parama-Rājādhirāja として居る (J. Asiatique, 1903, p. 224) Pelliot 氏の Deux Itinéraires では三賴を Somdet として居る (B. E. F. E. O. IV. p. 263)。是は Bose 氏の Paramarājādhirāja 1417—1437 A. D. Wood 氏の Boromaraja II. である。實錄によると三賴波摩剌札的賴王の名は永樂十五年十二月癸未、十八年四月庚申、十九年四月辛亥、二十二年二月壬戌、宣德元年九月癸卯、二年五月乙巳三年四月丙申等に見えて居る。但し宣德年間の條には王名の中で的の字が脱漏して居る。又宣德八年九月丙戌暹羅國王悉里麻哈賴遣使臣坤思思利弗等奉表貢方物とあるから、同王は又 Śrī Mahā Rāja の稱號も用ゐたことがわかる。是は明史暹羅傳にもあるので Rosny も引用して居るが (Les peuples orientaux p. 219) 悉里麻哈賴を讀んで居ない、Aymonier 氏始めて Śrī-Mahā rāja ? (J. Asiatique p. 226) と言つて居る。王が此の稱號を用ゐたことは明史料により始めて知ちるゝ所で、要之明史料はシャムの歴史に重要なものであり、殊に從來明實錄を利用したものがないのは残念であつた。
最後にシャムの世系を表示し、その漢譯を併記すると次の如くである。

Ayuthia 王統

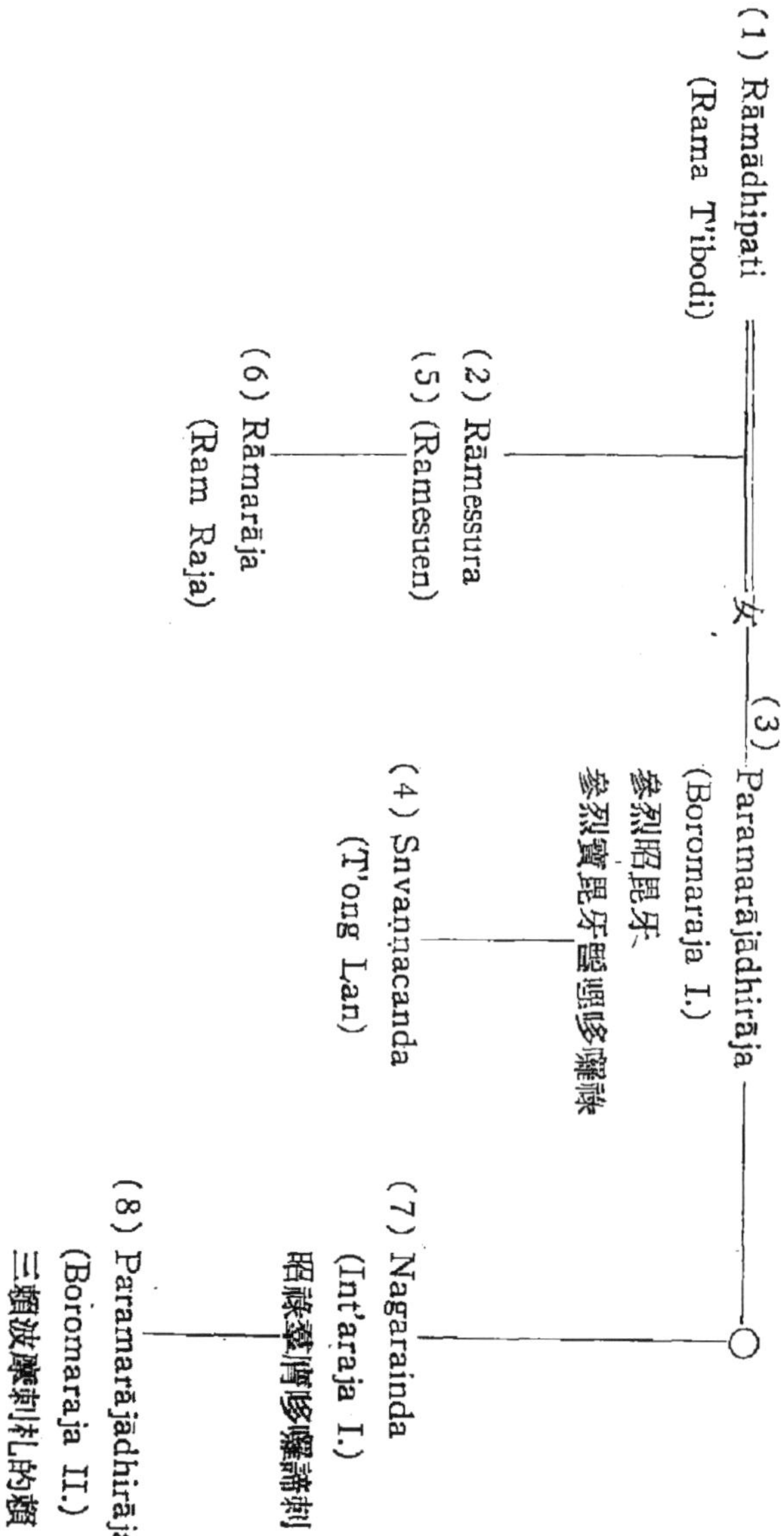

註、王名ハ Bose 氏ニ從ヒ括弧内ハ Wood 氏ノ記名ニ從フ。

三　蘇門答剌

蘇門答剌の名は速(或蘇)木都(或答)剌 元史本記至元廿二年九月以後 須文答剌 島夷志略 として元代の人に知られ、Odoric 及び Ibn Baṭūṭā もその名を記し、Marco Polo の Samara はその誤りと云はれ、爪哇の Nagarakrĕtāgama にも記されて居り、元より明代に亙つて榮えた國である。勿論是は今のスマトラ島を指すのではなく、島名の起原となつた同島北部の國々の一つにすぎない。Diamond Point の西方十五哩の所に Pasei (Passey, Passier) の港がある。是も今は普通の地圖には出て居ないが、葡人等の來航の時は相當な港であつた。Marco Polo は東から Ferlec, Basma, Samara と記して居る。Ferlec は西洋朝貢典錄の巴剌之嶼、武備志航海圖の巴碌頭で今の Parlak で Diamond Point の稍々南方にあり、Basma は Barros の Pacem と同じく Passy である。武備志及西洋朝貢典錄は蘇門答剌と巴剌(或碌)との間に急水灣を記して居る。是は Findley, Directory p. 46 によると Pedir 海岸では潮流が弱いが、Diamond Point 邊では流早く干滿の差甚しいとあるから、急水灣は Diamond Point 邊で Djambu Ayer の河口邊を指すかと思はれる。一八八一年に Pasei 地方を訪れた和蘭の役人は、Pasei より遠からぬ所に河の左岸に Samudra と云ふ Kampong 卽ち村を發見した (Hobson Jobson, p. 865) Groeneveldt 氏は河口より約三英里と言ふ (Notes, p. 215) Collet 氏は Djambu Aje に沿ふと言へど (Sumatra, p. 80) 是は怪しい。 Pasei の西方に Telok Samawe (Telok Samoi) がある。是は河口の西側にあり東側には Maraksa がある。 Maraksa と Pasei との間は四哩である (Directory, p. 45)。 四哩は支那里數にすると十里餘になる。 瀛涯勝覽に濱海一村名答魯蠻繋船往東南十餘里可到其國(蘇門答刺)無城郭有一大溪流出海一日二次潮水長落其海口以浪大船常有沈沒とある。 答魯蠻は西洋朝貢典錄にも同じ字が記してある。 Samndra に行くには Pasei から行くのが順路と見えるが、答魯蠻は Pasei に Telok "a bay" (Collet, Sumatra, p. 551) を附けて Telok Pasei としての形にも取れるが、Telok Pasei の名は用ゐられて居ない。 又 Samudra に通ずる河は舟運不便の樣に勝覽に記してある。 Ibn Baṭūṭā は Sarḥā から上陸し四哩行き Sumutra に至ると云ふ。 Sarḥā は Pasei と名が似て居ないので、是は Telok Semawe の Semawe ではないかと云ふ說が起る。 而して勝覽の答魯蠻は Rouffaer 氏の說の如く (T'oung Pao XVI, p. 533) Telok Semawe の對音ではないかと思はれる、四哩は支那里十餘里になり、方角は勝覽は東南と言つて居るのも宜しいと思はれる。

さて蘇門答剌の明初の歴史に就いて支那史料がある。是に就いて山本達郎氏「鄭和の西征」（東洋學報廿一巻五〇八—五一三頁）に説明があるが、自分は同氏と見方を異にするのでこゝにそれを述べたい。鄭和はその第二次の航海に於いて蘇門答剌の蘇幹剌を捕へて歸つた。實錄永樂十三年九月壬寅の條に

蘇門答剌國王宰奴(里)阿必丁遣王子剌査加那因等貢方物太監鄭和獻所獲蘇門答剌賊首蘇幹剌等初和奉使至蘇門答剌賜其王宰奴里阿必丁綵幣等物蘇幹剌乃前僞王弟方謀弑宰奴(里)阿必丁以奪其位且怒使臣賜不及己領兵數萬邀殺官軍和率衆及其國兵與戰蘇幹剌敗走追至喃渤利國並其妻子俘以歸至是獻于行在誅之

と記してある。王名宰奴里阿必丁は Zyn-ul-'Abidin と讀むべく、蘇幹剌は Sikandar かも知れない。蘇幹剌が敗走した喃渤利は支那記錄にも又回敎徒の記錄に屢〻現はれる國名であるが、其位置が分明せぬ。Directory p. 42 によると Achin 沖の Pulo Brasse に Lembalei Bay があり喃渤利の名の名殘りの樣に思はれるが、武備志航海圖を見ても今の Achin 邊りに南巫里が置かれて居る。宰奴里阿必丁と蘇幹剌との爭は瀛涯勝覽にその由來が詳細に出て居る。卽ち次の如く

其蘇門荅剌國王先被那孤兒花面王侵掠戰鬪身中藥箭而死有一子幼小不能與父

報仇其王之妻與衆誓曰有能報夫死之讐復全其地者吾願妻之共主國事言訖本處有一漁翁奮志而言我能報之遂領兵衆當先殺敗花面王復雪其讐花面王被殺其衆退伏不敢侵擾王妻於是不負前盟卽與漁翁配合稱爲老王家室地賦之類悉聽老王之裁制永樂七年效職進貢方物而沐天恩永樂十年復至其國其先王之子長成陰與部領合謀弑義父漁翁奪其位管其國漁翁有嫡子名蘇幹剌領衆挈家逃去隣山自立一寨不時率衆侵復父讐永樂十三年正使太監鄭和等統領大腙寶船到彼發兵擒獲蘇幹剌赴闕明正其罪（馮承鈞校注本ニ據ル）

今實錄と勝覽の兩記事を比較すると、蘇幹剌が實錄では前僞王弟、勝覽では漁翁卽ち老王の嫡子となつて居るが、史料の性質から見て弟とする方を採りたい氣がする。　實錄では前僞王の說明がないが、勝覽と對照すると前僞王は勝覽の老王(漁翁)のことと思はれる。　卽ち物語りは宰奴里阿必丁の父が那孤兒花面王に殺された時に漁翁がその復讐の功により王の妻と結婚し、一時政權を得て老王と稱した、然し正當の王位繼承者でないから實錄では是を前僞王と記したものに相違ない。

次ぎに勝覽の記事は書き方が惡いことを指摘する。　卽ち漁翁の記事の後に永樂七年效職進貢…永樂十年復至其國其先王之子長成…と記した爲め永樂七年及十年の入貢は漁翁の入貢の様に見える、然し實は左様ではない、こゝは單に蘇門荅剌の入貢の意味にすぎない、又永樂十年復至其國の所を勝朝遺事本では至十年と記し恰も永樂十年に先王之子が繼父漁翁を殺した様に見える書き方をして居り、馮承鈞校注本も永樂十年復至其國、其先王之子と句讀をしてあるが、こゝは當然に永樂十年復至、其國其先王之子とすべきである。　實錄によると蘇門荅剌王宰奴里阿必丁の入貢は永樂三年九月癸卯から宣德に及んで居る。　永樂七年十月乙丑の入貢も同十年九月戊戌の入貢も共に宰奴里阿必丁の名が明記してある、殊に十年九月の入貢は喃渤利王馬哈麻沙と共に遣使したもので、鄭和第三次奉使の命を受けた十一月丙申の少し前になる。　而して瀛涯勝覽の著者馬歡が同行したのは今次の奉使であつた。　彼は此の時宰奴里阿必丁と蘇幹剌の爭ひの由來を知つて記したものに相違ない。　而して漁翁が宰奴里阿必丁に殺されたのは永樂三年以前であることは實錄所記の宰奴里阿必丁の入貢によつて明かである。　勝覽は老王之裁制の次ぎに直に其先王之子云々を續ければよかつたのに、その間に永樂七年及十年の入貢のことを挿んだのが、色々誤解を招く因となつて居る。　かくの如く勝覽の文を解釋すれば勝覽の記載は何の不自然もない。　山本氏は漁翁の物語を抹

殺し蘇幹剌の作爲とするも、それでは實錄の前僞王の說明が出來ないことになるではないかと思ふ。以上の自分の說明を表示すると

先王
　├── 宰奴里阿必丁
妃
　├── 蘇幹剌（或老王の弟）
漁翁（老王）（前僞王）

四　錫蘭

自分は嘗つて南方土俗第二卷第二號に「鄭和に就いて」を書いて、その前年海外留學の歸途コロンボ博物館にて實見した、永樂七年の鄭和の碑文を紹介した。所がその小論文が山本達郎氏の目に觸れ、同氏の「鄭和の西征」（東洋學報卷廿一頁三七四—五九六）の中に、自分の說にも論及されて居る。それは鄭和の碑文の初めの方で大明皇帝遣太監鄭和王○○等昭告于佛世尊曰云々とある中に王の次ぎに來る二字が磨滅して讀み難い點に就いてである。此の碑の發見及碑記の漢文、波斯文、タミール文の判讀に就い

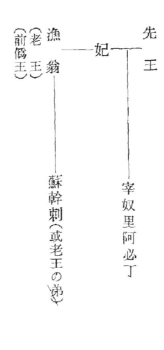

てはPerara氏の論文がセイロンの雜誌 Spolia Zeylanica, v. viii. に出て居る。それには王清濂と讀んである。然し碑では王清濂と分明に讀める譯ではない。自分は是は單に推測にすぎないと思つて常識的判斷から鄭和の同行者として知られて居る王景弘と讀むべきことを主張した。弘は或は宏と書いたものもあるが是は淸高宗の諱弘曆を憚つたもので、皇明實錄明史鄭和傳、明版古今說海には弘の字が用ゐられて居る。鞏珍の西洋番國志も讀書敏求記所引では王景宏とあるが、もとは王景弘であつたらうと思はれる。所が山本氏は內藤博士の許にある此の碑の拓本を見て、是を王貴通であると斷定された。氏は最初の字が王であり第三の字が通であることは殆んど確實で第二の字が貴であることも判讀するに決して困難ではないと言はる。自分も初め碑を見た時如何に讀むべきかを考へたが、第二字は貴の字かと思つた、第三字は讀めなかつた。それで山本氏の論を見て自分も始めは王貴通かと思つた。然し山本氏が更に王景弘は卽ち王貴通と同一人物であると說くを見るに及んで疑問を生じた。不幸にして臺北には皇明實錄がないので夏期上京の際に王貴通に關する實錄の記事を調べて見ると、自分は山本氏の論に贊成し難いのを悟つた。

問題は二つある。一つは碑文の文字が王景弘であるか王貴通であるか。他の一つは王景弘は王貴通と同一人物であるか否かである。先づ便宜上第二の問題から論じて行きたい。山本氏は王景弘卽ち王貴通論の論據として四ヶ條を擧げて居られる様に見える。次ぎに頁五二九―五三〇に見えて居る山本氏の所論を引用しよう。

此の人名は王貴通と讀むべきであつて、彼は永樂二十二年八月に南京の鎭守を命ぜられた王貴通と同一人であつたに相違ない。碑文の人名を王景弘と讀む事は出來ないけれども王貴通と王貴弘とは或は同じ人間を指したものではなからうか。第一回及び次に述べる第七回の出使の際に鄭和と並んで特に王景弘の名が見えて居り、第二回の時に建てられたセイロン島の碑文に「遣太監鄭和・王貴通等」とあつて鄭和・王貴通の二人の名のみが記されてゐるのによると、王景弘と王貴通は別人でない様に思はれる。(假に前に疑問としておいた所の第二回の遠征に關する四卷本星槎勝覽の記載が萬一根據のあるものとするならば、第二回の出使の時にも鄭和と並んで王景弘が居たといふ事になる。) 實錄によると永樂二十二年八月に朱卜花等の上にあつて南京の守備に當つたのは「太監王貴通」であるが、洪熙二年二月に更にその上に鄭和の任命された時には「內官王景弘」が朱卜花等と共に彼の下に居たのであつて、前者に王貴通のみあつて王景弘がなく、後者に王景弘のみあつて王貴通のない事は右の推測を確めるものであらう。　王貴通を太監と爲すのに對して王景弘の方は內官と呼ばれてゐるが、實錄の洪熙元年四月甲辰(四五)の條には「勅南京太監王景弘」といふ事が見えて、王景弘も亦太監といはれてゐる。　貴通と景弘とは文字の上からは連絡のある似た意味を持つてゐるのであるから、之を諱と字の關係と見做して同一人と考へてもよいであらうと思ふ。

以上山本氏の所論を分類すると四ヶ條にして見ると　(一)第一回及第七回及疑問の第二回の鄭和出使の同行者に王景弘の名があり、一方碑文に王貴通の名があり王景弘の名がないこと……是に就いては碑文を王貴通と讀むことに疑問がある。誰れかが(多分セイロン在住の支那人)王清濂と讀んだ如く第二第三字は分明に讀み得るものでない。　第二字に就いて貴と景は形が似て居り、第三字に就いては弘と通とは下の横線の有無によつては似て居るとも似て居ないとも言へる、現に是を濂と讀んだものもあるから果して通と斷定し得るか疑問である。　夫れで自分は先づ此の問題を白紙にして置いて次の問題に進みたい。㈢、南京守備として鄭和王貴通と王景弘朱卜花との關係……是は山本氏の洪熙二年二月は洪熙元年二月の誤植と思ふが、夫れにしてもこゝには山本氏に誤解がある様に思ふ。山本氏は永樂廿二年王貴通が南京の守備に任じ洪熙元年二月には「その上に」鄭和が南京守備に任ぜられたと考へて居られるが果してさうであらうか。實錄には次の様に記してある。永樂二十二年八月丁未命太監王貴通率下番官軍赴南京鎭守宮中諸事同內官朱卜花唐觀保外事同駙馬都尉西寧侯宋琥駙馬都尉沐昕計議而行。永樂帝が七月辛卯に崩じたので王貴通が下番官軍を率ゐて南京の守備に當つたのは、鄭和が同年正月舊港の施濟孫に賜ふ鈒花金帶金織文綺襲衣銀印を賚して同地に出發した留守であつたからで、又王貴通が率ゐた下番軍に就いては、鄭和の今次の航海は單に舊港に行く丈を目的としたので多數の下番軍を必要とせずその一部は南京に殘して置いたからであらうと思はれる。次ぎに實錄に洪熙元年二月戊申命太監鄭和領下番官軍守南京於內則與內官王景弘朱卜花唐觀保協同管事遇外有事同襄城伯李隆駙馬都尉沐昕商議…とあるが、是は鄭和が舊港から歸つて來て南京守備に任ぜられたので、是は鄭和が王貴通に代つて南京守備に任ぜられたと解することが出來、又王景弘も同樣で舊港に鄭和と同行して行つたのが歸つて來たものと見られる。 山本氏の如く「その上に」卽ち王貴通の上に鄭和を任命したと解する必要はない「その上に」と解するが故に王貴通卽王景弘論が生じて來るのである。 鄭和が王貴通に代つたとすれば、鄭和の下に王景弘があつて王貴通が居なくとも問題はない。 (三)、太監王貴通に對して王景弘も洪熙元年四月甲辰には太監であつたこと……是に就いては王貴通が太監になつた年代を考へる必要がある。 山本氏は全然問題にして居ないが、自分の調査では實錄に永樂五年九月庚辰遣太監王貴通賚勅往勞占城國王占巴的賴賜王白金三百兩綉帛二十表裏嘉其嘗出兵助征安南也とある。 明史占城の條には單に中官王貴通とあるが、實錄によつて王貴通を當時太監であつたと認めなければならぬ。 是に關聯して鄭和が太監になつた時を考へると、實錄に永樂三年六月已卯遣中官鄭和等賚勅往諭西洋諸國とあるが、永樂三年端陽日（五月五日）禮部尙書兼左春坊大學士（生とあるは誤り）李至剛撰の碑記には子男二人長文銘次和女四人和自幼有材志事今天子賜姓鄭爲內官監太監（滇繹卷三）とあり、又鄭和と同時代の人で人相見を善くした袁忠徹（明史卷二九九）の古今識鑒には內官鄭和卽三保也……以靖難功授內官太監（小說月報卷二〇號一頁四九）とあり、鄭和が靖難の功によつて太監となつたことがわかる。王貴通も恐らく靖難の功によつて太監となつたのであらうと察せられる。王貴通が永樂五年に已に太監であつたとすれば、王貴通と鄭和は同資格であり又同頃の年輩かと思はれ、從つて鄭和に代はるべき人であつて鄭和の下につく人ではない。是に反して王景弘は山本氏の引用せる如く實錄では洪熙元年四月甲辰の條に勅南京太監王景弘曰…とあるのが、彼を太監と記した始めであつて、その以前には太監と記したものはない。されば王景弘が太監となつたのは仁宗即位後であり、太監となつたのは彼が屢〻鄭和に隨行して南洋に航海した奉使の功を認められた爲めであらう。奉使の功によつて太監となつたのは侯顯の例がある。侯顯は烏思藏に使し「以奉使勞擢太監」と明史（卷三〇四）に出て居る。之を要するに王貴通と王景弘を同一に取扱へないことは明かである。(四)、王貴通の貴通と王景弘の景弘を諱と字との關係と見做す山本氏の說は怪しい。王貴通といふ名も王景弘と云ふ名も共に實錄に記されて居る。實錄に一人物を二樣に書くと云ふことは考へられぬ。又字を以て書くことも考へられぬことである。以上を以て山本氏の王貴通王景弘同一人物論に對する批評を終へるが、要するに王貴通は如何なる人物であつたか分明せぬが、鄭和と同じ時代に並んで太監たりし人物で、鄭和の下につくべき人ではなかつたと思はれる。是に反して王景弘は後には太監になつたが、永樂年間には恰も鄭和の配下の子分の樣にしか思はれぬ。王貴通は永樂五年九月庚辰（卅日）占城に使して居るが、同年九月壬子（二日）に鄭和は第一次の航海から歸つて居る。是を見ると王貴通は鄭和の第一次の航海とは關係がないと考へてよい。是に反して實錄には見えぬが明史鄭和傳には王景弘が隨行したことが見えて居る。實錄に永樂六年十月乙亥朔占城國王占巴的賴 Campādhiraja, i. e. Jaya Simha Varman V. (Maspero, Champa, p. 221) 遣孫舍楊該奉表貢象及方物謝恩とあり、是は王貴通の奉使の結果で彼自身も此の時歸國したのではあるまいか。明史占城傳には遣中官王貴通齎勅及銀幣賜之六年鄭和使其國王遣其孫舍楊該貢象及方物謝恩とあるが、是は誤解を生ずる書き方である。六年は鄭和が第二次出使の勅を受けた六年九月癸亥を採つたのであらうが、鄭和が實際出發したのは翌年九月で占城に至つたのは十二月である。從つて遣使謝恩の記事は鄭和に關係ないものである。若し王貴通が占城から歸つたのが永樂六年十月とすれば、鄭和はその前月に使西洋の勅を受けて居る。實際の出發は翌年九月に延びては居るが奉勅が王貴通が占城よりかへる前であるとすれば、鄭和の第二次航海に王貴通が隨行したと考へるのは如何かと思ふ。但し王貴通が六年十月に歸つたとするのは推測であつて別に實錄に記載してあるわけでもないから此の點は强く主張出來ぬかも知れぬ。然し王貴通が鄭和に隨行したと云ふ證據は山本氏が碑文の王〇〇を王貴通と讀んだ以外にはない。山本氏の王貴通王景弘同一人物論が前述の如く否定されると、王貴通と鄭和との關係は大分影が薄くなつて來る。且又第一次の出使には太監は鄭和一人であつたのに、第二次には何故太監を二人派遣する必要があるか。是に反して王景弘が第二次の航海にも隨行したらうと想像するのは極めて自然のことの様に思はれる。卽ち碑文の王〇〇は王貴通ではなく王景弘であらうと云ふ自分の說を更に主張したい。

次ぎに鄭和の第二次の航海に鄭和は錫蘭王阿烈苦柰兒と戰つて是を捕虜にして歸つて居る。是に就いて山本氏の說明があるが(頁三九九—四〇二)自分は山本氏と意見を異にする。是に關する史料は實錄の永樂九年六月乙巳の條にあるものと大唐西域記卷十一僧伽羅國の記事の末にある明代の附加記事とである。實錄によると內官鄭和等使西洋諸番國還獻所俘錫蘭山國王亞烈苦柰兒並其家屬和等使諸番至錫蘭山亞烈苦柰兒侮慢不敬欲害和和覺而去亞烈苦柰兒又不輯睦隣國屢邀刧其往來使臣諸蕃皆苦之及和歸復經錫蘭山遂誘和至國中令其子納顏索金銀寶物不與潛發番兵五萬餘刼和舟而伐木拒險絕和歸路使不得相援和等覺之卽擁衆回船路已阻絕和語其下曰賊大衆既出國中必虛且謂我官軍孤怯不能有爲出其不意攻之可以得志乃潛令人由他道至船俾官軍盡死力拒之而躬率所領兵二千餘由間道急攻王城破之生擒亞烈苦柰兒並家屬頭目番軍復開城交戰數合和敗之遂以歸群臣請誅之上憫甚愚無知命姑釋之給與衣食命禮部議擇其屬之賢者立爲王以承國祀。亞烈苦柰兒の亞烈の讀み方は分明せぬがArya Kunālaとでも讀むか。Tennet氏によると(Ceylon v. 1, p. 622)同王はWijayo-bahu VI.である。山本氏は此の戰の當時の王城をCottaとされるが、Tennet氏はWijayo-bahu VI.の都はGampolaで、次ぎのPrakrama Bahu VI.の時にGampolaからJaya-wardana-pura卽ちCottaに移つたことになつて居る(Ceylon v. 1, p. 624) CottaはColomboから數哩の地點であるが、GampolaはKandyに近い山中にある。亞烈苦柰兒の王城がCottaかGampolaかは鄭和との戰爭を說明する重要な點である。自分は山本氏のCotta說の根據を知らないのでTennet氏のGampola說に從つて論を進める。瀛涯勝覽に又北去四五十里纔到王居之城とあるが、是は別羅里から北去四五十里の意味である。西洋朝貢典錄に又至佛堂山Dondra Head

又○更至牙里Galle…又十更至別羅里是謂錫蘭山國之港又北行五十里而至國とあるから別羅里をGalleの東南であるBelligamとする普通の說は不可、山本氏のBeruwala說(頁五三四)が正しい。BeruwalaはTennet氏はBarberyn, Barbery, Barberryと書き、Hobson-JobsonにはBerberynとある。瀛涯勝覽時代の王城はCottaで馮承鈞校注にGampolaとあるは誤り。BarberynとCottaとの間は四五十里で宜しい。Belligamでは遠すぎる。馮承鈞の說は別羅里をColomboとした結果であらうが當時の都はCottaであることは動かせないからその說は問題にならぬ。さて亞烈苦柰兒の王城をGampolaにあつたとして實錄の記事は十分に說明が出來る。所がこゝに西域記僧伽羅國の條の明代附加文に和以兵三千夜由間道攻入王城守之、其劫海舟番兵四面來攻合圍數重攻戰六日和等執其王凌晨開門伐木取道且戰且行凡二十餘里抵暮始達舟とある。山本氏は是の文を王城をCottaとし鄭和の碇泊港をColomboとすることに由つて說明されて居る。然し山本氏は此の附加文の他の部分卽ち鄭和が歸還と同時にセイロン島の佛牙を將來して永樂九年七月初九日京師に至り皇帝が皇城内に佛牙を祀つたことを全體として最も疑はしい記事であるとし、七月九日と云ふ日附も特に信をおくに足りないだらうとして居るのにも拘らず、同氏は戰爭の記事のみは何故信用されたか。若し此の記事の凌𧶼開門…抵吾始達舟を活かすとすれば、自分の考へでは是は王城が亞烈苦柰兒の世には Gampola にあつたことを知らず當時の王城 Cotta を以て亞烈苦柰兒の王城であつたと考へ、碇泊港 Colombo と王城間の戰爭にしたのではあるまいか。Colombo は島夷志略にも武備志の航海圖にも高郞步と出て居る。從つて鄭和の第二次の碇泊港を Colombo としても差支へあるまいが、牙里 Galle に碑文のある關係上同地を當時の碇泊港と見ては如何かと思ふ。

五　大小葛蘭　附星槎勝覽考

此の問題に就いては藤田博士の大小葛蘭考があるが、自分は明實錄の史料を加へて再檢討したい。武備志航海圖を見ると南から小葛蘭、柯枝、古里、番荅里納の順に記してあり、瀛涯勝覽にも小葛蘭、柯枝、古里の順に記され唯番荅里納がない。番荅里納は Hobson-Jobson p. 666—667, Pandarāna の條に詳しい記事があり、Calicut の北にある Koilandi の少し北にある漁村であるが元代では盛んな港であつた。Edrisi, Rashiduddin, Odoric, Ibn Batuta 等に出て居り、藤田博士は元史食貨志市舶の條の元貞二年禁海商以細貨於馬八兒唄喃梵答剌亦納三番國交易を擧げられて居る。(史學雜誌卷廿五、號二、島夷志略校注小唄喃條)それで次の推定が出來る。

(番答里納 Pandarāna)　(古里 Calicut)　(柯枝 Cohin)　(小葛蘭 Quilon)

是は動かせない推定であるので、是を基礎として話を進めて行く。先づ元代に溯ると、前記の食貨志に梵答剌納と並んで馬八兒と唄喃がある。馬八兒は Malabar で實は Calicut であらうと思ふ。唄喃は元史馬八兒傳には俱藍とあるが是は Quilon である。所が島夷志略に小唄喃、下里、古里佛がある。小唄喃は藤田博士が是を番答剌亦納 Pandarana と斷定され、唄喃 Quilon と分かつたのだと云はれた。自分は是に加へて志略の地與都欄礁相近の都欄礁を梵(或番)都欄 Pandarāna の誤りではないかと云ひたい。Ludovico di Varthema は Elle (Pandaram) est soubz la subgection du roy de Calicut. C'est bien peu de chose : il n'y a point de port et au devant de ladicte ville, environ six miles long, il y a une petite ysle desahabitée. (Schefer, Les Voyages. p. 151)と云つて居る。その注に此の島は Rennel の地圖に Sacrifice rock とあるもので英人が海賊に殺されたために此の名を得た島であらうと云つて居る。この島が志略の(梵)都欄礁ではあるまいか。次ぎに志略の下里、古里佛を藤田博士は Calicut, Quilon に考定された。但し博士は大小葛蘭考では下里を Cochin に比定され（頁九三）、島夷志略校注では Calicut に比定されて居る。然し下里は Cochin の對譯とは思はれぬので自分は志略校注の說を採る。古里佛を Quilon と斷定されたのは次ぎに述べる星槎勝覽の誤解を理解する鍵となるものである。以上元代の狀況を表示すると次の如くなる。

	Pandarāna	Calicut	Quilon
元史	梵荅剌亦納	馬八兒	唄喃、俱藍
島夷志略	小唄喃	下里	古里佛

是の元代の表を瀛涯勝覽及武備志航海圖の古里 Calicut 柯枝 Cochin 小葛蘭 Quilon 比較すると、何故元の唄喃、俱藍を明代に小葛蘭と云つたか、小葛蘭に對して大葛蘭は無いかと云ふ問題が起る。藤田博士は Quilon が衰微したから小葛蘭と云つたのであらう（頁八九）と云はれる。Calicut が元明を通じて盛んであり、Cochin 卽ち柯枝が明代に勃興したことは明史料から窺はれる。是に反し小葛蘭は鄭和の第一次出使西洋の結果として、永樂五年九月壬子に遣使入貢して居るので、鄭和の第二次出使の勅（永樂六年九月癸酉）には小柯蘭の名はあるが永樂九年七月甲戌入貢の諸國の中に

小葛蘭の名はない。從つて以後の出使の勅には小葛蘭を擧げず又小葛蘭の入貢もない。さればそこに小葛蘭の盛衰を云へば云へるかも知れぬ。恐らく是はCochin の勃興に原因してゐるのであるまいか。然し永樂五年九月壬子には明に入貢して居るのであるから、鄭和は第一次の航海に小葛蘭を招諭したものと見做される。然るに當時何故是を小葛蘭としたか。藤田博士の說に從へば當時既にQuilon の衰微を考へねばならぬが、當時は未だ遣使入貢して居る。自分は小葛蘭と名付けた理由を Quilon の盛衰以外に求むべきものと思ふ。此の問題に解決のヒントを與へるのは星槎勝覽であらう。星槎勝覽では二つの點が注意される。即ち一つは島夷志略を記事の基本とし、多くの場合志略の文をそのまゝ引用して居る。もう一つは二集本に大唄喃、小唄喃あり四卷本に大葛蘭、小葛蘭があり、大唄喃、大葛蘭の條は島夷志略の小唄喃の文を借用して居ることである。第一の點は明一統志が矢張り島夷志略を引用して居るのと併せ考へて、當時島夷志略が南洋航海者の案內記の樣に考へられたのではないかと想像される。星槎勝覽の著者は鄭和の第二回の航海に始めて隨行したものであるから、小葛蘭の名は星槎勝覽に始まつて居ない。その以前永樂五年九月の入貢、同六年九月の第二次出使の勅に小葛蘭小柯蘭の名が實錄にある。それで自分の考へでは小葛蘭の名は島夷志略の小唄喃から來て居るのではないかと思ふ。島夷志略では Quilon を古里佛と書いて居るので、明人はそれに氣が付かず、志略の小唄喃の、唄喃の字を葛蘭或は柯蘭と變へるのみで小の字はそのまゝその上に冠したのではあるまいか、現に星槎勝覽は志略の古里佛の記事を古里 Calicut の條に借用して居る。星槎勝覽は志略の小唄喃及明人の小葛蘭を記してゐるが、その內容は志略の小唄喃を借用してない。別に大唄喃、大葛蘭を作つて志略の小唄喃の內容を借用して居る。然し大唄喃、大葛蘭の名は他書には絕えてない。從つて志略の小唄喃卽 Pandarāna を明人が大唄喃大葛蘭と云つたわけではなく、單に星槎勝覽の著者の假作の名であらう。

以上を表にすると

		Pandarāna	Calicut	Cochin	Quilon
元史		梵答剌亦納	馬八兒		唄喃、俱藍
島夷志略		小唄喃	下里		古里佛
明實錄			古里	柯枝	小葛(或柯)蘭
星槎勝覽	二集本	大唄喃（內容）←	々（內容）↑	々	小唄喃
	四卷本	大葛蘭（內容）	々（內容）	々	小葛蘭

瀛涯勝覽　々　々　々
西洋番國志　々　々（阿枝とあるは誤り）　々
武備志航海圖　番答里納　々　々　々

先きに星槎勝覽に二集本と四卷本とあり、二集本に大小唄喃とあり、四卷本に大小葛蘭とあることを述べた。又大唄喃、大葛蘭の條に島夷志略の小唄喃の文が借用されてあることも述べた。何故一つには大小唄喃とあり一つには大小葛蘭とあるか。是に就いては二集本と四卷本の比較研究が必要である。星槎勝覽は嘉靖から萬曆に至る明版の叢書に收錄されて居る。卽ち嘉靖刊の古今說海嘉靖の進士李栻輯むる所歷代小史(隆慶萬曆間刊)同じく嘉靖進士沈節甫編輯の紀錄彙編(萬曆刊)及萬曆胡文煥編の格致叢書がある。淸代では借月山房彙鈔(嘉慶刊)學海類編(道光刊)澤古齊重鈔(道光刊)がある。所で是等の叢書所收星槎勝覽は目次に一卷とあるのもあるが內容に四卷本である。格致叢書本は卷を分たざるが內容他の叢書と同樣である。然るに明史藝文志を見ると費信星槎勝覽集二卷天心紀行錄一卷（永樂中隨鄭和使西洋所紀）とあり、天一閣書目には四卷とあるのに羅振玉氏が天一閣藏明鈔本として刊行せし足本星槎勝覽があるが是は前集後集に分かれて居る。明史の星槎勝覽集二卷も是と同じであらう。又嘉靖十一年八月の勅を受けて琉球に使した陳侃の使琉球錄に星槎勝覽が引用してあるが、琉球は二集本のみにあつて四卷本には無いから二集本が當時あつたことがわかる。然し二集本は刊行されなかつた樣に思へる。

さて問題は此の二集本と四卷本とは何れが他の原本であるかの問題である。兩書とも嘉靖年間には存在したことは前述の通りであるが、それ以上溯つて何れが古いかを見るには兩書の內容の比較研究より他に方法がない。今兩書の異同を調べて見ると

一、序文は共に正統元年正月になつて居るが、文章は違ふ。其の中で一部分を比較すると、二集本に洪武三十一年先兄籍太倉衞不幾而蚤世信年始十四代兄當軍且家貧而陋室志篤而好學日就月將偸時借書而習讀年至二十二永樂至宣德間選往西洋四次隨征正使太監鄭和至諸海外とある部分は、四卷本には臣本吳東鄙儒草茅下士以先臣戍太倉未幾而蚤世於是臣繼戍役至永樂宣德間選隨中使至海外とあり、是を比較すると二集本の書き方は經歷を素朴に羅列して居るが、四卷本の文は簡にして雅なる書き方になつて居る。是は二集本の文を書き改めたのが四卷本である

と思はせる。

二、二集本には前集目錄に一(イ)於永樂七年隨正使太監鄭和等往占城爪哇滿剌加蘇門荅剌錫蘭山小唄喃柯枝古里等國開讀賞賜至永樂九年廻京。一(ロ)於永樂十年隨奉使少監楊敕等往榜葛剌等國開讀賞賜至永樂十二年廻京。一(ハ)於永樂十三年隨正使太監鄭和等往榜葛剌諸番直抵忽魯謨斯等國開讀賞賜至永樂十六年廻京。一(ニ)於宣德六年隨正使太監鄭和等往諸番直抵忽魯謨斯等國開讀賞賜至宣德八年廻京。通計歷覽西洋諸番之國風土人物之異逐國分序詠其詩篇とあるが四巻本は是を記して居ない。前述の四條の奉使記事を見るに誤謬が多分にある。(イ)は宜しい。(ロ)に就いては實錄に十年六月乙亥榜葛剌國王靄（霞の誤りか）牙思丁 Ghiyasu-uddin の子賽弗丁遣使父の死を告げしため明は使を遣はしたとあるが使者の名は記して無い。使者は或は勝覽の楊敕かも知れぬ。但し本文の傍葛剌の條に永樂十年並永樂十三年二次、上命太監侯顯等統領舟師……とあるが、是は目錄と矛盾する。明史の傳では侯顯は十三年十八年二次、榜葛剌に使したとある。實錄には永樂十三年七月癸卯太監鄭和等奉使西洋諸番國還甲辰太監侯顯等使榜葛剌諸番國賜國王絨錦金織綺綾絹等物とあり、從つて(ハ)は鄭和を侯顯と改め直抵忽魯謨斯等國を削れば宜しい。

是は傳寫の際に㈡と混同したのであらう。㈡は訂正する所なくて宜しい。要之費信は第一回は鄭和の第二次の出使に隨行して古里Colicutに至り、第二回は楊敕に隨つて榜葛剌Bengalに行き、第三回は侯顯に隨つて又榜葛剌に行き、第四回は鄭和に隨つて忽魯謨斯Hormuzに行つたことになる。二集本に此の出使隨行の記錄があるのに四卷本に是れなきは、後者は費信自身の行動經歷には興味を持たざる樣な書き方であることを示す。是は前に述べた如く序文の書き方の相違と相照應する。楊敕は一に楊敏の說あるが（馮承鈞校註瀛涯勝覽頁九）疑問がある。

三、諸國の配列に於いて二集本と四卷本と違ふ。二集文はその序文にも記せる如く前集は費信の實見せる國々を收め、後集は傳聞する所の國々を收めて居る。是に反して四卷本は單に大體東から西の順序で國々を配列し、それを四區分せるにすぎない。序文でも唯成帙名曰星槎勝覽とあるのみ。こゝにも四卷本の方は費信の實見せると否とは問題とせざる所に、その個人的關心を無視する形迹があらはれて居る。然し二集本の中でも山本氏指摘する如く刺撒國が前集の中に入つて居るのは怪しい。山本氏は前集も後集も共に廿二國にする爲めに刺撒を前集に入れたのであらうとされる。自分はその上に刺撒の風俗が與忽魯謨斯國同の記事があるので刺撒を忽魯謨斯傍近の國と考へて前集に加へたのであらうことを附加する。刺撒は本來前集に入るべきものではなく、武備志航海圖でも阿丹の西に刺撒、失里兒、羅法がアラビヤ半島側に記してあるが、是は自分の考へでは對岸のアフリカ側の Las Khorai, Zeila, Raheita ではないかと思ふ。中でも Zeila は Ibn Batuta, Edrisi, Varthema 等何れも記して居る。あの邊で最も盛んな港市であつた。費信は阿丹 Aden を後集に入れて居る以上はその西にある刺撒も當然後集に入るべきものである。失里兒を Zeila とし、刺撒、羅法をその附近に求めると前記の如くなる。

四、二集本と四卷本とは所收の諸國に出入異同がある。先づ二集本にあつて四卷本にないものは、前集では龍牙犀角、小唄喃、後集では龍牙善提、琉球、三島、麻逸、渤泥、蘇祿、大唄喃である。龍牙犀角は四卷本には龍牙加貎とあり其に島夷志略の龍牙犀角の文を借用して居る。唯龍牙加貎には其地離麻逸凍順風三晝夜程の文が加はつて居る。武備志航海圖にはスマトラ中部に龍牙加兒山と西岸に龍牙加兒港を記してある。實錄に永樂三年十月丁卯に番速兒米囊葛卜の詔諭が記されて居る。番速兒は武備志航海圖の班卒 Barus で、米囊葛卜は Menangkabu である。龍牙加貎と米囊葛卜は前半は似ないが後半は似て居る。　武備志の龍牙加兒は位置から云へば米囊葛卜に當る。　島夷志略には別に龍牙菩提がある。　その注に於て藤田博士は案星槎勝覽天一閣本有龍牙菩提（菩條爲菩）乃襲此書之文鄭和航海圖有龍牙交椅乃 Lang Kawi 之對音舊稱 Lankapuri, Lankavari 但菩提似 Bodbi 之對音未知相同否也と云はれて居る。　後集の龍牙菩提は明に龍牙菩提の誤り、案ずるに提は里の誤りにあらざれば、d, r の轉訛なるべく、是は馬來半島西岸に近き島で、武備志航海圖の龍牙交椅に當る。　所で同じ航海圖の龍牙加兒は位置は米囊葛卜 Menangkabu に似たれど、名が一致しないことと前述の通り、自分は此の龍牙加兒は實は Lankavari, Lankapuri で即ち龍牙交椅と同じものであるのを誤解して、米囊葛卜の地に持つて行つたのではあるまいか。　さうすると四巻本の龍牙加貌が誤りで、航海圖の龍牙加兒が字としては正しいことになる。　二集本が島夷志略の文をそのまゝ踏襲せるに反し、四巻本は地名を變へ又記事も附加する所があることに注意される。　即ち前者が後者の原型と思はれる。　又二集本の龍牙菩提は四巻本では全く省略して居る。　次ぎに小唄喃は四巻本には小葛蘭となつて居る。　こゝにも改革の形が見える。　即ち小唄喃では明代通行の名でないので、是を改めたものと思はる。　琉球、三島、渤泥、蘇祿、四國に就いては、記事は大體島夷志略に似て居るが、中に明代の記事を附加して居る。即ち琉球國に就いては能習讀中國書好古畫銅器作詩效唐體が附加してある。是は臺灣には適用されないことで、志略の琉球即ち臺灣と明代の琉球即ち沖繩とが星槎勝覽の記事には混合して居る。蘇祿の條に永樂十六年の入貢を記して居るが是は實錄により十五年と改める。此の四國即ち琉球、三島（ヒリッピンの Calamian, Palawan, Busanga の三島）渤泥 Brunei 蘇祿 Sulu は所謂東洋に屬するもので、鄭和の航海の道筋とは違ふ。四卷本はこの意味で此の四國を削除したのであらう。同じ東洋に屬する後集の麻逸を省略しなかつたのは四卷本では麻逸凍として在交欄山之西南とした爲めであらう。此の文句は島夷志略にはない。二集本では國名の下に小字で在交欄山之西と記してあるが、是は四卷本から補つたものと思はれる。國名の下に小字で方角、里程を記した例は他にもあり、それが四卷本の文句と大體一致するが、四卷本ほど完備して居ないので、前述の如く四卷本から採つた補注と見られる。麻逸は諸蕃志にも見え星槎勝覽は唯島夷志略を引用したにすぎない。明代麻逸國の名は見えぬ。藤田博士は東西洋考の東洋鍼路の麻葉洋を Mindro 砂とされ、この麻葉を明以前の麻逸とされた（島夷志略校注）。麻葉洋は呂蓬卽ち Lubang 島と巴老圓卽ち Palawan 島との間に記されてあるから博士の說は當つて居る。然し明以前の麻逸が果して Mindoro の島であるか如何か疑問の存する所である。實錄永樂三年十月丁卯の遣使詔諭の諸國の中に麻葉甕がある。東西洋考麻葉洋の麻葉と同じものと考へられる。所で麻葉と Mindoro とは音が似て居ない。自分の考へでは麻葉、麻葉甕は同島の土人 Manguiano (Crawfurd, Dictionary, p. 281)をうつしたものであらう。交欄山はボルネオ島西南端海上の Gelam 島であるが、四卷本が二集本の麻逸を麻逸凍として交欄山の西南に置いたのは武備志航海圖の麻里東（東の誤り）卽ち Billiton 島と混同したものであることは既に藤田博士の指摘された通りである。此の誤解があるので四卷本は二集本の麻逸を刪除せず凍字を附加して記事は麻逸の記事を踏襲したのである。山本氏も論じて居る如く（東洋學報卷廿一、頁一〇四―一三二）西洋は本來南印度方面を指したもので、島夷志略には爪哇は甲東洋諸國とあるが、鄭和が西洋に使する樣になつてから鄭和の通過した國々は皆西洋と呼ぶ樣になつた。從つて爪哇も西洋に入り、鞏珍の西洋番國志二十國は占城、爪哇、暹羅、舊港、啞嚕、滿剌加、蘇門答剌、那姑兒、黎代、喃勃里、溜山、榜葛剌、錫蘭山、小葛蘭、阿（柯の誤り）枝、古里、祖法兒、忽魯謨斯、阿丹、天方である。西洋朝貢典錄は浡泥、蘇祿、琉球を含んで居るが是は西洋の名の濫用である。從つて明末東西洋考では此の無暴を改めて居る。 東洋の字を實錄に見ると、永樂二年六月癸酉の條に萬戸李誠等詔諭流移海島軍民陳義甫等來歸上嘉勞之義甫等言流民葉得義等尙在東洋湖未歸復遣誠及義甫賫勅往招諭之とある。 藤田博士が指摘された宋樓鑰の汪猷行狀の平湖は澎湖とせられたが(南蠻襲來に就いて)、武備志航海圖にも平湖嶼あり、明初の平湖も澎湖らしい。 又永樂四年八月丁酉に東洋馮嘉施蘭土酋嘉馬銀等來朝賜鈔幣有差とある馮嘉施蘭は呂宋島の Pangasinan と思はれる。 東洋馮嘉施蘭の名はなほ八年十一月丁丑の條に呂宋國と並んで出でて居る。 次ぎに二集本の大唄喃は四卷本では大葛蘭になつて居るが、大葛蘭と云ふ國は明代にはない。大唄喃が元來費信が勝手に島夷志略の小唄喃 Pandarāna を稱した名であるので唄喃を葛蘭と改めても大葛蘭と云ふ名は行はれて居ない。 最後に四卷本にあつて二集本にないのは卷二の阿魯國である。 阿魯は島夷志略にはないが實錄には永樂五年九月壬子の入貢を始め屢見えて居り、瀛涯勝覽、西洋番國志、西洋朝貢典錄、武備志航海圖に阿は或は啞、魯は或は嚕の字で出て居るスマトラ島のマラッカ海峽に面する國で實錄永樂九年七月乙亥の入貢には回教王名速魯唐忽先の名が出て居る。西洋朝貢典錄が永樂五年として居るは一統志と同じく誤り。實錄の五年の條には王名はない。藤田博士は島夷志略淡洋の注に星槎勝覽守山閣本以亞魯列于前集淡洋于後集と記されて居るが、彙刻書目によると守山閣叢書に星槎勝覽の名見えず、若し博士の說に誤りなくば、二集本は天一閣本の他に別種のものあるが如く見える。兎に角阿魯國は鄭和の第二次出使卽ち費信の隨行した時の勅にも見えて居るのであるから、費信は阿魯に寄港したと思はれるのに省略されて居るのは怪しい。或はその名が島夷志略になかつたので省略したかと思ふより他ない。四卷本に是を補つたのは當然と考へてよい。

さて以上を總括すると四卷本は二集本の改作であると思はれ、又四卷本には費信の個人的事實が省略されて居る點から見て、四卷本は費信の作ではあるまい。その點は丁度馬歡の瀛涯勝覽が張昇によつて改作され瀛涯勝覽集となつたのに似て居り、星槎勝覽の改作者は分明せぬが、年代は嘉靖編纂の古今說海、歷代小史に四卷本があるからその以前であることは分る。若し陳侃の使琉球錄の時に四卷本が無かつたことが明かに證據立てられるなら、四卷本は使琉球錄の序文の嘉靖甲午十三年以後古今說海の序文の嘉靖甲辰廿三年以前かも知れぬが、その間が餘り接近して居るので此の考へは如何かと思はれる。

引用書目

Léon de Rosny, Les Peuples Orientaux Connus des Anciens Chinois, 1886.

M. Étienne Aymonier, Le Siam Ancien (Journal Asiatique, Mars-avril 1903)

John Bowring, the Kingdom and People of Siam, with a Narrative of the Mission to that Country in 1855. 1857.

P. Pelliot, Deux Itinéraires de Chine en Inde à la fin du VIIIe siècle (B. E. F. E. O. IV. 1904)

G. Coedès, Une Recension Palie des Annales d'Ayuthia (B. E. F. E. O. XIV. 1914)

Phanindra Nath Bose, The Indian Colony of Siam, 1927.

W. A. R. Wood, A History of Siam, 1933.

Groeneveldt, Notes on the Malay Archipelago and Malacca, compiled from Chinese Sources. 1887.

Alexander George Findlay, A Directory for the Navigation of the Indian Archipelago and the Coast of China, 1889.

Henry Yule and A. C. Burnell, Hobson-Jobson, new ed. 1903.

Octave J. A. Collet, Terres et Peuples de Sumatra.

W. W. Rockhill, Notes on the Relations and Trade of China with the Eastern Archipelago and the Coast of the Indian Ocean during the 14TH century (T'oung Pao, serie II, V. XV. XVI. 1914, 1915)

George Maspero, Le Royaume de Champa, 1928.

James Emerson Tennet, Ceylon, 1859.

John Crawfurd, A Descriptive Dictionary of the Indian Islands and Adjacent Countries, 1856.

藤田豐八、大小葛蘭考(東西交渉史南海篇頁七九—九三)

山本達郎、鄭和の西征(東洋學報卷廿一)

從明、關於三寶太監下西洋的幾種史料(小說月報卷廿號一)

三佛齊考 年報第三輯所載 正誤表

	誤	正
七頁三行	*Sribhoga*	*Sribhoga*
七頁十一行	Ferriand	Ferrand
八頁六行	Waerawari	Woerawari
九頁十四行	Samatran	Sumatran
十頁註 3	N. ch.	N. Ch.
十一頁註 8	V. XV. XVI.	v. XV. XVI.
十三頁八及十三行	張燮	張燮
同十一行	小葛蘭は島夷志略の小唄喃で、	小葛蘭はQnilonで島夷志略の小唄喃は、
十九頁五行	C. A. D. 340	c. A. D. 340
廿一頁一行	三分三一	三分之一
廿四頁十二行	三摩叫吒	三摩呾吒
廿八頁一行	1274 on 1286	1274 ou 1286
廿八頁十二行及廿九頁五及六行	羯茶	羯茶
卅一頁十三行	達羅毘茶	達羅毘茶
卅二頁五行	高宋	高宗
同八行	Drâravati	Dvâravati
卅四頁十二行	與環使者	與環王使者
卅七頁註 4	chapt. p. 14,	chapt. 1, p. 14,
卅八頁註 13	chear	clear
卅九頁註 17	Sri	Śri
四一頁十二行	室利禁吐羅國郎迦戌國	室利察呾羅國郎迦戍國
四九頁四行	天北天竺	天竺北天竺
同八行	折衡	折衝
五〇頁七行	"iminortal"	"immortal"?
五二頁三行	(697c=775 A. D.)	(697Ç.=775 A. D.)
同七行	努力	勢力
同十三行	乾卦	乾封
五三頁八行	府三龜	府元龜
五四頁十行	Saka	Śaka
五六頁十一行	王世九年	王治世九年
五七頁七行	Cri	Çri
五八頁十及十二行	Sri	Śri
六〇頁五行	Crivijaya	Çrivijaya
同十五行	Cri	Çri
六二頁表左	詞陵	訶陵
表最下	visayādhipati	viṣayādhipati
表中央	Kĕrulak (1782	Kĕrulak (782)

同	Suvarnpadvipa	Suvarṇadvīpa
六三頁八行	Andlus	Andalus
同十三行	士名	士名
六四頁一行	Rasid	Rašīd
	Kandvlay	Kandūlay
六六頁十一及十二行	闍婆	闍婆
同十三行	思利摩訶羅	思利摩訶羅闍
六八頁十二行	Sri	Śrī
七〇頁三行	Saka	Śaka
七三頁一行	形響	影響
七五頁註 26	Maspers	Maspero
七六頁十二行	蒲訶栗達將軍	蒲訶栗寧遠將軍
七七頁八行	南洋貨易	南洋貿易
同十三行	陪舶	陪(隨)舶
八二頁七行	廻	廻
八四頁十行	Hadramaat	Hadramaut
八五頁三行	更至	夏至
同四行	池	至
八六頁二行	週	廻
同十一行	鵬鵡	鸚鵡

八八頁八行	朝觀壇	朝覲壇
九四頁五行	その彼も	その後も
九五頁二行	Rajadhiraja	Rājādhirāja
九九頁十二行	鶏茶	鶏茶
一〇一頁四行	(raja)	(rāja)
一一三頁十一行	右代	古代
一一一頁六及七行	哥筒羅	哥谷羅
一一二頁五行	Kakula	Kakula
一一五頁十三行	Hadramant	Hadramaut
一一六頁十三行	Perlembang	Palembang
一一七頁七行	中心とす	中心とする
一一八頁八行	像像銘	佛像銘
一一九頁十三行	Crimat	Çrīmat
	Cri Maharaja Cri-mat...Crimat Cri	Çri Mahārāja. Çrimat Çri
一二〇頁一行	Crivijaya	Çrivijaya
一二三頁九行	繫年要錄	繫年要錄
一二四頁十五行	同右	同右
一三四頁十行	Srivijaya	Śrīvijaya

鴉片戰爭と臺灣の獄

松本盛長

鴉片戰爭と臺灣の獄

松本盛長

目次

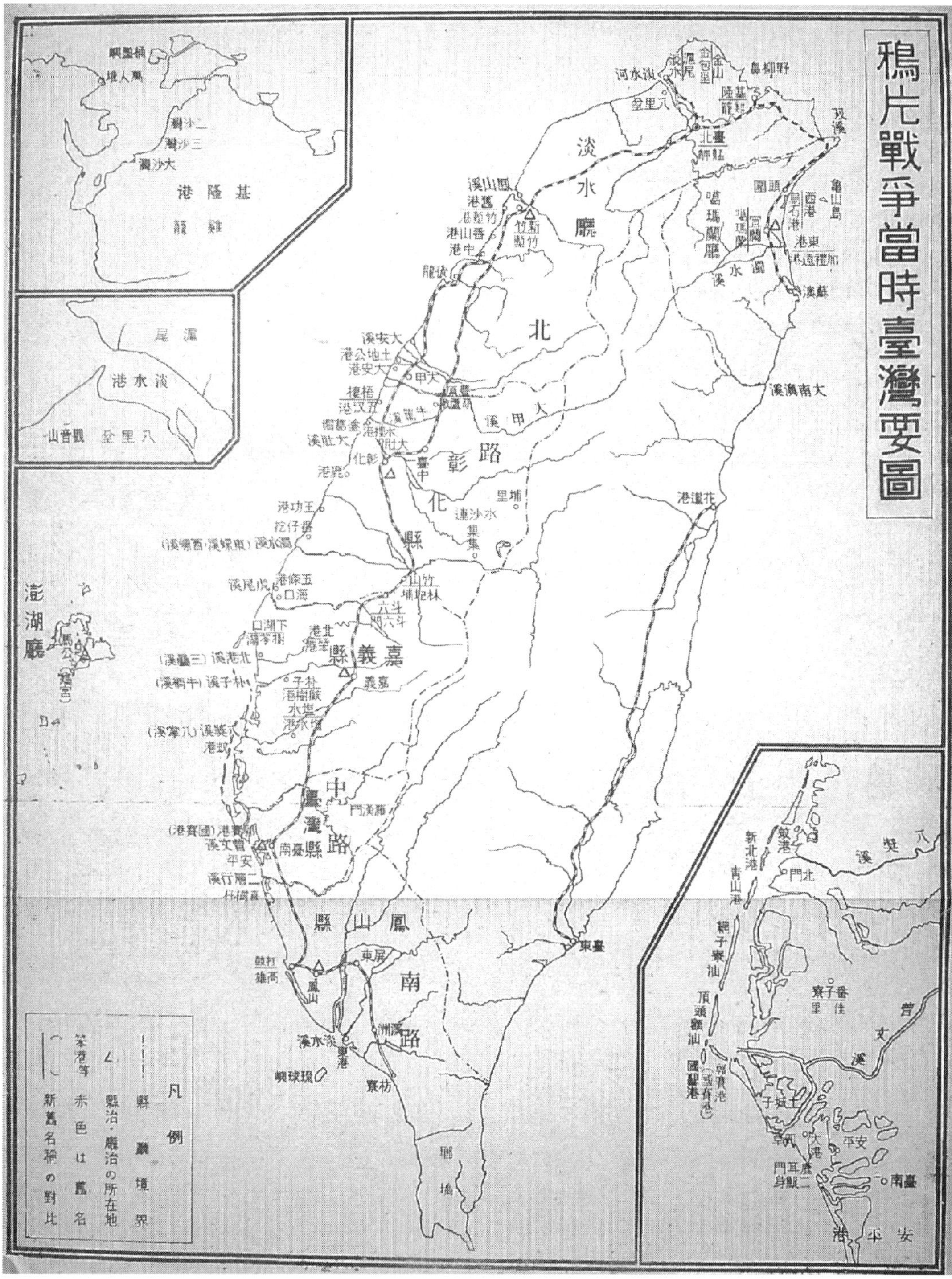

鴉片戰爭當時臺灣要圖
淡水廳
噶瑪蘭廳
彰化縣
嘉義縣
臺灣縣
鳳山縣
澎湖廳
北路
中路
南路
凡例
縣廳境界
縣治・廳治の所在地
筆港等赤色は舊名
（ ）新舊名稱の對比

緒言

道光十九年二月四日、欽差大臣林則徐は鴉片貿易絶滅を期する諭各國夷人呈繳烟示稿なる嚴重申渡を行ひ、支那政府は嘉慶以來の取締方針の如何に拘らず、爾今嚴重に此が根絶を期する旨を闡明した。註一

この日を限り支那政府不退轉の決意は、英國代表 Charles Elliot をして正面より反對するの理由を失はしめ、僅に英國及英國人の權利・生命・財産の安全確保を唯一の根據として交渉を繼續せるが、遂に Elliot が廣東巡撫怡良に送れる書簡其他に於て豫想せるが如く、支那政府の强硬態度は英國をして支那沿岸の封鎖を行ひ、支那政府の自滅を待つの方針を取るの止むなきに至らしめた。註二 斯て道光二十二年五月(一八四〇)英國艦隊の廣東封鎖に始まり、六月には舟山島・寧波・揚子江と順次天津に迫る沿岸封鎖は瞬く間に完了された。

此年七月八日閩浙總督鄧廷楨の奏文に、註三

應請旨飭下奉天・直隸・山東・江南・廣東等省督撫、一體防範、至閩洋緊要之區、以廈門臺

灣爲最、而臺灣尤爲該夷歆羨之地、不可大爲之防、臣前聞粵中探報、旣已飛飭臺灣鎭
道、及澎湖等協營、准備防、嚴守口岸、勿使稍有疏虞、

と前年兩廣總督として、林則徐と共に對英交渉に終始する中に得たる判斷によつて、定海失守以後に於ける閩洋警備の第一線を厦門臺灣と定め、且、

而臺灣尤爲該夷歆羨之地、不可不大爲之防

と認定したのには充分の理由があつたと謂はねばならぬ。

然も彼の豫測は誤らなかつた。　果せるかな翌道光二十一年十月提督銜福建臺灣鎭總兵達洪阿、按察使銜福建臺灣道姚瑩の奏文には、英艦隊は道光十九年八月初一、五日淡水廳、鳳山縣の稟報に據れば南北路洋面を游奕、八月十五日には内一隻が鷄籠港口に近づき、十六日二沙灣礮臺に發砲、交戰の結果船體は沈沒、白夷五人、紅夷五人、黑夷二十二人を斬馘、黑夷一百三十三人を生擒、夷礮十門、圖書冊多數を擄獲せる事が判明した。　此卽第一回 Nerbudda 號事件である。

續いて道光二十一年十二月臺灣鎭道の上奏に、九月五日夷船一隻鷄籠口に停泊、虛實探訪の末、十四日發砲攻擊を開始したので、交戰擊退せる旨報告があつた。　此が第二回事件に當る。

第三回 Ann 號事件は道光二十二年正月二十五日大安港外洋を游奕せる英船三隻の内一隻は三十日大安港に近づき、同港の北方土地公港に於て守備兵に計誘挫擱せしめられ、白紅黑夷、廣東奸民計五十四名の俘虜及び多數の證據物件を押收せる旨、四月に至つて鎭道から奏報されたものがそれである。

同年三月には漢奸を主體とせる草烏匪船多數が、英船の指揮下に全島を滋擾したが、此の第四回事件は特殊の內容を持つて居る。

臺灣鎭道達洪阿、姚瑩等は外には英船の窺伺を攘け、內に於ては逆夷に通謀する漢奸の暗躍、事變に乘ずる匪賊の蜂起を鎭める等、拔群の功を奏せられたが、南京條約の成立後、英國代表 Sir Henry Pottinger から夷俘處刑に關し冒功を訴ふるに至つて、革職の上解部審辦を命ぜられ、臺灣の獄に問はれるの悲境に見舞れた。

道光二十一年六月 Charles Elliot に代つた Pottinger の即戰即決主義、琦善・伊里布・耆英各欽差の親英的追從外交、軍機大臣彰穆阿の密奏、更に彼等を利用して宣宗皇帝の強硬政策と忠臣の活躍を自滅瓦解せしめた英國の外交、これが鴉片戰爭の實相である。

道光朝無二の忠臣林則徐・鄧廷楨・達洪阿・姚瑩等は遠く邊境に、太平天國の建國に至るまで國事に奔走したが、穆彰阿・耆英の失脚に據つて、始めて臺灣鎭道の盡忠報國の至誠は文宗から道光三十年十月中外に宣揚せられるに至つた。

以上道光二十年臺灣防衛の時に端を發し、二十一・二年に於ける前後四回の事件の纏末、及び二十三年に於ける臺灣鎭道の責任問題に關する中英交渉に至る經過を考證する若干の資料を蒐集し得たるを機會に、先人の著作に附してその闕を補ひ、[註四]茲に一文を草し以て諸賢の叱正を乞ふ次第である。

註

一、籌辦夷務始末卷六
林則徐　信及錄二十二頁（中國內亂外禍歷史叢書第二十八冊）
魏應祖編　林文忠公年譜七百十二頁

二、Captain Elliot to the Governor of Canton. Macao, March 22, 1839. The Undersigned, &c., &c., seriously disturbed by the unusual assemblage of troops, ship-of-war, fire-vessels, and other menacing preparations, and above all, by the unprecedented and unexplained measure of an execution before the factories at Canton, to the destruction of all confidence in the just and moderate dispositions of the provincial authorities, has now the honour to demand, in the name of the Sovereign of his nation, whether it is the purpose of his Excellency the Governor to make war upon the men and ships of his nation in this Empire?

He claims immediate and calming assurances upon this subject; and he has at the same time to declaire his readiness to meet the officers of the Provincial Government, and to use his sincere efforts to fulfil the pleasure of the Great Emperor, as soon as it ts made known to him.

H. E. The Governor of Canton. CHARLES ELLIOT

Captain Elliot to Commander of Her Majesty's Sloop Larne. Macao, March 23, 1839 (STATE PAPERS vol. 29 1840—1841. P. 951, 954)

三、籌辦夷務始末卷十一

四、矢野仁一著　近世支那外交史　第二十五章三百三十三頁、三百三十六頁

蕭一山著　清代通史　卷中　第四編自九百十三頁至九百十九頁

稻葉君山著　清朝全史　下卷　三百四十五頁

伊能嘉矩著　臺灣文化志　中卷　第三篇第三章四百五十四頁　下卷　第十三篇第三章自百六頁至百十二頁

H. B. Morse: The International Relations of the Chinese Empire, the periode of conflict 1834—1860, P. 291

W. Davidson: Island of Formosa, Past and Present. P. 104

彭玉麟編　國朝柔遠記　自卷九至卷十三

燮　愛編　中西紀事　卷十

丁日健編　治臺必告錄　卷三

第一章　閩浙總督鄧廷楨の臺灣防備策

兩廣總督鄧廷楨は道光二十年二月閩浙總督に轉補せられ、前年正月林欽差の來

粵以後終始協力せる後は、退いて閩浙洋區の警戒を總理する事になつた。閩浙洋警備の重點が厦門と臺灣澎湖に集中せらるべきは、彼の夙に悉知せる所にして、在臺文武官の首班たる臺灣鎭總兵達洪阿・臺灣道姚瑩はその重責を委任せられた。

此年六月英國艦隊の定海攻落に依つて、閩浙洋は戰時狀態に入り、鄧廷楨の臺厦防備策は急速に實現さるべき必要に迫られた。

鄧廷楨は七月八日、定海失守と今後の對英戰備に關し上奏した[註一]。即ち六月十五日詔安營遊擊李飛錦の稟報に、五月二十九日暎夷火輪船一隻南澳外洋を東北に駛せりとあり、重ねて廣東・澳門文武官の稟報に據り、四月十九日新奇坡を發せる英船四十隻は司令官坐乘の旗艦に先立ち一・二日後には廣東に到着すべき旨、五月十七日英國側より通牒に接せる事を知り、續いて六月二十日浙江定海鎭總兵張朝發から定海失守の悲報を受けた。

六月初二日南韭山の東西柱外洋に現れた暎夷火輪船二隻、大小兵船二十四隻は、三日旗頭洋に於て二分、一隊は定港に、他の一隊は貓港に進入、遠く甯波、乍浦を窺伺する模樣ありと報じた。

此に於て鄧廷楨は、近く廣東到着の四十隻、浙江の二十四隻に尚十餘隻各洋面を游奕せる情勢に鑑み、閩洋は今後總計八十餘隻を腹背に受くる事必至なりと判斷し、

應請旨飭下奉天・直隸・山東・江南・廣東等省督撫、一體防範、至閩洋緊要之區、以廈門、臺灣爲最

と南北各省今後一體となつて、夷船の滋擾に備へる樣飭を乞ひ、閩洋は臺廈水道を以て防備の樞軸たらしむる決意を表明して、

而臺灣尤爲該夷歆羨之地、不可不大爲之防臣閩粤中探報、既已飛飭臺灣鎭道、及澎湖等協營、准備周防、嚴守口岸、勿使稍疏虞、其廈門一島、連日會同水陸提臣、並興泉、永道、督飭廳營、添備礮火、加意用防、以杜其復來滋擾

と彼が廣東在任中探報せる結果に基き、英夷の最も羨望する臺灣及澎湖の兵備の充實、海岸線防備の強化に關しては、既に鎭道に飛飭遺憾なきを期し居る旨、廈門の現狀と併せて上奏した。

彼は別摺に於て、水師兵員の動員事項と共に、軍需費銀十萬兩賞借の件を上奏御裁下を乞ふた。註二

宣宗は英國艦隊北上の重大危機に直面、鄧廷楨に時局擔當の諭を下し、註三

諭軍機大臣等、前因浙江定海縣、被逆夷滋擾、當降旨著余步雲、酌帶兵弁、星馳會勦、又著鄧廷楨、選派大員、帶領舟師赴浙、以期一鼓殲擒、該督等接奉後、自已遵旨辦理矣、茲據逆夷船聯䑸赴浙、並防守廈門臺灣情形一摺、覽奏均悉、現在逆夷占據定海、依城固守、烏爾恭額雖調兵防禦、恐不足以勝重任、著鄧廷楨接奉此旨、卽攜帶印信、馳赴鎭海、籌辦堵勦事宜、浙江巡撫印務、卽鄧廷楨兼署、並該督於到浙後、卽行宣旨將烏爾恭額革職、仍令隨營效力贖罪、至閩洋緊要之區、以廈門臺灣爲最、廈門一島、據奏已會同該督並興泉永道、督飭聽營、添備礮火、加意周防、自可無虞疏失、其臺灣府準備事宜、在籍前任提督王得祿、最爲熟悉、或有應行商酌之處、著卽飛檄該鎭道、與王得祿同心協力、以資保衞、至另片奏籌備經費銀十萬兩、著准其在藩庫動支、將來作正開鎖、現在江蘇海口緊要所請將陳化成調回閩省之處、毋庸議、烏爾恭額原奏、著鈔給閱看

と定海失守の責任者烏爾恭額は懲戒免官、浙江巡撫は鄧廷楨の兼任として鎭海に急行せしめ、福建陸路提督余步雲の指揮する陸軍と協力すべき舟師の增援を命じ臺灣府準備事宜には前任提督王得祿の派遣を最適任とせられ、註四軍需費の件と共に

臺厦防範の原奏は聽許せられた。只動員事項の江南提督陳化成を福建水師提督陳階平の後任とする件は、浙江の現情に照し允許されなかつた。

定海占領中の英國艦隊には、英國代表懿律Charles Elliot自ら乘組、事態如何に依つては更に北上して、林則徐欽差の强硬政策忌避の方針を以て鴉片問題の有利なる解決を策して居た。從つて定海事件は欽差大臣の變更なき限り益ゝ擴大惡化する情勢を呈して居たので、宣宗は七月九日、兩江總督伊里布に欽差大臣關防を頒給、浙江に赴き事件の査辦に從はしめた。註五

宣宗は同日赴浙を命じたる鄧廷楨に下諭、浙江には欽差大臣伊里布を派遣に決したるを以て、閩に歸つて防堵事宜に專心、且定海事件に於て逆夷と總兵張朝發との間に通謀を爲すため、攻落の十數日前張朝發に字帖を送れる福建已革擧人陳姓の捜査訊問を命ぜられた。註六

宣宗は七月十二日、軍機大臣に下諭して王得祿臺灣派遣に關し

於閩省近海口岸、認眞防堵、以期有備無患、至臺灣孤懸海外、防堵事宜、尤應準備、著該督飛飭該鎭道等遵奉前旨、與前任提督王得祿、同心協力、加意嚴防、毋稍疏懈

と閩省海口防範の中、特に懸海の孤島臺灣の防備に對し、福建督撫は臺灣鎭道及び

王得祿と一體となり遺漏無る可き旨嚴命せられ、閩洋の重大性を指適された。註七

然るに Elliot は伊里布の浙江到任を待たずして、七月十四日には兵船九隻を從へて天津攔江沙に至り、直隷總督琦善を通じて、廣東に於ける鴉片取締の暴虐無法を抗議せる英國外務大臣 Palmerston 卿の支那政府宛書簡の捧呈を求めた。註八

琦善は Elliot との會談の席上、林則徐の過酷なる處置は、大淸皇帝の大公至正の眞意を解せざる者にして、重く治罪すべきを以て新に欽差大臣の廣東派遣まで、枉げて艦隊を南下赴粤せしめられたしと、Palmerston 卿の戰爭繼續の恫喝に恐れて代奏を約し、七月二十二日上奏、林則徐の失政を譏議、新に欽差大臣を廣東に派遣せられん事を乞ふた。註九

此英國外交の第一回離間策の成功である。

七月二十三日宣宗は琦善に對 Elliot 交渉の大意を訓令せられ、註十請訓の要旨に從ひ林則徐の治罪を承認、今後廣東に欽派すべき大臣を琦善に定め、從來の强硬方針を恭順なる外夷の通商に對して中國皇帝は一視同仁なるべしと對英協調外交に轉換するに決し、玆に詳細に今後の方策を決定協議する爲め琦善の上京を命ぜられた。

他方、伊里布の浙江差遣に依り回閩を命ぜられた鄧廷楨は、未だその上諭を接奉せざる七月二十八日上奏[註十一]、浙江增援部隊編成に關する報告をなせるに對し、宣宗は

諭軍機大臣等、本日、據鄧廷楨奏、提督統兵、赴浙勦辦一摺、覽奏已悉、前有旨、令該督馳赴泉州、巡防海口、並因臺灣澎湖地方緊要、諭令招募練勇、訓習防堵、計該督此時、業已行抵泉州備防矣、此次英夷沿海游奕、倚恃船堅礮利、廈門雖獲有勝仗、仍須持重謹慎、著鄧廷楨統率將弁、認眞巡防、遇有夷船駛至、不値在海洋接仗、儻敢進口登岸、卽著合擊痛勦、或該夷人呈遞說帖、並無桀驁情形、卽派員接收、將原遞之件、由驛馳走、其澎湖備防事宜、著遵照前旨、妥爲布置、所有福建陸路提督、卽著曾大觀代辦

と泉州海口の防備充實と建寧鎭總兵曾大觀の陸路提督代理を認可、萬一逆夷上陸の際は敢然攻擊すべきも、洋上に於て交戰の要なく、文書提出の場合は、その態度無禮ならざるとき之を受領奏報すべき事と共に、臺灣澎湖地方等緊要の區に於ては兵員の增加、義勇軍の編成を爲し、防衞訓練を施すを要し、特に澎湖の防備策に關しては臺灣鎭道、前任提督王得祿に明咨し、遺憾なき樣諭令せられた[註十二]。

八月六日福建陸路提督余步雲は、浙江增援部隊編成に關し、廣東省に於て三千名、福建省に於て一千名、合計四千名を以て、定海占領中の英船三十餘隻、七八千名に對

抗し、且閩省一千名には臺灣衛戍兵を調回せん事を上奏御裁下を仰いだが、[註十三]宣宗は伊里布に情形を詳審せしめたる上、此を決定すべしと保留になつた。

同日鄧廷楨は、七月二十一日泉州巡防の途次、七月八日附王得祿臺灣差遣の令旨を接奉、續く二十六日には福建、廈門を始め閩省各海口防堵に專心、且定海失守の際通謀の嫌疑ある福建己革舉人陳姓の搜査を爲す樣赴浙取止めの命に接したので閩洋最近の狀況と共に王得祿の差遣に就て、

> 至臺灣遠隔重洋、聲息不能遽達、乃荷聖主指示、在籍提督王得祿、最爲熟悉、或有應行商酌之處、卽飛檄該鎭道、與王得祿同心協力、以商保衛等因、仰見燭照靡遺、曷勝欽感、臣現已檄飭該鎭道、並咨明王得祿、欽遵辦理

と臺灣府出身にして、乾隆、嘉慶年間數次の匪亂に拔群の功を顯せる王得祿を起用するは、臺澎水軍の總帥として最適任なる旨を述べ、鎭道等と協心同力以て聖旨に副ふ可しと上奏した。[註十四]

此上奏のあつた十四日、宣宗は重ねて、逆夷通謀の容疑者陳姓の設法拏獲を命ぜられた。[註十五]

越えて八月十五日、鄧廷楨は急據馳奏、廈門に於ける夷船滋擾を次の如く報奏し

た。[註十六]

即六月初五日夷船一隻廈門を窺伺して以來四十餘日にして、七月二十四日戌刻三桅夷船一隻、二桅夷船一隻は靑嶼門外を游奕、官兵、郷勇を以て周防待機する中、二十五日卯辰の間に至つて紅旗を懸挂して靑嶼の水操臺に迫り、彼我交戰の後、船火事を起して我軍有勢なるも、二十六日再び激戰となり、二十九日漸く擊退する事を得た。鄧廷楨は今次の滋擾に鑑み閩洋今後の警備に關して別摺を呈し、[註十七]多事の際に臺廈防備の重點たる金門鎭總兵竇振彪を、伊里布より浙江に調用し度き旨御裁下を經て咨開せられたるに對し、閩洋警備の今後に備へる爲めには人物、手腕共に卓越せる彼の留任を懇請、廈門官民一體の希望とその理由を陳述して竇振彪留任許可の上は、官兵、民勇一體となり、以て防堵に任ずるは輿論の熱望する所にして、閩洋多事の秋、人心の趨勢聖鑒の程を請ふて、留任懇請の止むなき事情を披瀝して允許された。[註十八]

如斯にして臺灣・澎湖の防備方針は、廈門と密接なる連絡の下に兵備の充實、鎭道達洪阿・姚瑩に提督王得祿の協心同力、更に官民一致の防衛施設として郷勇の團練を根幹とし、嚴に逆夷通謀の漢奸の暗躍を阻止するに在つた。

然るに八月二十二日琦善は欽差大臣の頒給を受けて廣東に赴く事となり、爾今沿海各口に於ては夷船に開礮攻撃の事なき樣命ぜられ[註十九]、茲に琦善の策する對英懷柔外交の第一歩を印する事となつた。 次で九月三日には、林則徐、鄧廷楨は辦理宜しきを得ざる廉を以て、來京の上、交部嚴議する事とし、その間兩廣總督は琦善の着任まで巡撫怡良に護理せしめ、鄧廷楨の後任には顏伯燾を閩浙總督に補任する事とし[註二十]、此に支那政府は前來の焦土外交から急轉して[註二十一]、外交第一主義を以て進む事となつた。

從つて九月四日、閩省より浙江に調回すべき水勇八百名の撤回を命じ、現在福建省及び澎湖等に於て團練中の水勇の撤留如何も實情酌量の上辦理宜しきを得可き事となり[註二十二]、九月二十八日己革總督鄧廷楨が、臺灣、澎湖、廈門各要區を中心とする今後の軍需費銀十五萬兩を閩省の藩庫、鹽道庫より籌撥せん事を乞ふた際に[註二十三]も、宣宗は諭を下して、海疆の要害たる閩省の兵備の充實、訓練は夷船の如何に拘らず實施せられ居る可きものにして、定海の失守は懈怠の結果に外ならず、今回事件の發生は該夷の呈詞を拒絕せるに因ると譴責せられ[註二十四]、Elliot 等が天津に赴きたるは、閩浙疆臣には受理する資格無しとせる結果にして、何等兇慢の行動に非ずと今回英國船の定海占領、天津上航の當然なる所以を諭し、現在の情勢を以て逆夷滋擾と斷ずる事の謬を强調、爾今閩省警備事宜は與文蔚に一任、收支共に放慢を極め、辦理宜しきを得ざる鄧廷楨に代らしむる事となつた。[註二十五]

十月三十日己革總督鄧廷楨は、先に定海失守の際捜査訊問を命ぜられた福建已革擧人陳姓に關する臺灣に於ける取調狀況を上奏した。[註二十六]

該容疑者は同安縣擧人陳元華なる推定の下にその家族陳元茅、陳田發を捕獲、泉州府知府沈汝瀚をして訊問せしめたる結果、現在鹿港に於て敎讀を爲し居る事判明、鹿港北路理番に飛咨せるに、大肚溪の陳宗雲家に於て發見拏獲せる旨、同知張汝敦より稟稱あり訊供の大要は次の如くであつた。

彼はその子陳允泮が、吏施氏を毆罵自縊せしめ、又幼兒を殺害せる爲め擧人を斥革せられ、押送の途に於て脫逃、偸に渡臺して淡水より臺南、鹿港と轉住せる事判明せるも通夷の模樣未だ不明とあり閩省解到を待つて確定する事になつた。[註二十七]

鄧廷楨は、嚴に審訊を行ふ樣硃批を拜したが、之は結局無罪確定となり、定海事件に通謀の事實は未だ發見されなかつた。

斯して林則徐、鄧廷楨の退場、琦善、伊里布兩欽差大臣の登場に依つて、膠着した中英交渉が平穏裡に再開、一時は危機に頻した局面も暗雲一掃されると思ひの外、十一月十一日廣東に着任せる琦善から極めて悲觀的な奏報が十二月二日到着した。[註二十八]十月二十八日既に廣東に到着せる Elliot 等は、虎門礮臺の發砲事件を理由に、或は書簡を以て、或は委員を通じて抗議し來り、琦善も漸く困惑を極め、且城内漢奸の通夷瀕々として起り、行動意の如くならず、

奴才伏查夷情、本多詭詐、且此番自浙旋囘後、察其詞氣、似緣採知虛實、較前更加傲慢

と豫期に反する兇慢なる態度に驚き、

自應先以理諭、不得徒事攻擊、否則此間沿海口岸、所在可通、若令到處滋擾、非防不勝防、抑且事無底止

と論難攻擊を以て夷船の滋擾を將來せんか、現在の防備狀態を以てはその害底止する所を知らずと、自らの外交方針の無力を披瀝した。

宣宗は事の意外に驚き、軍機大臣に下諭して[註二十九]、

彼欲肆無厭之求、我當有不虞之備、著琦善詳加體察、密行偵探、一面與該夷目善議戢兵、一面整飭營伍、遴選將弁槍礮、務須得力、船隻必堪駛駕、妥爲布置、毋少疏虞、如該夷實係恭順、退還定海之外、別無非禮之請、自可仍遵前旨查辦、儻敢肆鴟張、始終桀驁、有

必須勦辦之勢、苦即一面奏聞、一面相機辦理、總之夷情不可信、事機不可失

と軍備なき外交の無力を痛感された宣宗は、一面外交、一面抵抗の二重外交に依り暎夷飽くまで桀驁なる時は機を逸せずして勦辦するの必要を强調された。

翌三日、再び軍機大臣に下諭、萬一攻勦の止むなき場合の發生に備ふ可き軍備の充實を緊急とし、且邊彊、沿海の嚴守を令し、註三十琦善の奏文を擧げて、

琦善又奏稱、懿律卽欲回國、並向東駛去等語、該夷目詭譎異常、難保不藉詞仍回浙省、並騷擾沿海各地方、著各該將軍督撫等、留意偵察、探有夷船、務察虛實、萬不可受其欺矇、致有僨事、至大吏責在守土、經此次訓諭之後、自必倍加儆惕、毋稍疏懈、儻有如定海失守者、則烏爾恭額前轍具在、朕必不稍爲寬貸也懷之

と Elliot 等再び定海に回航せる疑あれば、各省將軍、總督、巡撫はその詭計に墮る事なく、國土守護の大任を深く省み、烏爾恭額の定海失守の轍を踏まざる樣愼重警備に任ぜしめた。

續いて七日には、琦善より前に燒却せる鴉片の賠償價格交渉の不調を奏、註三十一報且澳門通商の一項に關しても、

若俯沐聖恩、假以偏隅尺土、恐其結黨成羣建臺設礮、久之漸成占據、貽患將來、不得不

先爲之慮、且其地方亦甚難擇、無論江浙等處、均屬腹地、斷難容留夷人、即福建之廈門一帶、亦與臺灣壤地相連、奴才並訪之前閩浙總督臣鄧廷楨、據云該處勢甚散漫無可扼、防守尤難、

と通市に名を藉り、寸尺の地と雖も給受せんか咲夷之が占據設防を爲し、廈門一帶は臺灣と連絡容易なる點、防備に便ならざる地勢に鑑み許容し難しと進言した。

宣宗は益〻征勦の念を深め、琦善の背後を固めて以て一面外交に資すると共に、一面國威を示し後患を除く機を失はしめざる爲め、湖南、貴州兩省各一千名、四川省二千名の兵丁を廣東に增遣する事に決し（註三十二）、全國沿海各將軍、督撫に再び諭旨を發し（註三十三）、

諭本日據琦善奏、查探夷情、漸形迫切、現在籌辦、該夷兵船日增、駛近虎門、內有打夾鬼船二隻、訪係該夷陸路兵丁、色此係向來所無、其設心已可概見等語、從前命琦善查辦、原係慎重用兵之至意、今聞該夷到粵後、更形驕傲、且所願甚奢、非仁義所能感格、其勢不得不加征勦、以示創懲、除由六百里諭令琦善、暫事羈縻、再行隨時將情形馳奏外、著沿海各將軍督撫等仍遵前旨、加意操練、以期有備無患、各省濱海地方、港汊紛岐、著各酌量形勢、分撥防兵、嚴密布置、毋得稍有疏虞、自干重咎

と廣東に於ける咲夷の兇暴漸く著しく、且彼にも交戰の準備ある事明瞭なるに於

ては征勦を加へるも止むを得ず、暫く琦善今後の交涉に俟ち、沿海各將軍督撫は直に各地の情形を酌量の上、嚴防周範以て無患に備ふ可しと嚴命せられた。

八月二十二日軍事行動停止の命令を發して四ヶ月足らず、琦善の廣東着任以來僅に二十數日にして再び中國各海口は再軍備、準戰時狀態に捲き込まれた。

鄧廷楨の臺灣、澎湖に對する防備計畫は、九月三日革職と共に停止され、澎湖に於ける官兵、民勇の徵募訓練も、出先に於て辦理撤留を決する樣諭旨を拜した儘となり、今後の臺澎防備は一切臺灣鎭總兵達洪阿、臺灣道姚瑩、前任提督王得祿三人の協心同力に依つて劃策實施される事になつた。

註

一―三、籌辦夷務始末　卷十一

本諭旨發布の日を宣宗成皇帝聖訓卷一百三、東溟奏稿卷二會商臺灣夷務奏共に七月初七日に懸けて居る。暫く籌辦夷務始末のそれに從ふ。

四、淸史稿　列傳一百三十七　王得祿傳、王朝綱等編　王得祿行述(臺灣總督府圖書館所藏寫本)

臺灣嘉義の人にして、乾隆末年林爽文の亂に功あつて把總を授つたのを最初に、嘉慶元年金門營遊擊に拔擢され、嘉慶七年東滬洋に蔡牽を破り、十一年蔡牽を追ふて臺灣に至り十四年勦滅、功に據り福建提督浙江提督に歷任、道光元年病に依り現役を退けるものにして、閩浙洋、殊に臺灣の內地、外洋悉く經略を行ひたる點に於て、今回の起用に當つて最適任と認められた者である。

五―九、籌辦夷務始末　卷十二
十―十五、籌辦夷務始末　卷十三
十六―十九、籌辦夷務始末　卷十四
二十、籌辦夷務始末　卷十五
　東華錄道光　卷四十二
二十一、東華錄道光　卷三十九　十九年三月之條
　林則徐奏、呈進各國呈繳鴉片示稿、本大臣既關防得便宜行事、若鴉片一日不絶、本大臣一日不回、誓與此事相終始、批覽及此、朕心深爲感動、卿之忠君愛國皎然於或中化外矣
二十二、籌辦夷務始末　卷十五、十六
二十三、籌辦夷務始末　卷十六
二十四、籌辦夷務始末　卷十一
　廈門には六月初四日白旗を懸けて入港せるも礮擊せられて不果、定海に於ては六月初四日進口せる夷船より定海鎭總兵張朝發に夷書が投遞せられたが、詞辭甚だ狂悖なりとして受理せざる旨浙江巡撫烏爾恭額より拒絶せられた。
二十五―二十六、籌辦夷務始末　卷十六
二十七、籌辦夷務始末　卷六十
二十八―三十三、籌辦夷務始末　卷十八
附記
　籌辦夷務始末に於ては、諭旨、奏稿共に夷務關係以外は一部分又はその全文を削除しあるを以て、本稿に於ては諭旨は大淸十朝聖訓、奏稿は姚瑩の東溟奏稿を以てその缺を補ふた。

第二章　臺灣鎭道の處置

嘉慶二十一年福建平和縣知縣たりし姚瑩が、按察使李信齋に送れる書簡の中に[註一]

臺灣半泉州人也、泉州人之爲病與其好惡既習知之矣、若臺灣人之爲病與其好惡容或有同而異者、是豈可以無辨乎哉、今夫逞强而健鬪、輕死而重財者、泉州之俗也、好訟無情、好勝無理、㮋蒲女妓頑童檳榔鴉片日寢食而死生之、泉州之所以爲俗也、臺灣人固兼有之、

と在臺漢民の大半を占むる泉州人に、好訟、健鬪、輕死、重財等の性ある上に、鴉片吸飲の風習あるを指適し、之に漳州人、嘉應州人、潮州人、及び未開の土番を合すれば、一總兵、三副將十三營の戍兵を以て猶統治に充分の努力と理解を要する旨を述べて居る。

道光四年三月英船鹿耳門に近づき、鴉片を販賣せんと計り、當時離官在臺中の姚瑩は夷船との交渉を回避せんとする總兵趙裕福を說得して鴉片の販賣は中國の嚴禁する所なる旨を曉諭、退去せしめた事があつた。[註二]

同夷船は其後鷄籠に向ひ、淡水に於て姦民と僻遠を利して樟腦と交換に鴉片を

私賣せるも、北路の水師は夷船の停泊を默許し、本郡の飛餉に接して始めて七月十五日退去せしめたるも、閏七月初三日には復滬尾に引返した。　姚瑩は夷情叵測、始意不過圖售鴉片、適至鷄籠、遂收樟腦、及往來臺灣海道既熟、又見我海防之疏、水師之懦、萬一回至彼國、言及此地、本紅毛舊土、忽起異謀、能保無他日之憂耶と鴉片の私售を企て、圖らずも臺灣に樟腦の特產あるを知らば、嘗て夷領たるの事實に鑑み、歸國の後臺灣占有の異望を起し、臺灣防備の虛實を知れるを幸に後難を生ぜん事を警戒した。

彼は道光五年正月實父醒菴府君病歿の爲め丁憂人員として服闋退官せるが、道光十七年九月、閩浙總督鍾祥は上諭を奉じて、缺員中の臺灣道に姚瑩を補任する事最適任なる旨を他の候補者瑞光、葉長春等と共に上奏、[註三]翌十八年閏四月十六日着臺臺灣道に就任した。　時に五十四歲であつた。[註四]

臺灣道姚瑩と相提携して、臺灣治安の重責を擔ふ武官の總師、臺灣總兵達洪阿は道光十五年に擢任されて居るから、[註五]達洪阿、姚瑩の臺灣統治の合作は、姚瑩着任の十八年を以て始まる。

道光十八年七月十二日、閩督鍾祥から嘉義縣樸仔脚地方に於て船戸私に鴉片を販し、臺地の洋銀缺少を來すに就て札諭を奉け、樹苓湖を根據として、彰化縣の沙連、大肚、葫蘆墩の漳泉粤人にして、鴉片隱賊中の者を搜査、紀興、張硍等七十四名を拏獲し、各處の煙館も閉鎖した。註六

道光二十年四月福建督撫に臺灣の統治概況を報告せる中に、註七所謂る臺灣三大患たる盜賊、械闘、謀逆等の外に、註八

今更査辦鴉片煙案、人犯不可勝記

と鴉片取締の困難なるを述べ、同年五月十二日鄧廷楨に夷務の急を獻策せる際も註九

上年（道光十九年）有小夷船一隻至彰化之五汊港外洋面、該地文武立帶兵船驅逐、並未停留而去、使人量其汊口、亦非寛深、恐本地姦民勾引、嚴飭營縣、查拏鹿港行舖、有買賣鴉片煙者、分別搜拏

と五汊港に夷船の近づけるに鑑み、鹿港商舖に鴉片の私販、英夷に接濟する漢奸の有無を搜索せしめたと見えて居る。 姚瑩は鴉片禁絕の根本策を

簡練舟師、選擇將帥、修葺戰艦攻具、以禦其外、嚴禁奸民、杜絕勾通、謹守口隘、以清其內、此誠目前要務矣

と、兵備、人員の充實を以て外夷の侵入を防ぎ、奸民を拏獲、逆夷との接濟を得ざらし

むれば、內外共に清肅されるに在りとし、東南沿海の奸民、富者は資金を出して鴉片を販賣し、貧者は小船竹筏を以て運送に出力して以て衣食に供する事茲に數十年、追れては海洋に逃れて盜賊となる實狀を述べ、

意民情浮動之區、撫循瘡痍、必鎭靜爲培養、誅夷羣醜、惟急務之、先圖海外安則內地亦安、庶幾上紓九重之憂、下蘇吏民之困

と盜賊、謀叛相繼ぐ臺灣の民情に深く留意し、海上夷禍の起る無ければ內亂逆匪の勃發も阻止し得べしと逆夷勦討の準備の急務を力說した。更に

方今中外汲汲、莫不以鴉片夷務爲事矣、夷人數十年詭計、一旦爲天朝燭破、嚴定吸食販賣科條、自王公以及士庶、輕者徒流、重則論死、蓋非此不能力去沈痾、振啓聾瞶也、繼因夷情狡譎、絕其貿易、有事用兵、此亦事勢之必然者

と中國現下の急務たる禁煙の科條は、徒流、死罪を以て律する者にして、英夷にして更に狡詭の言動を用ひんか兵力に訴る事有るも止む無しと、强硬徹底せる意見を開陳した。

先是五月十九日鎭道等は閩省督撫より

以內地查辦嚴緊、奸夷勢必趨入臺地、飭卽整備哨巡船隻、配齊大礮、實力巡緝、一遇夷

船、卽認眞轟擊、勿任停留潛銷鴉片

と內地各省の彈壓を避けて、夷船臺灣に回航、以て鴉片の私售を圖るを豫斷し、口岸を嚴守して夷船の停留接濟を擊退すべき樣指令を受けて居たので、六月初一日水師船礮の狀況を報告、戰船、礮位の現勢は夷船のそれに劣るも、水師弁兵の操練精强を以て必勝を期する旨應へた。註十

然るに六月十八日夷船一隻安平鹿耳門外洋に游奕せるを發見、直に臺灣知府熊一本を安平に派遣、各海口の封港を命ずると共に護安平協副將江奕喜をして戰船十一隻、雇用船三十隻を指揮、追擊せしめた。十九日交界洋面にて交戰、二十日何處かに駛去し、來船の目的が水米の缺乏か、鴉片の圖銷なるか不明なるも、今後一層の警戒を要する事になつた。註十一

次で七月十三日定海失守の傳抄を受け、鎭道、知府會銜の結果、臺澎洋旣に夷船の窺伺する際とて、廈門、金門、漳州の磐石の安きに比べ、海外に孤懸し、民情浮動の臺灣一府の影響僅少ならざる可きを憂へ、

詎聞定海警報、未免人心疑懼、況年來査辦煙案甚嚴、沿海奸民不免喘怨、一旦有警、恐其乘隙滋事、是臺灣所患不惟外禦逆夷、尤須內防奸究也

と戰況の不利、禁煙の反動とは利害一致して、内亂勃發の誘因たるを恐れ、臺澎防備の根本策七箇條を次の如く決定した。[註十二]

一日募壯勇以貼兵防

海口の兵備は臺協水師副將の統轄する三營の弁兵二千二百七十名、澎湖水師副將の統轄する兩營弁兵一千八百三十八名を以て充當、内地の防衛は陸營の弁兵を分轄し、一部は口岸防備部隊に編入するも他は匪亂勃發に備へて各街莊要地に相當部隊を駐屯せしめて彈壓に資する臺灣の特殊的事情に應ぜんとするものである。一面臺灣には林爽文の亂以來、義民の力を借りたる慣例に從ひ、他面游民の匪賊化を防止する爲め、自衞と防衞を兼ねたる壯勇の規制を設け、義首總理、頭人等に委任監督せしめ、一半は各街莊の自衞、一半は各口岸防備隊に編入參加せしむる特殊の施設である。

二日派兵勇以衞礮墩臺地

各口岸礮臺、及び急造砲臺たる礮墩に弁兵、壯勇を分遣する事である。

三日練水勇以鑿夷船

陸營と同樣水軍の壯勇を徵募、夷船に各個水中より攻撃手段を講ぜんとせるものである。

四日習火器以焚賊艘

礮位の操練、火罐、噴筒の使法を授け、遠近夷船の焚燬に資するものである。

五日造大艦以備攻戰

海洋交戰に用ふる集成字號級二隻乃至四隻を臺澎兩營に分給、大型艦制を採用せんとする意見である。

六日雇快船以通文報

厦門蚶江、臺澎間に於ける夷船動靜の通報、對策の連絡に資する緊要の施設である。

七日添委員以資防守

府下各縣、廳各營の防堵事宜の繁簡に從ひ、丁憂或は免官候補の各官員を奏留差委の特例に據つて、今暫く事態の安定を見るまで留任調用せんとするものである

姚瑩は八月初十日北路各海口の視察に赴き、十七日に王得祿臺灣差遣の諭旨を傳達された。彼は北路巡視の概要と共に、王得祿着臺後は前嫌を捨てゝ協力和衷以て防堵事宜の完全なる樹立に邁進し度き旨を達洪阿に申送り[註十三]、既に着臺せる王

得祿にも書簡を送つて、上諭を奉じ協參同心、奉公を念と爲すは斷じて更ず、達洪阿も前事徴するに足るを以て、提督の如き忠盡大公、青天白日の如き下に在つては欽佩に勝ずと着任を祝し、達洪阿から未だ回書に接せざるも現下臺灣の防堵概要を閲看に供し、後日詳細協議決定の參考に附すべしと、殊に海洋作戰に關する內容を報告、審辦を求めた。註十四

斯て姚瑩の公明至平な態度に依つて、同年九月鎭道、提督三者の意見は圓滿一致を見、こゝに臺灣十七口の防備計畫が確立するに至つた。註十五

中路は郡城臺南を中心に、安平大港口、四草海口、鹿耳門、國賽港、二鯤身を控へ、郡城には臺灣鎭總兵達洪阿、精兵六百名を率ゐ、營副將、中左右三營遊擊を督して本營弁兵を以て府城を彈壓、隨時策應する。

王得祿は鎭道と協力籌辦して自募の鄉勇三百名、各莊義勇三千名を率いて隨時策應する。

達洪阿の下に、臺灣道姚瑩、臺灣府知府熊一本は共に全臺の作戰、各路の糧餉、一切の經費を計理し、臺防同知同卜年、臺灣縣知縣閻炘は礮墩、旗幟、器械の籌備に任ずる。

海口の警備は護臺水師副將江奕喜以下遊擊は水師兵一千五百三十七名、屯丁（熟番の壯

丁）一百名、雇募郷勇一千六百六十名、水勇一百名、戰船三十五隻に各礮臺、礮墩を指揮する。

南路鳳山縣は縣邑鳳山を中心に、打鼓港、東港を控へ、南路營參將餘躍龍、山豬毛都司祥祿、鳳山縣知縣曹謹は外委一員、千總一員以下に水師兵一百五十名、陸路本汎兵一百名、郷勇三百名、共用の弁兵屯丁三千九百六十六名、郷勇三千三百五十名、水勇五百二十名を指揮せしめて二口を守り、內地の逆亂の徒を彈壓するには、陸路弁兵一千六百八名、自練の精兵二百名、郷勇三千名を充當する。

北路の嘉義縣は、樹苓湖、笨港二口を有し、水師兵二百四十名、雇募郷勇四百四十名、水勇一百二十名を臺協左營守備翁秀春、縣丞白鶴慶に指揮せしめ、嘉義營參將洪志高、嘉義縣知縣魏彥儀は本營弁兵七百名、郷勇三百名を以て內地の彈壓、策應に當る。

彰化縣は番仔挖、王功港、五汊港の三口を、臺協左營遊擊劉光彩以下に水師兵三百五十九名、陸路兵一百名、郷勇五百五十名、水勇一百名を指揮せしめ、護北路副將關桂、中營都司蕭廷鵬、彰化縣知縣黃開基は本營弁兵一千一百名、自雇郷勇三百名、義勇三千名を以て內地を彈壓、策應する。

淡水廳は大安港、中港、香山港、竹塹、滬尾、大鷄籠を擁し、水師兵六百四十名、陸路兵四

百五十名、鄉勇四百名、水勇二百名、屯丁一百名を滬尾水師、北路右營の委員以下を以て指揮し、艋舺營參將邱鎭功、淡水同知范學恆は陸營弁兵、鄉勇を以て巡察、策應し各莊義首、總理をして義勇一千人を團練して調用に備へた。

噶瑪蘭廳は蘇澳の一口を擁し、陸路本汛兵一百五十名、把總二員を以て指揮し、各莊の鄉勇一千人を團練して蘭廳と共に隨時策應する。

猶澎湖は水師副將所轄の兩營弁兵一千八百三十八名に、通判の策應がある。

以上が十七口の防備概要である。 此等兵備人員に附すべき戰船礟位は、各口に分轄詳細に記述されて居るが、大體大小戰船六十二隻、大中小礟一百五十位にして、これに雇用船隻、鳥鎗、刀械等を存する。註十六

斯して鎭道、提督の衷心協力に依つて臺澎の防備計畫が確立、諭旨に副ひ得たので、前述の十七口設防圖說狀を閩省督撫に提出すると共に、王提督着臺後に於ける辦理情形も報奏する手續を取り、二十年十二月二十日上奏せられた。註十七

然るに琦善欽差廣東派遣と共に起れる對英協調外交の第一聲たる九月四日附臺澎防備撤廢を旨とする諭令が閩省を通じて鎭道に十二月十八日傳達せられたが、註十八姚瑩は臺澎洋及び臺灣內地の特殊事情及び現在澎湖防備の經費と人員を臺灣

府に於て維持し得ざる狀態と海外に孤懸して有事の際に內地本省の援助を受くる能はざる理由を强調して、二十年末までの防堵費支出總額の中、器材費銀一萬兩、鄕勇、水勇、屯丁等の人件費一萬五千五百兩を擧げ、現在道庫の貯藏は五萬五千兩なるを以て猶十萬兩の籌撥を要求した。

翌二十一年正月初六日には、前年十二月初二日の上諭に欽ひ琦善の廣東查辦の行詰りによる沿海各省再軍備の命が傳達せられた。[註十九] 鎭道は事態の益々急なるに鑑み、海外經費の增額、閩省支給需費の削減反對、不足官員の閩省補充、大礮の新鑄分給の四箇條の要求を呈出し、道庫貯藏額を二三十萬兩に、臺灣六萬餘兩、澎湖二萬餘兩の大餉を最高限二十萬兩から十五六兩に增額し、澎湖駐防の委員副將葉長春內地引上げによる後任の補充、八千斤礮二門、六千斤礮六門を安平、大鷄籠、滬尾、媽宮に分給せん事等を求めた。

その間に於て、臺灣各官より壯勇調用の不必要、[註二十] 鳳山港口礮臺壯勇の不要、[註二十一] 淡水守口弁兵の廢止[註二十二]等の意見が提出されたが、鎭道は皆然らざる所以を解明して原案通りに實施されるに至つた。

註

一、東溟文集巻四　答李信齋論臺灣治事書

姚瑩の著作は同治六年男姚濬昌重刊の中復堂全集に収められ、内容次の如くである。

東溟文集六巻、外集四巻、後集十四巻、外集二巻、後湘詩集九巻、後湘二集五巻、後湘續集七巻、東溟奏稿四巻、識小錄八巻、東槎紀略五巻、寸陰叢錄四巻、康輶紀行十六巻、姚氏先德傳六巻、中復堂遺稿五巻、中復堂遺稿續編三巻、附錄傳、墓志銘、墓表、年譜

二、東溟文集巻四　上孔兵備書

三、史料旬刊　第三十七期　清道光朝密奏專號第三號

四、中復堂全集　附錄　年譜

清史稿　列傳一百七十一　姚瑩傳、

道光五年服闋退官せるが、道光元年噶瑪蘭通判在任中の海盜林牛等勦滅の功により降二級、原官復職の恩命に浴し、爾來十年まで閩浙に滯留、十一年七月江南水災總督陶澍・巡撫程祖洛に見出されて江蘇知縣に揀發、途次江甯に於て江寧布政使林則徐に面接、就官協力を求められ、江蘇赴任の理由を述べて謝絶した事が姚瑩年譜及び林文忠公年譜に見えて居る。

五、清史稿　列傳一百五十六　鄧廷楨傳　附達洪阿傳

六、東溟文後集　巻三　覆鐘制府言事書

七、東溟文後集　巻六　上督撫言仝臺大局書

八、東溟文後集　巻三　上督撫清收養游民議狀

九、東溟文後集　巻六　覆鄧制府言夷務書

十、東溟文後集　巻四　臺灣水師船礮狀

十一、東溟文後集　巻四　夷船初犯臺洋擊退狀

十二、東溟文後集　卷四　上督撫言防夷急務狀、覆鄧制府籌勘防夷狀
十三、東溟文後集　卷六　與達鎭軍書
十四、東溟文後集　卷六　與王提督書
十五、東溟文後集　卷四　臺灣十七口設防圖說狀
本稿に「所有會同籌辦各口情形謹繪圖開摺呈鑒」とある樣に、十七口設防の全圖を作製して之に本稿を說明として附加せるものであるが、故宮博物院編の清內務府造辦處輿圖房圖目初編には未揭載である。
十六、東溟文後集　卷四　臺灣水師船礮狀
十七、籌辦夷務始末　卷十九、東溟奏稿　卷二
十八、東溟文後集　卷五　臺灣防夷經費請作正支鎖狀
十九、東溟文後集　卷五　防夷急務第二狀
二十、東溟文後集　卷五　駁臺灣令壯勇不能登陣議
二十一、東溟文後集　卷五　駁鳳山令港口母庸設礮募勇議
二十二、東溟文後集　卷五　駁淡水守口兵費不可停給議

第三章　閩浙總督顏伯燾と廈門失守

道光二十一年正月十九日、護理閩浙總督吳文鎔上奏して、註一 沿海嚴防の諭旨及び廣東大角沙角兩礮臺事件の結果に據り、閩洋防堵は

惟閩洋袤延二千餘里、其孤懸海中、如廈門、臺灣、固屬最爲險要、其次如澎湖海壇、銅山

等處、亦皆四面環海、無城可守

と臺灣、澎湖、厦門の環内を最重要區と爲し、今後此等沿海諸地方萬全の防備を講ずる爲めには、前年に於て藩庫十萬兩、泉漳二府六萬兩を支出せるに鑑み、藩庫に銀二十萬兩、管内支出の分に銀二十萬兩の接濟を受け度き旨を乞ふて許され、以て六千、五千、四千斤大礮各六門の添造分配案が實現された。

正月二十五日、琦善より正月三日獅子洋面に於けるElliotとの會談に於て廣東開港、香港寄居の件に及ばんとせるも、廣東增遣の奕山將軍の撤退を求められて代奏せる爲め、來京の上交部嚴議する旨の下諭あり[註二]、義師顯彰の徹底を期する爲め阿精、怡良等に軍官民一致して奸夷の乘ずる所無き樣愼重を求められた。

二月六日吳文鎔は、廣東に於ける琦善、Elliot會談に於て、定海、沙角の繳還、廣東開港、香港寄居の假締結と共に、厦門馬頭の通市を許諾せる旨の情報に據り、急據上奏[註三]

査厦門周圍環海、地方五十里、而東爲臺澎脣齒、西爲泉漳門戶、北達會垣、通省咽喉所在、一有梗塞、則全體頽壞不支

と萬一厦門通市實現の場合は、閩省の咽喉を扼し海陸の防備施す可き無しと臺澎、漳泉の微妙な地理的關係を說き、

而臺澎間阻、呼吸不通、其害實不可勝言、是厦門許與通商、直以全閩鎖鑰、付之寇盜、欲求一日之安、不可得矣

と厦門開港は全閩の形勢を封ずる者であると、極力阻止せられん事を旨ひ、宣宗は

汝所見固是、但誤國辱國之人、業經拏問、所言者可無庸議矣

と琦善の失態明白なる今日憂る所無しとせられた。

二月二十二日安徽巡撫程楙采は廣東逆夷滋擾四出するを防止する爲め臺厦水道を以て最前線と爲したき旨上奏、註四 特に澎湖の軍備を强化するを必要とし、

査福建厦門、與臺灣對峙、中有澎湖、可占於此嶴、原駐重兵、多集水勇、與厦門遙爲聲勢安設數千斤礮位、令勇士不時哨探、瞭見夷船經過、卽行對面轟擊、庶足以塞其瞻、而戢其奸、不敢復窺江浙

と厦門、澎湖間に於て浙江洋に北上する英船を邀撃阻止せんと策した。 此案は直に軍機大臣を經て閩省督撫に傳達、愼重考慮の上萬全の策を講ずべき様下諭があつた。

五月七日閩浙總督顏伯燾上奏、註五 三月二十四日より四月十日の間に夷船次第に北上しつゝある情形に照し、厦門、銅山の嚴防を期せんには臺灣、澎湖の守備完璧を前

提とする旨の結論を述べ、時局逼迫の今日、鎭道、王提督の衷心辦理に恃む外なしとして、

恩澎湖地方、孤懸海外、爲臺厦咽喉、尤非銅山孤僻可比、該處僅有副將一員、通判一員駐紮、誠恐不足以資鎭守、臣遠隔重洋、勢又以兼顧、必得一熟悉情形、名望素著之人、始可以内服人心、外攝夷膽、

と鎭道等が正月督撫に進言せる澎湖駐札委員僅に水師副將一員、澎湖廳通判一員にして經費の不足、添增委員の未到を急速に閩省に於て補充を爲さんとする計畫の一端を披瀝し、

査有臺灣致仕前任福建提督王得祿、年雖七十有餘、惟其精神尙健、荷蒙皇上特勅協同該鎭道、辦理全臺防堵事宜、臺澎一體、若令該提督一手經理、必能悉澎妥協

と王提督、鎭道の臺澎一體の防備方策に萬腔の信頼を寄せ、現下の急務たる澎湖防堵の重任を王得祿に命ずるを最適任として、

臣竊念事機緊要、不敢拘泥、一面飛咨該提督王得祿、迅赴澎湖駐紮、辦理防守事務、該提督受恩澤深重、亦必盡心圖報

と既に澎湖移駐を飛傷せる旨奏報、

臺灣有鎭道等駐守、該提督仍可就近相商、其策萬全、如此則澎湖可期鞏固、而於海疆
　內外皆可放心

と臺灣は達洪阿、姚瑩に、澎湖は王得祿に一任し、三者密接協商すれば、臺灣澎湖の鞏固は勿論沿海各省また無事なるを得べしと上奏、宣宗之を嘉納せられ、臺灣澎湖の守失如何は全省安危の分岐點と見られるに至つた。

然るに六月二十四日澳門に到着せる新任英國代表、北京特派使節 Sir Henry Pottinger 英國極東艦隊司令官 Sir William Parker, 使節隨員 G. A. Malcolm 以下は、先着の陸軍遠征部隊司令官 Sir Hugh Gough, 前代表 Captin Elliot 等と會見、[註六]一八四一年五月十五日(道光二十一年閏三月二十五日)附英國外務大臣 Sir Palmerston の訓令に基き、[註七]英國權益の確保、英支兩國間永遠の平和將來の爲めには、時に强硬手段に訴へても、出來得る限り急速に戰爭の終決を計るを根本方針とする旨同月二十六日之を闡明した。[註八]

對支交涉を廣東の局地に限る事の迂遠なるを知れる英國側は、北京特派使節派遣の目的に從ひ、Pottinger, Parker, Hugh Gough 以下の使節一行及び遠征軍は旗艦 Queen 號以下三十二隻の艦隊を編成、七月五日香港を出港、先づ廈門に向ひ道光十

九年澳門撤退以後二年振りの復仇を計つた。[註九]

七月初九日夜靑嶼口門に闖進せる夷船は、翌十日早朝、通事を介して上年天津の辦理に例照し、交戰に應ずるか、或は厦門城邑及び礮臺を一時英軍に引渡し、事後再び繳還せん事を要求し來り、支那側は交渉を拒絕、防戰に力めたるも一日にして攻落せられたる旨、七月二十八日閩浙總督顏伯燾から上奏された。[註十] 顏伯燾は此間に於ても、臺灣との連絡提携に苦慮し、

再臺灣尙有五虎門與八里坌、蚶江與鹿港廳對渡、不敢文報隔絕

と五虎門と淡水、蚶江と鹿港間の交通に依つて今後の連絡周防に資せんとした。

八月三日福建巡撫劉鴻翺は顏督の厦門不在中代理として、前年六月より現在まで厦門、臺灣、澎湖及各沿海府縣の防堵に支出せる經費六七十萬兩、その後鑄礮、募勇に二十餘萬兩を要し、前回閩省に解到せる百五十萬兩を以てしても現在六十餘萬兩を貯藏するに過ぎず、今後の經費、猶三百萬兩再撥せられん事を上奏、裁決を得た。[註十一]

八月十一日顏督は、厦門查辦と沿海防備に關する上奏を爲し、[註十二] 臺灣の衞戍兵を調用するは困難なるを以て、今後沿海各地は鄕勇、壯丁を團練して自衞を旨とするに決した。

厦門を攻落した英國艦隊は、一部を鼓浪嶼に止め、更に北上を續け、八月十七日定海、[註十三]同二十六日には鎭海と、[註十四]支那が第一線と恃む臺厦水道を易々として通過、無人の境を行くが如くに浙江洋を手中に收めた。

先是琦善の革職と前後して、欽差大臣、兩江總督伊里布は定海査辦の遲滯の爲め革職留任、[註十五]今また厦門、鎭海の失守に依り顏伯燾は九月五日附革職留任、伊里布の後任たる裕謙は自殺し、斯る欽差、督撫の瀕々たる懲戒は却つて英夷の乘ずる所となると云ふ陳奏さえ行はれた。[註十六]

斯て江蘇には兩江總督牛鑑、浙江には參贊大臣文蔚、揚威將軍奕經を差遣、厦門の夷務査辦には九月五日附廣東巡撫怡良が新に欽差大臣を頒給されて赴く事となり、[註十七]琦善、伊里布、耆英三欽差の對英協調外交の代辯者たる怡良、夷人の大局を一誤再誤を繰返す內地沿海の失守は、立功好名の心を捨てゝ事勢機宜を審量し以て終始を權るに善しからざるに在り、臺澎を守る鎭道は惟守土を知りて敢て他に及ばざるを旨とし、敵を輕んずるに非ず畏葸せざるなりと堅守善防を誇る鎭道、[註十八]英國外相Palmerston卿の重要訓令を受けて一氣に北京を衝き、鴉片戰爭の卽時終結、英國及英國民の名譽を恢復維持せんとするPottinger三者の間に於てやがて臺灣冒功論の災禍を生ずべき組合せが出來上つた。

註

一、籌辦夷務始末　卷二十一

二、籌辦夷務始末　卷二十二

三、籌辦夷務始末　卷二十三

四、籌辦夷務始末　卷二十四

五、籌辦夷務始末　卷二十九

六、Chinese Repository vol. X 1841 p. 475

七、Chinese Repository vol. X 1841 p. 476 (extracted from Hongkong Gazette)

Foreign office, May 15 th, 1841

"The queen having been graciously pleased to select you to be H. M.'s plenipotentiary on a special mission to the government of China, and also to act as chief superintendent of the trade of H. M.'s subjects with that country, I herewith transmit to you, in your former character, a full power authorizing and empowering you to negotiate and conclude with the minister or ministers vested with similar power and authority on the part of the emperor of China, any treaty or agreement for the arrangement of differences now subsisting between Great Britain and China: and also a commission, under the royal signet and sign-manual, constituting and appointing you H. M.'s Chief superintendent of trade in China.

These two instruments invest you with all the power and authority requisite for enabling you to discharge the duties which are confided to you.

(Signed) "Palmerston"

八、Chinese Repository vol. x 1841 p. 477

In taking charge of the offices of her majesty's soie plenipotentiary, minister extraordinary, and chief superintendent of British trade in China, sir Henry Pottinger deems it requisite and proper to public notify, that he enters on his important functions, with the most anxious desire to consult the wishes, and to promok the prosperity and well-being, as well as to provide for and secure the safety, of all her majesty's subjects, and other foreigners (so far as the concerns of the latter can be affected by nis proceedings,) at this moment residing in any part of the dominions of the emperor of China; and that he will be ready and happy, at all times and under all circumstances, to give his best attention to any questions that may be submitted to him. At the same time, it becomes his first duty to distinctly intimate, for general and individual information, that it is his intention to dedevote his undivided energies and thoughts to the primary object of securing a speedy and satisfactory close of the war, and that he therefore can allow no consideration connected with mercantile pursuits, and other interest, to interfere with the strong measures which he may find it necessary to authorize and adopt towards the goverment and subjects of China, with a view to compelling an honorable and lasting peace. (from Notificaion of sir Henry Pottinger)

九、Chinese Repository vol. x 1841 p. 522

十、籌辦夷務始末　巻三十一

十一—十二、籌辦夷務始末　巻三十二

十三—十四、籌辦夷務始末　巻三十四

十五、籌辦夷務始末　巻三十三

十六、籌辦夷務始末　巻三十四

十七、籌辦夷務始末　巻三十五

十八、東溟文後集　巻七　復梅伯言書　四八四

第四章　道光二十一年第一回英船Nerbudda號事件

道光二十一年三月十七日、姚瑩は二月十六日附顏伯燾總督の書簡を接受、廣東に於て辛苦を極める林則徐、鄧廷楨の模樣、浙江、廣東に於ける防備狀況を知つたが、五月その返書を認め四草、樹苓湖、蕃仔挖、五汊港、中港、竹塹、鷄籠各礮臺、礮墩の石壁建造、八千斤礮の安平設置を報告、最近雇募壯勇及び鄉勇の調練問題に關し、王提督と意見を異にせる點に就き指示を仰いだ。註一

弁兵と壯勇との協力乃至、壯勇の制度そのものに關して既に鳳山縣知縣より今年始淡水廳同知に轉じた曹謹から意見書が提出されて居た。註二

曹謹は竹塹、艋舺兩營弁兵の驕惰なるに比べ、鄉勇の感奮整齊にして義勇なるに感じ、防堵事宜には鄉勇のみを使用せんとするものにして、姚瑩は之に對して、弁兵の不精は將たる者の責にして、臺灣人の義勇たる實に漳泉人の强悍の性に出で、曹謹弁兵を廢せんか、兵民の阻隔益、甚しく、

兵者國之爪牙、所以宣上威、鎭亂民也

とする鎭道の治策の根本に悖るものなりと戒めた。　今回の壯勇の調練問題は、實に姚瑩の如上の見解に基くものである。

當時全臺十三營、水陸一萬四千名の弁兵を以ては防夷の經略不充分なる爲め、茲に各莊に於て自衞民團卽ち鄕勇を編成せるもの一萬三千名、官府に於て料給徵募せるもの二千六百餘人、王得祿は之等烏合の衆に軍事的基礎訓練を施す爲め、各營に分屬せしめんと提議、姚瑩は之に對して勇悍好亂の彼等に正規の操練を與へる事は、後日事に乘じて逆亂蜂起するの憂ひ深しと述べた。　極めて機微に屬すと言はねばならぬ。

七月二十日厦門失守の報は鹿港行商を通じて齎され、六月以來厦門との交通杜絕の理由が判明したので、姚瑩は七月二十六日附臺澎孤立の現勢維持の辦法を稟請した。註三　彼が立處に想到せる臺澎の前途は

今厦門忽傳此信、誠恐無知匪類乘機搖動甚、或潛通海賊、轉引逆夷來臺滋擾、事勢實爲亟、

と匪賊の動搖、海賊の活動、漢奸逆夷先導來擾の三點に歸し、臺灣人の特性を悉知洞察せる彼の見解は爾後事件每に實證された。

弁兵、壯勇の口岸、內地の嚴防彈壓、鹿耳門、國賽港、三鯤身三口の封塞、臺南郡城墻壁木柵の增强を斷行、一面臺灣商人は廈門貿易を以て主とせる爲め廈門失守に失神驚惶せるを慰撫、勉鼓を加へて防守に參加せしめ、弁兵三千九百三十九名、郷勇、水勇、屯丁六千四百八十名を沿岸十七口の防堵に配備した。 この間每月の需費銀一萬二三千兩に達し、現在道庫五萬餘兩なるを補ふ爲め、三十萬兩を五虎門、八里坌線に依り九、十月と十二、正月の二回に分割解到せしめられん事を乞ひ、澎湖の所要經費五萬兩も委員をして同時に携行せしめられ度き旨申添へた。

人事の缺乏に關しては、卽用知縣王廷幹、候補府經縣丞麗裕昆、候補縣丞吳湛恩等に姦細の稽查、各處餉銀の押解等に任ぜしめ、前年明奏留委せる革職の候補同知、前臺灣縣知縣託克通阿は安平に於て郷勇を指揮し、丁憂の候補同知、卸署澎湖通判徐柱邦は澎湖に於て防守に協同せるも王提督既に澎湖に移駐せるに依り回郡せしめたく、斯く革職又は丁憂に依り退官すべき者を特例に據つて留任調用し居る現狀を洞察の上は、精明敏達の雜職二三員を差遣せられん事を懇請、最後に今後の文報には萬一を慮つて正副二通を作製、蚶江、鹿港間に於て取扱ひ、蚶江廳は臺灣文報の迅速發行を嚴守し、泉州府城內に一官を設けて往來文報の登記に當らしめん事を進言した。

七月十七日澎湖駐守の王得祿より來函、厦門失守の際に草鳥匪船の勾通の事實を報じ、澎湖軍需費缺少に就き銀一萬兩の送付を澎湖協詹功顯、署廳王庚等派遣の把總謝躍をして請領せしめん事を求めて來たので、七月二十九日大要次の如く臺餉三十萬兩の至急送回を請ふた。註四

姚瑩は草鳥船の誘導の報を受け、

昔之所慮者英夷與在地姦民、今則兼慮成幫之草鳥盜船與沿海之土匪

と英夷と內地姦民の通謀に加へて、草鳥賊船と沿海土匪の結托を警戒すべきを痛感、こゝに外敵の侵入に備へる一方、內亂賊匪の結盟を勦機辦裁するの必要に迫られ、之が完璧を期する兵勇の添設に要する經費の支給を急速に行はれん事を緊要なりとし、澎湖には取り敢ず道庫より銀五千兩を撥送せる旨報告した。

猶從來臺灣米を以て閩省及び內地の兵食に充當せるが、近來商船之が運穀を爲さず、爲めに大兵を擁して泉州に駐屯せる巡撫劉鴻翺の困難せるを蚶江廳より鹿港北路理番を經て承了、その原因が運穀代價を分轄支拂を爲すため北路各廳縣その補償に耐えず、商船利を計つて行かざるに在るを指適し、半解折色の法を廢止せ

られん事を獻策した。

八月初四日、大理寺少卿金應麟の上奏に依る閩省各縣會計內容查明の咨飭に接し、[註五]姚瑩は

求治之大本、防亂之大源也

と云ふ彼の治安確保の信念を卒直に披瀝して、嘉義、彰化二縣の缺本非優にして亂民屢起り、鳳山縣之に次ぐ狀を述べ

夫治臺首在防亂、防亂莫先緝匪、而緝匪非賞不行

と臺灣統治の根本は治亂緝匪に盡され、匪賊の勦滅に用する費用は、內地解送の費を含めて犯人一人に四五十金より數百金を要する實情を擧げ、津貼（手當金）公費の支辨比較的尠きは淡水廳、鹿港北路理番の二廳にして、淡水廳は緝匪の責あるも閩省への官穀運送の貼償の額少にして、唯每年鎭總兵の北路巡察に於ける人馬の經費數千金を要し、鹿港亦每年官穀運送費の負擔に多額を支出、臺防廳も鹿耳門廢口後は官穀數千石乃至一萬餘石を每年運送するに困窮、公費の自給を爲し得るは澎湖、噶瑪蘭、臺灣の二廳一縣に過ぎず、今後は噶瑪蘭廳の東西勢、彰化縣の藍興莊、水沙連各地田園の未陞科年額租穀約五千石を五分し、自給の域に達せざる嘉義、彰化二

縣に各二分、鳳山縣に一分を給し、以て津貼、緝匪、解犯等島內治安維持の經費に充當し、能く外は英夷の滋擾を攘けん事を稟請した。

七月初十日廈門失守以來、達洪阿、姚瑩、王得祿の鎭道提督、就中姚瑩は臺澎の海外孤立の現狀と、必ず受く可き英夷の窺伺、賊匪の動搖に對する萬全の方策を得るに全力を傾けたが、八月初一、初五日には早くも夷船臺灣洋面を游奕するの報に接し、十六日雞籠口に於いて第一回事件の發生せる旨、十月二十一日臺灣鎭道から上奏された。註六

八月初一、初五等日に淡水、鳳山各廳縣の稟報に、北路の雞籠、中港、南路の小琉球等の外洋に夷船游奕、進口せば開礮轟擊の相機ありと守口の準備を報じ、次で臺灣水師副將江奕喜、南路參將余躍龍、署鳳山縣知縣白鶴慶等の稟報には南洋夷船一隻口岸に近づけるも、文武兵勇の防守嚴密なるを見て北方に駛去したとあつた。

續て淡水廳營より先後して稟報あり、雞籠事件の發生を詳細次の如く報告された。

八月十三日申刻、夷船雞籠口外の雞籠杙の洋面に停泊、文武委員、義首人等を督同嚴防を命じたるに、八月二十五日艋舺營參將邱鎭功、淡水同知曹謹、委駐鷄籠協防澎

湖通判范學恆、即用知縣王廷幹の稟報が達した。

該夷船は十五日辰刻、萬人堆洋面に進口、千里鏡を以て照見するに、桅大號夷船一隻、杉板多隻を帶同し、桅頂に夷人の張望するを發見した。十六日卯刻、該夷船は口門に至り二沙灣礮臺に向つて兩礮を連發、兵房を破壞したので、參將邱鎭功は雞籠に調防せる署噶瑪蘭守備許長明、署艋舺守備歐陽寶等を督率して二沙灣礮臺より、曹謹、苑學恆、王廷幹は艋舺縣丞宓惟慷を督同して三沙灣礮臺より閩省回附の新鑄八千斤、六千斤大礮を放ち、邱鎭功の照準に依り夷船の桅柱を折斷、口外に退出せるも海涌騷起せる爲め礁盤に擊碎、溺死者多數と俘虜黑夷四十三人を出した。

王廷幹以下各員弁、義首人等は弁兵、鄉勇、屯丁を指揮、巡船に分乘して野柳鼻附近まで掃海作業を行ひ、黑夷八十一名を生捦にし、白、黑夷各一人の首級を擧げた。[註七]

十六日晚、白夷の指揮する杉板一隻大武崙港外を窺駛するを發見、追擊の結果十七日早朝淡水の觀音山附近にて追及、白夷二人、黑夷十七人を刺殺、黑夷九人を生捦夷礮四門を奪獲した。

十九、二十三等日には、許長明、宓惟慷等海濱に於いて白夷の屍身二具、二千斤、七八九百斤等夷礮六門、礮子、火藥等を撈獲、十七日外洋の草嶼附近に於いて曹謹、判學恆等は白夷二人、紅夷五人が圖册を携帶せるを發見、格殺せるに山海形勢を繪せる五十一篇の圖と、城池、人物、車馬の形狀を繪せる夷書二本、夷字十紙を拏獲した。
以上戰利品、俘虜の總計は斬馘せる白夷五人、紅夷五人、黑夷二十二人、生捡せる黑夷一百三十三人、擄獲せる夷礮十門、拏獲せる夷書圖册多數に達した。
達洪阿、姚瑩は
方夷船初受礮傷之時、海涌忽起、遂將該夷船沖礁擊碎、具見海若效靈、助順天朝、尤深寅畏、
と開戰と同時に風浪の爲め夷船擊碎自滅せる天佑を感謝し、
惟該夷船是否卽係滋擾厦門之船、抑係另幫、必須解郡查訊、且可根究夷情、臺地並無通事、惟有醫生宋廷桂、系粤人、通夷語、可以傳供、
と醫生宋廷桂を通譯として今回夷船が厦門滋擾の船隊と何如なる關係に在るか、亦夷情の虛實も究明すべく、
至現獲夷人、爲數較多、程路寫遠、現在委員馳往行提、分起解郡、容俟訊明、恭請王命正法、以彰國威而壯士氣、並將夷書圖册恭呈御覽、
と夷俘は郡城臺南に委員をして提回せしめ、訊明せる上、王命に恭ひ正法し以て國

威を顯彰、士氣を鼓舞、夷書圖册は御覽に供す可き旨を述べた。王命に從ひ、正法するとは、交戰國の俘虜は死罪とするの意にして、正法問題は今後非戰鬪員虐殺を理由とする英國側の臺灣冒功の訴に轉化する重大處置となるものである。

且爾後防堵の周密を期して、

該逆夷經此次受創之後、難保不再集大幫來臺、冀圖報復、臣等仍嚴飭各口文武、添派兵勇密防、以免疏虞、再澎湖外洋、亦有夷船游奕、經在籍提督臣王得祿、欽遵諭旨在彼駐紮、督同文武嚴密防守、現在尙無滋擾、

と英船の報復滋擾を極力警戒、澎湖の王提督と共に周密嚴防を期する旨上奏した

鎭道は另摺に於いて[註八]、七月二十六日附閩省督撫に稟請した廈門失守後の臺澎防備對策を繰返し上奏[註九]、臺防同知同卜年をして事件關係人員の賞卹を專司せしめ、從來臺灣軍需款目になき經費の支出を行ひ居る點、及び前に閩省督撫に對し銀三十萬兩籌撥の件を請求し現に未解到に就き閩省督撫をして迅速起解せしめられ、別に四萬五千兩を捐濟、豫備金として道庫に貯藏し度きを述べ、最後に臺澎において防堵に協力中の革職、丁憂休致各候補委員を海外軍務緊急の際、格別の詮議を以て奏留差委を允許あらん事を乞ふた。

宣宗は鎭道等の捷報を嘉賞せられ、（註十）上奏のあつた十月二十一日先づ內閣に諭して達洪阿には雙眼花翎、姚瑩には花翎を夫々賞換、賞戴せしめ、臺灣知府熊一本と共に賞紋を沙汰せられ、事件參加文武員弁、兵勇、義首人の行賞及び傷亡兵勇の賜䘏の爲め據實覆奏を命じ、奏留差委の件を聽許せられた。

軍機大臣には、臺灣夷狀急務なるに依り王得祿を再び臺灣に移駐せしめ、その後任には閩浙總督をして派員更替を行はしめる旨下諭があつた。

更に總督顏伯燾に下諭、王得祿臺灣移駐とその後任派遣、並に軍需費銀三十萬兩の迅速起解を命ぜられた。

十月十五日、臺灣鎭道の捷奏及び下諭を拜讀した雲南道監察御史福珠隆阿は上奏、（註十一）臺灣に於いて多數の夷俘を獲たるを機會に今後勦夷の虛實を得る爲め、至急閩に解行の上次の諸點を究明し度き旨を請ふた。卽ち

一、逆夷に通情する漢奸の各頭目の姓名、里籍、

二、英夷の使用する火藥、千里鏡、西瓜礮の製作技術及び販賣地、

三、中國に於いて軍需品の供給を受ける方法、

四、中國に於いて硝磺、米石を購入する場所、

五、火藥、大礮の製造に中國の如何なる原料を使用するか、
六、夷書は之を翻譯せしむる、
七、夷礮若し輕便なれば、模造する事、
の七箇條を訊究せん事を列擧した。

宣宗は軍機大臣に下諭[註十二]、閩省巡撫劉鴻翺をして鎮道に福珠隆阿の上奏の各項目中、千里鏡の一項を除く外を夷囚未だ正法處刑せざる時は徹底訊究して今後攻勦機宜の參考にすべき旨飛飭せしめ、沿海各將軍督撫にも福珠隆阿の奏文を鈔給閱看せしめて、今後夷匪拏獲の際の訊供の基準とせしめられた。

註

一、東溟文後集　卷七　再覆顔制軍書
二、東溟文後集　卷五　駁淡水守口兵費不可停給議
三、東溟文後集　卷五　廈門有警臺餉不敷議
四、東溟文後集　卷五　再上督撫請急發臺餉狀
五、東溟文後集　卷四　海外廳縣津貼公費狀
六、籌辦夷務始末　卷三十八
　東溟奏稿　卷二　雞籠破獲夷舟奏
七、奏稿その他に見える白、紅夷は英、米、葡各國の歐米人にして、面色、頭髮を以て紅白に色別し、黑夷は英領印度及び

附近諸島の土人なる事、東溟奏稿卷二、及び Pottirger の布告の中に見えて居る。(Chinese Reporitory 1842 vol.XI P. 683)

八、籌辦夷務始末　卷三十八

九、東溟文後集　卷五　廈門有警臺餉不敷狀

十、籌辦夷務始末　卷三十八

今回事件の論功行賞に關する鎭道の上奏は道光二十二年正月二十五日行はれ、四月初四日を以て裁可された。(東溟奏稿卷二、查明雞籠夷案出力人員奏)

十一―十二、籌辦夷務始末　卷三十八

第五章　道光二十一年第二回英船擊退事件

雞籠第一回事件の稟報を鎭道等が郡城臺南に於いて接受した八月二十五日の前日、即ち二十四日に閩省督撫より堅壁清野の作戰命令が到着した。(註一)本作戰は廈門失守以後、七月二十九日附下諭に據り從來の洋上戰を捨てて陸上伏設の要塞戰に統一する旨發布された新基本作戰である。(註二)

閩省督撫より鎭道に指令せる要旨は、大小礟位、弁兵は口岸より三、五里乃至十餘里の內地要隘に埋伏せしめ、夷船の窺進と共に居民を奥地に避徙せしめて弁兵に協同兵械を持して逆夷の登岸を待ち、先づ大礟を轟擊して然る後之を圍殺するを

基本作戰とし、退潮後水深丈餘の各口は夷船の闖入を慮り竹簍破船に沙石を滿装して港口を塡塞、水深七八尺の者、及び荒僻せる口岸はその計議に與へずと言ふ事であつた。

然るに臺灣各口に於いて、所謂る堅壁清野の作戰に適應する者は、噶瑪蘭廳の蘇澳・淡水廳の雞籠、滬尾の三口に過ぎず、他は郡城の前口たる安平大港、四草、國賽港を始め各口岸は沿海平沙一望、惟僅に沈汕暗礁の激しきは水路に暗き夷船に對して一の天險たるを恃むに過ぎず、猶且漢奸の誘導無きを保し難きは屢〻姚瑩の論ぜる所である。

姚瑩は堅壁清野の作戰實施の障害五箇條を擧げ、之が對策と圓滿遂行を期する旨覆書した。　難事五箇條は次の如くである。

一、海畔平曠にして、村莊散漫なる爲め守備力配置に困難である。

二、沿海の居民亘測にして、人口繁衆なるは移遷に法なく、存置すれば逆夷の登岸を援くる憂がある。

三、臺灣人は匪徒に遷るの惡習あり、造言以て居民を恐嚇、間に乘じて亂を爲すを恐る。

四、沈舟截石以て口門を塞すと雖も、兵勇をして守らしめざれば、之を撤去開塞するは明かである。
五、臺人好亂の結果、事無ければ謠言を造播し、守口の兵を去れば、官兵の懦怯を罵り、官はその民を棄てる者と云へば姦人益〻猖獗の志を啓す事は必定である。
姚瑩は斯る周密なる豫想判斷を充分斟酌の末、堅壁淸野の實行を期し、惟有懍遵憲示、于各海口中擇其地、有要隘、可以退伏者、將礮勇酌量分撤、半守口門、半爲埋伏、誘其入而殲之、儻或地勢不便、則量爲變通辦理、以期仰副諄諄垂示之至意と憲臺垂示の至意を體し、各海口の情形、民情酌量の末、適宜變通辦理して以て期待に副ふ事を誓ふた。
同じく八月二十四日、七月十八日附閩省よりの來函に接し、近く臺餉銀十萬兩の發送と、臺灣米銀五萬兩買付を行ふ旨を咨報された。註三
閩省の咨報では內地民食の米銀五萬兩分を臺灣に於いて買付、運船護送一切を代辦し、福州に到解すれば臺餉十萬兩と共に米價五萬兩を支拂ふ可く、此の間の辦理は前に北路理番同知として鹿港に駐署せる曹謹に委任せんとするものであつたが、曹丞は既に本年初頭に淡水同知に轉じ、第一回雞籠八月事件に活動中なるを

以て後任同知魏瀛に行はしめる事にした。

然るに九月初三日に至り、八月初三日附第二函に接し、漳州地方缺食に就き、鳳山縣より辦理米穀を銅山に運送すべき旨の飛飭を受けた。註四

姚瑩は七月二十六日附臺餉銀三十萬兩の籌撥を要請した後ではあり、且前月以來鹿港、五條港に於いて蚶江より渡海せる商船數十號に對し、每船一二千石を、合計數萬石を搭載せしめた事等もあつたので、次の如く覆申した。

臺灣に於いて米產の豐多なるは鳳山、嘉義、彰化の三縣なるも、鳳山は東港、打鼓港共に數百石の商船を容れるのみにして、澎湖商船にて臺南に載運、厦門商船の夏は國賽港、冬は四草湖に到るを待つて出糶するを慣例とし、厦門失守後は商船來らず、臺防同知仝卜年も處置に窮し、鳳山縣に於いては勿論漳州に舶載するの法なしと述べて居る。

嘉義、彰化二縣は需要多き一面賣惜みに依り米價騰貴を來し、姦民隙に乘じて起る所謂る巖疆の稱ある所以の地なれば、餘米は臺に留めて以て民變を防ぐを至要とし、出糶は困難である。　噶瑪蘭廳の烏石港、淡水廳の八里坌より餘米搬出の例あるも每年合計十餘萬石に過ぎず、且本年八月初十日より十二月の間に颱風あり農

作の被害甚しく、銀五萬兩分の臺米買付の餘裕なきを以て、臺防同知仝卜年、淡水同知曹謹に飭して閩よりの來船あれば適宜搭載便運せしむ可しと答へた。

最後に臺餉支給の件は、英夷滋擾の折柄、委員の派遣す可き者なきを以て閩省派遣の委員に携行せしめ、五虎門より八里坌に到らしめ、軍需品中硝磺は閩省既に不足せる由に就き、當地に於いて適宜辦ずべしと申添へた。

斯くする中に、九月初五日三桅夷船一隻雞籠口外に停泊、十三日遂に開礮轟擊、彼我交戰の末、敵せず外洋に馳去せる雞籠九月第二回事件が發生、十二月二十九日臺灣鎭道から上奏された。[註五]

先是十二月八日在粤勦逆の大命を有する靖逆將軍奕山、參贊大臣齊愼、兩廣總督祁墳、署廣東巡撫梁寶常等連奏して、[註六] Pottirger 等英船を率ひて北上せるは、通市開港を圖るに在つて、侵略を事とする者に非ざる旨を述べて進勦の當らざるを陳奏、宣宗の激怒を蒙つたが、彼等の上奏せる廣東の情形の中に、英船近く大擧臺灣を滋擾すべしと云ふ漢奸の通報を齎し、第一回事件上奏直後であつた爲め極めて重大視された。　卽ち

歷據投回漢奸探信、風聞逆夷垂涎寧波、旋卽占據、復遣人回國添調兵船、欲於來春分

擾臺灣、並有欲赴天津之語、蠶食豕突、心殊叵測、中原大局所關、沿海喫緊之處、不得不以全力注之、

と寧波占據の宿望と天津會談の目的を以て北上せる英船は、一面本國より兵船多數を調回、明春を期して臺灣を各船分擔攻擊する計畫の有る事が判明した。

宣宗は直に欽差大臣怡良に下諭、第一回八月事件以來鎭道及び澎湖より臺灣移駐を命じたる王提督より續報無きを廑念せられ、註七

臺灣爲閩海要區、向係該逆垂涎之地、此次駛入逆船復經該總兵等殲勦、難保無夷船闖入、覬圖報復、現據奕山等奏、有遣人回國、添調兵船、於明春滋擾臺灣之語、該總兵接奉前旨後、於一切堵勦機宜、自己先後豫籌妥協

と逆夷垂涎の地にして、且八月事件の發生せるあり、今亦奕山等明春連䑸滋擾を報ずるに於いては、鎭道等愼重事に當り王督と共に辦理適切なる可しと爲し、

現在情形若何、有無續來滋擾、萬一該逆大隊復來、該處駐守弁兵、及招募義勇、是否足資抵禦、其如何定謀決策、層々布置、可操必勝之權、著達洪阿會同王得祿、悉心定議、一併會銜具奏、

と八月事件以後逆夷續擾の有無、今後發生の場合現下の兵勇員數を以て防備に充

分なるや否、又その對策經略の決定を見たるや否を逐一咨問、總兵提督の衷心協力を切望し、最後に

並著怡良等密速確探現在情形、據實奏聞、毋再遲延、將此諭知怡良等、並傳諭姚瑩知之

と怡良に臺澎の現狀の據實覆奏を確實迅速に行ひ、且此回下諭の趣旨を姚瑩に傳達すべき樣命ぜられた。

翌十二月九日、廈守失守の實狀調査に九月初十日出京せる欽差戸部右侍郎端華の覆奏があり、註八顏伯燾の督戰宜しきを得ざる旨の復命により、已革總督顏伯燾は虛欺執奏の罪を以て革職留任の恩典を奪ひ、卽時革任となり、後任には廈門に於いて夷務査辦中の欽差大臣怡良をして閩浙總督を兼署せしめられた。鍾祥、鄧廷楨、顏伯燾三代の總督に信任寵用を受け、臺澎の治策を一身に於いて處理するの權限と信用を厚くして居た姚瑩は、此から伊里布、耆英の從僕たる怡良の獄吏の如き冷酷不信義なる干渉を受ける事になつた。

斯て十二月二十九日前述の雞籠九月第二回事件が鎭道から上奏された。註九

鎭道等は淡水廳同知曹謹の稟報に接し、九月初五日辰刻、三桅夷船一隻雞籠口外

に停泊、初は紅旗を掲げ、次で白旗に換へて是日の申刻には萬人堆に駛進、杉板を放つて入口せる旨判明した。

鎮道は、紅旗は攻戰を意味し、繼で白旗に換へたるは和を欲するかに佯つて墟實を探聽せんとする計なりと判斷、三面山に環れ、堅壁清野の作戰に最も適せる地形なるを以て直に居民の遷避を行はしめた。

續いて艋舺營參將邱鎮功、淡水同知曹謹、雞籠委駐の澎湖通判范學恆より先後して稟報あり、次の如き結果が判明した。

卽ち兵勇、礮位を雞籠山上各要隘に暗設、埋伏し曹謹は精練の鳥槍屯丁二百五十名を雞籠、滬尾の二口に分駐せしめて防禦に協力せしめる中、初五日酉刻萬人堆より杉板二隻を港口に進め、窺探の末八月事件の夷俘を每名洋銀百圓にて還送せん事を求めた。居民等は回答を與へず、兵勇動かざるを見て、十三日辰刻に至り該夷船口門に突進、二沙灣礮臺に向つて猛擊を浴せ、守兵亦回擊、三沙灣の鼻頭山に在つた署守備許長明は夷匪の登岸を發見、直に開礮二人を斃して始めて夷兵を退却せしめた。

此間に於いて二沙灣、三沙灣の兵勇の住房は砲火の爲め燒燬せられ礮臺の石壁も破壞された。

該夷船は十四日早朝、曹謹の派遣せる總理姜秀鑾の指揮する鳥槍壯勇一百名、擺接、八芝蘭等堡の壯勇の添調せるを見て、午刻に至つて口外に駛逃した。守兵之を追撃せんとせるも、波浪強大なる爲め之を中止せる旨、十九日鎭道に稟報があつた。

以上の如く雞籠に於ける第二回九月事件も堅壁清野の作戰に依つて無事なるを得た。亦別摺に於いて雞籠口門左邊の鳥踏石山下に於いて、八月事件の頭目らしき白夷一人と黑夷の屍身二具を發見せる旨奏報した。

宣宗は鎭道等の捷報に感激せられ、[註十]内閣に諭して能く兵勇を督率、奮力攻擊以て兩月の内に連獲勝仗せるは甚屬可喜として、達洪阿には騎都尉世職を、姚瑩、熊一本には雲騎尉世職を夫々賞給、前回同樣事件參加者及傷亡兵の行賞、賜卹を行ふ爲め據實保奏を命ぜられた。

軍機大臣にも下諭して、今後一層臺澎防堵の重責を荷ふ鎭道、提督の戰守機宜の徹底を期せしめ、民勇の新兵改編を允許、自盡せる白夷が八月事件の船長なるや、亦その姓名如何を訊供中の夷俘に確切供詞せしむ可しと命ぜられた。

註
一、東溟文後集　卷五　臺灣不能堅壁清野狀
二、籌辦夷務始末　卷三十一
三―四、東溟文後集　卷七　覆曾方伯商運臺米書
五、籌辦夷務始末　卷四十二
六―八、籌辦夷務始末　卷四十一
九、籌辦夷務始末　卷四十二
東溟奏稿　卷二　夷船再犯雞籠官兵擊退奏
十、籌辦夷務始末　卷四十二

第六章　道光二十二年第三回英船Ann號事件

道光二十一年七月に於ける厦門失守、續く八月、九月兩回の雞籠口夷船滋擾事件の發生に乘じて、鎭道等が從來夷務の急と共に極力警戒を怠らなかつた逆匪の動搖が遂に出態した。[註一]

一は雞籠第二回九月事件の發生した九月初五日から間もない十一日に、北路嘉義縣に於いて匪徒數十群を成して、舖戶居民から銀錢を强值せる風聞が達し、城守營參將德謙に弁兵を酌帶せしめて十二日嘉義に派遣、署嘉義營參將洪志高、署嘉義

縣知縣魏儀彦に會同せしめ、鎭總兵達洪阿は精兵一千名を親率、署右營遊擊呂大陞以下を帯同して二十二日嘉義に向ひ、臺灣道姚瑩は前臺灣縣知縣託克通阿に義勇二百名を帯領せしめて之を同地に派遣、今事件の糧臺計理には候補府經縣丞龐裕昆、候補縣丞吳滋恩を陪同辦理せしめ、道庫備貯項內支出の銀二萬兩は知府熊一本、臺防同知仝卜年之を撙節支應する事とした。

郡城內の倉庫、監獄及び諸要隘、安平大小口等の鎭壓防守には臺灣縣知縣閻炘が司令となり、城守營參將德謙、中營遊擊德祥、護理左營遊擊陳連斌等大兵出城後の留守に任じ、一面臺灣、嘉義、鳳山三縣交界の羅漢門一帯山徑の嚴戒には既に臺灣に差遣された前任福淸縣知縣盧繼祖に鄕勇を帯領せしめ、他面彰化駐紮の北路護副將關桂、彰化縣知縣黃開基に適應截擊方を飛飭した。

然るに十月初七日南路鳳山縣に於いて觀音巖の匪徒蜂起し、民屋を襲擊殺害を行ひ、弁兵の死傷多數を出した。[註二] 八日郡城に稟報あるや、北路出勤中の爲め城守營參將德謙、臺灣府知府熊一本會商の結果、南路營參將余躍龍、署鳳山縣知縣白鶴慶に兵勇を帯領出勤せしめ、臺灣縣知縣閻炘は續いて義首職員吳廷篪、林洪泉の挑撰せる精練壯勇五百名を帯領、守備李恩升の帯領する岡山、猴洞兩汎の弁兵を合して進勦、總兵達洪阿は城守營參將德謙に弁兵、壯勇を帶領して前往策應を命じ、臺防同知仝卜年は屯弁、屯丁、隘丁を山地要隘に分布防堵せしめた。

此の南北兩路の出勦の爲め海口守備兵員の不足缺數甚しく、加ふるに前年以來內地に調用換班せられし水陸戍兵の停止せる爲め總數一萬四千名の中、缺額未補充者一千餘名に達したる爲め、民勇中の年力精壯、技藝爛熟せる者一千數百名を新兵に編成、各營に分配する事となつた。註三

嘉義縣に於いては九月末から十二月にかけて逆匪の股首江見、林旺張等生擒一百十七名、格殺八十餘名を擧げ、出勦以來凡そ三箇月にして殲滅、防夷の隙に乘ぜる匪徒をして遂に無爲に終らしめた。

鳳山縣に於いては大股首陳冲等多く下淡水一帶に逃亡、謠言を播散して青龍會を結成、閩粤民莊及び番社を煽動して將に分類械鬪に及ばんとするの勢があつた。

姚瑩は此に臺防同知仝卜年を鳳山に急派、民人を曉諭鎭撫して勦討を續行せしめ、大股首陳冲、首會匪林流許等以下生擒九十九名、格殺五十餘名を擧げて、南北路殆んど同時に勦滅し終へた。　軍需費五萬餘兩を支出、達洪阿は水沙連方面內山まで勦討、二十二年正月初六日に撤兵回郡した。註四

南北路勦匪最中の十月、閩省泉州府から雞籠第一回八月事件の夷俘を、厦門鼓浪嶼に占據中の夷船に返還引渡を行ひ、暎夷に中國の德を示す事亦一策なりと云ふ咨報に接した。註五

姚瑩は此意見が英夷の懷く所であれば兵威を損せずして鼓浪嶼を回收するを得て、彼に德を施すは亦此計より善きは無く、今英夷にしてその意無ければ彼は大に鴟張を肆にして厦門、定海、乍浦旋奪の勢を以て益々中國を藐視するであらうと反對意見を述べ、閩に解行の途に於いて劫奪を受けん事必定にして斯ては泉州知府の責任誠に重大なりと言ふ可しと警告した。

斯て道光二十一年は、雞籠口八、九月兩回事件と南北兩路逆匪の勦討、夷囚閩省引渡拒絕を以て暮れ、開戰第二年を迎へる事になつた。

然るに道光二十年以來鎭道と臺澎防備の經略に協力して居た提督王得祿は道光二十一年十二月二十八日澎湖に於いて病歿、爲めに今後は達洪阿、姚瑩の兩者に臺灣府知府熊一本を加へて會商辦理する事になつた。註六

翌道光二十二年正月二十七日閩浙總督怡良、福建巡撫劉鴻翱は姚瑩等の覆書に基き、註七臺灣防備狀況を上奏したが、註八此鎭道からの報告は雞籠第二回九月事件以前の

狀況にして、九月事件以後の臺澎防堵事宜の奏報とはならず、重ねて宣宗から確信を探聽し隨時馳奏を命ぜられたが、既述せる如く泉州府知府を仲介とせる夷俘の閩省引渡交渉は姚瑩等の拒絶する所となり、臺澎の重大報告はすべて鎭道から直接上奏せられ、今や全く怡良は夷務査辦の實策を失つた。

斯て四月五日、臺灣鎭道から正月三十日大安に於ける第三回事件の捷報が上奏された。註九

鎭道は正月二十六日戌刻彰化縣の稟報に、二十四日卯刻三桅夷船三隻五叉港外洋を北に駛去せるを知り、淡水廳、鹿港北路理番に按壤飛飭、その際に、

夷情詭詐難保不進口窺伺、懍遵海上爭鋒之旨、惟宜以計誘其擱淺、設伏殲擒去後

と夷船進口の時は水戰に訴ふる事なく、飽まで堅壁清野之法を以て水路不案內なるまゝに淺礁に坐擱するを待つて殲滅すべき樣作戰を明示した。

次で二月初三日淡水廳同知曹謹、鹿港同知魏瀛、委員澎湖通判范學恆、彰化縣知縣黃開基、護北路副將關桂等の稟報に接した。

卽ち該廳縣に於いては指示作戰に遵ひ、漁船を雇募して漢奸に假作し、北路一帶の港口を偵探せる內、三十日卯刻果して三桅夷船一隻は杉板四隻を隨帶して淡彰

交界の大安港外洋に到り、入口せんとせるも兵勇の守備する者多きを見て再び外洋に退出した。

此に於いて土地公港に分兵埋伏し、猫霧捒巡檢高春如、大甲巡檢謝得琛は粵人漁夫周梓等の漁船に乘じて夷船に近づき、夷船上の廣東漢奸と土音を以て招呼せしめ、誘うて土地公港に駛進せしめ遂に暗礁に坐擱せしめた。この機に乘じて開礮轟擊、次で圍襲を行ひ、白夷一人、紅黑夷數十人を格殺、白夷十八人、紅夷一人、黑夷三十人、廣東漢奸五名を生擒、夷礮十門、鐵礮一門、鎭海營所屬の鳥槍五桿、腰刀十把を奪獲、その他圖書類を押收した。

この稟報に依り前候補同知臺灣縣知縣托克通阿、署北路都司岑廷高を現地に派遣、夷船の査勘、礮械の接取、夷俘の護送等一切の善後處置を講ぜしめ、益々沿海の嚴戒を行はしめたる旨上奏した。

宣宗は臺灣鎭道の三度連捷の報奏を五百里よりの馳走なりと激賞せられ、直に內閣に諭して、

覽奏欣悅、大快人心、該逆上年窺伺臺灣、業被懲創、復敢前來滋擾、達洪阿、姚瑩以計誘令夷船淺擱、破舟斬馘、大揚國威、實屬智勇兼施、不負委任、允宜特沛殊恩、嘉懋績、

と智勇兼備の鎭道等の拔群の功を嘉せられ、達洪阿には太子太保銜並に阿克達春巴圖魯の名號を賞加せられ、姚瑩には二品頂戴を賞加、何れも交部の上從優議敍せしめ、前回同樣事件關係文武員弁、義首義勇人等行賞の據實覆奏を命ぜられた。註十
更に軍機大臣に下諭、註十一今回夷俘に就いて訊供せしむ可き事項を左の如く傳達せしめた。
一、五叉港より僚船に別れて北上駛去せる二隻の行先、
二、臺灣行の指令は何人より、如何なる目的を以て發せられたか、
三、英人にして職官に列せる者の有無、
四、今回來擾船の起航地如何、
五、閩、浙、粤各省在泊中の夷船の頭目の員數、
六、逆夷に通謀する漢奸中、英夷に最も信用厚き者の人數及び姓名、その活動經路、
の六項目を列擧された。
此が達洪阿、姚瑩等の夷囚査辦の方針に加へられる事になつ

註

一、東溟奏稿　卷二「出勦嘉義逆匪部署郡城奏」

二、東溟奏稿　巻二　南路匪徒響應遣員撃破奏

三、東溟奏稿　巻二　出駐嘉義逆匪部署郡城奏附摺

本件は十二月二十九日雞籠第二回事件上奏の際に含めて裁可されて居る(籌辦夷務始末　巻四十二)

四、東溟奏稿　巻二　南北兩路已平撤兵回郡奏

宣宗は夷務急繁の際、南北路兩案を速に鎮定無事なるを得た鎮道等の功を賞敍、道光二十七年七月十七日事件参加者の行賞を發布された。(東溟奏稿　巻二　査明南北兩路逆案出力人員奏)

五、東溟文後集　巻七　復泉州守書

六、東溟奏稿　巻二　遵旨嚴訊夷供覆奏附摺

七、東溟文後集　巻五　臺灣不能堅壁清野狀

八、籌辦夷務始末　巻四十三

九、籌辦夷務始末　巻四十七

東溟奏稿　巻二　逆夷復犯大安破舟捦俘奏

十、籌辦夷務始末　巻四十七

第三回大安事件の行賞は二十二年十月十四日發布された。(東溟奏稿　巻四　査明大安破舟捦夷出力人員奏)

十一、籌辦夷務始末　巻四十七

第七章　道光二十二年第四回草鳥匪船事件

道光二十二年二月十四日、鎮道等は廣東靖逆將軍奕山の上奏に據る前年十二月

初八日附發布の今春夷船連䑸臺灣を滋擾す可きを以て益ゝ口岸を嚴守、防堵の完壁を期す可き旨の諭旨を接奉した。[註一]

鎭道は提督王得祿歿後、臺灣府知府熊一本と會商せる結果に基き、水陸戍兵一萬四千名、澎湖兩營、噶瑪蘭一營の隔海、山後の各兵を除き現に臺灣各口岸防備常駐の弁兵三千六百六十八名、屯丁、義勇、水勇五千五百餘名に、隨時調用し得可き鄕勇四萬七千一百餘名を擁して、次の如き五項目の防備方策を奏報した。[註二]

卽ち一に各要口の塞港、二に夷礮防禦の石壁建造、三に鳥鎗の廻避、四に郡城の嚴防、五に逆夷通謀の奸民の稽察にして、二十年八月より二十一年十二月に至る間に要せる經費は姚瑩の各縣廳に支給せるもの二十萬兩、更に閩省籌撥の十萬兩、各府廳縣支出分を合して三十萬兩を越え、昨年十二月解到せる賞銀三十萬兩を以てしても猶不足を告げ、海外夷務の急と事機を誤らざる爲め更に銀五十萬兩の經費を籌撥せられん事を乞うた。

宣宗は鎭道等の臺灣防夷章程の籌議を甚機宜を得たるものと認め、銀五十萬兩籌撥の件を四月二十六日裁可され、一時閩省貯藏の丁銀七萬兩を發送、殘額は繼續解到すべき旨閩浙總督怡良に命ぜられた。[註三]

當時臺灣に於いては鄉勇、水勇等の團練調用には、地方の紳士が主として總理、義首となつて經費を義捐して行ひ、臺灣防備の萬全を期する鎭道等の防堵事宜に協力して來た。

その間に於いて淡水の貢生林占梅は、礮臺の建造、攻守戰具の製造に番銀一萬元、紋銀にして八千兩以上の獻納を行つた。註四 之に刺戟されて民間の軍需製備に義捐する者多數に上り、此等軍需費の獻金は福建省藩庫に送附する事になつた。

宣宗は昨年來民間防備團體には、事件每に文武員弁と同樣に厚く行賞を行つて來たが、此處に新しく起つた軍需費の獻金に對しても特別の恩典を下し、二十二年七月二十九日附林占梅に知府職銜を給予する旨諭旨が發せられた。註五

鎭道は前述せる二月十四日接奉の英船連䑸臺灣を滋擾すべしと云ふ諭旨に從ひ、口岸の嚴防に專念したが、第三回大安事件の夷俘顚林 Gully 等の自供に依つて、註六 浙江滯在中の夷酋咲嘝喳 Henry Pottinger が廣東奸民黃舟等に資金を貸與して、張從、賴嫣來等と共に島內の奸民を買收煽動するの計畫あるを豫知して居た。

三月十八、十九、二十五六等日に、淡水、鹿港、彰化、嘉義等の廳縣營からの稟報に接し、夷船及び草鳥匪船多數が沿岸各口を襲擊せる事が判明、十月初十日次の如く鎭道

から上奏した。（註七）

夾板夷船一隻、草鳥匪船十數隻は滬尾、中港、五汊港、番仔挖等の洋面を南北に往復駛走し、滬尾に於いては漁船數隻を捒致して漢奸を通じて、滬尾口門の深淺、前回夷船擊破の行れた位置等を問ひ、漁夫禁雙、王福等は滬尾は水深二尺にして、その擊破されし場所を知らざる旨を答へ、夜に至つて釋放されたが、夷船はすべて紅白夷數百人にして黑夷は乘船して居なかつたと云ふ。

臺防同知仝卜年、鳳山縣知縣魏彥儀、南路營參將余躍龍等の稟報には、瑯璚の大秀房洋に夾板夷船六隻停泊、三桅夷船一隻は草鳥船數隻を隨同して打鼓港洋面を游奕し、守備兵勇をして揚旗開礮せしめたるに西南外洋に駛去した。

護安平水師副將蘇斐然、護中營遊擊翁秀春、防守四草湖委員屠本等の稟報には、黑水外洋に夷船十隻往來游奕せるを漁船が發見、次で草　多數は四草湖に闖入、二隻は擊沈せられ、他は夷船と共に北方に駛去した。

嘉義縣知縣易金杓、防守樹苓湖口縣丞姚鍾瑞、千總李瑞麟、把總龔正勛等の稟報には、二十二日黎明に夷船一隻、草鳥船數隻は樹苓湖を窺伺せるが、草鳥船一隻を擊沈、夷船之に應戰せるも效なく北方に駛去した。

翌二十三日草鳥船八隻は樹苓湖に近づき、千總李瑞麟の率ひる弁兵水勇と洋上に於いて交戰、匪船三隻は擊沈され、溺死者無數を出し、匪犯林山を生擒、英夷皮盔一頂、厦門水師所藏の鳥鎗一桿を撈獲した。

淡水廳の稟報には、大甲守備何必捷、巡檢謝得琛、在籍禮部員外郎鄭用錫等は兵勇を會帶して土地公港に於いて[註八]、草鳥船一隻を擊破、匪犯陳義、王眞、王安、王楮、翁扇、陳咨、翁賚、陳咨等十二名を擊獲した。

今回の英夷の指揮に依る漢奸を主體とする草鳥匪船臺灣各口襲擊は全く失敗に歸したが、この逆夷の煽動に據る兇逞の徒の匪船行爲は五月に至つて、支那の海上權の消滅を機會に海賊化し、八月に至るも南路海洋に夷船遊奕し、內臺間の海洋交通は全く混亂に陷り[註九]、之に內應して民情最も狡惡なる嘉義、彰化の二縣に動搖を生じ、五月より九月にかけて彰化縣の陳勇、黃馬等を盟主として、水沙連の觸口、嘉彰兩縣交界の斗六門、林圯埔等に蜂起したが[註十]、鎭道等の機宜の處置に依つて九月末を以て悉く勦滅された。

註

一―二、東溟奏稿　卷三　遵旨籌議覆奏

三、東溟奏稿　卷三　遵旨籌議覆奏
清十朝聖訓宣宗成皇帝卷一百七
東溟文後集、卷五　委員請領經費狀
四—五、東溟奏稿　卷三　二次生擒逆奸民訊供進呈夷信圖書奏
六、東溟奏稿　卷三　擊破通夷匪船拏獲奸民逆夷大幫潛遁奏
W. D. Bernard : Narrative of the Voyages and Services of the Nemesis vol. 2 p. 168
七、東溟奏稿　卷三　擊破通夷匪船拏獲奸民逆夷大幫潛遁奏
八、淡水廳誌　卷九　列傳　鄭用錫傳
九、東溟奏稿　卷四　擊捕草鳥匪船多起奏、摺件在洋被劫奏、摺件二次在洋被劫奏、
東溟文後集　卷五　夷船復來臺洋遊奕狀
十、東溟奏稿　卷四　勦平彰化縣逆匪奏

第八章　臺灣鎮道の查辦奏報

道光二十一年八月雞籠第一回事件の夷犯一百三十三名は、同年九月南北兩路に發生せる逆匪の勦滅せられた十二月まで竹塹城に監禁、途中病斃せる者十四名を除く一百十九名を同年末を以て郡城臺南に完送、翌二十二年正月臺灣府知府熊一本、臺防同知仝卜年等主查官となり、臺灣縣知縣閻炘、委員前候補同知臺灣縣知縣托

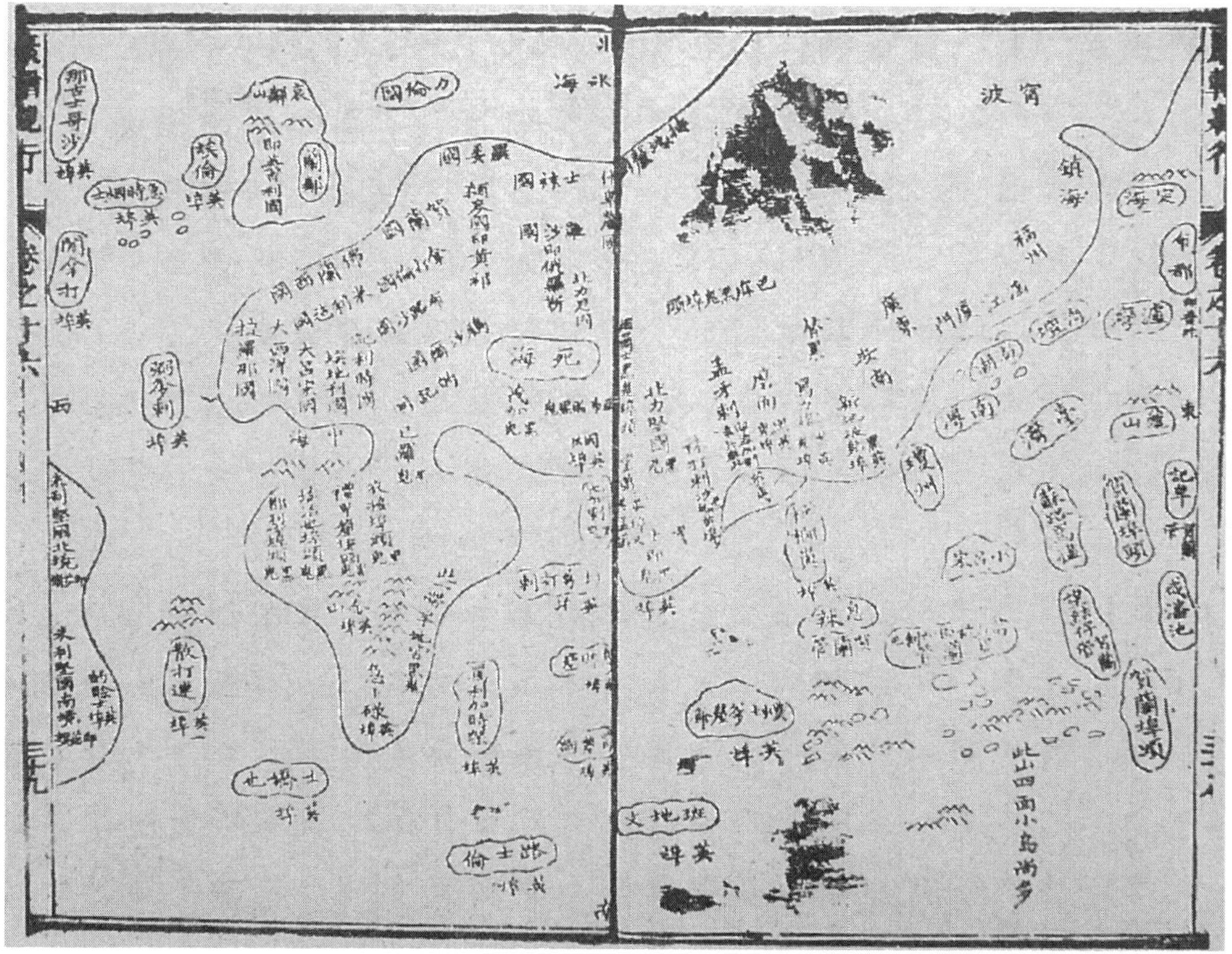

英人顛林（Gully）の作製せる世界地圖（第八章參照）

克通阿等を陪審官、宋廷桂、阿金を通譯として査辦を開始した。

此第一回査辦の結果は、大要次の如く四月六日上奏せられた。註一

今回査辦の方針は道光二十一年十月十五日附上諭に從ひ、註二英夷の中國に於ける軍需品接濟の經路、漢奸の動行等六箇條に基準するものである。

黑夷の頭目、咀莉咥等の供述に據れば、彼等は紅毛、望結仔、吽勝油地方の夾板夷船三隻に駕乘して同時に臺灣洋に來れるものにして、英夷所管の各島は毎年鴉片烟土を貢入するを例とせるが、前年中國に於いて鴉片貿易の禁止を申渡され、英王は鴉片に代るに金銀を貢入せん事を求められたので、各島夷は鴉片の銷售を得ざれば勿論金銀の納入は困難なりと訴へて、依然鴉片烟土を以て貢入を許されん事を乞ふた。

此に於いて英王は梹榔嶼 Penang Is. 望結仔、叻噴等の馬來半島附近島嶼に於いて兵船七十餘隻を雇調して之を孟加刺 Bengal 地方に集結せしめ、大船には夷人八九百名、小船には五六百名、毎名月給番銀四五元乃至十餘元を與へ、漢奸五六名を用ひて途中に於ける賣貨、記張、食用の偸買等に當らしめた。

大頭目は各船を帶領して中國に至り、領事義律 Elliot と共に通商を懇求する命を

有せしも、中國に於いて嚴禁されし爲め、初は廣東の虎門、浙江の舟山、福建の厦門等を滋擾し、昨年義律は罷免されて噗嚕喳 Pottinger 之に代つたので、大頭目は七八月の間に先ず三十餘船を派して厦門を打ち、次で二十餘隻を派して再び浙江を攻擊した。

咀唎喀等は三桅夷船三隻を以て臺灣を窺伺するの命を受けたるに、料ずも彼等の乘船は八月十二日の晩雞籠外洋に到達、同來の二船は途中に於いて見失つた。颪に阻らるゝまゝに停泊し、十六日に雞籠口內に進入するや、官兵に開礮轟擊せられ、彼等も亦應戰せるに大桅を擊碎せられて沈沒した。夷官呷嗶吶 Captain 三人、呵唊萬、吧喇吥、嚨吥嶙等は投海自殺し、白夷十人、黑夷三百餘人、漢奸數十人は帶有せる杉板四隻に分乘逃走せるが、途中官兵に追擊せられて溺死、格殺されし者無數にして、大小礮位三十餘位、火藥、礮子、金銀、食料等は掠奪せられた。

猶漢奸の姓名、里籍に就いては、惟彼等が廣東人なるを知るのみにして、製藥、造礮の原料を問ひたるに只火藥、船隻は本國及び息辣地方に於いて製造し、礮は銅鑄にして、彼等黑夷は操礮には熟せるも、造辦に就いては知る所無しと答へた。

次で硝磺、米石は息辣、孟加剌等より運來せる外、中國各地に於いて漢奸を通じて乾麪粉餅等を接濟するも少量である。海口の測量、夾板船の水層裝置等にも言及、更に圖書、夷字等に就いて訊問せるも、彼等は夷字を解せず、圖書は沿海各島嶼及び中國の地圖にして、夷字は呷嗶哵の物なるを述べ、孟加剌、噴叻は咉夷の屬島にして、梹榔嶼、望結仔、息辣は咉夷の大馬頭の所在地、噶喇吧Java一帶にては、順風なれば四五箇月にして支那に達し得る旨を供述した。

鎭道は以上の查辦奏報に於いて、彼等黑夷は夷情の機微に通ぜず、御史福珠隆阿の上奏に於けるが如く閩省に解到するとも之以上何等得る所無る可く、且護送の員弁に乏しき今日、途中に於いて夷船に奪取さるゝの恐れ有り、王命を待つて正法處斷するこそ國憲を彰し、人心を快する者なるを以て、夷犯は鎭道等に委託し制勝の策を密籌、相機辦理せしめられん事を陳べ、最後に咀喇喹以下夷犯一百十九名の清單を附して御裁可を乞ふた。

宣宗は達洪阿、姚瑩の上奏に據り、今後益〻夷船滋擾の根源を究するには、廣く咉國の事情、咉國と歐州諸國、殊に近來東亞に進出を試みつゝある露國との國際關係、及び現在支那に派遣滯在中の各夷官の身分資格の實狀等を詳細に檢討するの緊要なるを痛感せられ、鎭道に大安事件夷俘の白夷十八名、紅夷一名、黑夷三十名、漢奸五名に關する査辦に當つて此點充分の注意を必要とする旨下諭され、第一回事件夷俘の在臺正法一件は同時に聽許になつた。[註三]

道光二十二年正月三十日大安第三回事件の夷俘四十九名の査辦奏報は、三月十二日附發送、七月十七日上奏批覽になつた。[註四]

鎭道は二月初四日大安土地公港に於ける事件發生の稟報に接するや、直に委員託克通阿、岑廷高を現場に派遣、夷犯四十九名、廣東漢奸五名を郡城に押送、大小銅鐵夷礮十三門、火鳥鎗、刀劍等の器械、破爛せる夷書二册、夷信五十三紙を證據物件として臺南に引擧げ、臺灣府知府熊一本、臺防同知仝卜年、臺灣縣知縣閻炘、暨鳳山縣知縣魏彦儀、委員魏一德、託克通阿、盧繼祖等を係官をして査辦を開始せしめた。

夷目顚林 Gnlly, 大夥長律比、二夥長巴底時、三夥長科因諫埿等の供述に據るに、彼等は咦咭唎國人にして、顚林は鴉片烟土銷售の資本主にして、三桅夾板船の呷嗶丹となり、廣東に向つて本國を出帆せるが、道光十九年望邁 Bombay 地方に於いて廣東烟土貿易嚴禁の報を受け、領事頭目等は本國女王に此旨を報知し國主の資本、收稅は烏有に歸すべしと、大小夷船帶する所の烟土の全部を銷售し得る樣交渉を開始せるも、事態進展を見ざる爲め、新祈波 Singapore, 罵叻格 Malacca, 檳榔嶼、孟加辣、望結仔 Celebes, 噴叻(息辣)、勿多力時、望邁(孟猛)等に於いて兵船を調して義律 George Elliot を大總管、伯麥 Col. Burrell を副總管として廣東に派遣した。望邁一處に於いて派遣せる船十九隻にして、顛林は此船隊に參加して夷兵三百餘名、大小杉板三隻を帶領、望邁管税の夷官馬哩監は番銀十二萬兩を發給して烟土及び呢羽の各貨物を積載せしめ、道光二十年正月出港三月廣東に到着した。

此時漢民黄舟、鄭阿二、陳阿盛、張阿廣、張阿有（大安第三回事件に拏獲さる）、唐阿高、陳阿等夷船に乘じて烟土、雜貨の幫賣に當つたが、英船廣東退却を命ぜらるゝに及んで、虎門攻撃に參加、次で噗嚦嗻大總管として義律 C. Elliot に交替するや、副總管吧噶、咫哂勑力吧敦時等に二十一年七月廈門を攻撃せしめ、噗嚦嗻自ら兵船三十餘隻を率ひて舟山、鎭海、寧波等を攻撃、顛林等は噗嚦嗻に隨同して浙江に至り、十二月に至つて本國兵船臺灣雞籠に於いて官兵に擊破、拏獲せられたるの報告を受けた。

顛林等の兵船多隻は黄舟をして探聽せしめ居たるに、同じく信用す可き廣東漢奸劉相、蘇旺より來信、臺灣人張從、賴媽來、陳惡等は臺灣に至つて夷船の到來までに臺灣民人を勾結相應じて事を起す計畫なるを傳へて來た。

斯て顚林等が二十二年正月二十五日臺灣洋面に至り數日間游奕せるも、張從、賴媽來等の接應に來らざる爲め、三十日に大安港に入口せんとせるも、岸上に兵勇の守備する者多きを見て再び外洋に出で游奕中に、一小漁船夷船に近づき黃舟に向つて話しかけた。

黃舟は夷船を安全に案內すれば、謝金多額を與ふる旨を述べたるに、却つて沙汕に計誘坐擱せしめられ、此時岸上より轟擊圍襲されて五十四名は拏獲、他は生死不明にして、船上の銀、貨物は一切海水に沒したと述べた。

次で夷信多件を顚林等に展示訊問せるに、此はすべて夷人間往復の私信、貿易品類の書類なるを答へた。

更に漢奸黃舟、鄭阿二を訊問せるに、彼等は廣東香山縣の者にして、從來望遖地方に於て商販に從事し夷人と熟識の間にあり、二十一年陳阿盛、張阿廣、張阿有及び現在逃亡中の陳阿齊、唐阿高と共に顚林の雇傭する所となつた。

當時噗嚼喳の船には漢奸大頭目蘇旺、劉相の二人有り、共に廣東番禺縣人にして、各船の漢奸は七八人より十餘人にして何れも蘇旺、劉相兩人の調用に係る。

次で二十一年十二月嘆𠹭𠹭（？）は、八月英船雞籠口に擊破せられたるを聽き、蘇旺、劉相は漢字信一封を前述の通り黄舟、鄭阿二に送り、臺灣先發の張從等と結應擧事せよと命じたと述べた。

黄舟、鄭阿二は共に夷字を識らず、夷書の內容を述べるを得なかつた。

他の陳阿盛は番禺縣人、張阿廣は順德縣人、張阿有は南海縣人にして、その供述せる所は黄舟等の夫に符合し、彼等は蘇旺、劉相の字紙を褂に縫ひ込み居たるも、土地公港に拏獲されし際、落水脫去して遺失せる旨を答へたので、記憶に從ひ數十字を默寫せしめたるに、供述の內容と殆んど異らなかつた。

此に於いて鎭道は證據物件として押收せる夷書が果して奸謀の內容を有するか、或は夷俘の言ふが如く私信、商事の類であるか、臺灣に於いて繙譯にその人を得ざる爲め、夷圖九幅、書二册、信十七件と該夷の描ける船式二紙を北京に送呈、四譯館に於いて繙譯眞僞を辦理せしめられん事を乞ふた。

次に在臺漢奸張從等の訊供を報告して、張從は鳳山縣人にして道光十八年逆首張貢に從ひ拏獲されて廣西荔浦縣に發配となり、二十一年逃れて鳳山縣に回り、南路逆案の際陳沖に興し、臺灣知縣閻炘に拏獲訊供せられ、夷船に內應するの情明白となり既に正法處刑せられし者である。

賴媽來は嘉義縣人にして、十二年張丙の逆案に坐して貴州黠西州に發配、潛に歸臺して內山に至り內應滋事せんと計り、臺灣縣知縣閻炘に拏獲訊供せられ罪に服した。陳惡は鳳山縣人にして、王藍と共に道光七年吳邦英の逆案に參加し、十五年拏獲され、現に新疆に發配せんと搜查手配中の者である。

此等臺灣人にして漢奸に變じたる張從、賴媽來、陳惡（逃亡中）の三人は、或は配所を脫走、或は生計に窮して廣東に到り劉相、蘇旺等に薦められて惡事に走つた者である。

此の鎭道等の詳細を極めた漢奸の動行と、夷船滋擾の關係を述べたる査辦奏報を批覽せられた宣宗は、軍機大臣に下諭して、在臺夷俘は正法を經ざる者は令旨のある迄で監禁し、一方逃亡中の漢奸陳惡の拏獲に力を致す可き旨、鎭道に傳遞せしめられた。

第四回草鳥匪船事件査辦の結果は、十月初十日上奏された。註五

臺灣縣知縣閻炘は逃亡中の通夷蕭石を拏獲訊問せる結果、彼は道光十八年逆匪胡布に與して長汀縣に發配、逃れて廈門に至り陳彩奉の薦めに依つて、草鳥匪船に

參加すべく二十二年三月初十日渡臺せるも、勾結以前に拏獲された。

臺灣府知府熊一本、臺防同知仝卜年、臺灣縣知縣閻炘等は同安縣人林山を訊供、彼は自ら草鳥船一隻を要意して彭士、彭生、孫宴宴、孫賞、禁興、林侑等と夷船大幫臺灣を滋擾するに乘ぜんとし、夷船を嚮導して二十二年三月二十日樹苓湖外洋に於いて他の草鳥船十餘隻と合して報酬を夷盜一頂と定め、二十三日黄勸等の八隻と共に進口擊碎された。

陳義なる者は同安縣人にして、二十一年七月初十日夷船の厦門攻落を機に海盜と爲り、八漿白底船一隻に王能、陳久、王稽等八人を糾合し本年三月夷船を嚮導中、淡水に於いて拏獲された。

斯て給銀に甘んじて逆夷に通謀、嚮導を爲し、或は臺灣内地に於いて漢奸を糾合擧事して夷船の口岸滋擾を容易にし、或はこの隙に乘じて流賊、海盜と變じ、更に夷船の嚮導と海盜を兼ねる者を輩出するに至つた。

宣宗は鎭道の報告を批覽、今後は益〻漢奸唱躍の彈壓、外防内治は鎭道の機宜を得たる處置に期待する旨下諭された。

十月十四日鎭道は註六、五月十九日接奉せる四月初五日及び初六日附上諭註七に遵ひ、既に奏報を終れる夷船及漢奸の動行に關する部分を除き、咲國の國情、在支派遣夷官の身分、咲國の國際關係等に關し次の如く上奏した。

鎭道は五日附上諭に

取供之後、除逆夷頭目暫行禁錮候旨辦理外、其餘各逆夷與上年所獲一百三十餘名均著卽行正法、以紓積憤而快人心

と頭目は訊供を行ひたる後は、暫く禁錮して後命を待ち、他は査辦の終了と共に正法處刑す可しと命令があつたので、紅夷頭目顚林、大夥長律比、二夥長吧底時、三夥長因諫㖡、副頭目怒丈、白夷頭目伊些駱、黑夷頭目忍滿、咱莉唑、哈吻叻咻の夷犯九名と翻譯供詞に當れる廣東漢奸黃舟、鄭阿二の漢人二名、計十一名は査辦後は嚴重禁錮して指命を待ち、其他の

第一回雞籠夷俘　現在黑夷沙噂等九十九名(病死三十四名)

第二回大安夷俘　紅夷肐里等三名

白夷舊錫莫哩等十名

黑夷下治吳蚋油等二十七名(病死二名)

計一百三十九名

は查辦終了と共に、郡城に於いて正法死罪に處す可き旨を應へた。

次に前摺に於いて不充分なる點を補足する爲め、夷語に最も通ぜる鄭阿二に翻譯を、漢字を能くする黄舟に書寫を爲さしめ、顚林等の再訊問を開始したが、顚林等の夷言を鄭阿二が廣東土音にて、翻譯、更に之を黄舟が書寫する間に誤脱を重ね、時に顚林自らその誤を指摘する所等あつた。

今回最終查辦の係官は前回同樣知府熊一本、同知仝卜年にして、先ず英本國より馬來半島に到る間の貿易根據地、即ち埠頭二十六箇處、及び各埠頭間に於ける順難各天候に於ける航海日數を列擧せしめ、噴叻(息辣)望結仔等は賀蘭Holland領の埠頭にして、今回も同地の、黑夷を雇用せる事、吽勝油Malayu?とは黑夷の通稱にして華言に無しと述べ、轉じて歐洲諸國名を列記、英、露兩國の貿易關係に就ては

賀蘭頗爲暎咭唎欺凌、毎倚佛蘭爲援、則與暎咭唎外好而陰忌之、未必聽暎咭唎越其國而與俄羅斯貿易、

と英國に内心快らざる和蘭は佛蘭西を同盟國として未だ英、露兩國の直接交通を許諾せざる旨を述べた。

次に在支派遣夷官の任命系統、官職名、俸給等を記し、逆夷の大小夷船百餘隻の中

兵船、運火輪船は七八十隻にして、多くは貿易船の改裝せるものなる事、軍糧、軍需費の總計は此二年間に二千萬金を下らざる可く、噗嘣喳と雖も永く斯る狀態を繼續し得ずして、何等かの變計を案ずべしと斷じ、暎國の國情に關しては顚林に地圖一葉を描かしめ、詳細解說を試みたるも、

地名人名翻譯殊難、漢人或通其語、而不其文、

と種々翻譯書寫に苦心を重ね、陳倫炯の海國聞見錄、南懷仁の坤輿圖說を參酌、姚瑩は嘗て大學士松筠から聽取せる露國事情を之に加味して堂々三千餘字に近る暎咭唎地圖說一卷を作製、顚林の描く輿圖の解說とした（註八）。

本摺の上奏手續終了と共に、閩浙總督怡良に五月二十三日附書簡を呈し（註九）、今回上奏の件を報告、貿易の道を杜絕せられたる逆夷益々滋擾を企てん事明白なる今日、臺灣に於いては各夷頭目九名と漢奸二名を除く外は悉く正法斬決、以て逆夷欺凌の根絕を期し、

兩軍對壘、勢必交鋒、非我殺賊、卽賊殺我、乃先存畏彼報復之何、何以鼓勵士卒

と交戰國間必ず敵の報復を畏れて爲す可き無く、例へ英夷より雞籠、大安兩事件の人員船貨の賠償を我に求むるとも、之報復の詞にして何等畏るゝ所に非ずと意見

を開陳した。

同様の意見を福州府にも七月初八日附書簡を發送[註十]、厦門、泉州等に於いて、今回在臺正法の事ある爲め逆夷大幫來援すべしと謠言切りなるは、英夷の畏强欺弱の性を知らざる者なるを以て、適切釋疑の法を採られ度しと希望した。

八月初八日、再び怡良に書簡を呈し[註十一]、七月十八日接受せる五月十二日附怡良の書簡に覆したる中に、夷俘の留禁斬決の分別、外防內治の堅持を力說し、例へ逆夷再び北上を開始するとも稍も緩和の要なき旨を應へ、先に聽許された銀五十萬兩の內廣東省より回附の二十萬兩は知府熊一本を委員として人里岔より內渡せしむるを以て、閩省に於いても此款外の撥到有りたる場合は、五虎門に解附同時に請領し度き旨申添へた。

同日福建巡撫劉鴻翺にも覆書を呈し、來函に姚瑩の人物手腕を信賴して海外の公事を掣肘せざる旨の信書を受け總兵、知府とその知遇に感激し居る旨感謝し、嘉義の玉王、峯許、淡水の林祥雲、林占梅、林平侯等の共に狀況、大安事件に於いて顚林が噗鼎喳より受領携帶せる臺灣奸民買收金額は番銀九萬元が確實なる事、破獲夷船の貨物金銀を以て事件參加者の賞金に充當するは統治の根本に患ある事を述べ、今後益〻自戒自重して、防夷内治の重責を果さん事を誓つた。

曾方伯にも同樣趣旨の書簡を送り、[註十二]道光二十年以來外防内治に達洪阿と奮鬪努力を續け、今亦夷俘の査辦報奏を終了、各夷頭目九名、漢奸二名を殘して他の俘囚を悉く正法斬決した姚瑩は、今玆に閩省各上官に一切の報告を爲した譯である。

然るに二十二年七月二十四日南京に於いて中英兩國間に和約成立、十月十四日上奏された鎭道の最後の査辦報奏に對して、前に英夷中國の撫に就きたるを以て、その請ふ所に據り正法せる以外の夷俘は委員をして閩省に迅速回到せしめ、怡良に轉交すべき旨、鎭道に傳達された。[註十三]

註

一、籌辦夷務始末　卷四十七
東溟奏稿　卷二　遵旨嚴訊夷供覆奏
二、籌辦夷務始末　卷三十八
本稿第四章參照
三、籌辦夷務始末　卷四十七
四、籌辦夷務始末　卷五十九
東溟奏稿　卷三　二次生擒逆夷奸民訊供進呈夷信圖書奏
W. D. Bernard : Narrative of the Voyages and Services of the Nemesis vol. 2 p. 156—174

五、東溟奏稿　巻三　擊破通夷匪船拏獲奸民逆夷大潛遁奏
六、籌辦夷務始末　巻六十二
東溟奏稿　巻三　覆訊夷供分別斬決留禁繪呈圖說奏
七、籌辦夷務始末　巻四十七
本稿第六章參照
八、康輶紀行　巻十六　夷酋顚林繪圖呈說夷酋顚林輿圖
東溟文後集　巻七　與方植之書
九、東溟文後集　巻七　覆怡制軍言夷事書
十、東溟文後集　巻七　覆福州史太守書
十一、東溟文後集　巻七　再覆怡制軍言夷事書
十二、東溟文後集　巻七　與曾方伯書
十三、籌辦夷務始末　巻六十二
東溟奏稿　巻三　覆訊夷供分別斬決留禁繪呈圖說奏

第九章　同事件に關する中英外交々涉

道光二十一年八月雞籠第一回事件の情報は次の如くにして英國側に達した。即ち

舟山を出港せる運送船 Nerbudda 號は、道光二十一年八月十二日 (26th September

1841)頃針路を失ひ、臺灣の北端或は澎湖島附近に於いて遭難、その乘組員三十三名はボートに乘つて漂流中を、八月二十二日 (6th October) 香港附近に於いて Black Swan 號の船長 Mann に救助された。[註一]

次に道光二十二年正月三十日大安土地公港第三回事件の情報は同年四月一日 (10th May 1842) に至つて、

臺灣島に於いて Ann 號難船、その乘組員五十七名は遭難せる旨英國側に入手された。[註二]

英國代表 Sir Henry Pottinger は道光二十二年五月二十七日 (5th July 1842) 附布告に於て、[註三]

英國は二百年來對支國交に於いては、專ら兩國民の互惠發展を旨とせるものにして、今回發生せる不幸なる兩國間の戰爭の原因は、前欽差大臣林則徐が代表する一部支那大官の無責任なる强硬外交と、地方大官の噓欺の奏報が皇帝及び支那國民をして判斷を誤らしめ、平和解決の機を逸せしめたものである。

旨の重大聲明を試み、暗に琦善、耆英、伊里布等の協調外交を賞贊して戰禍に苦しむ愚を說き、和戰論者活躍の氣運を促進せんとし、浙江の裕謙、福建の顏伯燾と臺灣鎭

道等を噓欺奏報の一例に擧げ、臺灣鎭道は難船漂着者を虐殺せるを欺つて戰捷を上奏せるものであると發表した。[註四]

七月二十四日(29th August)南京條約を締結せる際に、支那側が代表者として派遣した者は、欽差大臣耆英、署乍浦副都統伊里布にして、英國代表 Sir Henry Pottinger が今後中英交渉を終始左右する條件は具備された。[註五]

Pottinger は南京條約第八、九條夷俘及漢奸釋放の協定に基き、[註六]臺灣事件の現地調査の爲め九月五日(8th October)厦門停泊中の Serpent 號船長 Nevill に現地派遣の命令を發した。[註七] 同日厦門を出港せる Serpent 號は九月十二日歸着、艦長 Nevill の報告に接するや、[註八] Pottinger は十月十九日厦門に入港、廣東に於いて伊里布と中英通商章程の細目取極の約束を有しながら、臺灣に於ける俘虜引渡に關し三通の重大聲明を發表して動かず、南京和平條約の具體的討議は臺灣問題の解決を先決問題とする重大局面を展開した。[註九]

閩浙總督怡良に手交せる十月二十一日(23rd November)附布告に於て[註十]

本英國代表は厦門に於いて一八四一年九月及び四二年三月臺灣沿岸に遭難せる Nerbudda, Ann 兩號乘組員百餘名が恐る可き處置を受けたるの報告に接した。且臺灣府の大官は皇帝の命令に據り虐殺を行へる事判明、且俘虜が戰鬪員に非らざるに於いては全く野蕃極る處置である。

彼等は擔送夫であり、水夫にして何等防備攻擊の武器を所持せず、且難船漂着せる者なるに於いては、今回支那側の取れる行動は嘗て見ざる言語道斷の暴擧と云ふ可きである。

本代表は、臺灣府の支那大官が此等の非戰鬪員たる漂着者を侵略者と曲解、欺つて戰捷を奏報し、死罪に處したる者なるを確認した。

本代表は貴國代表代臣を通じ、穩健なる態度を以て、支那皇帝陛下は事の眞相を洞察せられ、中英兩國家の爲め、斯る嘘欺、惡虐の罪を犯せる地方大官の譴責、處罰を命ぜられん事を望む。

卽ち彼等の財產を沒收し、英國官吏に交附、不當不正にも殺害せられたる者の家族の扶助に資する事を要求する。

若し本代表の提出する要求が貫徹せられざる時は、本國に通告し今後それに據つて生ずべき中英兩國間の紛爭は總べてその責任は支那政府に於いて負ふ可き事を言明する。

支那皇帝陛下は、中英兩國の平和維持の爲め中正公明なる方策を以て處置せられん事を望む者である。

と大要右の如く臺灣鎭道達洪阿、姚瑩は非戰闘員が難船漂着せる者を俘虜として、此を戰捷せる者の如く嘘欺の上奏を爲したる者にして、所謂冒功の罪を犯せる彼等を財産沒收、責任處罰の方法に據つて謝罪せざる時は、再び中英兩國開戰の事有もその責任は一に支那側に在ると、强硬な抗議を提出した。

英國人に對する十一月二十四日(26th November)附布告に於ては、註十一

本代表は二十一日(23rd November)附支那政府に Nerbudda, Ann 兩號乘組員に關する布告を提出した。

本代表は諸氏が既に本問題を熟知し居る所とは考へるが、Nerbudda 號乘組印度人中、一部上陸を行へる擔送夫、水夫は殺害、投水せられ、他は悉く俘虜として臺南に於いて二名を除き、一百七十名の擔送夫、七十名の水夫は死刑に處せられた。

Ann 號乘組員歐米人十四名、葡萄牙人、馬來人、二、三名、支那人五名、印度人等五十名は、支那船の欺導にかゝつて坐礁、俘虜となり、二名は病死、前回同樣臺南に於

いて監房の中に冷酷なる待遇を受け、歐米人六名、印度人三名、支那人二名、計十一名を除くすべての者は死刑に處せられた。

此等の生存者の現狀は不明なるも、近く北京に護送される筈である。

本代表はこの憂慮すべき重大問題の推移を充分に英國民に知らしむる爲め、此に布告を發する者である。

と大要右の如く、現狀を說明して今後の成行を充分考慮す可き旨發表した。

支那國民に對する十月二十五日(27th November)附布告に於ては前布告と同樣、或はそれ以上に臺灣鎭道の取れる處置の慘虐無道なる所以を力說强調して、最後に、註十二

本代表は斯る臺灣鎭道の暴虐なる行爲と、英國官吏が戰時俘虜をすべて酷遇する事無くして釋放せる事實と比較し、支那國民全部が本問題に對して正當なる判斷を下し得る樣、茲に布告を發する者である。

と戰禍に惱む支那人に對し、支那地方大官の暴虐、欺奏無ければ中英兩國間に戰爭無しと云ふ印象を與へる事に努力した。

臺灣鎭道の冒功問題現地解決の命令を受けた厦門在港中のSerpent號艦長Nevillは、先に九月十二日臺灣より歸着の後、閩浙總督に抗議文を提出して夷俘の返還を

要求した事は、十月五日怡良の上奏に對する下諭に見え、[註十三] 宣宗は和議成立後は速に鎭道に夷俘の閩省囘到を命じ、怡良は委員を鼓浪嶼に派して夷官に返還收領せしめ、和議以前に正法せる事情に關しては、撫夷の威徳を畏懐せしめて、後日紛糾の口實たらしめざるを至要とする旨申渡された。

此局地的問題は Pottinger の重大聲明に據つて、中英外交々渉の本舞臺に於て論議せられ、和議締結後の通商章程取極の前途を遮るに至つた。[註十四]

十月十六日閩浙總督怡良、福建巡撫劉鴻翺の上奏には、廈門滯在夷官から臺灣夷俘返還要求の文書の接到せるは九月十七日にして Nevill 艦長の歸着後五日なる事、現在臺灣に收容中の夷囚は十一名に過ぎず、

送到後、似不能帖然順受、與撫議殊有關係

と引渡に際し、英夷釋然たらざるを既に恐れて居た事が見えて居る。

宣宗は怡良等の軟弱なる態度を是正して、夷俘を在郡正法せるは撫議成立以前にして、撫議已に成れる今日禁錮中の顚林等十一名を返還せしむる所以を明示し、例へ夷官之に抗議を行ふとも、和議成立以前は國法の定むる所に從ひて辦理せるものにして、交戰國間に於て互に殺傷あるも事後償還の責に任ずるの理無き次第

を明白宣示せよと下諭せられた。[註十五]

此諭旨に於て

一、臺灣兩次擊獲各夷在郡正法、均在未經議撫以前

二、彼時未定撫議、是以依法辦理、卽如兩軍臨陣、互有殺傷、事後復責令償還、斷無是理

三、該督等務當明白宣示、俾該夷等畏威懷德、不復有所藉口、是爲至要

と三段に明示された訓令の根本は、宣宗最初の態度を反映せるものにして、伊里布、耆英兩欽差出場以前の形勢である。

十月二十八日廣東赴任中の欽差大臣廣州將軍伊里布上奏、[註十六]十月初八日閩浙總督怡良等の臺灣夷俘返還問題善後處置の移沓に接したので、道光二十年以來對英交涉に長い經驗を有する彼は、本問題の交涉全權は喉嚨喳にのみ委任せられ在るものにして、後日彼と面接曉諭するの根本的態度は

奴才當查該夷屢以與我兵交戰、間有弁兵人等被其擒獲、該夷俱未輒加戕害、令臺灣將所獲夷俘、處決殆盡、難保不藉爲口實

と英夷は俘虜を處刑せる事無く、臺灣殆んど此を正法し終れるは紛糾の因無しとの難く、

惟事已至此、不能隱諱、惟有開誠布公、據實面告、並將處決在先、結好在後各情、向其委
曲曉諭、或可冀其順受

と噗囒嗹に會談の際は、卒直に和議以前の處置を說明釋然たらしむるを要訣とし、伊里布は既に十六日耆英と書簡を往復、彼自ら噗囒嗹に會談する要意の下に寧波に向ひたるも、九日定海に出發せる後なるを以て目的を達しなかつた。

玆に伊里布は、對英交渉の全權には噗囒嗹が最も信服せる兩江總督耆英を最適任とし、怡良にはその間を暫定的に處理せしめ、追つて耆英、伊里布赴粤の上、通商章程取極の際に會談を行ひ度き旨上奏した。

宣宗は伊里布の上奏に對して、(註十七) 伊里布は赴粤して通商章程の取極に專心し、耆英は依然として兩江總督を以て、浙江に駐紮し、厦門滯在中の噗囒嗹に對する臺灣夷俘返還問題の正法に關する善後處置は閩浙總督怡良、福建巡撫劉鴻翺をして當らしめ、耆英は浙江に於て福建、廣東兩省の夷務査辦に隨時策應せしむる立前を以て進み、噗囒嗹より耆英の出馬を懇請するとも內政不干渉の原則を以て謝絕すべく、十月十六日附訓令の三原則を以て終始整然と曉諭す可き旨を、伊里布、怡良等に下諭された。

兩江總督耆英は、十一月一日、十四日と連續上奏[註十八]、前摺に於ては噗嘂喳厦門滯在の眞意は、福州に夷館設置の意嚮なるか、或は臺灣夷俘問題解決の爲めなるか不明なるも、後者に在りとするも訓令の聖旨に範り遺憾無る可しと上奏したが、十四日の上奏に於ては十月初一日英夷官僩呋 Nevill 第二回渡臺調査の報告が怡良を通じて臺灣鎭道から達したる旨を述べた。鎭道は夷俘を正法せるは本年五月にして、英夷再び浙江を滋擾せる結果に外ならず、その間久しく留容し置き、且現在存命送還に決せる者は格外の寬恩に屬し、本年九月二十五日金包里洋面に於て難船せる白夷二十五人と共に厦門送還の旨を申聞せ、正法は交戰國間和議以前當然の行爲なる旨を强調したるに、該夷等は滿足裡に交懽して出港したと云ふ。

耆英はこの鎭道等の報告を賞揚し、斯ては噗嘂喳も釋然たる可しと安堵、宣宗も鎭道の報告を嘉賞せられた。

十一月十七日達洪阿、姚瑩等の上奏が達した。[註十九] 鎭道は九月初一日怡良から和議成立と、それに關聯して夷俘、漢奸の釋放を行ふ可き飛咨に接したので、彼等に衣服を給し大號商船を雇用、哨船二隻を以て沿途護送せしむる事とし、指揮官には通判銜前福清縣知縣盧繼祖、題補水師右營守備梁鴻賓を任命、厦門に於て厦防同知に引渡す手配中に、九月初七日 Serpent 號が安平に到着した。[註二十]倆夫 Nevill 等は臺灣府宛書簡を所持せりと稱し、會見を求めたので、臺灣府知府熊一本、署右營遊擊呂大升は八日安平に赴き、水師副將邱鎮功と共に演武廳に於て面接、倆夫は頭目四人、通事一名と共に來場、その書簡を提出せるに、封面に漢字を以て英國駐札厦門水陸提督と寫し、大清國臺灣水陸總鎮臺下投進と書してあつた。故に熊一本は臺灣鎮宛の書なるを以て、達洪阿に轉遞す可しと云へるも、倆夫は手交を肯じなかつた。

故に通事にその書簡の內容を密詢せるに、通事林金の應へる所では淡水に於ける夷俘及び船貨の返還要求に關する者たる事が判明したので、夷頭目九名は既に送還の手續を完了せる旨傳へしめたるに、恭順の風が見えたので、その夜は廟に休息せしめて、飯食を給した。

翌日遊擊呂大升は知府熊一本既に前日歸郡して不在なるを以て代つて書簡を受理せんと交涉したが、彼等は提出せざる儘出港した。

鎮道は和約後の夷船の行動に警戒すると共に、完全なる善後處置を講ずる爲め、夷俘の送還を迅速にする一面、熊一本に正法問題が後日紛糾せざる樣詳細なる書面を作製せしめ、厦門夷官に投遞するの方策を講ぜる旨報奏した。

斯て從九品張肇鑾の指揮する遭難白夷二十五名は十月八日臺灣を發して十日厦門着、臺灣委員知縣盧繼祖、署守備梁鴻寶の指揮する夷俘九名は九月二十三日臺灣發、途中天候に災されて澎湖に避難し十月二十一日始めて厦門夷官に引渡された。英國船員等は武器を持して迫り、臺灣文武官の暴虐を罵倒して漸く去つた。[註二十一]

噗嘛喳は顚林等の在臺中の報告を受けるや、同二十二日 Qneen 號上に於て怡良と面接、二十六日厦門公所に於て再び會見、二十一日附布告を手交した。[註二十二]怡良は噗嘛喳の强硬なる鎭道等の處罰要求と、萬一貫徹せざる場合の非常手段に恐れて、直に耆英に咨報指揮を仰いだ。

十一月十二日怡良からの寄函に接した耆英は、十一月二十一日上奏、[註二十三]對英交涉は依然訓令三原則を堅持するも、萬一噗嘛喳の抗議文に於けるが如く、非戰鬪員を格殺拏獲して戰捷を欺奏し、以て冒功の事實有る時は、支那に於てその責に任ず可きを以て、鎭道等に上京を命じ、解部審辦、以て水落出石を期せん事を乞ふた。

宣宗は斯る處置の不穩當を責め、

自有辦理之處、此斷不可、該夷詭詐百出、勿墮其術中也、卽使實有其事、亦當別有處置

と解部審辦を斷乎斥け、萬一の場合には自ら法有りと下諭された。

耆英は別摺に於て、更に臺灣夷俘問題の現狀と今後の全面的對英交渉との調整に就て委曲上奏、註二十四噗鼎喳は本問題の根本的解決を期して、怡良を交渉の相手とするを好まず、斯る上は自ら赴粤して十月二十九日厦門を發して同地に赴ける噗鼎喳と會談解決するか、或は文書を以て往復交渉すべきかに就て裁下を仰ぎ、正法の處置は今回の夷軍に無き事實を擧げ、撫局の後に於て戰端を開くは禦夷の法に非ずと協調を要請し、噗鼎喳が八月二十三日既に抗議せる旨附言せるは誤にして、註二十五同日の來文は通市に關する事項に止まり、鎭江職員顏崇禮に告示せるに過ぎずと述べ、

今該酋照會、所稱不過掩飾其敗、以誇所長、亦無足深論

と英國側抗議の眞底は敗戰の噓飾にして一片の空文に等しいと喝破しながら

今因該酋一紙空文、遽行奏參、似覺辦理過當、然不如是、竊恐該酋籍此尋寡、意敢侵擾臺灣、轉慮該鎭不能保全、於大局殊有關係、所有不得已之苦衷、定邀洞燭

と臺灣の保全、大局の維持を得るには忍び難きを忍ばん事を要とし、鎭道等を犧牲に供せんと乞ふた。

宣宗は時局の安定、通市章程の善處等は國際信義の尊重、昇平共樂の見地に於て

兩國圓滿なる解決を希望する旨冒頭、戰時に於ける臺灣鎭道の處置には功有つて過誤無しと斷じ、彼我立場を換へなば、英夷果して我國を占るやと駁して、鎭道にして果して冒功の罪有らば中國自ら此を處斷す可きものにして、他國の容喙すべき事項に非ず、賠償の一項の如きは中國に於て要求せず、況や英國より提起すべき理無しとせられた。註二十六 此の諭旨は十一月二十二日伊里布にも傳達せしめられた。

十二月五日鎭道達洪阿、姚瑩の夷官第二回渡臺の善後奏報が上奏された。註二十七 鎭道は九月二十三日淡水同知、曹謹より、九月十六日淡水廳下金包里洋面に於て英夷夾板夷船一隻難船、乘組員は救護せる旨の稟報に接し、直に委員を派して臺南に回送、送還の手續中に、十月初一日英船一隻安平に入口、閩浙總督の文書を携行、郡城に於て手交せん事を求めた。

達洪阿は郡城に在つて、府廳、縣、中左右三營遊擊に警戒を命じ、姚瑩が城外公所に於て夷官二名と面接した。

當日は書簡を本船に殘したるを以て、翌三日午刻夷官備大は部下四名を從へて再び城外公所に於て免冠禮を以て接見した。

怡良の文書は、廈門鼓浪嶼夷水軍統領に交附せるものにして、內容は和約成立と共に夷俘は釋放に決したる事、僕し偭夫の着臺當時臺灣鎭道が上記の本部堂公文に未だ接せざる時は、夷囚は速に厦門に送還し、臺灣に於て直接交附受領す可からざる旨を記してあつた。

同時に偭夫は第一回渡臺の際未提出の書簡を差出したが、恭詞を以て夷俘と船貨の返還要求が述べてあつた。

姚瑩は正法の理由と、生存者九名、遭難者二十五名送還の旨を傳達、明白曉諭して納得せしめ、彼等の招待に應じて夷船に赴き、臺廈人心を安定せしめる、外夷の疑惑を去らしむ、奸人の煽動を杜する、夷船內狀視察等四つの理由の下に、水師副將邱鎭功、右營遊擊呂大升、左營遊擊陳連斌等郡城の警備に任じて達洪阿を臺南に擁せしめ、自ら臺灣府知府熊一本、臺防同知仝卜年、候補同知直隷州知州托克通阿等の文官三名を率ひ、一兵一刀も帶びずして夷船を訪れた。

同船に於ては天朝恭敬の三礮、姚瑩登艦三礮の禮を發し、旗幟を懸けて迎へ、太平酒の杯を擧げて交歡下船に當つても禮砲を發射する有樣であつた。

六日には遭難白夷は張擎鑾を指揮官として夷船に便乘せしむる事に決し、夷官に領狀を書寫せしめて九日安平を出發した。　知府熊一本の鼓浪嶼夷官宛書簡は李遠芳が所持して漁船にて九日安平を發した。

十二月七日伊里布は上奏して、[註二十八]十一月二十三日兩廣總督祁墳より轉文を受けたる嘆咭唎の臺灣夷俘問題の照會文に接し、文中に鎭道の冒功を訴へ、遭風難夷虐殺の件を强調、支那側に於て代奏を承諾せざる時は、自ら天津に赴いて、投遞すべしと重大決意を披瀝して居たので、伊里布も事態の一日も遷延を許さざるに驚き、兩廣總督に咨稱して嘆咭唎への覆文の完成するまで、暫定的方法として、鎭道等の解部審辦を要請した。

此に於て宣宗は、純理外交を捨てゝ、大局達成の爲め、冒功の有無査辦の爲め閩浙總督怡良臺灣派遣の一件を承認、果して鎭道にしてその事實有る時は自ら處分する所有る可きを以て、伊里布は專心通商事項の交渉に專念せん事を下諭された

然るに十二月十一日耆英上奏、[註二十九]浙江提督李廷鈺が潮州鎭在任中商人より探聞せる所に據り、臺灣俘囚は遭風難夷なるが事實にして、始め村民等夷人を監禁、船貨を奪掠せるを鎭道之を知つて交出を命じたるも、官兵之を誅戮せんか夷船來復せん事を恐れ、再三索要せられて提出せるが、萬一此が爲め夷船來復滋擾せば、官を戕して解免を圖り居る旨の情報と、候補四品京堂蘇廷玉が今夏船舶業者より略ゞ同樣の

風聞を得たるに從ひ、實に據らざる儘上奏し、怡良の渡臺査辦は益々急を要する旨を陳べ、接仗俘獲か遭風難夷かを決する事は、夷心を折服し、且事端を防ぎ、國家國防の上に資する所大であると論じた。

宣宗は耆英の陳奏に激動せられ

設或如是、豈非欺君誤國而殃民、其罪尚可逭乎

と鎭道等冒功の豫斷を深く抱き、耆英には怡良臺灣差遣の旨を傳達せしめ、伊里布には此事情を飛咨して事端發生防止に盡力を命じ、且渡臺査辦の重任を受けた怡良には査問上の注意事項、冒功の事實を發見せる場合の處置と共に、萬一怡良にして職務の重責を忘却し隱飾の情有る時は、撫夷の大局を誤る罪恐る可しと嚴飭、着臺の上は兵民、官吏を訊供し、達洪阿、姚瑩に朦混奏報の事實有る時は、直に革職を申渡し福建省城に於て辦理す可く、鎭道の印務は知府熊一本に代理せしめ、伊里布、耆英にその旨飛咨して撫夷の大局を完成せん事を下諭、宛も鎭道の冒功は決定的となり、怡良の奏報の結果は今より明かである。

十二月十七日には、伊里布[註三十]、十九日には耆英相繼で上奏[註三十一]、

飭將臺灣鎭總兵達洪阿解京訊問、以完局而靖海宇、且俾臺灣無事、亦正所以保全達

洪阿
と鎭道等の解部審辦の決定を見ば、撫夷の大局を完成し、國內平和の實現に力あるのみならず、鎭道等の身邊の危險を去らしめ、以て臺灣の無事なるを得べしと極力贊意を表明し、事の是非曲直を無視して鎭道を犧牲に供し以て彼等欽差、總督の夷務查辦の達成を期した。

註

一、Chinese Repository vol. xl 1842 p. 585

二、Chinese Repository vol. xl 1842 p. 674

三、Chinese Repository vol. xl 1842 p. 510

四、Chinese Repository vol. xl 1842 p. 511

The tautai on Formosa, when shipwreck had cast men on that island, that he had gained a victory over them in battle; and the general Yiking, in May last, that he had destroyed many vessels and killed a multitude of men at Chusan, when not one vessel was injured, nor a single man killed. These multipiled false statements, misleading the emperor and people, and hindering peaceful arrangements, are a third great cause of offense against the English.

五、籌辦夷務始末　卷五十九

Chinese Repository vol. xi 1842 p. 519

六、籌辦夷務始末　卷五十九

七、Chinese Repository vol. XI 1842 p. 681

八、Chinese Repository vol. XI 1842 p. 627
九、Chinese Repository vol. XI 1842 p. 682
十、Chinese Repository vol. XI 1842 p. 682
Proclamation regarding the treatment of the prisoners on Formosa
十一、Chinese Repository vol. XI 1842 p. 683
Proclamation to H. B. M.'s Subjects
十二、Chinese Repository vol. XI 1842 p. 684
Proclamation to the Chinese
十三―十七、籌辦夷務始末　卷六十二
十八、籌辦夷務始末　卷六十三
十九、籌辦夷務始末　卷六十三
東溟奏稿　卷四　夷官乘舟投書及遵釋夷囚奏
二十、Chinese Repository vol. xi 1842 p. 627
二十一―二十四、籌辦夷務始末　卷六十三
二十五、清張喜撰　撫夷日記（國學文庫第三十五編）七六頁に

耆將軍牛制臺咸大人俱來、拜會伊中堂、黃大人亦來、稟見噗酉來書求釋臺灣所獲夷人、

と道光二十二年八月初三日の條に見えて居る様に、正式交渉では無くとも、此頃から既に下交渉は行れて居た様である。

二十六、籌辦夷務始末　卷六十四
二十七、籌辦夷務始末　卷六十四
東溟奏稿　卷四　夷船二次來臺釋還遭風夷人奏

二十八―三十一、籌辦夷務始末　巻六十四

第十章　臺灣鎭道の責任問題

道光二十三年正月八日欽差大臣、伊里布は上奏して、[註一]嘆囒喳 Pottinger との臺灣夷俘問題會談の結果を報告した。彼は廣東着任以來兩廣總督祁墳、廣東巡撫梁寶常と熟議せる上、十二月二十日黃埔河面に停泊せる嘆囒喳の乘船に赴き面接した。嘆囒喳は正法問題と達洪阿、姚瑩等の冒功を難詰し、飽くまで貿易商船の遭難漂着せる者なるを主張して止まなかつた。

伊里布は本問題の眞相調查の爲め、既に閩浙總督怡良を臺灣に派遣せる旨を通告するや、嘆囒喳は漸く納得した。[註二]伊里布は本調查には相當日數を要す可きに就き、通商章程の取極のみは別個に進行せしめ度き意嚮を傳へ承諾を得たが、伊里布は英夷の兇惡守信の性に鑑み、鎭道等の審辦は一日も忽せにす可からざるは今後の大局に不可避の情勢なるを訴へて、怡良の渡臺の迅速に行れん事を請ふた。

宣宗も現下の情勢を憂慮して、怡良の迅回查辦と、伊里布欽差と密接聯絡す可き旨下諭せられた。

正月二十六日臺灣鎭道達洪阿、姚瑩等上奏、註三昨年十月夷俘を厦門に護送せる際、臺灣夷俘問題が論難せられて居る實狀が判明したので、英國側抗議文に於ける遭風難夷の一件が虚飾に過ぎざる所以を陳述した。

二十二年十月初八日夷船に便乘厦門に送還せる金包里洋面難夷二十五名は委員張肇鑾附添ひ十日鼓浪嶼に到着したが、知府熊一本の書簡を携行せる效用李遠芳は、九月十九日漁船に乘じて出發せるも漂流して廣東省惠來縣に至り、陸路鼓浪嶼に到着せるは十月十二日にして、顚林等を護送せる盧繼祖等の船は九月二十三日臺灣を發し、風行不順なる爲め澎湖に寄港、十月十九日出港して二十一日漸く厦門に到着した。此時夷船は港口に待受け、顚林等九名を收領するや回照も給せずして去つた。

此時厦門に於て在臺正法せる夷俘は、總べて難氓商人にして臺灣文武官の處置を論難し居る風聞を聽いて歸臺報告した。

この意外な報告に接した鎭道は、怡良に實狀を報告すると共に、註四今回の上奏を行つたものである。

鎭道は鷄籠、大安兩事件が何れも難船夷に非らざる理由左の如く述べた。

鷄籠八月事件

颶風のありしは八月初九日にして、十二日申刻に止み該夷船の鷄籠口停泊は十三日申刻に係る。且十六日卯刻二沙灣礮臺に兩礮を連發、兵房を破壞した。颶風の前後に遊奕し、外洋停泊後進口までに三日を費し、且礮門、戰械多數を有せるは難風商船と云ふ事は出來ぬ。

鷄籠九月事件

礮臺、石壁を攻破し、哨船一隻を焼毀、兵傷いて始めて退きしは、攻戰にして難船は口實である。

大安土地公港事件

正月二十四日三隻五汊港外洋を駛走、守兵之を誘計擱淺せしめた。夷俘、漢奸、及び多數の證據物件に見るも、亦訊供せる結果に據るも明かに浙江を滋擾せる一船である。

以上の如く彼等が商船遭難を稱せるは、來臺挫衂の恥を飾らんとするものにして、和議以前に於ては難船と雖も攻擊拴斬するは理の當然にして、英夷戰船多くは商船の類にして、勝てば兵船を稱し、敗れば以て詭計の辭と爲すは此兵家の常なりとは云へ、和議以前に溯るは不當であるとて、玆に鎮道は伏して聖上、大臣の聖察賢洞を仰ぐと陳奏した。

宣宗は、事實難風商船に非ずと雖も、大局より判じて達洪阿等は撤任赴閩せしめ、候旨辦理、その後任には保芝琳を充て、移動に當りて臺人浮動匪亂の事無き樣萬全を期す可き旨下諭せられ、皇帝側近に於いて達洪阿、姚瑩の離臺は決定的となつて居た。

三月二十四日怡良の査辦奏報が上奏された。[註五]

怡良は正月二十五日着臺、[註六]沿途訪察を續け、參將武攀鳳、候補知縣史密を北路に派して民間より探聽せしめ、嘉義に於いて會同、當地各官に詢尋せる結果は一樣に難船不攻戰と決定された。

八月事件は十六日大武崙山後にて擊碎、杉板にて逃去せる者以外は、登岸して民人に食を求めて捦獲せられ、後地方官此を賞受せるものにして、大安事件も同樣夜間挫擱、民人之を招匿せるを二月初二日賞受せるものである。

要するに達洪阿等は義憤の餘り、處置過嚴に失せるものにして、詰面せる結果彼等も之を認め、自ら治罪を乞ふに至つたが、飭部治罪、解部審辦の何れに處置す可きや福建省城に於いて諭旨を俟つと決裁を請ふた。

宣宗は内閣に下諭して、達洪阿、姚瑩は革職、刑部に解交して軍機大臣會同の上審辦せしめ、在臺出力文武員弁の賞褒は撤銷する旨命ぜられた。

斯て正月二十六日怡良に面接した達洪阿、姚瑩は自ら治罪を乞ふて怡良と閩に赴き、五月福州を發して上京する事になり、[註七]その旨噗嘸喳に伊里布から通告した。[註八]

姚瑩は怡良に面接以後、何等本問題に關して陳辯を試みず、彼の眞意は知り得なかつたが、五月下旬福州を去るに臨んで始めて信友知己に感想を述懐した。姚瑩が最も心服せる上官、福建巡撫劉鴻翱に送つた離別の書がその全貌を傳へるものである。[註九]

姚瑩は雞籠、大安兩次の斬獲が遠隔の地に在り、親行する能ず地方官民の稟報に基きて上奏せりとは云へ、そは軍中尋常の事にして、朝廷屢〻專征の命を降し、臺灣官民義憤以て獨力夷蔑を斥けるを得、内地各要路滋擾の兵船たる事明かなるに於いては、九重の焦憤の懷を慰めたるは計り知り得ないと述べ、然るに怡良渡臺して鎭道に逮問するや既に成算有り、一時軍民怡良の命に服せず、その勢洶々たるものあり、達洪阿自ら慰諭に力め、全臺の士民公署に泣愬して鎭道の爲めに上訴を願ふ者數無き有様であつた。

姚瑩等元より冒功の覺無きも、茲に革職の辭を受け敢て强辨せざるは、撫夷大局成れる今日在臺すれば逆夷の滋擾交戰は免れ難く、誣訴すれば英夷と對質を要し、斯ては天朝、大臣、國家を辱むる事となり斷じて避く可しとした。

文武の功、忠義の心より國家を重しと考へ、撫夷前は揚威勵士、撫夷の後は息事安人に在り、鎭道此に罪を逃るゝ事をせず、喋嚼喳の宣示を駁奏、怡良に抄呈せる上は思ひ殘す所無しと考へた。

怡良は士氣の取るは身家を亡して社稷を計るに在るを解せず、詭辭、强嬌を以て鎭道等を深責するに至つては能く辯ずる所に非ずと評して居る。

且怡良が鎭道等の捷奏を難詰したのに對し、鎭道の奏事は國制の定むる所にして、戰中の奏報は展轉せんか誤悞多く、聖廑又海外の情事速知を求められるに於いて論難の謂れ無く、夷俘の引渡に至つては、海上夷船に奪取されん事を恐れたるものにして、此を以て、鎭道の專功を罵るに及んでは、遙制する無きを約するも大事に當つて此語あるは鍾、鄧、顏各古人に及ばざる事遠しと斷じた。

姚瑩は、逆夷が難夷斬捦を訴へれば、諸大師相繼で糾參し、逆に臺灣冒功の罪成る、本道の懼るゝ所は只今後の兵戎謀國に在りと痛憤した。

同鄕の知友方植之に送れる書には、[註十]一身の榮辱を捨てゝ疆土を保ち黎庶を安んずるこそ望む所にして、追取恐嚇以て結狀せる怡良の憐む可き獄吏の風を忌み、英夷の術中恫喝に會て彈章相次で至る、その因は鎭道に加賞有つて督撫に無きに在ると指摘して、林則徐、鄧廷楨兩先輩が西域に寂漠たるを考へて、今後は讀書修身を期して居る。

五月延平の舟中より光律原に送れる書には、[註十一]江、浙、閩、粤四省の大師、英夷の恫喝に會ひ、鎭道を死罪に處して謝罪の辭を爲さんとする意ある旨を記して居る。

斯く姚瑩は平生の心と滿足の意を以て八月十三日逮京入獄、軍機大臣穆彰阿を主審官とする臺灣鎭道冒功の獄が辦理軍機處・刑部合同特別裁判廷に於て審理される事になつた。[註十二]

鎭道は刑部審辦に於いても、撫夷の大局より口舌辨强を爲さず、得應治罪を乞ひ、遂ひに八月二十五日審辦の結果は穆彰阿から上奏され、[註十三]怡良の覆奏を原案として有罪の判定を與へて裁可を請ふた。

宣宗は同日內閣に下諭して臺灣鎭道が地方文武士民の稟報に賴り、過誇陳奏せるは治罪に相當するも、在臺多年の功績と、夷船進口の際南北兩路匪徒の鎭定に當り機宜の處置を講じ、在臺兵力を以て迅速藏事せる微勞を嘉せられ、革職を以て責任を免じ、卽日出獄を許されて玆に治罪免除の恩典に浴した。

此旨伊里布を通じて噗噸喳に傳達され、玆に全く臺灣鎭道冒功の獄は解決されるに至つた。註十四

註

一、籌辦夷務始末　卷六十五
二、籌辦夷務始末　卷六十五
　Chinese Repository vol. XII 1843 p. 103
三、籌辦夷務始末　卷六十五
四、東溟文後集　卷五　風聞厦門夷情及覆狀
五、籌辦夷務始末　卷六十六
六、東溟文後集　卷七　奉逮入都別劉中丞書
七、姚瑩年譜
八、Chinese Repository vol. XII 1843 p. 333
九、東溟文後集　卷七　奉逮入都別劉中丞書
十、東溟文後集　卷八　再與方植之書
十一、東溟文後集　卷八　與光律原書

東溟文後集　巻九　十辛齋記

十二、姚瑩年譜

十三、籌辦夷務始末　巻

十四、Chinese Repository vol. XII 1843 p. 500
The Memorial of I'liang
Chinese Repository vol. XII 1843 p. 502
The imperial reply

結言

鴉片戰爭の發端以來海外孤懸の臺灣に於いて臺澎洋面の危機を防ぎ力戰能く夷禍を攘けた臺灣鎭總兵達洪阿・臺灣道姚瑩は、閩浙總督怡良の渡臺査訊を受けるや潔く職を退き、全臺官民泣愬の中に人事を盡して上京した心境は、劉鴻翱に與へ書た簡に明かなる所である。註一

八月二十五日軍機大臣穆彰阿が鎭道等有罪の判決を上奏せる時、宣宗は達洪阿・姚瑩在臺多年の功績、戰爭當時南北兩路、匪亂鎭定の功を嘉せられ、革職を以てその責を免じて卽日出獄を許された。

是より先、二十二年十一月二十三日噗嚼喳から伊里布に臺灣鎭道冒功の再抗議が提出されてから、宣宗の諭旨は極度に硬化し、鎭道の冒功は確定的なるかの如く、怡良もその旨覆奏せざる時は重罪を免れざる形勢に在つた。

雞籠八月事件の捷報が鎭道から上奏され、臺灣の情勢を下諭に依つて始めて承知した怡良は、直に夷俘の引渡を交涉して拒絕され、次で九月第二回事件が上奏され、鎭道の連戰連勝は宣宗の激賞を蒙り、怡良はそれ以來鎭道の活動を援助する事にのみ從ふて來た。

怡良は遂に鎭道專功の念を深く抱き、道光二十二年十月二十六日噗嚼喳の第一回抗議に接して益、鎭道を憎惡するに至り、伊里布・耆英を動かして達洪阿・姚瑩の解部審辦を策動、十一月噗嚼喳の再抗議を機に軍機大臣穆彰阿を動かす事に成功し、註二 怡良の覆奏を待たずして撤任離臺が確定した。

斯して逮京入獄、穆彰阿主審となつて有罪を判決したが、同日宣宗は無罪出獄を下諭せられ、然も同年十月姚瑩は特旨を以て同知直隷州知州に任じて四川に發任、達洪阿は三等侍衞に任じて哈密辦事大臣に補せられた。註三

宣宗が穆彰阿等の密奏を斥けて、達洪阿・姚瑩の無罪を宣告したのは時論の反映

Annual Bulletin
of
The Department of History

vol. IV 1937

Contents

Published
by
Faculty of Literature and Politics
Taihoku Imperial University
Formosa, Japan.

October, 1937

にして、清史稿に[註四]

因敵非専注、朝廷皆不得已而罪之、諸人卒皆復起而名節播宇内、煥史册矣

とある様に世人多く鎭道の功を譲り、怡良は反對に時論の譏る所と爲つて同年官を乞ふて官を退いた。[註五]

臺灣に於いても澎湖最初の進士蔡廷蘭は、姚瑩留任懇請の書を呈して枉罪を雪んとした。[註六]

玆に清史稿が姚瑩傳に論じて[註七]

姚瑩保巖疆、挫強敵、反遭讒譴、然朝廷未嘗不諒其忠勤、海内引領望其再用、亦不可謂不遇矣

と朝議の不明よりは、海内の信望の厚きを徳とした點は誠に至言と言はねばならぬ。

道光三十年十月二十八日文宗は、宣宗在位の時夷務を専断せる穆彰阿・耆英の罪を明かにせられ、[註八]

穆彰阿身任大學士、受累朝知遇之恩、不思其難其愼同德同心、乃保位貪榮、防賢病國、小忠小信、陰柔以售其奸、僞學僞才、揣摩以逢主意

と穆彰阿の陰險邪惡にして、保位食榮以て上意に迎合せる小人の不德を責め、

從前夷務之興、穆彰阿傾排異己、深堪痛恨、如達洪阿、姚瑩之盡忠盡力、有礙於己、必欲陷之、

と穆彰阿が惡逆結黨の方を以て、己に類せざる者は悉く此を斥けん事を計り、達洪阿・姚瑩は自己に不利なる存在なりと思惟して、極力鎭道治罪を劃策せる陰謀を糾斷せられた。

因果應報と云ふか、天網粗にして漏さずと云ふか逆夷の腹心と痛罵された耆英、註九小忠・小信と彈ぜられた穆彰阿の兩人が皇帝側近の地位から遠去けられた諭旨の中に、臺灣防衛の功勞者達洪阿・姚瑩の忠誠が中外に宣揚され、冒功の罪が雪れたのは痛快と云ふ以外に言葉がない。

道光三十年達洪阿・姚瑩の罪が昭雪された時、達洪阿は伊犂參贊大臣、西寧辦事大臣を歷任して副都統を授けられ、咸豐元年紫金山西南礮臺を破り、廣西を勦賊、同四年軍中に歿し、註十姚瑩は二十年湖北鹽法道から廣西按察使に擢用、時に廣西の奸民洪秀泉・楊秀淸等邪教を以て衆を惑し亂を作せるを以て、天下の士大夫は姚瑩の勦賊を喜び相告したが、事成らずして咸豐二年六十八歲を以て歿した。註十一

達洪阿・姚瑩の去つた後の臺灣は、道光二十六年以後三十年に懸けて英船厦、雞籠港に進口、煤炭採掘を企圖し、閩浙總督劉韻珂には南京條約に依る福建開港を臺灣に變更せん事を求むる夷書相繼で至り、英國の臺灣開港政策は依然として閩浙總督の難關であつた。註十二

註

一、東溟文後集　卷七　奉逮入都別劉中丞書
二、文宗顯皇帝聖訓　卷二十七
三、姚瑩年譜、清史稿列傳一百五十六　鄧廷楨附達洪阿傳
四―五、清史稿列傳　一百五十八　怡良傳
六、澎湖廳誌　卷七
七、清史稿列傳　一百七十一　姚瑩傳
八―九、文宗顯皇帝聖訓　卷二十七、清代七百名人傳　上册　三一九頁　穆彰阿傳
十、清史稿　列傳　一百五十六　鄧廷楨附　達洪阿傳
十一、中復堂全集　墓表、姚瑩年譜
十二、籌辦夷務始末　咸豐朝卷二、卷三

彙報

昭和十一年度史學科講義題目

國史概説(二)　小葉田助教授
(足利時代以後)
國史特殊講義(二)　中村教授
(古文書の形式)
國史講讀(一)　中村教授
(上代の史籍)
國史講讀及演習(二)　小葉田助教授
(中世對外交渉史・善隣國寶記)
東洋史概説(二)　前半　桑田教授
東洋史概説(二)　後半　青山助教授
東洋史特殊講義(二)　桑田教授
(瀛涯勝覽)
東洋史講讀及演習(二)　青山助教授
(大唐六典)
南洋史特殊講義(二)　岩生教授
(南洋關係史籍解題)
南洋史特殊講義(二)　岩生教授
(近代暹羅外國關係史)
南洋史講讀及演習(二)　岩生教授
(W. Carelse: Indië vroeger en nu)
土俗・人種學概論(二)　移川教授
土俗・人種學講讀及演習(二)　移川教授
(L. H. Duley: The Peoples of Asia)

岩生・菅原兩助授教の教授昇任

南洋史學講座擔任の村上直次郎教授は昭和十年九月を以て退官、その後任には助教授岩生成一氏が同十一年三月三十一日附教授に昇任の上、新に南洋史學の講座を擔當する事となつた。

又西洋史擔任の菅原憲助教授は昭和十二年三月三日附を以て教授に昇任した。同教授は昭和十一年二月在外研究員を命ぜられ渡歐、主として獨逸に在留、斯學研鑽中の處來る十二年九月歸朝の豫定である。

箭內氏の講師囑託

南洋史學講座擔任村上教授の退官、岩生助教授の教授昇任に伴ひ、新に南洋史學の講義を分擔する爲め昭和十一年十一月十二日箭內健次氏が講師を囑託された。

小葉田助教授福建省出張

小葉田助教授は昭和十二年一月十二日基隆出港の第三艦隊旗艦出雲に便乘して福建省に出張、福州・廈門・泉州等に於て日明貿易殊に琉球に關する資料を調査、十九日澎湖島馬公に歸港、翌二十日歸學した。

移川教授渡歐

移川教授は昭和十二年五月八日巴里に於て開催される國際人類學・民族學會の學術會議及評議會出席の爲め、三月二十日東京を出發、シベリヤ經由で同地に赴いた。

同教授は大會出席後、ロシヤ・ドイツ・ベルギー・ポーランド・スエーデン・ノールウエー・イタリー・オランダ各國の大學、博物館等を視察、特に和蘭ヘーグ國立古文書館蒐藏の臺灣關係資料を採訪の筈である。

臺灣史料調査室の現況

昭和十一年六月文政學部史學科內に臺灣史料調査室を設置、史學科教職員・卒業生・學生十七名を以て臺灣關係資料の蒐集・整理・島內史蹟・史料の調査採訪に着手した。過去一箇年間の成績は現地調査十八回、拓本の採集百二十餘點、史料寫眞の撮影六百餘枚に達してゐる。猶調査區域は昭和十一年度に於て臺北・臺中・新竹三州管內の大半を終了、昭和十二年度に於て以上三州の未踏査區域及び臺南高雄兩州下を調査の豫定である。今日迄の調査概況は左の通りである。

第一回　昭和十一年六月二日

午後三時宮本助手以下八名臺灣神社參拜後、境内の劍潭寺に於て廟宇の外觀と内部をパテーと寫眞に收め、廟内左側壁間に塗り込みの道光二十五年劍潭寺碑記、咸豐二年境内取締碑、乾隆五十九年淑文鳳喜謝碑等を拓本とした。

同五時宮ノ下驛發唭里岸驛に下車して直ちに石牌派出所に向ひ、同構内の歸番管業界碑の拓本を採つた。

次で唭里岸部落に向ふ途中、石牌三十九番地道路に石敢當一基を發見した。

唭里岸部落に達する唭里岸四百七十三番地、磺溪に向ふ道路と石牌からの道路が丁字形に相會する場所の民屋の生垣に沿つて石敢當一基を發見した。碑石の途中から毀折して二つ竝べて立てゝあるが、全長縱八十五糎、横四十糎で獅頭含劍を刻せるもので、石壁に沿うて部落の中央に入る道路の突當に尙一基を發見したるも夕暮近く、再調査を期して慈生宮に向つた。同廟は明の永曆二十三年の建廟に係り、數度の改修を經たる爲め何等記錄すべきもの無く、七時を過ぎたる爲め引擧げ、唭里岸驛午後七時四十分發歸北の途に就いた。

第二回　六月五日

午後一時臺北驛發士林に向ひ、同地舊街より芝山巖惠濟宮に至り、同廟より附近地物の寫眞撮影を爲し、同廟東庭の道光二十五年惠濟宮碑誌、道光二十九年芝山合約碑記を拓本とし、それより前述の石牌派出所内の管業界碑の舊所在地の現地調査に向ひ、軟橋より滴子部落を經て磺溪の溪流に沿うて猴洞の峽流迸る邊りまで調査して既述せる二百四十番地道路附近を寫眞に收め、歸途二百三十九番地吳木枝(現家長吳紅牛)家を訪れ、同碑の所在を確め、契字文を借覽せんとせるも不在の爲め不果、磺溪を渡つて、三角埔に出で農業傳習所裏手の翁木枝家を尋ねて土目印を求めたるも同じく不在にて、午後六時歸途に就いた。

第三回　六月十四日

第三回は午前九時臺北驛發、舊北投驛に下車、同街西端の淡水廳故儒士陳王麟之妻周氏の旌表、及び陳氏の祖廟を調査、次で新北投草山道路を進み硫黄谷附近の採集現状を視察、極めて原始的操作を以て採硫せる有樣を寫眞に收め、午後一時新北投發山脚部落を過ぎ關渡に至る山脚地帶の直線コースに入る。

石頭厝部落近くの丘伏地の墓地に、乾隆四十一年考欽明謝公の坟墓最も古く、降つては嘉慶、同光の墓碑十數基があつたが恐らく內北投開拓史上の人物で、港子尾部落の西端、陳義改氏の祖廟に祀れる乾隆三十五年死去せる陳秩英夫妻と共に記錄さるべきものである。

途中嗄嘮別三百五十七番地高山の宅前に石敢當二基又港子尾部落近く鐵道線路際に一基を發見したが、後者はその形狀沖縄縣の球狀に近きものに似て、現在までの偏平狀のものに比して著しい相違がある。

更に關渡舊道に入りたる頃、北投草山の硫黄採集場方面を望む美事な景觀を發見し、關渡を起點として內北開拓の行れたる頃を想像する事暫し、關渡三將軍廟、關渡宮を訪れたるも改修甚しく史料の記錄すべきものも少く、午後六時關渡驛發歸北した。

第四回　六月十七日

午前十時大橋より局營バスに便乘、新莊街の調査に赴き、北條熊人、黃淵源兩氏の案內にて先づ保元宮の咸豐九年圳水取締碑、道光十七年坡圳取締碑の拓本を作製、次で地藏庵に至るも現在改修中にして、明治四十四年重修碑あつて、その創建嘉慶の初期なる事記錄するを寫眞に收め、晝食の後午後三時街の中央に近き慈裕宮に至り碑文、題額、圖額等を寫眞に收めたる後、時間不足の爲め當日は史蹟地を踏査するに止め、寫眞拓本等は次回に行ふ事に豫定を變更、國語講習所內の鐘氏石坊、公會堂横の石龜碑、文昌廟、三山國王廟、武聖廟等を巡回して午後五時四十分歸北。

第五回　六月廿一日

前回の下調査に基き午前八時新莊北條氏宅に集合、同氏の案内にてバスに便乘山脚に直行、淸子乾部落の泰山巖、次で義學の明志書院跡に赴き、乾隆二十九年興直堡新建明志書院碑、同治十三年敬文亭碑の拓本を採り、同所の廣東人より漁具、什器類を土俗標本に購入、崎子脚近くの泰山巖に至る、同寺は最近五回目の改修成りたる新建築なるもその沿革は古く、最近福建より沿革史料を謄寫し來りたる由を語つて居たが、本人不在中の爲め後日調査の事とした。

途中道光戊申胡母江太孺人の墓極めて整ひたるが、後裔の胡詮氏を訪れたるも現在は何等記錄する程のものは無かつた。

貴子坑附近から山腹に入り、同治六年塚埔禁碑を寫眞に收め、附近一帶の丘陵地に散在する坟墓を一巡せるも、乾隆四十六年秉烈王公之墓を最古とするものゝ樣であつた。新莊街への歸途、海山口、營盤等を視察せるも現在は訊防、狼火臺跡等は全く見られない。

午後二時慈祐宮に赴き、乾隆二十九年渡稅租額碑、聖母香燈碑、嘉慶十八年慈祐宮碑記を拓本とし、乾隆四十四年重修慈祐宮碑記、嘉慶十八年重修碑は周圍を改修中にて拓本不能の爲め後日に讓り武聖廟に至る。

同廟にて同治八年武聖廟取締碑の拓本、同治七年新庄縣丞郭志謙撰の新庄沿革文二面及び同治八年重興武聖廟碑記、同七年喜慶題名を寫眞に收めた。

更に三山國王廟に至り、乾隆十五年不當稅金取締碑を拓本、乾隆四十六年銘の鐘、乾隆四十八年銘の香爐等を寫眞に收め、公會堂の嘉慶二十一年商船取締碑、乾隆四十六年鄭朝安德政碑を拓本及寫眞に收めたるも、石龜碑は現在地面に伏せて拓本不能の爲め後日を期して午後五時歸北。

第六回　六月廿五日

午後三時臺北博物館に赴き、採炭禁示碑、謝打馬栄番界址碑、東南勢歸番管業界碑、光緒十一年客路須知

碑、光緒三年鳳山昭忠祠碑を拓本とし、題額は寫眞に收める事とし午後五時終了。

第七回　六月廿五日

午前八時半內湖庄役場着、直に碧山巖に向ひ、同寺の調査を行ひたるも光緒十二年初めて廟宇を築けるもの、史蹟の徵す可きものなく、歸途庄役場橫の陳遜言の墓地の寫眞、墓柱石の拓本を採り、晝食後內湖大坡より北勢に出で、乾港の內湖橋を渡り、本道を挾む上塔悠、下塔悠、東勢、下碑頭間の田畠中に散在する墓地の調査を行ひ、午後五時歸北した。墓地は恐く泉州人にして道光、咸豐を最古とし、共同墓地には清領時代のものは餘り見當らなかつた。

第八回　七月一日

舊曆五月三十日大稻埕隍爺祭典撮影の爲め午前九時永樂町四丁目許智貴氏を聯發商行に訪ひ、祭典行事の組織內容等を詳細に說明を受け、午前十時祭典執行までの餘暇を以て大龍洞調査を行ひ、同地の開拓者陳維英の舊宅を訪れ、擧人の旌柱、孝廉方正の額等を寫眞收め、同地三百三十二番地陳華堤氏宅にて清朝時代を偲ぶ舊式家屋、隘門等を寫眞に收め、豐富なる史料を得て正午陳天來氏宅に赴き、晝食後祭典の實況を悉く十六ミリに撮り午後五時歸途に就いた。當日は特に中村教授も同行された。

第九回　七月四、五日

八里坌、淡水の調査を行ひ、第五回新莊山脚方面調査の繼續調査として、四日土曜午後零時半バスに便乘山脚よりを調査、蛇子形、八里坌、舊城まで淡水河に沿ふ舊道を直行した。五股坑の溪流附近に墓地あり、嘉慶二十二年を最古とし、道光多く、光緒これに次ぐ。更に洲子部落を過ぎたる西雲岩、萬年塔口の建てる附近に少數の坟墓あるも記錄すべきものはない。

獅子頭より突角の斷崖に出づれば、關渡の對岸にて景觀極めて興味深く、北投平野を望みたる寫眞を多數撮影せるは久しき望を果したる感があつた。

蛇子形に同治十一年林氏の坟墓、舊態を存する民家に銃眼を備へたるを寫眞に收め、八里坌渡船場に渡船場修造碑、石敢當を拓本及び寫眞に收め、更に橋子頭を過ぎ字舊城六四番地林水益の家屋東側が八里坌檢丞の城壁の跡に沿ひたるを發見、同人より今春最後の城壁取壞しの狀況を聽取したるに周圍約四百間、高さ二丈、幅五尺の角城の由。夕暮迫り、午後六時八里坌渡船場より淡水海水浴場に渡つて宿營。翌五日午前八時宿營地出發、稅關、舊砲臺、領事館、龍山寺、慈祐宮を訪れ、龍山寺にて咸豐九年龍山寺石牌を拓本に、更に鄞山寺に赴き同寺取締碑二面を寫眞に收め、晝食後、午後一時發、淡水驛附近共同墓地にて光緒十四年英國人墓地取締碑を拓本とし、萬善同歸碑を寫眞に收めた。

中にも注目すべきは同墓地内に明已酉黃媽陳氏の墓あり、この年康熙八年永曆二十三年に相當するを妥當とすべく、現在調査したる坟墓中最古のものと考へる。竹圍附近にて局營バスに乘り午後四時半歸北。

第十回　七月十二日

社寮島ノールトホルランド城址調査に赴き、午前七時四十分臺北驛發八時三十分基隆驛著、市役所側の案內にて港內岸壁よりランチに便乘、午前九時より城址の實地測定を行ひ、不日發掘豫定の基礎調査を午後二時まで附近一帶に亙つて行ひ、午後四時歸北。

第十一回　自七月十六日 至同月二十六日

十六日午前九時臺北驛發、午後一時臺中州廳に二宮教育課長を訪問、十七日、十八日の兩日臺中圖書館會議室に主任細野氏の案內を受け、岸裡社文書、地圖類、總數二百餘點のリストを作製、充分研究の上、翌十九日は岸裡社を訪れ、潘永安氏宅裏庭に漢人侵佔示禁碑斷碑、大肚山分水嶺楊厝寮にて岸裡社西方界址碑二面を發見、岸裡公學校保管中の乾隆二十年代の埤圳取締碑と共にこれを拓本とし、翌二十日は東勢郡下に向ひ、土牛公學校附近の乾隆二十六年土牛之碑を拓本に、土牛の殘存するもの一基を寫眞に收め、更に大甲溪の對岸石圍墻にて對蕃警戒の石寨の蹟を寫眞に收め、土牛、石圍墻より大安溪岸の石壁坑に至る岸裡社東境線を踏査せんとするも夕刻にて不果、午後六時バスにて臺中に歸る。

二十一日より二十三日に至る三日間彰化の調査を行ひ、文廟にて乾隆二十五年重修邑學碑、光緒六年重修邑學碑、道光二十年重修彰化縣學碑、道光五年文廟臥碑、武聖廟にて雍正十三年關帝廟碑、乾隆二十六年重修關帝廟碑、咸豐二年善養所碑、道光二十四年武廟取締碑、元清觀にて元清觀碑、觀音亭にて道光二十年重修觀音亭碑、八卦山太極亭にて嘉慶二年太極亭碑、東門の樂耕門題字、彰化北門、及び新公園の嘉慶二十年義塚取締碑を拓本、八卦山墓地に最近改修された前明鄧國公、蔣國公兩鄭氏將佐の墓石を寫眞に收めた。彰化縣城碑、新建忠烈祠碑、留養局碑は現在不明にて古月井碑記のみ城隍廟に發見せられたる旨同地より報告があつた。

次で二十四日及二十五日の兩日は鹿港を調査、文廟にて同治八年重修文祠碑、嘉慶廿四年重修文武兩祠碑、道光二十七年租石取締碑、天后宮にて乾隆五十七年天后宮にて乾隆五十七年天后宮田產碑、嘉慶十二年重修天后宮碑、道光十四年重修天后宮碑、嘉慶二十一年天后宮碑、鳳山寺にて道光十年鳳山寺碑、乾隆五十五年海口章程碑、興化宮にて光緒十三年興化宮碑記、地藏庵にて嘉慶二十三年敬義園碑記、龍山寺にて道光十一年龍山寺碑、公會堂前にて船舶取締碑、興化宮前の宮埕界址碑、暗街の呪文碑を拓本とし、舊街の樣式遺蹟等を撮影した。

尙彰化より臺中慈惠病院に移轉せる乾隆五年、同治九年の養濟院碑の拓本を臺中博物館の吉田作太郎氏より惠贈されたが乾隆二十九年留養局碑記のみは未だ所在不明。

二十六日午後一時臺中驛發歸北茲に十日間に亙る調査も豫定通り完了する事が出來た。

第十二回　九月二十二、二十三日

午前九時五分臺北驛發急行にて新竹に向ひ、同十時四十分新竹着、州、市當局の案内及び山村敎諭の世話で午後一時より市内の調査を行つた。

新竹新公園に移轉せる道光九年淡水廳城碑記の拓本を行ひたるも突風の爲工作進捗せず、午後三時半漸く完了し直ちに北門城隍廟に赴き管理人等の說明を受け、廟内を一巡したるも諸設一新して記錄すべきものなく、次で爽吟閣、潛園、楊氏の石坊を撮影、午後五時南門李濟臣氏宅を訪れ、同氏の二代祖李光謙氏の墓地其の他石坊等の寫眞を借覽、午後六時南寮の宿舍林間學校に向ふ。

翌二十三日午前九時公學校前及び涌雅庄の石坊調査に向ひ、汪氏、蘇氏、李錫金、張氏の各孝子旌表を撮影、歸途公學校附近の民家々畜小屋に同治七年萬年橋碑、道光二十一年、光緒十三年各重修碑を側壁代用にせるを發見せるも拓本、撮影共に不能なる爲め一讀せるに止めた。

更に北門にて鄭氏祖廟を訪れ、鄭用錫の像を寫眞に收め關帝廟に至る。同所にて乾隆四十二年關帝廟碑二面を拓本。午後一時半第一公學校内文廟を訪れたるも、道光五年文廟碑、光緒十三年創建試院碑、順治九年欽碑何れも所在不明にて史料湮滅甚しきに一驚した。

次で南門外竹蓮寺に至り、光緒元年義路修造碑及び近くの巡司埔井を撮影し更に大衆廟に至り嘉慶十六年大衆廟碑を拓本、午後五時調査を終了した。

碑文の失はれたるもの約十基、祠廟、寺觀の荒廢甚しく、史蹟の滅絶甚しきを感じた。

午後六時四十分發列車にて歸北。

第十三回　自十一月廿一日 至十二月三日

新竹市近郊より臺中市近郊に至る縱貫鐵道海岸線沿道の二州下、新竹、竹東、竹南、苗栗、大甲、大屯六郡の調査を行ひ、今夏七月調査せる豐原、彰化、東勢を一圓とする第十一回臺中州下調査と第十二回、新竹市調査との中斷部分を補充し、清朝時代理蕃拓殖の遺蹟を調査する目的を以て十一月二十一日午前七時十五分臺北驛發、同九時十五分竹北驛下車直ちに新竹市の北郊たる新社、舊社より調査を開始した。

新社に於ては郭清波氏宅に民國庚午年重鐫郭氏家譜目錄全副共四十一本三十五卷を借覽したが、後龍方面より遂次新竹平野の開拓に從事せる郭氏一家の記錄たると同時に、同地方の有力なる研究資料なる事、及び家譜の現存するもの少き現在極めて重要視すべきものと考へ殘餘を問ふたが、大甲郡日南の郭木火氏唯一本を藏するのみなるを答へたので、他日を期して同家を辭した。嘉慶十三年義渡碑は四、五年前移轉したるまま所在不明にて遂に發見出來ず、更に舊社に至り道光二十七年新建寄靈庵碑を拓本した。翌廿二日竹東郡芎林庄に赴き、廣福宮にて同治六年禁龍脉義務碑、光緒二十年義渡碑を拓本とし、長生橋碑を調査せるも寄附者名のみ記せるもの、嘉慶二十三年長生橋碑、同治六年長興橋碑、庚十年呈星橋碑、咸豐六年來安橋碑、全五枚なればそのまゝ新埔內立庄に向ひ、光緒九年禁絕斷龍脉碑を調査せるも所在不明、亦光緒十四年示諭民番和好碑を調査するに竹東郡南河の所在なる事判明、時間不足の爲め六家庄界址を調査せるも史蹟無く、石碑には清朝時代界址、枋藔を貫く渡牛滞の存在せる事及び官有放牧に關する碑二基存せるも改隷當時庄民土地私有の爲め何處にか埋滅せる由にて所在不明のまゝ歸新。

廿三日香山庄役場に赴き調査書類を一覽せるも新竹市南門外巡視埔の南方、青草湖附近に劉銘傳周遊せる跡を有するのみなるを以て、一路竹南に向ひ頭分の東方土牛を調査せるもその遺蹟は發見し得なかつた。更に中港に向ひ媽祖宮にて乾隆五十三年勘定地界碑、道光六年漳泉和睦碑を拓本し、後庭に石斗一基を發見撮影して、溫子頭にて同治十年吳福橋碑を寫眞に收めて歸新。

廿四日後龍に赴き後龍底に鄭崇和の墓を訪れ、石人、石馬、石羊、石筆、石虎を備へたる全島稀有の壯麗なる坟墓様式を多數寫眞に收め、同街に戻り同氏の鄉賢祠を訪れたるも震害の爲め破壞し、石碑は地に臥したるを寫眞に收めて、媽祖宮に至り、同治十四年風俗取締碑を拓本した。

更に新港社の遺蹟を求める爲め舊頭目家の劉連震氏の案內で同社の教會堂跡及び同治十年教會堂重修寄附碑を撮影、鍾天水五十八歲なる者が十四、五歲頃本島人牧師より習得せるローマ字を現在幾分覺え居るを發見、姓名その他を記錄させて大甲に向ふ。

廿五日苑裡に赴き房裡順天宮の義渡碑を拓本、苑裡慈裕宮の乾隆三十八年慈裕宮碑記三枚を寫眞に收めて猫盂に赴きたるも熟番は多く北方苑裡坑に移住せる爲め、日北舊社たる舊社、山脚、青埔を訪れ、郭嘉壽氏宅にて乾隆五十三年陂水開工約字を寫眞に收め、舊通事の蔡江芳氏宅裏の社學跡を寫眞に撮り歸甲。

廿六日大甲街調査を始め北方鐵砧山上に鄭成功井を求め撮影せるも、光緒年間の碑は發見し得ず他日を期して營盤口に下り、同治八年大甲開始碑を民家の土壁下より發見拓本して鄭燕池氏を訪れて文官五品武官六品の禮裝を撮影した。

廿七日清水街に赴き紫雲巖にて乾隆五十三年番埔取締碑を拓本、文昌廟跡を撮影、更に梧棲に至りたるも同街は震害甚しく廟宇悉く荒廢して史蹟の見る可きもの無く、次で大庄に赴き同地浩天宮にて道光十二年番埔取締碑、光緒二十年五福圳碑、道光辛卯開拓取締碑を拓本、道光二十年浩天宮重修碑を撮影して歸甲。

廿八日沙鹿に赴き遷善南北社八月十五日走戯の時競いて水を汲む男女井を撮影、同社墓地約十步の最近整理せられたる跡を調査せるも副葬品多數臺中教育博物館に收容せられたる後であつた。玉皇殿にて光緒十一年番埔取締碑を拓本して臺中に向ひ西屯庄水堀頭に乾隆十三年岸裡社南境界碑を求めた。

同碑は大肚山麓自動車路近くの蔗園中に立ち、調査期日遲延の爲め惜しくも餘人に發見された怨みを殘すものだけ薄暮の中に一人拓本する氣持は忘れられない。上石碑下石碑は調査せるも石碑の有つた模樣はない。

廿九日再び大甲街にて大甲土城の遺蹟を撮影、道光十三年長末笄之妻貞女林氏石坊、同旌表碑を撮影、道光十年東門義路碑、咸豐八年漳泉碑記、鎭瀾宮にて同治八年大甲諸社祖石碑、同年德化社碑記を拓本した。

三十日苗栗に赴き光緒九年劉氏妻賴氏石坊を撮影せるも同街亦震害の爲め廟宇の爲め廟宇の荒廢甚しく資料の得るもの少かつた。

十二月一日銅鑼に赴きたるも觀音廟にて同治六年喜慶題名碑あるも寄附者名のみなるを以て寫眞に收め、牛背山を繫ぐ石敷きを撮影したるのみにて、震害の整理も終らぬ同地より歸苗。

二日南勢に後龍新港社より移住せる熟番部落猫閣社を訪れたるも潘進發氏は當社は小社にして文書記錄等を清朝政府より直接受けたる事なしとて何等後る所無かつた。

三日苗栗發歸北二週間に近い調査を終へたが豫期以上の資料を得たのは幸であつた。

第十四回　十二月十三日

十二月十三日午前九時半板橋驛集合、林家の正堂、庭園を一巡、資料の調査を行ひたるも新莊街に現存する鍾氏石坊の聖旨の題額をこゝに保存せる外何等記錄すべきものなく、更に東部に出でゝ林家鄭太夫人の墓を撮影して、大觀義學に至つて、同治十二年義學碑を拓本、喜慶題名碑は寫眞に收めた。

次で慈裕宮接雲寺を巡回せるも記錄すべきもの見當らず午後四時歸北。

第十五回　昭和十二年一月二十四日

午前九時龍山寺に集合、同寺内の道光九年龍山寺碑記二面を拓本、同じく道光九年銘國泰民安之鐘を撮影慈暉遠蔭の光緒御筆を始め乾隆、嘉慶、同治年間の多數の匾額を調査寺觀内部の結構を撮影した。

同寺を出でたる龍山寺町二丁目二十番地黄酉宅前に乾隆七年銘の公秤を發見、交渉の結果寄贈を受けたが、上部に神の一字を刻したるを見ても嘗ては龍山寺に備へた公秤であつたものと考へられ意外の收穫であつた。

次で龍山公學校の南隣に高氏宗祠あつて、乾隆己酉年高德璜の文魁を初め、兵部尚書、廣南巡撫、宗開國侯、兵部侍郎等の美事なる匾額を揭げてあるのは珍しかつた。

更に黄氏家廟を尋ねたが奉政大夫黄昭爵その他二、三の位牌を備へるのみであつたが、有明町に出で劉氏家廟を調査せる　百餘の位牌併列し、正面に道光戊申劉韻珂書の劉氏家廟の額を揭げてある。

次に靑山王廟を訪れたるも改修中にして　且資料の記すべきものなく、近くの媽祖宮に至り、光緒二年租額碑を拓本、乾隆壬子年銘鐘を撮影、更に新起町第三高女前に出で、漳泉械鬪の遺蹟と稱する防壁の約二間程殘存せるを撮影して、午後三時調査終了。

第十六回　一月三十一日

午前九時公館集合、寶藏巖にて嘉慶十四年觀音亭碑、驛附近鐵路傍にて咸豐元年坡圳取締碑を拓　同街の撮影を終つて、景尾の集應廟を訪れた。同廟は高姓の守護廟にて同治六年の匾額を有するのみで、景尾溪の近く明治四十二年の開道碑を撮影して木柵に向ふ。同地には張姓の集應廟あつてその匾額多く、光緒二十年對番防禦の木柵を以てその地名にした近傍を撮影、更に午後一時同地發、深坑を經て舊宜蘭越道路の要地石碇に到着したのは三時過ぎ、景尾溪の上流山側に築かれた異樣な街の寫眞多數撮影して六時バスにて歸北。

第十七回　二月七日

古亭町東南方、長慶廟より順次新店溪に沿て水源地に到る間に點在する坟墓を調査せるに咸豐最も古く、光緒のもの多數を占め競馬場附近に旌節孝勅授孺人號誠徳李嬬林太安人の墓があるが、水源地附近の奉政太夫麟生向の墓と共に調査を要するものと考へる。附近の寫眞を撮影、十時對岸中和庄に渡り景尾に播居した秀朗社の舊跡を撮影、午後三時歸北。

基隆ノールト・ホルランド城址發掘

基隆社寮島の和蘭城址ノールト・ホルランドは曁に總督府史蹟名勝天然紀念物調査會に於て史蹟に指定保存を講ぜられて來たが、近くドック會社建設工事開始に決したので、それに先だち基隆市役所の依頼を受け、陸軍當局の諒解の下に、昭和十一年十月十九日より同城址の發掘調査を行ふ事となつた。

卽ち岩生教授を主任として、宮本助手・中村副手外數名の調査で東堡壘バタリーを據點として、北側ゼーブルク、南側ド・カツトの線の發掘を開始した。バタリーを中心に南北に走る城壁バタリーの内部構造、陸門附近の宅地を調査、多數寫眞を撮影、これがスケッチを小早川篤四郎氏に依頼し、石柱底部・石材裝飾・永曆錢・和蘭パイプ・壺等の發掘品を得た。

十二月十日に至つてバタリーの根本的調査のみは完成したが、城址内の宅地の部分は民家の立退を必要とする爲め、後日を期する事となつた。此等調査の結果に關しては近く發表の機會を得る筈である。

臺灣史料展覽會

臺灣史料調査室に於ては、昭和十一年六月開設以來の收獲中、拓本六十六點、史料寫眞二百餘枚を選擇、學内及び一般識者の參考に資し、兼ねて今後調査の便宜を得んが爲め、同年十月九、十兩日土俗學教室及標本室に之を陳列、第一回臺灣史料展覽會を開催した。當日は官廳・學校關係者を始め、民間有識多數の來觀あり、盛會裡に所期の目的を達した。

清朝時代古文書の蒐集

臺灣史料調査室に於いては現地調査の傍ら根本資料の蒐集に努力して來たが、此度前臺北地方法院長大里武八郎氏の盡力に依り現在高等法院に保管中の清朝時代古文書千百四十袋數千通を譲受ける事となり、昭和十二年六月二日主任中村教授は大里氏と共に高等法院長齋藤三郎氏を訪問無事本學に引繼を了した。右古文書は内容及數量を見るも臺灣史研究の根本資料たるに止らず、廣く支那法制史研究上の貴重なる史料であつた。

研究室消息

國史學講座では數年前、沖繩縣那覇市郊外久米村で發見され、現在沖繩縣立圖書館に收藏されて居る琉球歷代寶案を筆寫して居る。同寶案は明朝洪熙元年（一四二五）より、清朝同治年間に至る約四百年間の琉球外交文書案文を集錄したもので、第一集は康熙三十六年（一六九七）舊案によつて抄收された四十九本より成つて居る。（但現在定本に非ず）本學では既に第一集の寫本を完了し、現在第二集以下を影寫續行中である。これが完成すれば日・琉・支間の通交關係は云ふに及ばず、臺灣・南海方面史の研究に一大光明を與へる事であらう。

南洋史學講座では兩三年來繼續中の内閣文庫所藏華夷變態三十五の完本の影寫を終了した。同書は林春齋の撰に係はり、正保元年（一六四四）に始り、享保二年（一七一七）に終る約七十年間の海外ニュースを集錄したものである。謝國禎氏は世間流布の五卷本を評して「今此本儼然具在、不可不謂珍本矣」（晩明史籍考）と云つて居る位であるから、三十五卷本の價値に就いては云ふ迄もあるまい。此書もとより傳聞の誤なしとはしないが、明末清初の對外關係史料として、特に臺灣に於ける鄭代を中心とする關係史料としてユニークな記事が頗る多い。

昭和十二年六月九日、東久邇宮稔彦王殿下の本學御成りに際し、史學科では十七世紀に於ける日本人海外發展に關する諸資料を陳列、台覽に供し、岩生教授之が御説明を申上げた。台覽品目録は大要左の如くである。

一、十七世紀日本人南洋發展歷史地圖
一、同人口表
一、茶屋船交趾貿易圖（模寫）
一、フェフォ日本橋（寫眞）
一、フェフォ郊外日本人谷彌次郎兵衞、具足君墓碑（拓本）
一、五行山華巖洞內普陀山靈中佛重修碑（拓本、寫眞）
一、暹羅國アユチヤ日本人町圖數種
一、山田長政、おんぷら純廣活躍資料
一、バタビヤ在住日本人結婚登錄表
一、バタビヤ在住日本人ミヒール惣兵衞墓碑（拓本、寫眞）
一、村上武左衞門、濱田助右衞門俊永諸資料
一、比律賓マニラ市日本人增加表
一、マニラ市日本人町圖
一、末吉船圖（模寫）
一、暹羅國、東埔寨國渡海御朱印狀（影寫）
一、角屋家藏航海圖（寫眞）

東洋史講座では明清時代關係資料として左の如き圖書及び銅板畫を今春購入した。

圓明園圖	二十枚
御筆平定西域戰圖	三十四枚
同　縮圖	十七枚
御筆平定兩金川戰圖	十六枚
御筆平定安南戰圖	六　枚
黃河上流地圖	三　枚
淡水基隆戰爭圖及督師閩防圖	三　枚
昭忠祠列傳福康安傳	一　冊

皇明世法錄

清史稿

土俗人種學講座の近況は次の如くである。

タツキリ遺跡の調査——花蓮港廳のタツキリ峡口の海岸の土中からは土器、人骨その他の出土品が發見された事が屢々報告されてゐたが、今回又人骨、土器に交つて金細工品の出土品があつたとの報告を得、昨年十月中旬約一週間に亙り移川教授は宮本助手を伴ひ現場を調査する所があつた。いづれその結果は報告する筈。

高砂族、言語、音樂のレコード吹込——高砂族の固有音樂と言語を保存する意味と、且つ音聲學及音樂理論の研究資料とするため、レコードの製作を言語學研究室と協同で開始した。十吋盤兩面電器吹込で、既成は九枚十八面である。今後續々繼續し、何等かの方法で一般同好者に頒布したい考である。既成の曲目は、宜蘭熟蕃の昔話、歌、新竹州サイシャット族の歌、笛等である。

東京人類學會、日本民族學會聯合大會。本年三月一十九日から三日間東京帝大で開催された同大會には當研究室より宮本延人助手が出席した。尚在京の本學史學科卒業の馬淵東一氏は係員として參加した。尚本大學關係者としては理農學部の增田福太郎助教授、醫學部の宮內悅藏助手の出席、金關丈夫教授の論文提出があり、臺灣の民族學、人類學に對する熱意を充分に示すに足るものがあつた。

最近購入圖書中の主要なもの

Ars Asiatica　一九一二年より十九册

纂組英華(昭和十年、滿洲國立博物館)　本文二册、解說三册

南方土俗學會例會

第三十四回例會　昭和十二年一月二十三日

比律賓ザンバレス・ニグリト族調査報告豫報

淺井惠倫

未開社會に於ける私有觀念の發達經路に就いて　移川子之藏

第三十五回例會　昭和十二年五月十四日

臨時臺灣舊慣調査會に就いて　大里武八郎氏

堀田眞猿氏

昭和十一年度卒業生氏名及論文題目

昭和十一年度史學科卒業生及その卒業論文題目は左の如くである。

國史專攻

享保時代の奢侈禁令　鈴木猛雄

南洋史專攻

鄭成功の臺灣攻略　齋藤悌亮

史學科研究年報既刊目次

第一輯（昭和九年五月）

近世に於ける出版取締法發布の沿革と出版手續法竝に檢閱制度　中村喜代三
日本と金銀島の關係形態の發展　小葉田淳
南洋崑崙考　桑田六郎
金朝行臺尙書省考　青山公亮
ジャガタラの日本人　村上直次郎
長崎代官村山等安の臺灣遠征と遣明使　岩生成一
米國人の臺灣占領計畫　庄司萬太郎
「パツ」を周る太平洋文化交渉問題と臺灣發見の類似石器に就いて　移川子之藏

第二輯（昭和十年六月）

ジャガタラの日本人補遺　村上直次郎
南洋日本町の盛衰　岩生成一
歷代行臺考　青山公亮
鎌倉時代に於ける博奕の社會的考察　中村喜代三
足利時代明錢輸入と國內流通事情　小葉田淳

第三輯（昭和十一年九月）